N.R.F. *Biographies*

ARTHUR GOLD
ROBERT FIZDALE

SARAH
BERNHARDT

Traduit de l'anglais et annoté
par Jean-François Sené

GALLIMARD

Titre original :

THE DIVINE SARAH
A Life of Sarah Bernhardt

© *1991, by Robert Fizdale.*
This translation published by arrangment with Alfred A. Knopf, Inc.
© *Éditions Gallimard, 1994, pour la traduction française.*

À MICHEL DE BRY

qui, le premier, célébra hautement la mémoire
de Sarah Bernhardt. C'est lui qui nous a donné si
généreusement l'opportunité d'étudier et de citer les lettres et les documents de sa collection de
Bernhardtiana, et, plus généreusement encore,
de partager avec nous sa connaissance profonde
du sujet de notre livre.

ET À THIERRY BODIN

qui nous a non seulement guidés dans nos
recherches sur Sarah Bernhardt, mais également
présenté les membres de son entourage. Son
érudition éblouissante, son enthousiasme conta-
gieux nous ont été précieux et l'hospitalité que
lui-même et Pierrette, son épouse, nous ont
accordée fut des plus chaleureuses.

Note des auteurs

Nous tenons à exprimer ici notre profonde gratitude pour le précieux concours qu'elles nous ont apporté aux personnes et aux institutions suivantes : la Bibliothèque nationale et Mme Callut, conservateur en chef au département des manuscrits ; la bibliothèque de l'Arsenal, Mlle Giteau, conservateur en chef de la bibliothèque des Arts et du Spectacle, ainsi que ses collaboratrices : Mme Faure, Mlle Tourniac et Mlle Drouin ; la bibliothèque de la Comédie-Française et son conservateur, Mlle Noelle Guibert ; le musée d'Orsay et sa directrice, Mme Françoise Cachin ; le musée du Petit Palais et son conservateur en chef, Mme Thérèse Burollet ; la Bibliothèque Historique de la Ville de Paris, le musée de l'Armée et M. Vergnaud du secrétariat de l'E.C.P.A. Nous souhaitons également remercier le fonds Zola de la Bibliothèque nationale (pour la lettre de Sarah Bernhardt à Zola), le musée Rodin, le musée des Beaux-Arts de Dijon, ainsi que le musée du Petit Palais de Genève, le Victoria and Albert Theatre Museum de Londres et son directeur, Sir Roy Strong, la Harvard Theatre Collection de Cambridge (Mass.) et sa directrice, le Dr Jeanne Newland, et la Public Library of the Performing Arts de New York.

Il nous est impossible de citer ici les très nombreuses personnes qui nous ont apporté leur aide mais nous aimerions remercier tout particulièrement le prince et la princesse de Ligne La Trémoille, la baronne Élie de Rothschild, le prince Amyn Aga Khan, Jane Lady Abdy, Anka Muhlstein et Louis Begley, Sydney et Marit Gruson, Paul et Lucille Audouy, M. et Mme Angelo Torricini, Charles Oulmont, le regretté Henri Sauguet, Giorgio Strehler, Daniel Stes, Giacchino Lanza, Georges Liebert, Mlle Annette Vaillant, Denise Blum, Nanos Valaoritis (qui nous a donné une photographie de son grand-oncle, Damala), les frères Pierre et Jacques Loti-Viaud (non seulement pour nous avoir autorisés à citer des lettres et des extraits du journal de Pierre Loti, mais aussi pour le temps qu'ils ont consacré à retrouver ces documents pour nous), la princesse Mario de Ruspoli (pour nous avoir aimablement permis de citer les lettres que son grand-père, Charles Haas, a reçues de Sarah Bernhardt), Mme Claudine Loste, Alain Lesieutre (pour nous avoir permis de reproduire les photographies de Sarah Bernhardt de ses archives, ainsi que les tableaux de Clairin de Sarah dans *Théodora* et *La Vierge d'Avila* de Sardou, et l'affiche de Clairin pour *La Tosca*), Mme Colette Monceau (qui décrypta l'écriture de Sarah), Bernard Minoret (qui nous a fait partager sa connaissance de l'histoire du théâtre français), la regrettée Madame Terka Reichenbach (petite-fille de Sarah, pour la photographie de Maurice Bernhardt adulte) et son fils, le photographe Georges P. Clemenceau (qui, avec l'aimable concours de sa cousine, Mlle Marie-Louise Barberot, a reproduit les photographies de sa famille), Jean-Pierre Richepin (pour la photographie du poète et dramaturge Jean Richepin qui fut l'une des grandes passions amoureuses de Sarah), la Morgan Library de New York (pour avoir autorisé la publication des lettres enflammées que Sarah envoya à Richepin), et la grande actrice Irene Worth (qui nous a signalé l'existence de cette correspondance).

Il nous faut aussi remercier Sir John Gielgud, qui a évoqué pour nous ses souvenirs de Sarah Bernhardt qu'il avait vue sur scène alors qu'il était âgé de quinze ans. Ses impressions rappellent par leur sensibilité et leur précision le portrait que Proust fit de Sarah au travers du personnage de « la Berma ». Sir John nous a dirigés vers son collègue, Richard Bebb, qui mérite notre gratitude éternelle pour nous avoir fait écouter tous les enregistrements de Sarah Bernhardt.

Nous remercions Dario Cecchi, le comte Ghislain de Diesbach, Jean-Claude Eger, Philippe Gand, Paul Lorenz, Georges Lubin, la comtesse Guy de Beaumont, Claude et Ida Bourdet (qui mirent leurs archives concernant le docteur Pozzi à notre disposition), le regretté André Bernheim, André Rieupeyrout (qui nous invita à une projection de *Ceux de nos jours*, film documentaire muet de Sacha Guitry, où l'on voit Sarah radieuse déclamer un texte quelques semaines après l'amputation de sa jambe), maître Claudine Herrmann, Raymond Mander et Joe Mitchenson, la regrettée Delphine Seyrig, Mme Suzanne Fessart, William Weaver et la librairie Garnier-Arnoul. Toutes ces personnes (et bien d'autres encore) ont apporté une contribution précieuse à ce livre.

Enfin il nous faut exprimer notre gratitude à notre éditeur, Sonny Mehta, à ses collaborateurs ainsi qu'à Bob Gottlieg, Carol Janeway, Robin Swados, Kevin Bourke, et Iris Weinstein pour la conception de l'ouvrage. Ils ont chacun contribué à rendre notre travail avec les éditions Knopf particulièrement agréable. Il nous faut encore remercier nos photographes Philippe Doumic, Jean-Loup Charmet et Jakob Mydtskov, ainsi que deux Françaises remarquables qui nous ont aidés dans nos recherches, Liliane Ziegel et Claude Nabokoff, sans qui ce livre ne serait pas.

PROLOGUE

Mark Twain déclara un jour : « Il y a cinq sortes de comédiennes : les mauvaises, les passables, les bonnes, les grandes — et puis il y a Sarah Bernhardt. » S'il plut ainsi à Mark Twain de porter Sarah au pinacle, George Bernard Shaw prit certainement tout autant de plaisir à la détrôner lorsqu'il évoqua le « caractère puérile et égotiste de son jeu qui n'est en rien l'art de vous inspirer des pensées plus élevées ou des sentiments plus profonds, mais bien celui de vous la faire admirer et prendre en pitié, de vous obliger à vous en faire le défenseur, et de pleurer avec elle, rire de ses plaisanteries, suivre en haletant ses bonnes ou mauvaises fortunes pour l'applaudir enfin frénétiquement lorsque le rideau tombe. Il s'agit de l'art de mettre à nu vos faiblesses et d'en jouer — de vous cajoler, vous torturer, vous impressionner — en somme de vous tromper... ».

Certes le rôle du comédien consiste à tromper le public mais Shaw n'était pas homme à se laisser abuser. Il se jugeait investi de la mission d'éclairer un monde plongé dans les ténèbres. Sarah ne partageait pas la même foi. Elle vivait pour magnétiser, éblouir, leurrer le public et lui révéler les mystères de la sensualité et de l'illusion poétique. Shaw était le rocher de la vérité ; Sarah, la sirène allongée sur le rocher, la queue plongeant dans les eaux traîtresses qui l'environnent, le visage levé vers la lune.

D. H. Lawrence ne partagea pas les sentiments de Shaw lorsqu'il vit Sarah Bernhardt dans *La Dame aux camélias* au Théâtre Royal de Nottingham. Il avait alors vingt-trois ans, la comédienne quarante de plus.

> Elle est là [écrivit-il], incarnation de l'émotion violente que nous partageons avec tout ce qui vit, mais qui est concentrée en nous en une chose complexe et une fureur impénétrable. Elle représente les passions primitives de la femme et elle est extraordi-

nairement fascinante. Moi-même je pourrais aimer une telle femme, l'aimer à la folie ; uniquement pour la simple passion violente de la chose. Prenez garde avant d'aller voir la Bernhardt. Ne le faites que si vous êtes parfaitement sain d'esprit. À présent encore, lorsque je pense à elle, je ressens ce poids dans ma poitrine pareil à celui que j'ai senti pendant des jours après l'avoir vue. Ses manières douces et charmeuses, ses petits murmures plaintifs et tristes, ses terribles feulements de panthère, et puis les horribles sons inarticulés, les petits sanglots qui vous déchirent, le désespoir et la mort ; c'est beaucoup trop pour une seule soirée.

En 1885, alors qu'il étudiait à Paris l'hypnose et la neurologie auprès de Jean Martin Charcot, le jeune Sigmund Freud vit Sarah Bernhardt dans la *Théodora* de Sardou, mélodrame de la luxure, du sadisme et du péché, sujets que le futur psychanalyste aborderait plus tard d'une façon que le dramaturge n'aurait pu imaginer. Mais, comme Lawrence, il succomba sans résistance, lui qui explorait les pouvoirs de l'hypnose, aux dons de magnétiseur de la comédienne :

> Je ne peux rien dire de bon sur la pièce elle-même... Mais comme cette Sarah joue ! Après les premiers mots de sa voix vibrante et belle j'ai eu le sentiment que je la connaissais depuis des années. Rien de ce qu'elle aurait pu dire ne m'aurait surpris ; je croyais immédiatement la moindre de ses paroles... Je n'ai jamais vu un personnage plus comique que Sarah dans le deuxième acte lorsqu'elle apparaît dans une robe simple, et cependant les rires s'arrêtent bientôt car le moindre centimètre de ce personnage vit et vous ensorcelle. Et puis il y a ses flatteries, ses implorations et ses étreintes ; il est incroyable de voir quelles attitudes elle est capable de prendre et comment chaque membre et chaque articulation jouent avec elle. Un être étrange : il m'est facile d'imaginer qu'elle n'a nullement besoin d'être autre à la ville qu'à la scène [1]*.

Les sentiments de Freud pour Sarah étaient plus qu'un simple engouement d'étudiant. Pendant des années une photographie de l'actrice accueillit ses patients dans son cabinet. Nous ne savons pas s'il exposait cette image parce qu'il y voyait un symbole de l'éternel féminin, ou de la femme éternellement névrotique, ou parce qu'il s'intéressait aux rapports existant entre le jeu dramatique et la vie. Si cette dernière explication est la bonne, Freud n'était pas le seul. La fascination qu'exercent les grandes tragédiennes — de Rachel à Garbo et de Sarah Bernhardt à Maria Callas — s'explique par le pouvoir de suggestion non seulement de leur art, mais aussi de la vie qu'elles ont menée.

* Toutes les notes ont été regroupées en fin de volume, p. 343.

Nous sommes avides de percer les secrets de ces créatures fantasmatiques qui jouent de nos émotions, éveillent nos désirs et mettent en scène nos rêves. Intimes le temps d'une soirée, elles se font proches et nous touchent avec une immédiateté qui fait paraître nos existences bien mornes en comparaison. Comme ces reines mythiques qu'elles incarnent, leur égotisme nous intrigue et nous pardonnons leurs caprices tyranniques, qui seraient intolérables chez de simples mortels, avec cette indulgence que l'on a pour les rêves impudiques.

Le poète et dramaturge Edmond Rostand a bien saisi le caractère volcanique de Sarah Bernhardt, alors âgée de cinquante-cinq ans, dans la préface qu'il a écrite pour la biographie que Jules Huret a consacrée à la comédienne. La scène se passe en 1899 :

> Un cab s'arrête devant une porte ; une femme, dans de grosses fourrures, descend vite ; traverse la foule, [...] ; monte légèrement un escalier en colimaçon ; envahit une loge fleurie et surchauffée ; lance d'un côté son petit sac enrubanné dans lequel il y a de tout, et de l'autre son chapeau d'ailes d'oiseau ; mincit brusquement de la disparition de ses zibelines ; n'est plus qu'un fourreau de soie blanche ; se précipite sur une scène obscure ; anime de son arrivée tout un peuple pâle qui bâillait là, dans l'ombre ; va, vient, enfièvre tout ce qu'elle frôle ; prend place au guignol, met en scène, indique des gestes, des intonations ; se dresse, veut qu'on reprenne, rugit de rage, se rassied, sourit, boit du thé ; commence à répéter elle-même ; fait pleurer, en répétant, les vieux comédiens dont les têtes charmées sortent de derrière les portants ; revient à sa loge où l'attendent des décorateurs ; démolit à coups de ciseaux leurs maquettes, pour les reconstruire ; n'en peut plus, s'essuie le front d'une dentelle, va s'évanouir ; s'élance tout d'un coup au cinquième étage du théâtre, apparaît au costumier effaré, fouille dans les coffres d'étoffes, compose des costumes, drape, chiffonne ; redescend dans sa loge pour apprendre aux femmes de la figuration comment il faut se coiffer ; donne une audition en faisant des bouquets ; se fait lire cent lettres, s'attendrit à des demandes... ouvre souvent le petit sac tintant où il y a de tout ; confère avec un perruquier anglais ; retourne sur la scène pour régler l'éclairage d'un décor, injurie les appareils, met l'électricien sur les dents ; se souvient, en voyant passer un accessoiriste, d'une faute qu'il commit la veille, et le foudroie de son indignation ; rentre dans sa loge pour dîner ; s'attable, magnifiquement blême de fatigue, en faisant des projets ; mange, avec des rires bohémiens ; n'a pas le temps de finir ; s'habille pour la représentation du soir, pendant qu'à travers un rideau le régisseur lui raconte des choses ; joue éperdument ; traite mille affaires pendant les entractes ; reste au théâtre, le spectacle terminé, pour prendre des décisions jusqu'à trois heures du matin ; ne se résigne à partir qu'en voyant tout le personnel dormir respectueusement debout ; remonte dans son cab ; s'étire dans

ses fourrures en pensant à la volupté de s'étendre, de se reposer enfin ; pouffe de rire en se rappelant qu'on l'attend chez elle pour lui lire une pièce en cinq actes ; rentre, écoute la pièce, s'emballe, pleure, la reçoit, ne peut plus dormir, en profite pour étudier un rôle[2]...

I

Une enfance entre le diable et le Bon Dieu

En 1907, à l'apogée de sa gloire, Sarah Bernhardt publie ses Mémoires, *Ma double vie*, dont le titre laisse espérer des révélations sur sa vie privée comme sur sa carrière d'actrice. L'ouvrage promet plus qu'il ne tient car, alors qu'il semble présenter une femme d'une franchise désarmante, une lecture plus attentive nous montre l'archétype même de la comédienne jouant, à la perfection il est vrai, le rôle d'un personnage qui n'est autre qu'elle-même. Dans les autoportraits, écrits ou peints, l'artiste est libre d'adopter la pose de son choix. Sarah choisit de se représenter de trois quarts, procédé destiné à se protéger et à cacher cette part d'elle-même que ses admirateurs auraient pu juger discutable ou sordide. Se sachant l'une des femmes les plus célèbres de son temps, elle se méfiait de la curiosité du public et préféra ne pas en dire plus sur sa vie qu'elle jugeait convenable. Ainsi elle omet les moments les plus sombres de son existence, censure le nom de plusieurs amants, et ne fait que de rares allusions à Maurice, son fils illégitime qu'elle adorait. Cependant le génie protéiforme de Sarah Bernhardt était à l'image de sa personnalité complexe ; ses liaisons, ses passions et ses crises de neurasthénie n'étaient pas indissociables de sa beauté, de son charme, et de son ambition démesurée. Malgré son souci de discrétion, Sarah commence son récit par une pique contre sa mère qui joue dans les Mémoires le rôle de la traîtresse bien-aimée. Ses premiers mots, sous une apparence de détachement, sont empreints de rancœur et — car les blessures de l'enfance ne se referment jamais complètement — d'un ressentiment durable :

> Ma mère adorait voyager. Elle allait d'Espagne en Angleterre ; de Londres à Paris ; de Paris à Berlin. De là, à Christiania ; puis revenait m'embrasser et repartait pour la Hollande, son pays natal.

Elle envoyait à ma nourrice : des vêtements pour elle, et des gâteaux pour moi.

Elle écrivait à une de mes tantes : « Veille sur la petite Sarah, je reviendrai dans un mois. » Elle écrivait à une autre de ses sœurs, un mois après : « Va voir l'enfant chez sa nourrice, je reviens dans quinze jours. »

[...] Ma grand-mère était aveugle [...] et mon père était en Chine depuis deux ans. Pourquoi ? Je n'en sais rien [1].

Sarah, dès le lever de rideau sur l'acte I, scène 1 de sa vie, avait trouvé le ton, le rythme et l'attitude provocatrice qui convenaient à son entrée en scène. Habilement elle jonglait, ainsi que tout comédien doit le faire, avec la vérité et l'illusion, les présentant tour à tour l'une pour l'autre. Dans les pages suivantes elle dirige les projecteurs sur certains personnages tandis que d'autres, ses intimes dont les secrets, comme les siens, doivent demeurer inaccessibles, restent dans l'ombre. Et cependant, lorsqu'elle embellit ou falsifie les faits, elle entraîne ses lecteurs dans un univers fascinant et leur donne une image de sa vie telle qu'elle aurait aimé qu'elle fût.

La tâche du biographe eût été plus simple si la naissance de Sarah avait eu la simple innocence de celle de la Vénus de Botticelli. Les récits concernant ses origines sont peu dignes de foi ; elle en a inventé certains, d'autres sont le fruit de l'imagination de journalistes attachés à révéler « toute la vérité sur Sarah Bernhardt », qu'ils l'aient connue ou non. On a dit qu'elle était allemande, hongroise, algérienne, voire américaine, qu'elle avait été trouvée sur un banc dans les jardins des Tuileries, que son grand-père était un aristocrate français. Au nombre des adresses supposées être celle de sa naissance figurent le 32 de la rue Saint-Honoré et le 22 de la rue de la Michodière. Mais seule une élégante maison du XVIIIe siècle, au 5 de la rue de l'École de Médecine, arbore une plaque proclamant cet honneur.

Les seules certitudes que nous ayons sur cette période concernent sa mère, Julie Bernard (*sic*). Jeune juive d'Amsterdam, Julie s'était établie à Paris après bien des errances. Si l'on en croit la rumeur, elle s'était enfuie, en compagnie de sa sœur Rosine, de la maison familiale peu après la mort de leur mère et le remariage de leur père. Jeunes filles en quête d'aventures, elles séjournèrent à Bade, Hambourg et Londres, villes où, semble-t-il, elles apprirent bien plus qu'un peu d'allemand et d'anglais. Les seuls documents authentiques sur la fuite de Julie se trouvent au Havre où deux certificats de naissance attestent de son passage. Ils font état de filles jumelles nées le 22 avril 1843 de « Julie Bernard, *artiste musicale**, fille de Maurice Bernard, médecin oculiste, et de feu Jeanne Hard ». Les deux enfants moururent dans les jours qui suivirent et Julie alla tenter sa chance à Paris. Quelques mois plus tard elle se trouvait de nouveau en « situation intéressante ». Mais cette fois l'intérêt de cette situation devait se vérifier car l'enfant qu'elle mit au monde, le 23 octobre 1844, deviendrait célèbre sous le nom de Sarah Bernhardt. (Son acte de naissance a disparu avec d'innombrables autres documents dans l'incendie de l'Hôtel de Ville pendant la Commune de Paris.)

Par discrétion, honte ou ressentiment, Sarah ne révéla jamais l'identité de son père, en admettant qu'elle l'eût connue. D'autres personnes eurent moins de scrupules. On pense en général qu'il était originaire du Havre, mais le fait qu'il ait été un officier de marine bien né du nom de Morel ou un brillant étudiant en droit du nom de Bernhardt demeure matière à controverses. Certains descendants de l'oncle de Sarah, Édouard Ker-Bernhardt, qui adopta la forme bretonne du nom et émigra au Chili, sont convaincus que leur ancêtre était le véritable père de la comédienne et non son oncle. Sarah elle-même ajouta au mystère dans ses Mémoires et dans *Petite Idole*, roman autobiographique qu'elle écrivit à la fin de sa vie et dans lequel elle fait un portrait peu vraisemblable de son père : l'homme qu'elle y dépeint est trop affectueux, trop compréhensif et vertueux pour être le parent de qui que ce soit en ce monde.

Julie, ou Youle (ainsi qu'elle aimait à se nommer à la manière hollandaise), appartenait bien quant à elle à ce monde. Petite, blonde et jolie, elle était couturière le jour et menait le soir ce que l'on nommait alors, par euphémisme, une vie galante. Mais elle était bien trop ambitieuse pour se contenter de l'existence fruste d'une midinette. Un seul désir l'animait : trouver la clef, quelle qu'elle fût, qui lui ouvrirait les portes du Paris bourgeois. Le jeu présentait des risques. Le moindre faux pas pouvait la précipiter dans les bas-fonds sans grand espoir d'en échapper jamais. Les espoirs de mariage étaient minces. Comment une « femme déchue » et, pire encore, sans dot, aurait-elle pu trouver un époux ? Pour elle travailler était chose inconcevable et dégradante. Elle n'était pas venue à Paris trimer douze heures par jour pour le salaire dérisoire que recevaient ouvrières et autres employées à l'époque de Louis-Philippe.

Son désir d'ascension sociale se comprend mieux lorsque l'on considère les conditions de vie qui régnaient alors à Paris. Les quartiers pauvres étaient dans un état de délabrement qui évoque davantage le Moyen Âge que les années 1840. Maisons et bicoques

---

* Tous les mots ou expressions en italiques et suivis d'un astérisque sont en français dans le texte.

se soutenaient les unes les autres comme des clochards éméchés. Des taudis s'accrochaient aux murs mêmes du Louvre. Notre-Dame n'était que ruines et la Seine un égout. Des paysans allaient, titubant sous le poids des seaux suspendus à leurs épaules, vendre d'une maison à l'autre une eau saumâtre. Nombre de personnes souffraient de maladies fatales, de syphilis, de tuberculose, ou étaient affligées de malformations. Quelque dix mille voleurs et autant de prostituées erraient par les rues. Deux cents maisons closes accueillaient ceux qui pouvaient s'offrir leurs plaisirs. Mais Paris était aussi une ville animée et joyeuse. Acteurs et illusionnistes, chanteurs et acrobates, jongleurs et funambules amusaient les passants dans l'espoir de gagner quelques sous. Rémouleurs et joueurs d'orgue de Barbarie, vitriers et marchands de charbon se bousculaient dans les rues étroites. Les piétons se pressaient contre les murs pour éviter les cavaliers qui se frayaient un chemin dans la foule.

Pour dicter une lettre, se faire couper les cheveux ou arracher une dent, il suffisait de s'adresser à l'un de ces écrivains publics, barbiers ou dentistes qui exerçaient leur art sur les ponts ou sur les quais. Thomas Evans, le dentiste américain de Napoléon III, à qui l'on doit l'introduction en France de l'anesthésie buccale, décrivait ainsi ses « collègues » à l'œuvre : « Les extractions étaient [...] pratiquées par des saltimbanques au coin des rues [...] et les hurlements des victimes étaient couverts par des roulements de tambour, le fracas de cymbales, et les rires et les applaudissements d'une foule ravie et admirative. » Pour ajouter au charivari, marchands et cuisiniers vantaient leurs marchandises à renfort de cris rauques et de tintements de cloche. « Tout était, ainsi que le dit une voyageuse anglaise, amusement grossier et répugnant[2]. »

À la nuit tombée la ville était plongée dans une obscurité sépulcrale qu'atténuait à peine la lueur vacillante des rares réverbères. En été, par les soirs de lune, les réverbères demeuraient éteints et la ville baignait dans une douce lumière bucolique. Mais Paris brillait aussi des mille feux que lui prêtaient les artistes qui allaient nourrir l'imagination de Sarah. Ingres, Delacroix, Daumier, Constantin Guys, s'efforçaient de saisir dans leurs œuvres l'apparence, le mode de vie, les pensées et les passions de leurs compatriotes. Il y avait Baudelaire, poète des ténèbres, dont Sarah déclamerait les vers de manière si troublante, et ceux qui deviendraient les amis de la comédienne, George Sand et Victor Hugo, et lui apporteraient ses premiers triomphes. Et il y avait Rachel, la fragile petite juive qui, à dix-sept ans, révéla aux Français — comme Sarah devait le faire plus tard — les gloires d'une littérature dramatique depuis longtemps tombée dans l'oubli.

Il n'existe aucun récit, véridique ou imaginaire, des premières années de Youle à Paris. Son existence même aurait disparu des chroniques si elle n'avait été la mère de Sarah. Cependant, confrontée à ce que Balzac a nommé les « splendeurs et misères des courtisanes », elle parvint, avec cette opiniâtreté qui naît du désespoir, à forcer les défenses du monde de la richesse, de cet univers en hauts-de-forme, corsets et crinolines, dans lequel elle rêvait d'entrer, fût-ce par la petite porte. En 1850, la misère des années d'apprentissage loin derrière elle, elle était devenue une cocotte de haut vol, réussite appréciable car les courtisanes avaient leurs propres lettres de noblesse. Plus que de simples esquisses ou des ombres fugaces sur la toile de l'histoire de France, Ninon de Lenclos, Marion Delorme, Liane de Pougy et Marie Duplessis en sont de véritables personnages dessinés à plein trait. Il se peut que l'admiration que l'on portait à leurs talents eût été mêlée de désapprobation, il n'en demeure pas moins qu'on les admirait car ce n'était pas un mince exploit que d'inciter des hommes riches et pleins de bon sens à dépenser des sommes extraordinaires, voire à se ruiner, pour quelques plaisirs charnels et l'émoi trouble que procurent les amours illicites. Pouvoir satisfaire les caprices et la cupidité d'une opulente maîtresse était un signe manifeste de fortune et de position sociale. Rois et empereurs n'avaient-ils pas donné l'exemple avec éclat ? Les écrivains aussi étaient fascinés par les courtisanes. Non seulement Balzac, mais Stendhal, Zola, Flaubert et Proust, s'intéressèrent à l'ascension et à la chute de ces femmes qui étaient comme l'écume bouillonnante du flot noir de la prostitution qui déferlait alors sur Paris.

Si Youle n'appartient pas à la cohorte des courtisanes de légende, sa réussite fut cependant indéniable. Sarah n'avait pas six ans que déjà Dumas *père*, Rossini, le duc de Morny et le baron Hippolyte Larrey, médecin de Napoléon III (son père, le baron Dominique, avait accompagné, comme chirurgien des armées, Napoléon Ier dans toutes ses campagnes), étaient des habitués du salon de sa mère. Personne habile, Youle avait acquis, avec une rapidité surprenante, quelques rudiments de l'art de la conversation, un vernis de culture et un certain sens du luxe.

Le fait que Youle fût juive ne compromettait en rien sa carrière. Au contraire, c'était une promesse de plaisirs charnels dans une ville où toute maison close se devait d'offrir au moins une jeune juive et une jeune noire aux amateurs d'exotisme. Mais la réussite de Youle ne s'explique pas uniquement par l'attrait sexuel qu'elle exerçait. Elle jouait du piano, chantait avec grâce, s'habillait avec goût et, comme elle savait raconter quelque histoire osée avec modestie et pudeur, sa compagnie était plus agréable que celle des femmes de la bonne bourgeoisie qui vouaient un culte à la vertu. En un temps où l'écrivain Droz invitait les femmes à vaincre leur pruderie, à répondre à la passion par la passion et à laisser leurs époux froisser leurs robes et leur voler un baiser, Youle savait se faire valoir. Malheureusement pour la petite Sarah, sa mère était égoïste et souffrait fréquemment de neurasthénie, ce qui n'est guère étonnant chez une personne dont le « métier » présente autant d'aléas. Comment aurait-elle pu oublier que son seul capital était elle-même, que ses liaisons n'avaient aucun caractère pérenne, que ses amants ne lui verseraient de généreuses prébendes que tant qu'elle leur plairait ?

Si Youle s'éleva très haut dans la hiérarchie des femmes entretenues, sa sœur Rosine, personne d'un caractère fort enjoué, connut une réussite encore plus éclatante. Ensemble les sœurs Bernard (Youle avait choisi de franciser son nom) jouaient un numéro de duettistes fort piquant. Bras dessus, bras dessous, Rosine, qui n'était que charme et rire éclatant, et Youle, soupirs et affectation, faisaient le tour des théâtres et des bals publics, lieux où il était facile de fixer des rendez-vous et où leur beauté et leur disponibilité de bon aloi étaient synonymes de bonheur facile et de plaisirs. Youle trouvait auprès de son autre sœur, Henriette, qui gardait sur ses deux parentes un œil soucieux mais critique, un réconfort moindre qu'auprès de Rosine. Henriette avait épousé un homme fort pieux, Félicien Faure, et vivait dans une agréable villa aux environs de Paris. Cette maison, qui fut la seule demeure décente que Sarah connut enfant, était certainement fort différente des appartements de sa mère où tout n'était que luxure, rires et vénalité. Certes Sarah ignora tout cela dans sa petite enfance car, peu après sa naissance, on la plaça en nourrice dans une ferme près de Quimperlé sur la côte bretonne chez une paysanne, une brave femme qui l'appelait « Fleur-de-Lait » et l'aimait « comme aiment les gens pauvres : quand ils ont le temps[3] ».

La Bretagne offrit à la future actrice un merveilleux décor qu'elle n'oublierait jamais. À des journées de Paris en diligence, cette province semblait également à des siècles de distance dans le temps. On y parlait encore peu le français, et Sarah affirmera que le breton était la seule langue qu'elle eût connue dans sa prime enfance. Des fermes basses au toit de chaume parsemaient une lande désolée balayée par les vents. C'est dans une de ces maisons que Sarah grandit, passant les soirées d'hiver à écouter de terrifiantes histoires de revenants et de sorcières, et les longues journées d'été à courir librement, à s'amuser avec les animaux domestiques ou à cueillir des fleurs sauvages. Ses premiers souvenirs sont, ainsi qu'il sied à une destinée exceptionnelle, marqués par un drame. Un jour la nourrice sortit pour aider à la récolte des pommes de terre, laissant son mari invalide somnoler et Sarah dans une chaise haute près de la cheminée où pétillait un feu de bois. Pendant cette absence la fillette défit l'étroite tablette qui la maintenait assise et tomba dans les flammes. Les voisins, alertés par les cris du mari, arrachèrent l'enfant aux flammes, la plongèrent dans un seau de lait et la badigeonnèrent de beurre.

Quelques jours plus tard, selon Sarah, « cette paisible contrée fut labourée par les diligences qui se succédaient [4] ». La première amenait Youle et son amant, le baron Larrey, ainsi que deux médecins amis de ce dernier. Puis arrivèrent Rosine et Henriette qui s'apitoyèrent sur leur nièce avec force glousse-ments et couvrirent la malheureuse Youle de témoignages d'af-fection. Pour compléter le tableau, des paysans du voisinage vinrent timidement offrir des vessies de porc emplies de beurre pour les brûlures de Sarah et admirer les citadins, les dames en robe à traîne et capeline, les messieurs en élégant costume de tweed anglais spécialement conçu pour leurs sorties champêtres.

Peut-on imaginer désespoir plus émouvant que celui de Youle ? « Elle aurait donné sa chevelure d'or, ses doigts blancs et fuselés, ses pieds d'enfant, sa vie, pour sauver cette enfant dont elle se souciait si peu huit jours avant », devait écrire Sarah. « Et elle était aussi sincère dans son désespoir et son amour que dans son inconscient oubli [5]. »

*

Certes, ces propos amers sont écrits avec le recul du temps. Youle resta tant que dura la convalescence de sa fille ; puis elle installa Sarah et sa nourrice dans une petite maison triste de Neuilly. L'enfant se languissait de sa mère dont les absences prolongées signifiaient ennui et abandon car ses tantes ne venaient jamais lui rendre visite. Pendant une des escapades amoureuses de Youle à l'étranger, le mari de la nourrice mourut. La brave femme se remaria bientôt avec un concierge de la rue de Provence et installa Sarah dans la loge dont l'unique fenêtre en œil-de-bœuf ouvrait au-dessus de la porte cochère. Sarah ne maniera guère l'euphémisme lorsqu'elle décrira la chambre sans fenêtre où elle dormait et les murs pareils à ceux d'une prison qui bordaient la rue.

« Je ne mangeais plus, écrivit-elle. Je pâlissais ; je m'ané-miais ; et je serais certainement morte de consomption sans un hasard, véritable coup de théâtre. »

Un jour où elle jouait dans la cour, une femme apparut.

« Je poussai un cri de joie, de délivrance... " Tante Rosine ! Tante Rosine ! " Et je me jetai sur la jupe de la jolie visiteuse. Je mettais mon visage dans ses fourrures; je trépignais; je sanglotais; je riais; je déchirais ses longues manches de dentelles. »

Embarrassée par cette scène, Rosine demanda à entrer dans la loge. La nourrice lui expliqua qu'elle ne savait comment atteindre Youle pour lui dire où se trouvait Sarah. Ses explications n'avaient aucun sens pour l'enfant qui suppliait qu'on la conduisît auprès de sa mère. La réponse de Rosine fut un baiser, « mille gestes frivoles, charmants et froids », et la promesse de venir bientôt la chercher. Mais Sarah ne la crut pas. L'instinct lui disait qu'on allait l'abandonner alors que Rosine, doucement mais fermement, se libérait de son étreinte, lissait sa robe froissée, vidait son porte-monnaie dans les mains de la nourrice et refermait la porte, ne laissant derrière elle qu'une senteur parfumée.

« Ma pauvre nourrice pleurait; et me prenant dans ses bras, elle ouvrit la fenêtre, me disant : " Pleure plus, Fleur-de-Lait. Regarde ta jolie tante. Elle reviendra. Tu partiras avec elle. " [...] Et dans un élan de désespoir, je m'élançai vers ma tante qui allait monter en voiture; et puis rien... la nuit... la nuit... un tapage lointain de voix lointaines... lointaines [6]... »

Ainsi Sarah, si on l'en croit, s'était jetée par la fenêtre. La chute, affirma-t-elle, lui valut un bras cassé et une fracture de la rotule, blessures relativement bénignes quand on songe qu'elle aurait pu ne pas survivre pour raconter cette histoire. Il se peut que ce récit soit le fruit d'une des rêveries fantasques auxquelles elle aimait à se livrer. Après tout pour Sarah, plus tard, une simple égratignure serait une plaie infectée, une indisposition une maladie fatale, une critique sévère dans la presse un acte de haute trahison. Cependant, quelle que soit la part de l'exagération, la fillette qu'elle décrit dans ses Mémoires ressemble de manière étonnante à la femme qu'elle allait devenir. Comme de nombreux acteurs elle ne pouvait s'empêcher d'ajouter une note dramatique et romanesque au récit de sa vie. Peut-être aurait-elle pu écrire comme Laurence Olivier : « Au fond de moi, je sais seulement que je suis incapable de dire si je suis en train de jouer ou non, ou dussé-je exprimer cela plus franchement, si je suis en train de mentir ou non. »

Membres brisés ou non, la chute de Sarah lui apporta ce qu'elle désirait le plus : vivre avec sa mère. Mais il n'était pas dans la nature de Youle de donner à sa fille l'amour dont elle rêvait et sa déception fut profonde. Un demi-siècle plus tard elle écrira dans *Ma double vie* : « Je passe ces deux années de ma vie qui ne m'ont laissé qu'un souvenir confus de câlineries et de torpeurs [7]. »

Une photographie prise à l'époque et montrant Sarah avec sa mère éclaire leur histoire. Youle porte une robe de soie, une cape bordée de fourrure et un turban « style Renaissance ». Une de ses mains gantées pend élégamment à son côté, l'autre repose sur l'épaule de sa fille. Elle donne l'image d'une femme respectable et fortunée. Il se peut que cette attitude de courtisane posant à la grande dame ait été à l'origine de son succès auprès des hommes. Mais c'est la petite Sarah, dont le regard fixe avec autorité l'objectif, qui retient notre attention. En capote militaire, un chapeau à rubans sur sa jolie tête blonde, elle adopte une pose napoléonienne, une main glissée dans le manteau. Il est clair que ce séraphin volontaire était né pour commander et non pour obéir.

Comme les mois passaient, Sarah comprit qu'elle était une gêne, que c'était plus par devoir que par amour que Youle faisait preuve d'égards pour elle. Les efforts qu'elle ferait toute sa vie pour obtenir l'approbation de sa mère trouvent ici leur source. La désillusion, comme c'est souvent le cas, joua un rôle important dans son existence. Encore enfant elle avait connu l'abandon. À présent elle ressentait les souffrances de l'amour méprisé. Elle courtisa Youle avec l'innocence passionnée des enfants pour découvrir que rien ne pouvait rendre sa mère aussi radieuse que les attentions ou les cadeaux coûteux de ses amants. C'était un combat illusoire dont personne ne devait sortir vainqueur.

Présents fastueux et dîners fins n'étaient pas les seules récompenses de la courtisane. Un jour Youle expliqua, d'un air embarrassé, à Sarah qu'on allait lui apporter un joli bébé potelé dans un bouquet de fleurs. Sa pudibonderie était bien inutile car Sarah, alors âgée de sept ans, n'ignorait rien des messieurs qui rendaient visite à sa mère. En de telles circonstances la présence de la fillette posait un problème. Jouer à la madone avec un nouveau-né pouvait donner à Youle un certain charme aux yeux de ses admirateurs, mais être vue en train d'argumenter avec une enfant indocile était chose des plus fâcheuses.

À l'automne de 1851, peu avant le septième anniversaire de Sarah, Youle résolut le problème en inscrivant sa fille à l'institution Fressard, un pensionnat chic situé à Auteuil. Elle annonça sa décision avec quelque appréhension mais, au lieu de l'explosion de colère qu'elle redoutait, l'imprévisible enfant accueillit la nouvelle avec des bonds de joie.

Sarah décrira son voyage jusqu'à l'école comme si cet heureux souvenir datait de la veille :

> Oh ! Je me souviens d'une robe bleue en velours épinglé qui faisait mon orgueil.
>
> Ainsi parée, j'attendis anxieuse la voiture de ma tante Rosine qui devait nous conduire à Auteuil. [...] Maman monta la première, lente et calme, dans le magnifique équipage de ma tante. Je montai

à mon tour, faisant un peu de chichis parce que la concierge et quelques commerçants regardaient. Ma tante sauta, turbulente et légère, et donna en anglais l'ordre au cocher, raide et ridicule, d'aller à l'adresse inscrite sur le papier qu'elle lui remit. Une autre voiture suivait la nôtre dans laquelle trois hommes avaient pris place : Régis, mon parrain, ami de mon père ; le général de Polhes ; et un peintre de chevaux et de chasses, à la mode alors, qui s'appelait, je crois, Fleury. [...]

Je prêtais peu d'attention à ce que disaient ma mère et ma tante qui, parfois, lorsqu'elles parlaient de moi, parlaient en anglais ou en allemand en jetant des regards tendres et souriants vers moi.

Après un long parcours qui me ravissait d'aise, car, la figure écrasée sur la vitre, je regardais de tous mes yeux la route qui se déroulait grise, boueuse, échelonnée de vilaines maisons, d'arbres maigres — et je trouvais cela si beau... parce que cela changeait toujours — la voiture s'arrêta, 18, rue Boileau, à Auteuil. Sur la grille, une longue plaque de fer noirci avec des lettres d'or. Je levai le nez. Maman me dit : « Tu sauras bientôt lire ce qu'il y a écrit là-dessus, j'espère. » Ma tante me souffla dans l'oreille : « Pension de Mme Fressard » et je répondis bravement à maman : « Y a écrit Pension de Mme Fressard. » Maman, ma tante et les trois amis s'esclaffèrent sur la gentillesse de mon aplomb, et nous fîmes notre entrée dans la pension [8].

Madame Fressard en personne vint accueillir la joyeuse compagnie. Elle ne manqua pas de remarquer de son œil exercé que les cocottes dans leurs amples crinolines minaudaient et faisaient force simagrées autour de Sarah essentiellement pour impressionner leur escorte qui, malgré des airs d'amusement poli, commençait à s'impatienter. Mais Youle ne pouvait s'éloigner sans avoir donné ses ultimes instructions. Elle expliqua que la chevelure de Sarah devait être soigneusement brossée avant d'être démêlée, puis sortit une ample provision de confitures et de chocolat à donner à l'enfant tous les deux jours, en alternance, à cause de son « estomac capricieux » ; enfin elle remit un grand pot de cold-cream, de sa propre composition, confia-t-elle, qui devait être largement appliqué sur le visage, le cou et les mains de Sarah à l'heure du coucher. Bien sûr, ajouta-t-elle avec grandeur, elle paierait feux fois plus pour le blanchissage. « Pauvre maman chérie ! écrivit Sarah. Je me souviens très bien qu'on me changeait les draps tous les mois en même temps que les autres [9]. »

Sarah passa deux années chez Mme Fressard. Là, elle apprit à lire, écrire et broder. Mais elle ne perdit pas son caractère démoniaque. Elle avait des colères terribles, raconta-t-elle avec fierté, qui ressemblaient à « des accès de folie » ; on l'envoyait alors à l'infirmerie où, dans une solitude grandiose, on la laissait retrouver son calme.

Un des événements marquants du séjour de Sarah à Auteuil

fut une visite de Stella Colas, qui jouait les ingénues à la Comédie-Française.

« Je ne fermais pas les yeux de toute la nuit. Le matin, je me peignais avec soin et je me préparais, avec des battements de cœur, à entendre ce que je ne comprenais pas du tout, mais qui me laissait sous le charme [10]. »

L'interprétation gutturale que l'actrice donna du Songe d'Athalie impressionna tant la fillette qu'elle n'eut qu'une envie : s'essayer elle-même à l'art de la diction. Cette nuit-là, dans le dortoir, assise sur son lit, la tête enfoncée dans les épaules, elle aspira longuement et, de sa voix la plus profonde, mugit : « Tremble ! fille digne de moi ! Tremble... trem... ble... trem-em-em-ble... » tandis que ses camarades hurlaient de rire. Ce fut son premier essai théâtral — et son premier échec. Sarah, qui ne devait jamais accepter la défaite, fit ce qu'elle aurait souvent envie de faire par la suite : elle courut sus à ses critiques, les frappa à coups de poing et de pied et essaya de leur faire payer leur affront le prix du sang. Mais, ainsi qu'elle l'apprendrait, on ne s'attaque pas impunément aux critiques — qui s'efforcent toujours d'avoir le dernier mot. Attirée par le chahut, Mlle Caroline, une des institutrices, surgit, une baguette à la main, et en donna quelques coups secs sur les doigts de Sarah. Les humiliations de l'enfance ne s'oublient pas facilement. Lorsque, bien plus tard, Sarah reverra Mlle Caroline elle ne pourra s'empêcher de cacher instinctivement ses mains derrière son dos.

Après ses années à l'institution Fressard, Sarah s'exprimait comme une dame et savait distinguer les bonnes manières des mauvaises. Youle décida alors de l'envoyer dans une école tenue par des religieuses, un « couvent », où elle acquerrait les raffinements susceptibles de lui attirer les faveurs d'un amant ou d'un époux fortuné. Sarah ignorait tout de ces projets lorsque Rosine vint lui annoncer la nouvelle et la ramener à la maison. Mais l'influence civilisatrice de Mme Fressard avait été surestimée.

> L'idée, écrivit Sarah, qu'on violentait à nouveau mes goûts, mes habitudes, sans me consulter, me mit dans une rage indicible. Je me roulai par terre ; je poussai des cris déchirants ; je hurlai des reproches contre maman, mes tantes, Mme Fressard qui ne savait pas me garder.
>
> Après deux heures de luttes pendant lesquelles je m'échappai deux fois des mains qui essayaient de me vêtir, pour me sauver dans le jardin, grimper aux arbres, me jeter dans le petit bassin dans lequel il y avait plus de vase que d'eau ; enfin, épuisée, domptée, sanglotante, on m'emporta dans la voiture de ma tante.
>
> Je restai trois jours chez elle avec une telle fièvre, qu'on craignit pour ma vie [11].

Sarah fut envoyée en convalescence chez sa tante Henriette Faure où, devait-elle écrire, elle rencontra son père pour la dernière fois. Là, sur un vieux banc du jardin, assise sur les genoux de son père, elle entendit des choses — ainsi qu'elle le rapporte — qu'on ne lui avait jamais dites, des confidences qu'elle comprit malgré son jeune âge, des confessions qui la firent pleurer. « Mon pauvre papa, je ne devais plus le revoir, jamais, jamais... »

Que cette vignette empreinte de mélancolie soit pure invention, ou un moment de sa vie si troublant qu'elle ne put se résoudre à être plus explicite, demeure un mystère. Il est certain que si elle rencontra jamais son véritable père et qu'il lui révéla les circonstances de sa naissance et les raisons qui l'avaient conduit à l'abandonner, elle ne déçut jamais la confiance qu'il lui avait témoignée. Il est plus que vraisemblable que l'homme du banc n'ait été qu'un personnage fantomatique créé pour satisfaire son désir d'amour paternel.

*

Sarah avait presque neuf ans lorsqu'elle entra, à l'automne de 1853, à Grandchamps, un pensionnat installé près de Versailles dans un couvent de l'ordre des Augustines et fondé en 1768 par la reine Marie Leszczyńska, épouse de Louis XV, pour accueillir les filles de la noblesse. Dirigée par les sœurs de Notre-Dame de Sion, cette institution alliait un esprit aristocratique fort élevé et des principes d'éducation fort bas — chose en rien étonnante à une époque où les universités étaient encore fermées aux femmes.

Grandchamps offrait à ses élèves le cadre d'un élégant bâtiment du XVIIIe siècle, des salles de classe et des dortoirs vastes et aérés, de grands jardins, trois parcs boisés, une infirmerie, une chapelle pour les services religieux quotidiens et des salles d'eau pour les bains hebdomadaires. Le prospectus de l'école s'engageait à inculquer aux jeunes filles une foi solide et éclairée, à développer leur intelligence et leur jugement, à embellir leur esprit, à tout faire en un mot pour rendre leur compagnie agréable et leurs vertus plaisantes.

Certes, Sarah n'atteignit pas tous ces objectifs, mais elle évoquerait toujours avec chaleur ses années d'école. Le premier souvenir de Grandchamps, tel qu'elle le rapporte dans *Ma double vie*, est celui d'un vaste et sombre parloir décoré de portraits de saint Augustin, du pape Pie IX et de Henri V[12]. C'est là que la supérieure, mère Sainte-Sophie, qui allait devenir son mentor, l'accueillit.

Me voyant pâle, les yeux pleins de larmes et de terreur, elle me prit doucement la main ; [...] elle releva son voile : et je vis la plus douce, la plus rieuse figure qu'il soit possible de voir. [...]

Son air de bonté, de vaillance et de gaieté me jeta tout de suite dans les bras de mère Sainte-Sophie [...].

Quel instinct secret avertissait cette femme sans coquetterie, sans glace, sans souci de la beauté, que son visage était fait pour charmer, que son clair sourire ensoleillait le sombre couvent [13] !

Et Sarah ajoute :

Mais depuis, je l'ai comprise et admirée. J'ai deviné l'âme unique et rayonnante emprisonnée sous l'enveloppe courtaude et rieuse de cette sainte femme.

Je l'ai aimée pour tout ce qu'elle a éveillé de noble en moi [14].

Ainsi qu'elle l'avait fait chez Mme Fressard, Youle récita sa litanie de cocotte, confitures, chocolat, cold-cream pour le visage, et soins à donner à la chevelure rebelle de l'enfant. Puis, ayant essuyé une larme furtive et vaguement promis de revenir bien vite, elle disparut ; « mais moi, écrivit Sarah, je n'avais pas envie de pleurer ».

Il ne fallut pas longtemps à la petite diablesse, toujours désireuse d'attirer l'attention, pour semer le trouble à Grand-champs. Un jour, grimpée sur le mur du couvent, elle singea l'évêque de Versailles qui prononçait une oraison funèbre sur la place en contrebas. Le langage peu châtié de Sarah offusquait les sœurs ; elle gifla l'une d'elles qui, tentant de démêler sa chevelure, lui avait fait mal, et maudit une autre religieuse qui l'aspergeait d'eau bénite dans l'espoir d'exorciser les esprits malins de la petite païenne. Elle chercha à plusieurs reprises à s'enfuir de l'école et fut renvoyée chez sa mère pour quelque temps.

Par bonheur, mère Sainte-Sophie était là pour veiller sur elle. Patiemment elle s'efforça de gagner les bonnes grâces de Sarah. Elle lui confia un coin de jardin où la fillette cultiva des fleurs et collectionna insectes et autres petits animaux. Avec fierté Sarah montrait ses grillons, couleuvres, lézards et araignées à ses camarades suffisamment intrépides pour jeter un regard aux cages que le jardinier fabriquait pour elle. Avec quelque malignité elle gavait ses araignées de mouches et, un jour où l'une de ses amies s'était coupée, elle lui confectionna un emplâtre « avec de la toile d'araignée toute fraîche ».

Bien sûr il y avait aussi les études. Sarah était douée pour le dessin, et la géographie, avec ses évocations de contrées loin-taines, faisait rêver la future grande voyageuse. L'orthographe l'ennuyait, l'arithmétique la rendait « folle », les leçons de piano ne lui inspiraient qu'un « profond mépris », et les cours de maintien lui donnaient des fous rires. Elle ne se rendait pas compte qu'apprendre la manière convenable d'étouffer un éternuement, de porter un mouchoir, de retirer un gant, faire une révérence ou traverser une pièce avec grâce était déjà une forme d'initiation à l'art dramatique.

Sarah ne vit guère sa mère au cours des six années qu'elle passa à Grandchamps. Les vacances, interrompues seulement par un bref séjour chez tante Henriette ou une visite fugace de tante Rosine, se passaient à traîner sans but dans l'école désertée. Les rares fois où elle fut autorisée à rentrer chez elle, elle ressentit un profond sentiment d'abandon. Youle, qui avait toujours marqué une préférence pour Jeanne, la jeune et jolie sœur de Sarah, se consacrait dorénavant entièrement à celle-ci. Pour rendre les choses encore plus difficiles un autre bébé, dans un autre bouquet de fleurs, avait été déposé chez Youle. Malheureusement Régina, la nouvelle arrivée, devait être brimée de manière encore plus effrayante que Sarah elle-même.

Dans ces circonstances il est parfaitement compréhensible que Sarah eût été sensible à la routine paisible de la vie au couvent. Elle était hantée de rêveries mystiques et de vagues désirs. Elle rêvait de se jeter au pied de l'autel, en un geste de sacrifice et de ferveur, martyre pour le Christ et pour la Vierge Marie. Un lourd drap noir orné d'une croix blanche couvrirait son corps prostré. Autour d'elle des cierges allumés, étincelants comme des étoiles se refléteraient sur le parquet ciré :

> Et je formai le projet de mourir sous ce drap. Comment ? Je ne sais. Je ne songeais pas à me tuer, sachant que c'était un crime. Mais je mourrais ainsi. Et mon rêve galopant, je voyais l'effarement des sœurs, les cris des élèves ; et j'étais heureuse de tout l'émoi dont j'étais cause [15].

Le vœu puéril de Sarah de faire un spectacle de la mort serait, un jour, brillamment exaucé dans les célèbres scènes d'agonie qu'elle jouerait dans les théâtres du monde entier.

Sarah avait treize ans lorsqu'on annonça, pendant un service religieux, la visite de l'archevêque de Paris, monseigneur Sibour. Une apparition de l'ange Gabriel n'aurait pu susciter émoi plus grand. Les domestiques cirèrent les parquets déjà étincelants, le jardinier consacra tous ses soins au plus coquet des jardins et les chandeliers retrouvèrent un lustre oublié. L'imposant fauteuil réservé pour de telles occasions fut respectueusement découvert et un tapis rouge déroulé pour l'illustre visiteur. Pour ajouter à l'excitation un programme d'activités fut préparé en l'honneur de l'archevêque. La cérémonie commencerait par un discours de bienvenue suivi de chants et de pièces de piano. Ensuite viendrait le clou de la journée : une représentation par les élèves de « Tobie recouvrant la vue », pièce biblique en trois tableaux écrite par la lettrée du couvent, mère Sainte-Thérèse, qui en fit aux jeunes filles assemblées une lecture à haute voix au milieu de tant de soupirs et de sanglots étouffés que l'auteur, nous dit Sarah,

> dut faire un grand effort pour ne pas commettre, fût-ce une seconde, le péché d'orgueil.
>
> Je me demandai avec anxiété quelle part j'allais prendre dans cette pieuse comédie ; car je ne doutais pas, étant donné ma petite personnalité, qu'on m'eût distribué quelque chose. Et je m'énervais toute seule, et mes mains se glaçaient, et mon cœur battait, et mes tempes bourdonnaient [16].

En dépit, ou peut-être en raison, de sa « petite personnalité », Sarah ne figura pas dans la distribution. Le rôle convoité de l'archange Gabriel fut confié à sa camarade Louise Buguet, une jeune fille timide. Sarah ne se décourageait pas facilement. Elle proposa d'être le monstre marin mais cet honneur avait déjà été dévolu à César, le chien du couvent. Sarah lui confectionna alors un costume avec des ouïes et des écailles en carton ; on préféra celui réalisé par une autre fillette. Humiliée mais incapable, cependant, de rester à l'écart, elle assista à toutes les répétitions.

Lors de la générale, Louise fit son entrée en tremblant, s'effondra sur le banc le plus proche et confia, dans un sanglot, qu'elle était incapable de continuer. À ces mots Sarah bondit sur l'estrade en criant qu'elle connaissait le rôle par cœur et qu'elle aimerait qu'on lui permît de remplacer Louise. Bien évidemment elle récita le texte sans aucune hésitation ; on l'entoura, on la couvrit d'éloges ; et, pour couronner le tout, César fit le mort à point nommé et déchaîna l'enthousiasme du public. Sarah se sentit alors une âme d'héroïne : elle avait sauvé la journée du désastre.

Le matin suivant, l'archevêque arriva salué par la cloche de la chapelle qui sonnait à toute volée. Lorsqu'il descendit de son carrosse, mère Sainte-Sophie baisa l'anneau épiscopal et les demoiselles, toutes de blanc vêtues, s'agenouillèrent pour recevoir sa bénédiction. Après la messe le spectacle commença. La pièce fut chaleureusement applaudie. Sarah, dans une longue robe blanche agrémentée d'ailes en papier et la tête ornée d'un ruban d'or, connut là son heure de gloire. Cependant sa joie était mêlée d'inquiétude. Mgr Sibour devait distribuer des médailles saintes et elle craignait de ne pas en recevoir. Lorsque son tour arriva, l'archevêque lui demanda si elle était baptisée. « Non, mon père... Je veux dire, Monseigneur », balbutia-t-elle. Son embarras se dissipa lorsque mère Sainte-Sophie expliqua qu'elle recevrait ce sacrement au printemps. L'aimable prélat offrit alors une médaille à Sarah et murmura qu'il essaierait de revenir pour la cérémonie.

Quelques semaines plus tard, lors d'un service religieux, on annonça que Mgr Sibour avait été assassiné par un prêtre dément qu'il avait excommunié.

> Je sanglotai [écrivit Sarah évoquant l'émotion qui l'envahit alors]. Puis l'orgue accompagnant la prière des morts exaspéra ma douleur. C'est à partir de ce moment que je fus prise d'un amour mystique, ardent, qu'entretenaient les pratiques religieuses, la mise en scène du culte, et les encouragements câlins, fervents et sincères de mes éducatrices [...] [17].

Les religieuses qui se déplaçaient en ordre majestueux autour de l'autel devinrent alors ses idoles. La croix et le tabernacle la plongeaient dans l'extase. Elle perdit tout goût pour la nourriture. Elle, qui avait toujours été frêle, devint l'ombre d'elle-même. Dans sa quête spirituelle Sarah savait qu'elle avait trouvé sa voie. Elle entrerait au couvent.

Ce printemps-là, Sarah et ses sœurs, Jeanne et Régina, furent baptisées à Grandchamps en des circonstances quelque peu étranges. Youle vint, comme à son habitude, avec sa coterie : tante Rosine, tante Henriette et oncle Faure accompagnés de leurs enfants, et les trois futurs parrains. De père, il n'y avait pas. Sarah se sentait profondément humiliée. Que cette mère semblait pécheresse et vulgaire aux yeux de la nouvelle disciple de l'Esprit-Saint ! « J'adorais maman, confia-t-elle, mais avec un attendrissant et fervent désir de la quitter, de ne plus la revoir, de la sacrifier à Dieu [18]. » Exemple classique de fille de courtisane qui, ayant eu la chance de recevoir une éducation privilégiée, méprise la mère qui a rendu cela possible. (George Bernard Shaw, qui jamais n'approuverait le comportement de Sarah Bernhardt, décrira ce type de comportement dans *Mrs. Warren's Profession*, *La Profession de Mrs. Warren*, 1893.)

Sarah avait trouvé Dieu, mais le Démon n'avait pas renoncé à sa proie. Un jour elle organise des funérailles solennelles pour le décès de son lézard favori. Une vingtaine de ses compagnes la suivent en monôme jusqu'à la minuscule tombe en chantant un pastiche de *De Profundis* entrecoupé de rires. Un groupe de religieuses contemple la procession sacrilège. Soudain un shako vient rouler dans le jardin aux pieds de Sarah.

« Avez-vous vu mon shako ? » crie un soldat à califourchon sur le mur du couvent. À cette apparition Sarah court jusqu'à l'aire de gymnastique, grimpe sur la poutrelle la plus élevée et tire l'échelle de corde derrière elle. « Le voilà, votre shako ! Vous ne l'aurez pas ! » hurle-t-elle, en coiffant crânement le couvre-chef. Tous les regards sont tournés vers elle, Juliette perverse taquinant du haut de son perchoir un Roméo perplexe. Sa première réaction a été pure malice mais l'occasion de se donner en spectacle est trop belle et elle ne peut arrêter là son petit jeu. Finalement elle lance le shako mais, effrayée à l'idée d'être punie, refuse de descendre tant que tout le monde ne se sera pas éloigné.

La nuit est tombée lorsque Sarah déplie l'échelle. Alors qu'elle entame sa descente, elle entend un grognement féroce. C'est César. Terrifiée par l'obscurité mais encore plus terrifiée par son ancien partenaire, elle remonte précipitamment.

> Je finissais par me trouver martyre : on m'abandonnait au chien qui allait me manger. [...] On le savait bien que j'avais peur. J'étais délicate de la poitrine et on me livrait méchamment aux morsures du froid, sans défense. [...] Alors, à plat ventre sur la poutrelle, je me livrai à un désespoir fou, appelant maman, mon père, mère Sainte-Sophie, sanglotant, voulant mourir tout de suite [19]...

La mère supérieure apparut enfin. Mais c'était trop tard. Sarah avait contracté une pleurésie et dut garder la chambre, « entre la vie et la mort », pendant des semaines. Ce furent là ses derniers jours à Grandchamps. Quand enfin elle put être déplacée, une Youle résignée vint la chercher avec ses malles. Après des adieux déchirants à mère Sainte-Sophie, Youle et Sarah, la courtisane et celle qui voulait se faire religieuse, grimpèrent dans leur voiture et prirent le chemin de Paris. Alors qu'elles s'éloignaient, aucune d'elles n'aurait pu imaginer que, plus d'un siècle plus tard, on montrerait aux visiteurs de Grandchamps le petit jardin de Sarah, le dortoir où elle dormait, la chapelle où elle priait et la salle des fêtes où l'élève la plus célèbre de l'école avait connu son premier triomphe théâtral.

À quinze ans, la réussite sur scène, et en fait toute forme de réussite, était aussi éloignée de la pensée de Sarah que le théâtre lui-même. Elle avait de l'ambition mais ce n'était encore qu'un désir sans nom, une énergie extraordinaire. Son égocentrisme violent, ses accès de fureur hystérique et son besoin insatiable de capter l'attention, mêlés à une gaieté et une soif de vie spirituelle, étaient autant de forces qui, mystérieusement dominées, façonneraient son existence et son art. Mais, pour le moment, ces aspects de sa « petite personnalité » étaient plus une gêne qu'une source de plaisir pour sa mère comme pour elle-même.

*

Le passage de la vie cloîtrée à Grandchamps à l'atmosphère équivoque de l'appartement de sa mère fut une expérience douloureuse pour Sarah. Youle aimait à répéter qu'à l'âge de Sarah elle était déjà indépendante, à la différence de cette sotte de fille qui passait ses journées à musarder et à rêver de salut spirituel. Youle pouvait être une femme fort désagréable et une mère encore plus odieuse mais elle avait de l'ambition pour l'aînée de ses enfants. Elle lui fit donner des cours de dessin, lui offrit des vêtements élégants, ce que Sarah adorait, mais lui imposa des leçons de piano qu'elle détestait. Elle engagea Mlle de Brabender, une vieille fille pieuse et aimable qui saurait gagner l'amitié de Sarah. Mademoiselle avait vécu à la cour impériale de Russie où elle avait été préceptrice d'une grande-duchesse — détail que l'actrice mentionna avec fierté dans ses Mémoires — et elle avait les qualités requises pour assurer la fin de l'éducation de Sarah. Sous sa conduite, Sarah travailla avec acharnement, non pas tant par amour des études que parce qu'elle était déterminée à retourner à Grandchamps comme « sœur éducatrice ». Si attachée qu'elle eût été à Brabender, elle réservait son affection à Mme Guérard, la voisine « du dessus ». « Mon petit-dame » (ainsi qu'elle l'appellerait toujours dans son jargon enfantin) s'était entichée de la fillette dès leur première rencontre. Veuve indulgente et douce, elle allait vouer à Sarah cette dévotion aveugle qui semble être une des récompenses de la notoriété — récompense que les gens célèbres, dans leur fatuité, acceptent comme un dû.

Mme Guérard ne portait pas de jugement sur la moralité de Youle ou sur les états d'âme de Sarah. Ces choses étaient au contraire pour elle une source de fascination permanente. Elle était leur confidente, faisait une agréable partenaire au whist et exerçait une influence apaisante lorsque de bruyantes disputes ébranlaient les murs de l'appartement de la rue Saint-Honoré. Ce fut elle qui tenta de raisonner Youle au sujet de la préférence douloureuse qu'elle montrait pour Jeanne et de l'abandon cruel de Régina. Et ce fut elle qui vint au secours de Sarah lorsque sa mère parla de son avenir. La question était délicate. Sarah avait quinze ans, l'âge légal du mariage, et les hommes qui fréquentaient la demeure des Bernhardt commençaient à lui témoigner un intérêt plus que paternel. Ils avaient eu la mère, pourquoi n'auraient-ils pas aussi la fille ? Que Youle eût tout fait pour les encourager était chose connue de tous, si bien connue en fait que cela lui vaudrait une mention déshonorante dans le *Journal* de Jules et Edmond de Goncourt, ce vaste répertoire de la vie parisienne. On peut y lire ce propos entendu au restaurant Brébant : « La famille Sarah Bernhardt, voilà une famille ! La mère a prostitué toutes ses filles, aussitôt qu'elles ont eu treize ans [20]. » Les Goncourt, acerbes et souvent dignes de foi, reprenaient là un simple commérage mais qui, comme bien des ragots, renfermait une part de vérité.

Marie Colombier, amie chère à Sarah à l'époque où elles seraient toutes deux de jeunes comédiennes pleines d'ambition, devait forcer encore plus le trait dans ses *Mémoires de Sarah Barnum*, récit à peine déguisé de la vie de Sarah Bernhardt qui fut publié en 1883, bien avant les propres Mémoires de la grande tragédienne.

Dans son livre Marie se montre cruelle, envieuse, antisémite et friande de scandales, mais aussi — au grand regret de Sarah — spirituelle et bien informée. Elle nous apprend une foule de détails pittoresques sur lesquels Sarah préférait garder le silence. Pour se défendre celle-ci déclara que ce n'était qu'un tissu de mensonges mais d'autres personnes y trouvèrent bien des vérités. Assez curieusement la petite-fille bien-aimée de Sarah, Lysiane Bernhardt, révélera involontairement toute l'affaire dans la biographie affectueuse, publiée en 1945, qu'elle consacre à sa grand-mère adorée. Un passage significatif montre que Colombier, comme les Goncourt, n'était pas éloignée de la vérité. Pour Lysiane, Marie était :

> une actrice jalouse, féroce, hypocrite, qui livra tous les secrets de celle qui avait été son amie intime. Sarah, d'ailleurs, fut bien imprudente ! Lorsqu'on a dans son entourage un être qui crève d'envie, il faut ou s'en séparer ou essayer de le sauver. Sarah passa outre et laissa l'autre couver sa haine, accumuler les potins, inventer des racontars, acheter des lettres [21].

Ainsi, selon Lysiane, Marie Colombier, en refusant de faire l'hagiographie de Sarah, avait trahi la confiance de son amie.

Plusieurs *romans à clef** inspirés par la vie de Sarah, presque aussi lubriques que les *Mémoires de Sarah Barnum*, allaient paraître, ainsi *La Faustin* d'Edmond de Goncourt, *Dinah Samuel* de Félicien Champsaur et *Le Tréteau* de Jean Lorrain. Ces livres tirent judicieusement parti de la célébrité de l'actrice, alors au faîte de la gloire, car aucun des auteurs ne l'avait connue dans sa jeunesse. Colombier était la seule à avoir eu ses entrées chez les Bernhardt quand Sarah avait seize ans.

Voici son récit de première main d'une soirée chez Youle vers 1860, avec les noms véritables des protagonistes que cachent mal des pseudonymes transparents :

> [Le salon] était une pièce assez grande, donnant sur la rue et qu'emplissait un mobilier, à première vue, très élégant, mais où l'on ne tardait pas, pour peu qu'on l'examinât de près, à découvrir cette cacophonie de choses disparates, particulière aux intérieurs de

femmes galantes, dénuées de goût. Beaucoup de clinquant, énormément d'objets « en imitation », des meubles trop neufs heurtant des meubles trop usés, un ensemble vulgaire ; puis, çà et là, des traces irrécusables de désordre, voire de malpropreté. Les lampes, qui coulaient, avaient laissé sur le piano, sur le guéridon, partout, des cercles huileux ; les tapis, les rideaux étaient tachés ; le dossier des canapés révélait de longs contacts avec des chignons trop pommadés. On voyait une bouteille de Parfait-Amour sur la cheminée [...], un corset déchiré sur une table de jeu. Les autres pièces que les portes grand'ouvertes permettaient d'entrevoir offraient, du reste, le même aspect d'abandon lâché.

Cependant Sarah avait quitté son chapeau, son mantelet et ses gants ; [...] elle arrangeait ses cheveux devant la glace [...].

Grande et mince, maigre à en être ridicule, la jeune comédienne avait une tête d'un caractère étrange. Les traits étaient corrects, d'un dessin pur, dont les lignes rappelaient, mais en l'adoucissant encore et en l'affinant, le masque juif de la mère. [...]

Pourtant, son étrangeté inoubliable [...] jaillissait des yeux, des yeux très longs, superbes. Leur pupille changeait de coloration avec les variations de la lumière, avec les mouvements de la physionomie. Vieil or quand l'enfant rêvait, vert œil-de-chat quand une colère contractait ses sourcils, bleu sombre lorsqu'elle souriait. [...]

Bientôt, sa mère apparut au bras d'un vieux monsieur à qui toute la maisonnée fit fête. La jeune fille elle-même, sur un coup d'œil impérieux de madame Barnum, se jeta au cou du nouveau venu.

— Ce bon monsieur Rigès ! [M. Régis Lavolée, parrain de Sarah et, si l'on en croit des rumeurs que Marie Colombier ne reprend pas, père de sa sœur Régina.]

Et elle le cajolait avec des allures mignardes où perçait parfois un accent de raillerie. Le vieillard, au contact des petites mains caressant ses joues molles, dodelinait de la tête, fermait à demi les yeux tout en coulant à sa petite amie des regards luisants, chauds de désir ; sa lèvre inférieure exsangue et pendante tremblotait, baveuse. [...]

La nuit était tombée. Tante Rosette [Rosine], qui toujours se rendait utile quand elle venait voir sa sœur, alluma les bougies des candélabres. Un instant après, elle annonça que le dîner était servi. La famille passa dans la salle à manger. La mère [Youle] avait pris le bras de M. Rigès et tous deux fermaient la marche, en causant à voix basse.

La Juive faisait des reproches au vieillard. Des gros mots roulaient sur ses lèvres sans que son masque de vierge se plissât. Elle l'appelait « vieux sale », lui reprochait de la tromper, de ne plus venir, de se faire avare, d'oublier leur longue liaison. Le nom de Reine [Régina] fut prononcé deux fois. M. Rigès décontenancé, l'œil à présent éteint, balbutiait un continuel :

— Mais non, Esther, je t'assure...

[...] Sarah s'impatienta, s'assit et découvrit la soupière. Puis, elle les appela :

— Eh là-bas, vous brûlerez le torchon demain : tout refroidit...
[...] Tout le temps, on parla théâtre. M. Rigès fut très moral : la littérature dramatique se gangrenait à l'instar de l'autre. [...]

La Juive, cependant, poussait Sarah du coude. Après avoir feint de ne pas comprendre, la jeune fille, sur un coup de pied reçu sous la table et renforcé d'un regard non moins persuasif, dut se lever et aller embrasser « bon ami ».

L'œil du vieillard aussitôt s'irradia comme une braise que ranime un jet d'oxygène. La comédienne, médusée par les regards maternels qui ne la quittaient point, se laissait caresser et dissimulait ses répugnances, tout en frissonnant chaque fois que les lèvres froides de M. Rigès se promenaient sur son cou ou se plantaient sur son fin menton.

Sa docilité fut payée par le don d'un billet de banque [...]. Alors, la physionomie de madame Barnum s'éclaira. Mais, enhardi par cette largesse qu'il savait attendue, le vieillard fit asseoir Sarah sur ses genoux. De sa main gauche, il la tenait à la taille ; de l'autre, il lui lissait sa robe d'une friction lente et chatouilleuse, très chaste d'apparence, qui en tendant l'étoffe et en écrasant les haut-plissés la palpait amoureusement, se réchauffant à la tiédeur que cette jeune chair laissait filtrer à travers la soie.

La jeune fille, résignée en apparence, plafonnait, à présent silencieuse, mais ses narines froncées, le pli contractant ses lèvres disaient ses impatiences et ses dégoûts. Aussi, dut-elle s'observer pour retenir un geste et un cri de délivrance quand, à dix heures, M. Rigès se décida à la lâcher et à partir.

Pourtant, elle ne fut pas libre encore. La porte refermée sur son convive, sa mère revint s'asseoir à la table, lui prit le billet de banque, et une grande discussion commença. Sarah lui avait coûté tant, elle avait pour elle fait tels et tels sacrifices ; puis [...] Esther conclut en déclarant que, tout cela étant fini, sa fille eût désormais à faire son chemin toute seule. La tante approuvait en écho, et même renchérissait [...] :

— Tu es jolie, tu as du talent, tu dois réussir... Dans ta position, une fille trouve toujours des appuis. Mais il ne faut pas être sentimentale, et, quand quelqu'un te veut du bien, regarder à la couleur de ses cheveux ou de son âge... Nous comptons que tu auras du cœur : ta mère a assez travaillé ; il s'agit de lui rendre tout ce qu'elle a fait pour toi...

Sarah les laissait dire, refrénant mal ses impatiences. À la fin, comme on lui reprochait, avec une crudité blessante, de n'avoir pas su tirer le double de M. Rigès [...], elle se révolta :

— Pourtant, cria-t-elle, je ne puis pas coucher avec les tiens !

La mère Barnum se dressa furieuse, la menaçant d'une gifle. Tante Rosette s'interposa, et la séance fut levée. On emmena Annette [Jeanne] et Reine qui, impassibles, et roulant des boulettes de mie de pain, écoutaient gravement, sans mot dire, leur mère et leur sœur. Une demi-heure après, toute la smala était au lit[22].

Comme les scènes du même genre se répétaient, les choix qui s'offraient à Sarah se faisaient plus limités. Dans ses moments d'exaltation, elle rêvait de la paix du couvent. Mère Sainte-Sophie lui avait montré que l'amour de Dieu ouvrait la voie du progrès spirituel. Youle, sa propre mère, lui montrait que l'amour des hommes était la voie de la réussite mondaine. Sarah sentait qu'elle devait suivre l'exemple de mère Sainte-Sophie. À présent qu'on la pressait d'entrer comme associée dans la firme Bernhardt Sœurs, elle percevait mieux la vénalité de leurs existences. La lutte entre la mère et la fille prit une tournure nouvelle. Sarah avait toujours souffert de l'amour que Youle prodiguait à Jeanne ; elle prenait maintenant un plaisir pervers à constater que les attentions de Régis avaient éveillé la jalousie de Youle. Il était manifeste que l'homme aux « joues molles » préférait les charmes naissants de la jeune fille à ceux épanouis de la mère. Youle trouvait fort bien d'encourager son enfant à coqueter avec son ancien amant, mais elle sentait le poids des ans lorsqu'elle voyait que c'était pour Sarah qu'il vidait ses poches et cela pour une simple étreinte et un baiser.

Ce fut le duc de Morny, habitué infiniment plus distingué du salon de Youle, qui contribua à éclaircir la situation. Descendant d'une brillante dynastie d'enfants adultérins, Morny était le petit-fils illégitime de Talleyrand par son père, le comte Charles de Flahaut, et de l'impératrice Joséphine par sa mère, la reine Hortense de Hollande. En tant que fils de la reine Hortense, il était aussi le demi-frère de Napoléon III qu'il avait d'ailleurs aidé à se hisser sur le trône. Morny, qui était l'incarnation même de l'esprit entreprenant et dynamique du second Empire, avait une main dans toutes les affaires. Il fit fortune dans la promotion de mines et de nouvelles voies de chemin de fer, transforma Deauville, petit village endormi de pêcheurs, en une station balnéaire à la mode, donna à Paris, avec Longchamp, son premier hippodrome moderne et créa le Grand Prix. Comme si cela ne suffisait pas, il s'intéressait en amateur au théâtre, écrivit quelques pièces, collabora avec Offenbach à la rédaction de livrets et composa même des airs d'opérette.

En 1854, Morny devint président du Corps législatif, fonction qu'il occupa avec distinction et presque sans interruption jusqu'à sa mort. En 1855, Napoléon III le dépêcha en Russie comme représentant extraordinaire au couronnement du tsar Alexandre II. Ambassadeur de France à Moscou, il épousa la jeune et belle princesse Troubetskoï, elle-même demi-sœur illégitime du tsar. Il semble bien que le fringant duc n'ait convolé en justes noces que pour jouir des plaisirs de l'adultère car, en plus d'une superbe collection de tableaux, il se constitua une galerie tout aussi remarquable de maîtresses, au nombre desquelles nous retrouvons Rosine et Youle.

Un jour Youle réunit un conseil de famille pour discuter de l'avenir de Sarah et invita Morny à y assister. Pourquoi ne pas faire de cette enfant une actrice, suggéra Morny d'un air détaché. Sarah, que la présence du tout-puissant duc intimidait quelque peu, annonça, en prenant soin d'éviter le regard de sa mère, qu'elle avait décidé de prendre le voile :

> Je m'approchai de ma mère et, lui jetant les bras autour du cou : « N'est-ce pas que tu veux bien que je sois religieuse, et que cela ne te fera pas de peine ? »
>
> Maman caressa mes cheveux dont elle était fière : « Si ! cela me fera de la peine ! Car tu sais bien qu'après ta sœur, tu es ce que j'aime le plus au monde. » Elle avait dit cela d'une voix lente et douce. [...]
>
> Je bondis en arrière, me rejetant au milieu du groupe atterrée par cette boutade pleine d'inconscience[23].

Mais déjà le duc s'ennuyait et s'apprêtait à partir, non sans avoir dit à Youle qu'elle ferait un mauvais diplomate. Puis, avec une tape sur la joue de Sarah, il ajouta : « Suivez mon conseil, mettez-la au Conservatoire. »

Finalement tout le monde s'accorda pour dire que le mariage était la seule solution sensée — tout le monde sauf Sarah qui déclara que, si elle devait épouser quelqu'un, ce serait Dieu et personne d'autre. Alors même qu'elle prononçait ces mots les propos de Morny résonnaient encore à ses oreilles — sans qu'elle sût qu'ils allaient déterminer son avenir — de manière aussi fatidique que les trois coups qui annoncent au théâtre le lever du rideau.

Un fait indéniable avait été passé sous silence : devenir comédienne signifiait alors accepter d'être une femme entretenue, de basse ou de haute volée. Toutes les personnes présentes savaient que le théâtre était un champ de manœuvres pour les jeunes et jolies filles, un marchepied qui conduisait au lit à parure de soie et à la vie de courtisane — tout comme elles savaient que même les actrices les plus douées devaient avoir un riche protecteur car les cachets étaient misérablement bas et les comédiennes, fussent-elles du Théâtre-Français, fournissaient leurs propres costumes et leurs bijoux. Sarah n'ignorait pas cela car elle avait entendu bien des commérages sur les actrices et les cocottes, sujet de conversation après tout assez banal dans le salon de Youle.

Sarah apprendrait rapidement que la distinction entre la loge d'une comédienne et la chambre d'une courtisane était au mieux imprécise, que le métier de comédienne comme celui de courtisane était affaire de passion, de plaisir et d'illusion. L'actrice, tout comme la courtisane, donnait des matinées et travaillait en soirée ; leur rêve commun était de tenir le plus longtemps possible l'affiche et de s'enrichir, et elles vivaient dans la hantise du chômage et de la vieillesse. Sans emploi, ni la comédienne ni la courtisane ne pouvaient s'offrir les parures qui attireraient les riches clients. Enfin l'actrice et la courtisane n'avaient que dédain pour un monde que leurs manières libertines et leur mépris des valeurs de la classe moyenne déconcertaient. Rares étaient les femmes assez fortunées pour devenir les étoiles de leur univers respectif. Alors seulement elles avaient le droit au respect, à l'adulation et à l'envie que la réussite entraîne immanquablement.

Avant de quitter l'appartement de Youle, Morny avait laissé entendre que Sarah renoncerait peut-être à entrer dans les ordres si elle découvrait l'atmosphère du Théâtre-Français. Alexandre Dumas, leur ami commun, y avait une loge et serait heureux que Youle et ses proches se joignissent à lui.

Un mardi, soirée par excellence dans la Maison de Molière, Sarah s'installa dans la loge de Dumas.

> Quand le rideau se leva, lentement, je crus que j'allais m'évanouir [écrira-t-elle]. C'était en effet le rideau de ma vie qui se levait.
> Ces colonnes, — on jouait *Britannicus*, — seront mes palais. Ces frises d'air seront mes ciels. Et ces planches devaient fléchir sous mon poids frêle. [...]
> Je pleurais des larmes lourdes, lentes à rouler sur ma joue, de ces larmes sans sanglots, sans espoir d'être jamais taries. [...]
> Maman, impatientée, lorgnait la salle. Mlle de Brabender me passa son mouchoir ; le mien était tombé, je n'osais le ramasser.
> Le rideau s'était levé sur la seconde pièce : *Amphitryon*. [...] Je ne me souviens plus que d'une chose : c'est que je trouvais Alcmène si malheureuse que j'éclatai en sanglots bruyants, et que la salle, très amusée, regardait dans notre loge.
> Ma mère, irritée, m'emmena avec Mlle de Brabender, laissant mon parrain furieux, grommelant : « Qu'on la fiche au couvent ! Et qu'elle y reste ! Bon dieu de bois ! quelle idiote, que cette enfant ! »
> Tel fut le début de ma carrière artistique [24].

Sur le chemin du retour, Sarah s'endormit dans la voiture de Dumas. Aussi impétueux que son chevalier d'Artagnan, l'auteur enleva la jeune fille dans ses bras et la porta jusqu'à sa chambre. Alors qu'il aidait Youle à dégrafer la robe de Sarah, il fit à cette dernière un cadeau qu'elle chérirait toujours, trois mots étincelants : « Bonsoir, petite étoile. » Comme Morny, Dumas avait deviné en elle quelque talent qui ne demandait qu'à s'affirmer et les larmes de Sarah l'avaient certainement davantage impressionné que l'inspection implacable que Youle avait faite du public.

*

Ainsi que Morny l'avait supposé, Sarah, après sa soirée au Théâtre-Français, ne songeait plus qu'au Conservatoire. Mais ce n'était pas chose facile d'entrer dans cette vénérable institution ; il fallait concourir avec des dizaines de comédiens en herbe qui avaient appris à jouer les grandes scènes du répertoire comique ou tragique. Youle ne s'embarrassa pas de telles formalités. Elle demanda à Morny d'user de son influence auprès du directeur du Conservatoire, le compositeur Daniel Auber. Celui-ci promit de s'intéresser à la jeune Bernhardt. Dans le même temps Sarah se vit soumise aux conseils douteux des amis de Youle, amateurs de théâtre ou qui se jugeaient tels. Le résultat fut des plus confus : Sarah devait répéter des scènes de Corneille, Molière, Racine et Voltaire... Il lui fallait grossir un peu, améliorer sa diction et affermir sa voix.

Monsieur Meydieu, ou « l'Odieux » ainsi que l'appelait Sarah, concocta une série d'exercices de diction qu'il fallait pratiquer quarante fois avant chaque repas et vingt fois avant de se coucher. On fit répéter à la malheureuse des phrases, parfois équivoques, telles que « *le plus petit papa, petit pipi, petit popo, petit pupu* * » ou « un très gros rat dans un très gros trou ». Dumas une fois encore devait rappeler Sarah à la réalité au cours d'une leçon mémorable. Les exercices de diction sont une bonne chose, lui dit-il, mais les textes classiques conviennent mieux. Pourquoi ne pas essayer *Phèdre* de Racine ? Sarah sera Aricie, la princesse amoureuse d'Hippolyte, et lui jouera tous les autres rôles. Dumas se met à arpenter la chambre de Sarah ; il caresse les mots, leur donne un sens inattendu, hurle, murmure, défaille, gronde et adopte des poses qui, malgré sa redingote et son embonpoint, évoquent pour Sarah la Grèce antique. Lorsqu'elle lui donne la réplique de sa voix pure et suave, le vétéran pressent qu'elle a l'étoffe d'une comédienne.

Le sourire encourageant de Dumas comme le baiser du prince Charmant dans *La Belle au bois dormant* ramenait Sarah à la vie. C'était un moment historique : un des pionniers de l'école romantique passait le flambeau à la jeune fille qui allait devenir la dernière des grandes comédiennes romantiques. Dumas ne pouvait certes prédire que sa petite protégée jouerait dans sa *Mademoiselle de Belle-Isle* ou dans *Kean*, cette pièce dans laquelle il définit l'art dramatique et le métier de comédien aussi brillamment. Quant à Sarah, elle n'apprendrait que bien plus tard que l'homme qui lui donnait ainsi des leçons avait écrit un essai pénétrant sur *Phèdre* ou que son propre jeu dramatique provoquait la jalousie des grands comédiens.

Dumas s'exclamait : « Vous changez de couleur et semblez interdite, Madame », lorsque Youle ouvrit la porte. Elle oubliait toujours que sa fille voulait faire du théâtre, soupira-t-elle, ajoutant que Dumas était un ange de se donner tant de peines mais qu'il pourrait peut-être lui apprendre une fable. Cela ferait tellement moins de bruit. Sarah devait se coiffer à présent et venir au salon où un gentil monsieur débarqué de Hollande souhaitait lui parler. Sarah, comme Aricie, blêmit car elle savait que, pour sa mère, le Néerlandais était un bon parti alors qu'elle le trouvait répugnant. Des poils noirs hérissaient ses joues et son menton et sortaient en touffes de ses narines et ses oreilles. Ses mains étaient pareilles à des pattes velues. Il se tenait là, transi d'amour, et Jeanne, dans son dos, singeait son dandinement d'ours. Sarah parvint difficilement à réprimer ses rires. Monsieur B. proposa et Sarah disposa. Elle n'avait pas le temps de s'intéresser au mariage ; elle allait devenir comédienne. À la pensée de tout l'argent qui lui échappait, Youle supplia sa fille d'accepter mais cela fut sans effet. L'heure passée avec Dumas avait transporté Sarah dans un autre monde que ni sa mère ni le riche prétendant, elle le sentait, ne pouvaient comprendre. La querelle n'était pas nouvelle, la mère pressait sa fille de songer à sa sécurité financière et Sarah était prête à courir les risques les plus fous par amour pour son art. Elle concevait le théâtre comme une ascension vers le succès et la gloire, Youle comme une descente vers les ténèbres et la misère. En désespoir de cause Madame Bernhardt demanda à Meydieu de ramener Sarah à la raison.

Elle n'était qu'une idiote éprise de romanesque, lui dit l'Odieux. Le mariage était une affaire d'argent qu'il fallait considérer comme telle. Elle serait riche lorsque les parents du Néerlandais mourraient. Sarah frémit d'horreur. Elle ne pouvait vraiment pas épouser un homme qu'elle n'aimait pas. Quelques jours plus tard Mme Guérard invita Sarah à monter chez elle. À sa surprise elle découvrit son pitoyable amoureux qui l'attendait. Des années plus tard, elle écrira dans ses Mémoires :

> Il me supplia de changer d'idée. Il me fit beaucoup de peine, car cet homme si noir pleura. « Voulez-vous une dot plus conséquente ? me dit-il ; je vous reconnais cinq cent mille francs. »
>
> Mais ce n'était pas cela. Et je lui dis tout bas : « Mais, Monsieur, je ne vous aime pas ! — Mais moi, Mademoiselle, je mourrai de chagrin si vous ne voulez pas m'épouser. »
>
> Je regardai cet homme... Mourir de chagrin... je me sentis

confuse, désolée et ravie... car il m'aimait comme on aime dans les pièces de théâtre.

Je me souvins vaguement de phrases lues et entendues. Je les lui répétai sans conviction, et je le quittai sans coquetterie.

Il ne mourut pas, M. Bed***. Il vit encore, et a une très grosse position financière[25].

Le Conservatoire de musique et de déclamation de Paris avait été créé sous le règne de Louis XVI. À cette époque il formait des musiciens et des chanteurs pour les fanfares des cérémonies de la cour et les divertissements musicaux du roi. L'art dramatique fut introduit par Napoléon Ier en 1808. Des cours de maintien et de danse furent ajoutés par la suite. Les acteurs, pensait-on justement, profiteraient des classes consacrées à l'étude des déplacements et des gestes tandis que les chanteurs, en particulier ceux destinés à l'opéra-comique où l'on exigeait de savoir déclamer les récitatifs parlés, pourraient tirer parti des leçons de diction, de comédie et de danse. Vers 1860, lorsque Sarah y fit son entrée, le Conservatoire était considéré comme la meilleure école d'art dramatique au monde et ses professeurs — les premiers comédiens du Théâtre-Français — comme les meilleurs acteurs. Bien qu'il eussent été, pour reprendre le mot d'Henry James, « prodigieusement grands », le temps a effacé jusqu'à leur nom. Pareils à ces étoiles auxquelles on les comparait, ils brillaient d'un grand éclat, scintillaient et enfin s'éteignaient avec l'apparition d'astres nouveaux. Il y avait certes quelques exceptions. Rachel et Bernhardt, même si nous ne les avons jamais vues, ont laissé des images qui hantent nos mémoires comme le souvenir des êtres que nous avons connus alors que les noms de Provost, Samson, Régnier et Edmond Got qui furent les John Gielgud et les Laurence Olivier de leur temps, n'évoquent rien ou presque pour nous. Nous pouvons certainement croire Henry James lorsqu'il écrit que l'une des choses les plus parfaites qu'il eût jamais vue fut une scène jouée par François Régnier, ou qu'Edmond Got était « le meilleur acteur vivant ».

Le jeu dramatique, comme le style, ne s'améliore pas, il évolue. Chaque fois que de nouveaux acteurs de qualité apparaissent ils sont jugés plus convaincants, plus « naturels », que leurs prédécesseurs peut-être parce que leur art consiste à refléter les manières de leurs contemporains rendant ainsi le public plus réceptif sans jamais le déconcerter. Une Vanessa Redgrave ou un Laurence Olivier peuvent, par jeu, verser dans le cabotinage mais, s'il leur arrivait de déchirer le décor ainsi que le faisaient Sarah Siddons ou Edmund Kean, ils provoqueraient sifflets et huées. Pour être pris par le jeu d'un acteur il nous faut croire que son comportement pourrait être le nôtre, et que notre propre comportement pourrait être le sien.

Cependant tout jeu dramatique, qu'il exprime l'acte le plus élevé ou le plus familier, qu'il serve le théâtre classique ou le vaudeville, n'est pas naturel. Sarah Bernhardt apparut plus naturelle que Rachel et la Duse plus naturelle que Sarah car le naturalisme offre à chaque nouvelle génération une image différente. Tout est, en quelque sorte, affaire de miroirs. Sarah elle-même allait inventer un style qui refléterait les sentiments, les humeurs, les inquiétudes, les gestes et les inflexions sociales de son temps. Si elle pleurait ou s'évanouissait en scène c'était parce que les femmes à son époque se laissaient aller à pleurer ou tombaient facilement en pâmoison. Ainsi ce fut le Paris du XIXe siècle, ce « Paris terrible et gai » de Victor Hugo, qui façonna ses dons de comédienne. Degas a déclaré que la peinture exigeait autant de ruse, de traîtrise et de duperie que la préparation d'un crime. La même chose pourrait être dite de l'art dramatique.

Dans les jeunes années de Sarah les quarante théâtres et les innombrables cafés-concerts qui divertissaient une capitale éprise d'art dramatique présentaient toutes sortes de spectacles, depuis la tragédie classique jusqu'à la comédie dite « de boulevard ». Ludovic Halévy, le librettiste de *La Belle Hélène* et de *La Vie parisienne* d'Offenbach, décrivit une représentation aux Délassements Comiques, l'un des cafés-concerts les plus populaires de la ville, un de ces « beuglants », comme on les appelait à l'époque, où Madame Bernhardt craignait de voir sa fille échouer ; il y avait entraîné Flaubert que le tohu-bohu qui régnait dans la salle, la chanteuse à la voix fausse et l'enthousiasme du public qui bissa trois ou quatre fois la même rengaine amusèrent au plus haut point.

À l'autre extrémité du spectre théâtral il y avait Rachel, la plus célèbre comédienne de la première moitié du siècle. Il est peut-être heureux que nous ne disposions pas d'enregistrements mécaniques de ses interprétations car il nous faudrait retrouver la sensibilité et la mentalité du XIXe siècle pour apprécier son talent comme le firent Delacroix, Chopin ou Liszt.

Il existe cependant des témoignages convaincants sur son jeu dramatique. L'un des plus vivants est celui de Charlotte Brontë qui vit Rachel dans *Phèdre* à Bruxelles en 1843 (un an avant la naissance de Sarah) et qui décrivit ses impressions dix ans plus tard dans son roman *Villette*. Le texte que nous citons est une brillante évocation du génie inquiétant de l'actrice, génie étrangement proche de celui de l'écrivain. La demoiselle réservée venue d'un lointain presbytère anglais battu par les vents et la *grande amoureuse** sortie des taudis surpeuplés de Paris avaient des dons comparables. Elles surent toutes deux émerveiller leur public par leur maîtrise des mots, elles le firent pleurer de compassion pour les héroïnes auxquelles elles donnèrent l'existence et frémir de crainte devant leur création d'esprit gothique.

> Je désirais ardemment voir un être sur la puissance duquel j'avais entendu des récits qui avaient fait naître en moi des espérances particulières... [écrivit Brontë]. Elle représentait l'étude d'une nature telle que mes yeux n'en avaient encore contemplée de semblable : elle était comme une nouvelle et grande planète ; mais de quelle forme ? J'attendais son lever.
>
> Elle se leva à neuf heures ce soir de décembre ; je la vis monter au-dessus de l'horizon. Bien qu'elle brillât encore d'une pâle grandeur et d'une ferme puissance, cette étoile touchait au jour de son jugement. Vue de près c'était un chaos creusé, à demi détruit ; un monde mort ou en train de mourir — moitié lave, moitié flamme. [...]
>
> Pendant un temps — un long temps – je ne la crus que femme, certes femme unique, se déplaçant avec puissance et grâce devant cette multitude. Mais je dus reconnaître mon erreur. Je trouvais en elle quelque chose qui n'appartenait ni à la femme ni à l'homme : dans chacun de ses yeux habitait un démon. Ces forces mauvaises la soutenaient dans la tragédie, maintenaient sa faible vigueur — car elle n'était qu'une fragile créature ; tandis que l'action se développait, que le mouvement se déployait, quelles furies l'agitaient de leurs passions infernales ! Elles inscrivaient le mot ENFER sur son front droit et fier. Elles accordaient sa voix sur la note du tourment. Elles contractaient son royal visage en un masque démoniaque. La Haine et le Meurtre et la Folie incarnés, elle était cela.
>
> C'était une vision merveilleuse, une puissante révélation.
>
> C'était un spectacle bas, horrible, immoral [26].

Sarah était une enfant quand ces lignes parurent. Rachel était morte lorsqu'elle entra au Conservatoire, cependant son image démoniaque hantait encore ceux que son art avait émus. Elle était la comédienne par excellence, l'aune à laquelle Sarah serait continuellement mesurée. Si Sarah hérita de la couronne de Rachel, et nombreux furent ceux qui le pensèrent, elle la porta à sa manière. Rachel ignora les œuvres d'Hugo, Dumas et Musset et rendit leur gloire à des dramaturges oubliés alors comme Racine et Corneille. Sarah adora les Romantiques et vit les auteurs classiques à travers leurs yeux. En dépit de leurs différences Sarah était faite de la même poussière d'étoiles que Rachel dont le style déclamatoire et l'art de ménager les effets étaient enseignés au Conservatoire comme s'il s'était agi de parole d'évangile.

Connaître Rachel permet de mieux comprendre Sarah. Née en 1821 à Mumpf, dans le canton suisse d'Argovie, elle était la fille de Jacob et Esther Félix, un couple de marchands itinérants qui eurent six enfants. À l'âge de dix ans elle est à Paris où elle chante et récite des poèmes pour quelques sous dans les cafés. C'est alors qu'un miracle se produit — le théâtre n'est-il pas le dernier refuge de tels prodiges ? Rachel est découverte par un homme du nom de Saint-Aulaire qui la prend dans son cours d'art dramatique. À treize ans elle est sur les planches. Au cours des deux années suivantes elle joue trente-deux rôles comme soubrette, confidente ou héroïne. À quinze ans elle est au centre des conversations du Tout-Paris théâtral et — nouveau miracle — elle est confiée à l'un des plus grands acteurs de la Comédie-Française, Joseph-Isidore Samson, qui s'arrange pour la faire étudier au Conservatoire. À dix-sept ans elle fait ses débuts dans la Maison de Molière.

En peu de temps la jeune fille pâle, à l'air studieux, aux yeux sombres et comme hallucinés, se fait une place parmi les génies du théâtre français. Le Tout-Paris *, avec Madame Récamier et Chateaubriand en tête, vient applaudir la merveilleuse Rachel qui domine toutes les autres actrices de son mètre quarante-cinq. Mais qui alors aurait osé affirmer que Phèdre était plus grande ? Dès que Rachel fut reconnue comme la reine incontestée de la tragédie, une comédie typiquement parisienne commença. La France, pays de la mesure et de la raison, lui reprocha son sens du calcul et ses ambitions, accusations qui pouvaient tout aussi bien s'appliquer à Louis-Philippe lui-même. Les Français grippe-sous se moquèrent de son avarice ; ces messieurs de la Bourse qui se battaient à couteaux tirés autour de la Corbeille critiquèrent sévèrement les cachets élevés qu'elle demandait ; sa vie légère inspira au public des réactions provinciales ; les grandes dames qui avaient jeté des fleurs à ses pieds lui tournèrent le dos lorsqu'elles apprirent ses liaisons avec des hommes de la haute société. Les aristocrates qui se flattaient qu'elle honorât de sa présence fascinante leurs salons l'ignorèrent des qu'ils découvrirent que ses indiscrétions étaient aussi embarrassantes que les leurs. Et, quand elle fit décorer sa demeure de manière aussi luxueuse que leurs résidences, ils virent dans son goût pour la grandeur un signe d'ostentation juive. Le fait que cette maison eût été un cadeau de son amant, le comte Colonna-Walewski (fils naturel de Napoléon Ier), ne fit qu'exacerber leur ressentiment. S'ils aimaient la voir exprimer sur scène des émotions hors du commun, ils pensaient qu'elle devait se dépouiller de son caractère comme elle faisait d'un costume de théâtre lorsqu'elle paraissait en société. Ils refusaient de reconnaître le scandale comme un droit divin des actrices. Ainsi que l'écrit Balzac à propos d'un autre artiste disparu peu de temps auparavant : « Les plaisirs, les idées et la morale d'un lord Byron ne doivent pas être ceux d'un bonnetier[27]. »

Le scandale et l'esprit sont l'une des parures les plus séduisantes de l'actrice. Un jour le prince de Joinville, fils de Louis-Philippe, envoya une carte à Rachel avec ce message : « Où ? Quand ? Combien ? ». Sa réponse — « Ce soir. Chez moi. Pour rien. » — émoustilla ses admirateurs[28]. Le fait que leur liaison dura sept ans les intéressa moins. L'un de ses derniers amants fut le prince Jérôme, neveu de Napoléon Ier et cousin de Napoléon III. Elle avait alors un peu plus de trente ans et sa santé déclinait rapidement.

« [...] Je ramène toute ma pauvre armée en déroute vers les bords de la Seine, écrivait-elle de La Havane, et moi peut-être, comme un autre Napoléon, j'irai mourir aux Invalides et demander une pierre où reposer ma tête[29]. » Rachel avait trente-six ans quand la maladie l'emporta. Quelques jours avant sa mort, recevant des lettres d'admirateurs lui donnant des conseils pour sa santé, elle murmura : « Dans huit jours d'ici, je commencerai à être la proie des vers et des biographes[30]. » Parmi les personnes présentes à ses funérailles, il y avait les Dumas, père et fils, Sainte-Beuve, Scribe, Théophile Gautier, Alfred de Vigny et Prosper Mérimée.

Sarah devait apprendre cela et bien d'autres choses encore au Conservatoire. Elle gardera toujours auprès d'elle un portrait de Rachel et rien ne devait jamais lui donner plus de plaisir que de s'entendre dire qu'elle égalait — ou qu'elle surpassait — son idole.

II

Le rideau rouge

En 1859, quand elle présenta l'examen d'admission au Conservatoire, Sarah approchait de ses seize ans. Ainsi qu'on peut l'imaginer, il y eut plus de discussions chez les Bernhardt pour savoir quelle robe la jeune fille porterait que ce qu'elle jouerait. Malheureusement ce fut Youle qui remporta la décision. Le résultat fut des plus curieux. Sarah, qui semble avoir conservé le souvenir de la moindre de ses toilettes, décrivit sa robe avec horreur.

> Maman m'avait fait faire une robe de soie noire légèrement décolletée, avec une berthe froncée. La robe était un peu courte et laissait passer mon pantalon de *broderie anglaise**, qui reposait ses deux jambes brodées sur des brodequins en peau mordorée. [...] Mes cheveux séparés sur mon front encadraient ma tête selon leur bon vouloir, car aucune épingle, aucun ruban ne les retenait. J'avais un grand chapeau de paille malgré la saison avancée.
> Tout le monde était venu passer la révision de ma toilette. Je m'étais tournée et retournée vingt fois. On m'avait fait faire la révérence... pour voir [1].

Après une tasse de bouillon revigorant et un regard inquiet lancé au miroir, Sarah, accompagnée des fidèles Guérard et Brabender, partit tenter sa chance. Une foule de gens faisaient les cent pas aux abords du Conservatoire. Des marraines de théâtre officieuses, des actrices, chanteuses, cocottes et boutiquières, s'agitaient en tous sens, examinant nerveusement la tenue de leur enfant et murmurant d'ultimes conseils. Des huissiers, aussi beaux que des centurions romains coiffés de leur casque d'airain, dominaient la foule. Soudain M. Léautaud, le souffleur du Théâtre-Français, appela le premier candidat. Sarah assista au départ des postulants que l'on emmenait, un par un, comme des condamnés à la guillotine. Quand son tour fut venu, M. Léautaud lui demanda ce qu'elle avait l'intention de présenter.

« Une scène de *L'École des femmes*. »

Et qui lui donnerait la réplique ? Sarah n'en avait aucune idée. « Que faire alors, demanda Léautaud. On ne peut jouer une scène sans partenaire. »

Dans ce cas elle réciterait *Les Deux Pigeons* de La Fontaine. Léautaud grommelait encore de désapprobation quand il s'éloigna pour annoncer son entrée. Convaincue que tout était perdu, Sarah le suivit dans la salle d'examen.

> Et me voilà toute seule dans cette salle bizarre, avec une estrade au bout, une grande table dans le milieu, et tout autour de cette table : des hommes, grognant, grognards ou moqueurs. Une seule femme, au verbe haut, tenant un binocle qu'elle ne quittait que pour prendre sa lorgnette[2].

À peine a-t-elle dit « Deux pigeons s'aimaient d'amour tendre... » que l'un des examinateurs explose : « On n'est pas à la classe ici. En voilà une idée de réciter des fables... » C'est Léon Beauvallet, l'éminent tragédien de la Comédie-Française, qui a souvent été le partenaire de Rachel. Sarah s'arrête court.

« Continuez, mon enfant », la presse Jean-Baptiste Provost qui deviendra le premier professeur de Sarah.

« Plus haut, plus haut », crie Samson, qui avait eu Rachel comme élève.

« Je m'arrêtai interdite, affolée, prise d'un énervement fou, prête à crier, à hurler », écrira Sarah.

« Voyons, nous ne sommes pas des ogres », assure Samson. Après avoir consulté à voix basse Auber, le directeur du Conservatoire, il ajoute : « Allons, recommencez, et plus haut. »

« Ah ! non, soupire Augustine Brohan, la dame à la lorgnette, si elle recommence, ce sera plus long qu'une scène. »

Les examinateurs éclatèrent de rire, mais Sarah se lança. À la moitié de la fable, une sonnerie retentit annonçant la fin de son supplice. Elle quitta la scène, en proie à ce mélange d'abattement et de rancœur qui accompagne le sentiment d'avoir échoué. Tristement elle remontait le corridor lorsque Monsieur Auber la rattrapa. Compositeur de cinquante opéras, dont *Fra Diavolo*, Auber était la gentillesse même. D'un naturel trop inquiet pour assister aux premières de ses propres œuvres, il comprenait parfaitement l'angoisse de Sarah. « Vous êtes acceptée », dit-il en réponse au regard suppliant de la jeune fille. « Mon seul regret est que votre belle voix ne soit pas destinée à la musique. » Dans ses Mémoires, Sarah raconte :

J'étais folle de joie. Je ne remerciai personne. Je courus vers la porte. [...]

Sur toutes les façades des boutiques, je lisais : « Je suis reçue ! »

Quand la voiture stationnait pendant un embarras quelconque, il me semblait que les gens me regardaient, étonnés, et je me surpris hochant la tête pour dire : « Oui, oui, c'est vrai, je suis reçue ! »

Je ne pensais plus au couvent. Je ne ressentais qu'un sentiment d'orgueil d'avoir réussi dans la première tentative entreprise. Tentative dont le succès ne dépendait que de moi seule.

Il me semblait que le cocher n'arriverait jamais au 265 de la rue Saint-Honoré. Je sortais sans cesse ma tête par la portière, et je disais : « Plus vite, s'il vous plaît, plus vite, cocher ! »

Enfin, nous arrivâmes à la maison, [...] quand je fus clouée sur place en pénétrant dans la cour. La colère et le chagrin s'emparèrent de moi, en voyant « mon petit'dame » arrêtée les deux mains en cornet, la tête en l'air, criant à maman penchée à la fenêtre : « Oui, oui, elle est reçue ! »

Je lui envoyai mon poing fermé dans le dos et me pris à pleurer de rage, car j'avais préparé pour maman toute une petite histoire qui finissait par la surprise joyeuse. Je devais prendre l'air triste dès la porte ; un air navré, confus, pour recevoir en plein le : « *Ça ne m'étonne pas, tu es si bête, ma pauvrette* », et lui sauter au cou en disant : « C'est pas vrai, c'est pas vrai, je suis reçue ! » [...]

Tout en maugréant contre Guérard, je montai chez maman que je trouvai devant la porte grande ouverte. Elle m'embrasse tendrement et voyant ma figure boudeuse : « Eh bien, tu n'es pas contente ? — Si, mais c'est Guérard... Je suis furieuse contre elle... Sois gentille, maman, fais comme si tu ne savais rien. Ferme la porte. Je vais sonner. »

Et je sonnai. [...] Et maman vint. Et elle fit l'étonnée. Et mes sœurs. Et mon parrain. Et ma tante... Et quand j'embrassai maman en criant : « Je suis reçue ! » tout le monde s'exclama avec joie. Et je redevins gaie. J'avais quand même fait un effet.

C'était la carrière qui prenait possession de moi sans que je m'en doutasse [3].

Sarah, sans qu'elle s'en doutât, aurait fort bien pu ne jamais devenir comédienne, car il est plus que probable qu'elle aurait été refusée si le duc de Morny n'avait prié Auber de « s'occuper de la petite Bernhardt » — une recommandation que peu de gens auraient osé ignorer.

Dans *L'Art du théâtre : la voix, le geste, la prononciation*, livre fruit du bon sens et de l'expérience, Sarah Bernhardt, alors âgée de soixante-dix ans, écrira que l'émission de la voix, le geste et la diction sont des techniques qui peuvent s'acquérir, mais que le véritable talent artistique doit être le résultat d'une quête et d'un apprentissage personnels. Pendant ses deux années au Conservatoire, Sarah apprit lentement et laborieusement les techniques de base dans les cours d'art dramatique, les spectacles montés par les élèves et les discussions sans fin avec ses camarades au salon de thé voisin. Mais cela ne suffisait pas à cette jeune fille passionnée qui, dans ses moments de folle ambition, rêvait de

> devenir la première, la plus célèbre, la plus enviée. Et j'énumérais sur mes doigts toutes mes qualités : — de la grâce, — du charme, — de la distinction, — de la beauté, — du mystère et du piquant [...] Et quand ma logique et ma bonne foi élevaient un doute, ou un mais... à cette nomenclature fabuleuse de mes qualités, mon « moi » combatif et paradoxal trouvait la réponse nette, tranchante et sans réplique[4].

À cette évaluation peu modeste Sarah aurait pu ajouter l'instinct, le tempérament, une voix fort belle, et un talent pour imiter ses proches d'une précision dont les effets étaient dévastateurs. Cependant ces divers dons ne pouvaient à eux seuls la satisfaire. Avec les années elle découvrirait au plus profond d'elle-même une substance malléable et précieuse qu'elle seule serait capable de modeler. Sarah serait à la fois Pygmalion et Galatée, le créateur et sa création.

Le zèle fervent dont elle avait fait preuve au couvent se transforma en fanatisme au Conservatoire. En un sens elle échangea la foi religieuse pour l'illusion théâtrale. Elle qui, enfant, ouvrait rarement un livre, dévorait à présent des recueils entiers de poèmes et de pièces. Comme Sheringham, l'amateur de théâtre personnage de *The Tragic Muse*, roman d'Henry James inspiré en partie par Sarah Bernhardt, elle se sentait plus à l'aise dans « la représentation de la vie » que dans la vie elle-même. Comme lui elle aurait pu affirmer : « Je l'aime plus, je crois, que la vie réelle. [...] On peut s'y perdre complètement[5]. »

Sarah découvrit la « représentation » grâce à ses professeurs, tous éminents acteurs de la Comédie-Française. Habituée aux poses affectées du demi-monde, leur maniérisme théâtral ne la dépaysait nullement. Elle aimait leurs jeux de physionomie, leur naturel moqueur, leur rire étudié et leur camaraderie facile, leurs baisers impudiques et leur goût des contacts physiques. Leurs intrigues, leurs médisances et leurs anecdotes malicieuses l'amusaient, ainsi que leur vanité comique, leur modestie de bon ton, ou la façon qu'ils avaient de prolonger les voyelles ou de faire claquer les consonnes. Ils étaient plus grands que nature et seul le proscenium pouvait leur redonner taille humaine. La façon dont les acteurs faisaient bloc contre leur ennemi commun, le monde extérieur, donnait à Sarah le sentiment qu'elle avait enfin trouvé sa voie.

Cependant il était bien des choses que la « petite rebelle », ainsi que l'appelait Provost, n'accepterait pas. En tout premier lieu il y avait son professeur de maintien. Relique du Premier Empire, Monsieur Élie, avec son épais maquillage, sa chevelure frisée, son jabot de dentelle, paraissait terriblement démodé à la jeune moderniste de 1860. Une baguette à la main, il s'adressait à la classe d'une voix de fausset distinguée : « Allons, Mesdemoiselles, le corps rejeté en arrière, la tête haute, la pointe du pied en bas..., là... parfait... Un, deux, trois, marchez ! » Et elles marchaient. On leur enseignait à se déplacer avec nonchalance, à se mouvoir sous l'emprise de la colère ou de la terreur ; on leur apprenait la démarche des victimes, des fanatiques, des saintes et des pécheresses. Ensuite venait « l'assiette » : il fallait apprendre à s'asseoir avec dignité ou avec lassitude, ou pour faire comprendre que l'on était disposé à écouter, et accompagner cela de mimiques et de regards qui exprimaient « le désir de savoir, la crainte d'entendre, la résolution d'éloigner, la volonté de retenir... ».

> Ah ! ce que cette assiette m'a coûté de larmes !... Pauvre père Élie ! Je ne lui en veux pas, mais je me suis acharnée à oublier ce qu'il m'avait appris, car rien n'est moins utile que ces classes de maintien [6].

Provost, un des acteurs les plus subtils du Théâtre-Français, était aussi l'un des meilleurs professeurs du Conservatoire. Malheureusement il n'aimait pas Sarah qu'il trouvait égocentrique et turbulente. Il commençait à se faire âgé et le spectacle de Sarah, toujours en retard, faisant irruption essoufflée dans son cours, l'exaspérait. Un jour qu'il la dirigeait dans *Zaïre* il se retint pour ne pas la frapper. Pendant des heures il corrigea chaque geste imprécis, chaque réplique mal placée, chaque inflexion fausse. Sarah pleura mais tint bon. La leçon terminée, Provost enfonça son chapeau à large bord sur sa tête, la fixa d'un regard glacial et assena le coup de grâce : « Voilà un rôle dont tu te souviendras si tu le joues jamais ! »

> S'il avait pu revoir son élève, treize ans après, sur la scène de son théâtre [observera un camarade de Sarah], il aurait été content de sa dure leçon, car, sous l'admirable talent que la jeune artiste avait acquis, on retrouvait les conseils lumineux du père Provost [7].

Ces propos sont de Paul Porel qui s'était lié d'amitié avec Sarah au Conservatoire. Porel, qui devait devenir directeur du Théâtre de l'Odéon et épouser Réjane, la grande comédienne, était un garçon pauvre, sec comme un échalas. Il gagnait sa vie comme apprenti dans un obscur atelier de relieur de la rue Gît-le-

Cœur où il dormait à même le plancher avec pour oreiller un volume de Balzac et pour rêves le théâtre. Les deux jeunes gens furent attirés l'un vers l'autre par leur amour de l'art dramatique et leur mépris d'adolescents pour les aspects matériels de l'existence. Sarah était lasse des incessantes discussions d'argent qu'elle retrouvait en rentrant chez elle et l'idéalisme de Paul lui était un réconfort. Paul, quant à lui, oubliait la misère de sa condition dans l'adoration qu'il portait à Sarah dont la féminité et la séduction s'affirmaient. Bien que nous ignorions les détails de leur liaison, il est fort probable qu'il ait été son premier amour.

Bien des années plus tard Jacques Porel, le fils de Paul et de Réjane, écrira qu'une petite photographie que Sarah avait donnée à son père portait « une phrase très tendre [qui] pouvait laisser entendre qu'il y avait eu, alors, autre chose entre eux qu'une simple camaraderie. Mon père ne m'a jamais rien dit, bien évidemment, mais je savais regarder [8] ».

Au cours de conversations privées que nous avons eues avec Jacques Porel, il s'exprima de façon plus directe et décrivit des promenades sur les bords de la Seine, des baisers volés, des confidences enflammées.

« Imagine, Jacques, lui avait dit son père, toi qui vénères Sarah, imagine quelle femme fascinante c'était à seize ans — sa verve, son sourire incandescent, son énergie ! »

Sarah avait appris à connaître dans sa famille les formes diverses que l'amour peut prendre. Elle allait compléter son éducation au Conservatoire où, derrière une apparence de décence et de respect des convenances, se tissait un réseau d'intrigues amoureuses.

Dans ses propres Mémoires, publiés en 1898, Marie Colombier écarte le rideau du décorum cher au Second Empire :

> Le Conservatoire d'alors présentait une physionomie toute particulière que lui ont fait perdre depuis nos mœurs nouvelles, plus pratiques qu'élégantes. L'inévitable commerce de la galanterie s'y relevait par un certain ton de convenance, et par le mystère décent dont il s'environnait. Au lieu d'avoir comme aujourd'hui de simples commanditaires, dont le rôle se borne à verser des mensualités plus ou moins opulentes, les jeunes personnes avaient des protecteurs âgés, sérieux, presque toujours en possession de situations importantes et de charges à la Cour ; elles passaient pour leurs pupilles, et les réalités de l'amour étaient déguisées pour le public sous cette demi-paternité. Maréchaux, amiraux, officiers de la maison impériale, ces « protecteurs » étaient, pour les futures actrices, beaucoup plus et beaucoup mieux que les bailleurs de fonds qui les ont remplacés. Ils facilitaient à leurs aimables filleules, par leurs hautes influences, les progrès de la carrière dramatique, et les suivaient de leur sollicitude depuis le Conservatoire jusqu'à la Comédie-Fran-

çaise. Ils se chargeaient de leur avenir artistique, en même temps qu'ils subvenaient aux nécessités matérielles du présent.

Au reste, cette protection était fort peu coûteuse. Les élèves du Conservatoire avaient encore un peu de l'âme de la grisette, et se comportaient envers leurs nobles parrains, dans la question d'argent, avec un désintéressement qui paraîtrait à la génération suivante d'une naïveté bien surannée. Ces petites Célimènes acceptaient, pour quinze louis par mois et quelquefois moins, d'ensoleiller la vieillesse d'un héros chevronné d'Afrique ou de Magenta.[...] [Ces vieux guerriers] y trouvaient à la fois des avantages économiques et la satisfaction de cet instinct moitié paternel, moitié pervers, qui fait rechercher par les Arnolphes quinquagénaires les Agnès de dix-sept ans. [...]

Aujourd'hui, [le Conservatoire] est une sorte d'école officielle où les élèves se préparent aux examens de sortie comme à un baccalauréat[...] et espèrent devenir des capitalistes, grâce au sociétariat [du Théâtre-Français], qui leur fera une retraite supérieure à celle d'un chef de division. Mais à cette époque, le Conservatoire abritait une nichée d'oiseaux insouciants et jaseurs[...] [9].

*

Marie Colombier omet de préciser que ces « oiseaux » ne restaient au Conservatoire que s'ils faisaient des progrès. En fait les concours annuels de comédie et de tragédie étaient des passeports pour les théâtres parisiens. Un public choisi assistait aux épreuves et des prix étaient décernés aux élèves les plus doués. Acteurs, critiques, protecteurs réels ou potentiels envahissaient la petite salle de spectacle de l'école dans l'espoir de découvrir de nouveaux talents, de futures amantes, ou les deux. C'était l'un des grands événements de l'année. En juillet 1861, à la fin de sa première année de cours, Sarah obtint un deuxième prix de tragédie et un premier accessit de comédie. Ce fut un coup dur pour la jeune fille qui avait à cœur de remporter les deux premiers prix.

L'année suivante ne fit qu'ajouter à sa déception. Provost tomba malade deux mois avant le concours et Samson prit Sarah dans sa classe. Samson se trompa sur les dons de la jeune fille et insista pour qu'elle présentât deux scènes ingrates de Casimir Delavigne. Mais Calliope elle-même n'aurait pu insuffler la moindre vie aux stances sans éclat de ce dramaturge.

Youle, comme à son habitude, voulut intervenir et décida que sa fille se ferait décrêper les cheveux. Une séance chez le coiffeur acheva de ruiner le peu d'assurance de Sarah. Après avoir fait le tour de sa victime, cet « idiot de Figaro » s'écria : « Mon Dieu ![...] Toutes les filles de Tanger et toutes les négresses ont des cheveux semblables ! » Puis, avec un grand moulinet de son fer à friser, il appliqua de la moelle de bœuf sur les boucles, brûlant accidentellement le cuir chevelu de la jeune fille. Les cris de Sarah n'eurent aucun effet sur le coiffeur qui étirait, peignait, brossait, épinglait ses cheveux, avec une concentration diabolique. Lorsque, enfin, il lui tendit un miroir elle put à peine se reconnaître et éclata en sanglots. Sa chevelure était tirée sur les tempes, ses oreilles plutôt grandes paraissaient décollées et des rangées de « petites saucisses » s'empilaient sur sa tête à l'imitation de quelque coiffure grecque de l'Antiquité.

En arrivant au Conservatoire Sarah arracha les épingles qui maintenaient sa coiffure. Comme les mèches luisantes de graisse se déroulaient sur son visage, elle secoua la tête « avec une rage folle ». La voix cassée par les sanglots elle présenta une scène de *La Fille du Cid* et perdit connaissance en quittant la salle. Mais elle conservait encore l'énergie de se battre. Une demi-heure plus tard elle jouait, avec charme et délicatesse, un passage comique de *L'École des vieillards*. Cependant celle qui voulait être première en tout n'obtint qu'un second prix comme Paul Porel. Le premier prix fut décerné à Marie Lloyd, une ravissante beauté qui devait faire, au cours des trente années suivantes, une carrière plutôt terne à la Comédie-Française. Comme Marie était seule à Paris, Sarah l'invita à déjeuner :

> Dans la voiture, mon caractère « J'm'enfichiste » avait repris le dessus ; nous bavardions sur un tel, une telle [...] et nous riions comme des folles. [...]
> Marie Lloyd fut reçue par maman avec cette indifférence charmante et distinguée qui lui était particulière.
> Mon parrain [...] s'approcha de moi et [...] me tint en face de lui : « Eh bien, tu as tout raté ! Mais pourquoi t'obstiner à faire du théâtre ?... Tu es maigre, petite... et ta figure, assez gentille de près, est laide de loin ; et ta voix ne porte pas ! — Mais oui, ma fil..., ton parrain a raison, reprit M. Meydieu, épouse donc le minotier [...] ou cet imbécile de tanneur espagnol [...]. Tu ne feras rien au théâtre ! Marie-toi [10] ! »

Après le repas Youle eut une brève conversation avec Sarah. Il ne fallait pas qu'elle se laissât abattre, ni qu'elle se fît du souci pour l'avenir. Il était toujours possible d'arranger un mariage avec son prétendant hollandais.

Sarah répondit qu'elle y réfléchirait, mais c'était là une esquive. Elle appartenait au théâtre envers et contre tout. Peut-être fut-ce alors qu'elle adopta sa fière devise, *Quand même*, qui lui servirait tout au long de son existence à défier le monde.

La décision de devenir — *quand même** — comédienne était une chose, trouver un emploi en était une autre. Si Sarah avait été peintre ou écrivain, elle aurait pu immédiatement se mettre au travail. Mais elle était actrice et il lui fallait un public pour exprimer ses talents. Qui l'engagerait ? Où trouverait-elle ce public ? La réponse, assez miraculeusement, arriva dans un billet écrit par Mme Guérard qu'elle trouva le soir même sur sa table de chevet :

> Pendant que vous dormiez, le duc de Morny a envoyé un mot à votre mère, lui disant que Camille Doucet venait de lui affirmer que votre engagement à la Comédie-Française était chose convenue. Donc, ne vous faites pas de chagrin, ma chère enfant, et ayez confiance dans l'avenir.
>
> Votre petit'dame [11].

Deux jours plus tard Sarah recevait un message d'Édouard Thierry, le directeur du Théâtre-Français. Elle devait venir signer son contrat. Une fois encore se posa la question de sa toilette et une fois encore la solution adoptée fut risible. Youle décida qu'en tant qu'actrice reconnue Sarah devait porter l'une des robes recherchées de Rosine. Pour rehausser l'ensemble, Rosine prêta sa « voiture à laquais ». Dans ce magnifique équipage, Sarah ressemblait en tout point à une jeune courtisane. Le choix d'un tel apparat était peu judicieux. Camille Doucet (chef de la division Théâtre au ministère des Beaux-Arts) et Léon Beauvallet (« l'homme le plus mal élevé de France et... d'ailleurs », selon Sarah) bavardaient près de l'entrée des artistes lorsqu'elle ressortit, son contrat à la main.

« Eh bien, s'écria le comédien, vous en avez un équipage ! »

« Ce n'est pas le sien mais celui de sa tante, » expliqua Doucet.

« Ah ! j'aime mieux cela ! » répliqua Beauvallet, le visage empreint d'un doute étudié. Mais rien n'aurait pu refroidir l'enthousiasme de Sarah. Elle était lancée, elle allait faire ses débuts dans le plus célèbre théâtre du monde et le grand Camille Doucet lui-même lui avait prédit un brillant avenir.

Une semaine plus tard Rosine donna un grand dîner en l'honneur de sa nièce. C'était aussi pour Rosine une occasion de pavoiser car rares étaient les demi-mondaines qui pouvaient s'entourer de personnalités telles que Rossini, Morny et le comte Colonna-Walewski, ministre des Beaux-Arts.

Lorsque les invités d'après-dîner arrivèrent, Rosine chanta une ballade populaire pour chauffer l'assemblée. On porta des toasts au succès de Sarah et tous réclamèrent un poème. Tandis qu'elle récitait *L'Âme du purgatoire* de Delavigne, Rossini se glissa jusqu'au piano et improvisa un accompagnement. Sarah était rayonnante. Pour compléter son bonheur, Youle l'embrassa tendrement et susurra que c'était la première fois que sa fille l'émouvait réellement, compliment ambigu que Sarah, au comble de l'excitation, ne releva pas.

Le 11 août 1862 Sarah devait faire sa première apparition dans le rôle titre d'*Iphigénie*. C'était l'un de ses trois « débuts » dans trois rôles différents qu'elle devait présenter, selon la tradition de la Comédie-Française, dans un laps de temps fort court. Lors de la première répétition elle arriva bien avant l'heure et se retrouva seule sur la vaste scène. Surprise par l'obscurité, le silence et le froid qui régnaient dans ce lieu pareil à une crypte, et par l'enchevêtrement des cordes, poids et poulies au-dessus de sa tête, elle fut prise de frayeur. Ce décor fantomatique était très différent de la vision glorieuse de colonnades et de nuages peints dont elle conservait le souvenir depuis sa première rencontre avec la Comédie-Française. Les acteurs qui commençaient à prendre place ajoutèrent à sa déception. Se pouvait-il que ces gens renfrognés fussent ces créatures exaltées qui l'avaient bouleversée jusqu'aux larmes ? Un regard méfiant à la débutante mal à l'aise, une répétition rapide de leur texte, quelques conseils à la petite nouvelle et ils s'éloignaient. Le lendemain, après une autre répétition et quelques brèves recommandations, Sarah fut déclarée prête. Une affiche annonçant « Débuts de Mlle Sarah Bernhardt » fut apposée à l'extérieur du théâtre. La jeune fille l'étudia avec effroi. « Je ne sais combien de temps je restai ainsi attirée par les lettres de mon nom, écrira-t-elle, mais je me souviens qu'il me semblait que chaque personne qui s'arrêtait me regardait après avoir lu l'affiche, et je me sentais rougir jusqu'aux oreilles [12]. »

Le grand jour arriva enfin. Comme elle montait les escaliers faiblement éclairés conduisant à sa loge, Sarah fut prise d'une sensation terrible d'étouffement. *Le trac**, hantise de tout comédien, lui rendait sa première visite.

Sarah souffrirait toujours de ce mal. Le fait que le public eût été composé de professeurs en vacances et de touristes ne parlant pas français ne calma pas ses craintes. Alors qu'elle se préparait elle surprit son regard dans le miroir de la loge. Sous le fard et la poudre son visage lui parut quelconque. L'appel de l'avertisseur résonna comme un coup de tonnerre. Il n'y avait pas d'échappatoire possible. Ce fut un bref soulagement de trouver Provost et Samson qui l'attendaient dans les coulisses. Mais lorsqu'ils la taquinèrent, l'embrassèrent et l'assurèrent que tout irait bien, elle fut encore plus effrayée. Ce seraient eux, plus que toute autre personne, qui la jugeraient, eux qui lui avaient enseigné le moindre geste et la moindre inflexion. Debout derrière le décor, elle guettait avec appréhension les voix assourdies des acteurs dont les répliques se rapprochaient inexorablement de l'instant de son entrée en scène. « Mais le sang me bourdonnait aux oreilles, je n'entendais rien », se souviendra-t-elle encore bien des années plus tard.

Lorsque son tour arriva, Provost murmura « *merde** » et la poussa vers la scène. Trois acteurs fringants, expérimentés et que leur professionnalisme semblait dépouiller de toute humanité, attendaient sa réplique. Il y eut un silence terriblement long. Enfin Sarah retrouva sa voix et débita son texte comme une somnambule, sans avoir conscience du moindre son ni du moindre mouvement. Seules la mémoire et les heures d'apprentissage la soutenaient.

Lorsque le rideau tomba elle se précipita dans sa loge et arracha son costume. Elle avait oublié qu'il lui restait encore quatre actes à jouer. « Je sentis alors que vraiment j'étais en danger si je me laissais aller ainsi à mes nerfs. [...] Je terminai la pièce. Je fus insignifiante [13]. »

Sarah quitta la scène la tête encore pleine des rires bruyants qui avaient éclaté lorsqu'elle avait levé ses bras grêles en signe d'imploration. Quelques jours plus tard, Francisque Sarcey, le critique le plus craint de Paris, écrivit :

> Mlle Bernhardt est une grande et jolie personne d'une taille élancée et d'une physionomie fort agréable. Le haut du visage surtout est remarquablement beau. Elle se tient bien et prononce avec une netteté parfaite. C'est tout ce qu'on peut dire pour le moment [14].

Le premier lecteur venu aurait jugé ces lignes assez aimables mais Sarah pleura en les découvrant. Que pouvait-on reprocher au bas de son visage ? Le critique cherchait-il à l'encourager ou à la décourager avec sa conclusion pour le moins réservée ? L'apparition suivante de Sarah, dans la *Valérie* de Scribe, passa quasiment inaperçue mais son troisième « début » dans *Les Femmes savantes* déchaîna l'ire de Sarcey :

> Que Mlle Bernhardt soit insuffisante, ce n'est pas une affaire. Elle débute, et il est tout naturel que parmi les débutants qu'on nous présente, il y en ait qui ne réussissent point ; il faut en essayer plusieurs avant d'en trouver un bon ; mais ce qui est triste, c'est que les comédiens qui l'entouraient ne valaient pas beaucoup mieux qu'elle. Et ce sont des sociétaires ! Ils n'avaient par-dessus leur jeune camarade qu'une plus grande habitude des planches ; ils sont aujourd'hui ce que pourra être Mlle Bernhardt dans vingt ans si elle se maintient à la Comédie-Française [15].

Cette attaque en règle ne pouvait que desservir Sarah auprès des autres acteurs. Sa causticité et ses airs prétentieux avaient suscité quelques murmures, mais être mis dans le même sac que cette inconnue sans talent, c'en était trop. La direction du théâtre ignora alors la malheureuse Sarah et ne lui confia, situation ô combien démoralisante, aucun rôle pendant quatre mois.

Le climat n'était guère meilleur chez elle où les sourires entendus et les « je te l'avais bien dit » de sa mère n'étaient pas faits pour lui redonner le moral. Seule sa sœur cadette semblait l'apprécier. À neuf ans, Régina était une petite fille excentrique qui parlait peu sauf pour surprendre sa famille par quelque obscénité bien choisie. Sarah l'aimait et l'emmenait partout avec elle. Rien n'aurait pu être mieux calculé pour irriter ses collègues acteurs que le spectacle de la turbulente protégée de Morny traînant sa sœur jusqu'à sa loge pour lui tenir compagnie. Jamais le Comédie-Française n'avait connu pareille chose.

Le 15 janvier 1863 le théâtre organisait, rite solennel s'il en est, sa cérémonie annuelle d'anniversaire en l'honneur de Molière, son fondateur. Les comédiens de la compagnie devaient se rassembler puis, deux par deux, aller déposer des palmes sur le buste du dramaturge. Lorsque Régina entendit parler de l'événement elle supplia Sarah de l'emmener. Sans réfléchir celle-ci accepta. Main dans la main, les deux sœurs assistèrent à la procession qui rappelait quelque cérémonie druidique. Devant elles se tenait Madame Nathalie. Virago aux manières redoutables, à la formidable poitrine, dans une robe bleue qui tombait de ses puissantes hanches pour se terminer par une traîne de trois pieds, elle était la terreur de la troupe. Comme elle allait pour s'avancer, les bras chargés de palmes, elle ne put faire un pas : Régina s'était plantée sur sa traîne. Avec un rugissement digne de Médée, Madame Nathalie repousse alors l'enfant qui va heurter de la tête une colonne de marbre. Régina hurle et, le visage couvert de sang, se jette dans les bras de Sarah. « Méchante bête ! » crie Sarah qui se précipite sur Madame Nathalie et, avant que la sociétaire ait le temps de répliquer, lui applique deux gifles retentissantes. Régina proteste de son innocence et répète que cette « grosse vache » n'avait pas le droit de la bousculer. Les partisans de l'enfant jubilent, ceux de Madame Nathalie haussent les épaules avec dégoût et, dans la salle, le public trépigne d'impatience. Finalement les festivités purent commencer avec la lecture de poèmes à la gloire de Molière et la présentation de scènes tirées de ses pièces.

Le jour suivant Sarah fut convoquée par Monsieur Thierry. Il exigeait des excuses. Si Madame Nathalie consentait à les accepter, Sarah devrait payer une forte amende ; sinon le comité serait contraint de lui demander sa démission. Monsieur Thierry expliqua quel privilège c'était d'appartenir à la Comédie-Française et les dangers auxquels la jeune actrice s'exposerait si elle la quittait. Après un comportement aussi scandaleux, il n'est pas étonnant qu'aucun rôle n'eût été confié à Sarah. La seule exception fut une représentation unique de *L'Étourdi* de Molière donnée à l'occasion du départ à la retraite de son professeur, Samson.

Ce désœuvrement forcé provoqua chez Sarah un profond sentiment de frustration et de lassitude ; elle se sentait mal à l'aise dans une compagnie où tous semblaient la détester. Comme elle refusait, en dépit des exhortations, de présenter ses excuses, il fut mis fin à son contrat. Son *amour-propre* * était sauf mais l'imprudente et obstinée Sarah ne devait reparaître sur la scène du Français que quelque dix années plus tard.

*

Sarah allait amèrement regretter l'affront fait à Nathalie. Un an plus tôt elle était cette jeune fille qui entrait au Théâtre-Français grâce à l'appui de Morny. À présent elle n'était plus qu'une trouble-fête sans talent particulier susceptible de lui assurer la protection du duc. Elle s'était révoltée en partie pour venger sa sœur et en partie parce qu'elle se sentait humiliée par son échec public. Le monde du théâtre se désintéressait de l'affaire, sa mère était fatiguée de l'entretenir et la suggestion que lui fit son parrain d'ouvrir une boutique de confiseries lui était odieuse.

Commence alors pour Sarah une période difficile pendant laquelle elle dut, pour subvenir à ses besoins, faire commerce de ses charmes. Il serait tentant de jeter un voile pudique sur ces années si les difficultés et les récompenses de la *vie galante* * n'avaient aidé la future tragédienne à mieux comprendre ces courtisanes qu'elle incarnerait un jour avec autant de présence.

Dans les années 1860 la blonde et mince Sarah et la brune et voluptueuse Marie Colombier menèrent joyeuse vie dans une capitale transformée par les soins du baron Haussmann et aussi pimpante et fraîche que les deux jeunes filles. En effet un nouveau Paris, celui des grands boulevards, était en train de naître et avec lui un nouveau style de vie voyait le jour. L'argent et l'esprit d'entreprise transformaient la physionomie de la cité mais également son âme. Une nouvelle ère « moderne » commençait, sûre d'elle, cynique, exubérante et martiale.

Sarah, en digne enfant de son temps, se laissa gagner par le faste et la folle prodigalité de l'époque. Comme sa mère elle voulait sa part du gâteau et, si possible, la plus grosse. La ressemblance s'arrêta là. Si Youle recherchait le luxe et le confort matériel, Sarah jugeait que de telles aspirations étaient ruine de l'esprit. Son vœu était de s'illustrer dans le drame poétique ; elle aimait la scène, fût-ce dans l'échec. Réticente mais intriguée elle se retrouva mener la vie d'une demi-mondaine et elle le fit, pourrait-on ajouter, avec fougue même si le cœur n'y était pas. Elle était trop fière et trop impatiente pour se soumettre aux mâles tout-puissants du Second Empire qui s'ennuyaient en compagnie de leur épouse et considéraient leurs maîtresses comme des catins.

Après son départ de la Comédie-Française Sarah devint une de ces jeunes filles faciles que protège leur anonymat. Quand, à cinquante-quatre ans, actrice célèbre, elle écrivit *Ma double vie*, elle choisit d'ignorer cet aspect de son passé. Dans ce livre elle fait une rapide allusion à un certain comte de Kératry — que l'on considère généralement comme son premier amant sérieux — et le présente comme l'un des invités de la soirée organisée par Rosine en son honneur. Le comte était, pour reprendre ses mots, un « jeune et élégant hussard » qui lui fit la cour et l'invita à réciter quelques vers dans le salon de sa mère. Marie Colombier décrirait leur première rencontre de manière infiniment moins romantique :

> Ce soir-là, Sarah était d'humeur féroce. C'était par trop de désillusions en effet. Elle rentrait du théâtre Corneille [la Maison de Molière], où elle avait débuté depuis quelques jours [...].
> Les méchancetés de ses camarades et l'injustice du directeur lui eussent été de peu, si son orgueil d'artiste n'avait pas saigné à l'humilité de ses débuts. [...] Elle avait paru sans éclat, et, ce qui l'enrageait, avec un demi-service de presse [...]. Seul, le gros critique Narssey [Sarcey] lui avait consacré deux lignes de feuilleton. Encore les employait-il à la couvrir de reproches ! Elle n'avait pas été le voir, et, pensait-elle, il se vengeait. De là, du reste, le plus vif de ses regrets. Puisqu'elle aimait le théâtre, elle aurait dû sacrifier son orgueil, ne pas vouloir tout devoir à son talent et se décider à des séductions qui, en lui attirant des éloges, l'eussent lancée...
> [...] En son désir de gloire, dans sa folie ambitieuse, elle se résignait à de pires épreuves, mais, voilà, sa mère la martyrisait. Chaque jour, ou plutôt vingt fois par jour, elle la tympanisait avec la même antienne :
> — Comment ! depuis plus d'un mois, tu es engagée et tu n'as pas trouvé le moyen de nous être utile !...
> [...] De quoi enfin devenir folle !
> [...] Mais personne ne la courtisait, — personne ! C'était à croire qu'elle effrayait le monde ! Pourtant elle ne pouvait pas arrêter les gens par la manche de leur pardessus ! [...]
> Tante Rosette [Rosine] qui, impassible, avait laissé passer l'orage [...] interpella doucement la comédienne.

— Petite, lui dit-elle, ça ne sert jamais à rien de crier [...] Il faut chercher pour trouver [...]. Tu as une de ces occasions ce soir. Ta mère vient d'aller demander des places pour les Variétés. Si on les lui donne, viens avec nous. C'est très bien fréquenté les Variétés, et si tu n'y jettes pas tes filets, c'est que tu es une maladroite. Crois à mon expérience !...

[...] La jeune artiste, appréciant le conseil, résolut immédiatement de le suivre.

En deux sauts, elle fut à sa chambre. Deux heures, elle y resta, se faisant belle [...]. Quand elle sortit, elle était rayonnante.

[...] Les trois femmes se firent conduire aux Variétés.

Jamais Sarah ne put se rappeler ce qu'on avait joué ce soir-là. Tandis que sa mère et sa tante, assises l'une à côté de l'autre derrière elle dans la baignoire, ne cessaient de rire [...], elle, sérieuse, dans une attitude étudiée, restait au bord, à lorgner un à un tous les hommes qu'elle apercevait dans la salle. Elle faisait son choix.

Cependant les gilets en cœur de l'orchestre avaient remarqué cette fille étrange aux beaux grands yeux. Sa chevelure excentrique dont le chapeau clair soulignait les tons fauves, arrachait aux hommes des « très chic » approbatifs. [...] Leur insistance étonnée venait surtout de ce que reconnaissant Esther [Youle] et Rosette, ils s'en voulaient de ne pas savoir quelle était la nouvelle venue, leur compagne. Sarah cependant demeurait impassible et ses regards se promenaient curieux et tranquilles, toujours froids. Au second acte, ils se fixèrent et, subitement, son visage se détendit [...]. Ses grands yeux ne quittaient plus un jeune homme assis presque au-dessous d'elle, à l'avant-dernier rang des fauteuils. Celui-ci, d'ailleurs, répondait éloquemment aux regards de la jeune fille, et la comédienne, soudain rose, souriait à demi [...].

À la sortie [Esther et tante Rosette prirent leurs manteaux et s'en allèrent.] Comme elles atteignaient la rue Vivienne, la débutante les rejoignit :

— Je vous avais perdues dans la foule, balbutia-t-elle, essoufflée.

Les deux femmes mouraient d'envie de l'interroger, pourtant elles se turent après s'être concertées du coude, réjouies et rassurées par l'air exultant de la jeune fille. D'ailleurs, comme celle-ci se retournait à chaque instant, Rosette donna un coup d'œil furtif derrière elle, et aperçut, à vingt pas, un jeune homme qui les suivait. C'était celui dont elle avait surpris les regards bombardant Sarah tout à l'heure, au théâtre. [...] [Les deux femmes] actives encore, et nageant, Rosette surtout, en pleine vie galante, n'en ressentaient pas moins le secret et délicieux chatouillement dont les débuts d'un cher apprenti égaient le cœur de parents tendres, mais vétérans hors concours du métier qu'embrasse leur rejeton !

On arriva de la sorte rue Saint-Honoré. Le suiveur [...] conservait ses distances, feignant d'être un promeneur indifférent [...].

Les deux sœurs, qui, à l'approche du logis, avaient pris de l'avance, entrèrent les premières, très vite, pour permettre à Sarah d'échanger quelques mots avec « son amoureux ». Elles étaient déjà sur leur palier quand la jeune fille les rejoignit. Ce soir-là, pour la première fois depuis de longs mois, les deux femmes l'embrassèrent avant de s'aller coucher. La mère soupira :

— Allons ! tu es une bonne fille !

Et tante Rosette, réellement attendrie, accompagna sa nièce jusqu'au seuil de sa chambre. [...] Elle ne put se contenir et baisant l'artiste au front, elle lui chuchota :

— Mes compliments ! ... tu as bon goût : il est très bien ! ... Maintenant, il s'agit de jouer serré.

Sarah eut un sourire de sphinx. Puis, comme sa tante s'éloignait, elle la rappela, prise soudain d'un doute ou d'un besoin de confidence :

— Ma bonne Rose, [...] ils sont deux qui... m'ont remarquée. Un jeune et un vieux... Le jeune me plaît beaucoup, mais le vieux me paraît plus riche ; il avait à la porte une voiture qu'il a renvoyée pour me suivre. Il serait venu jusqu'ici, s'il ne s'était aperçu que l'autre le dépassait ; mais j'ai sa carte et je le retrouverai quand il me plaira... J'hésite... Voyons, lequel faut-il prendre ?...

[...] La courtisane se sentit remuée [...] :

— Vois-tu, chérie, – mais ceci entre nous – à ta place, je donnerais ma virginité au jeune. D'abord, le tout est de débuter. [...]

Avec son flair de courtisane experte, Rosette ne se trompait pas. [...]

Charles Véranne [Émile de Kératry] était, en effet, un beau garçon de trente ans, élégant et distingué. Lieutenant de vaisseau [...], il donnait le ton à tout un monde de jeunes viveurs [...]. Sous sa gravité de chevalier du gardénia pontifiant avec une coupe de champagne, l'officier hardi et brave [...] recevait à présent les filles et les mots avec la même [...] intrépidité railleuse et froide dont il avait accueilli balles et bourrasques. Par ce côté, autant que par sa verve endiablée et que par son esprit caustique et mordant, il se distinguait de la foule de ses compagnons. [...]

Viveur convaincu, il venait d'éprouver la joie d'un Colomb découvrant un nouveau monde. Cette jeune fille à peine entrée au théâtre le séduisait par le mélange bizarre qu'il sentait en elle de corruption et de naïveté. [...] Quant à elle, si Véranne, en tant qu'homme, lui plaisait fort, par comparaison surtout, elle ne l'aimait certes point, étant de celles qui ne peuvent jamais aimer.

[Quand son amant l'eut conquise] elle l'aima moins encore, prise d'un dégoût vague où passait la rancœur d'une désillusion. Et quoi ? c'était cela l'amour ? Et elle avait préféré ce jeune homme au vieux, plus riche ! [...] La désillusion qui était en elle lui semblait plus amère et plus cruelle que son dégoût [dégoût que ses anciennes amies n'avaient pas connu]. Elle était incomplète, et une honte lui en venait. [...]

Quand sonna l'heure du départ, quand Véranne, qui l'avait doucement blaguée sur sa robe pauvre, lui fit comprendre la nécessité d'achever sa métamorphose de chrysalide en brillant papillon, elle joua donc son rôle en comédienne accomplie. Le jeune homme put se croire aimé pour lui-même et ne devoir qu'à la persuasion la faveur qu'il obtint de se rendre utile [en lui donnant de l'argent...].

En arrivant au logis, elle jeta sur la table de sa mère [...] la majeure partie de son gain. Et l'envie de satisfaire ses anciennes rancunes la terrassant, elle s'écria :

— J'espère à présent que tu ne m'embêteras plus !

La Juive se récria. Elle, embêter sa fille ? Elle ne voulait que son bien. Seulement, avec son expérience de la vie, elle lui avait montré sa route. [...] Elle avait tout de suite songé à lui faciliter l'existence, à la rendre aussi facile que possible. À cet effet, le matin même, elle avait loué dans un quartier tout neuf, sur le boulevard Malesherbes, un grand appartement où Sarah aurait une chambre indépendante, coquettement meublée et s'ouvrant directement sur l'escalier. La comédienne jouirait là des agréments et des avantages d'une vie de famille économique, tout en ayant son entière liberté [16]...

Les descriptions des activités sexuelles de nos semblables reposent le plus souvent sur des conjectures et des ouï-dire. La correspondance de Sarah montre qu'elle avait une relation compliqué à l'amour et l'habitude de reporter ses rendez-vous avec ses amants qui, insistait-elle, avaient su satisfaire ses fantasmes les plus fous. Peut-être, mais c'est pure supposition, les sentiments que George Sand prête à son héroïne, Lélia, permettent-ils de comprendre ceux de Sarah :

« J'avais près de lui une sorte d'avidité étrange et délirante qui [...] ne pouvait être assouvie par aucune étreinte charnelle. Je me sentais la poitrine dévorée d'un feu inextinguible et ses baisers n'y versaient aucun soulagement. Je le pressais dans mes bras avec une force surhumaine et je tombais près de lui épuisée, découragée de n'avoir aucune manière possible de lui exprimer mon enthousiasme. Le désir chez moi était une ardeur de l'âme qui paralysait la puissance des sens avant de l'avoir éveillée ; c'était une fureur sauvage, qui s'emparait de mon cerveau [...]. Mon sang se glaçait, impuissant et pauvre, durant l'essor immense de ma volonté. [...]

Quand il s'était assoupi, satisfait et repu, je restais immobile et consternée à ses côtés. J'ai passé ainsi bien des heures à le regarder dormir. Il me semblait si beau, cet homme ! Il y avait tant de force et de grandeur sur son front paisible ! Mon cœur palpitait violemment près de lui ; les flots ardents de mon sang agité me montaient au visage ; puis d'insupportables frémissements passaient dans mes membres. Il me semblait ressentir le trouble de l'amour physique et les désordres croissants d'un désir matériel. J'étais violemment tentée de l'éveiller, [...] et d'appeler ses caresses [...]. Mais je résistais a ces menteuses sollicitations de ma souffrance, car je savais bien qu'il n'était pas en lui de la calmer [...] [17].

Il est probable que George Sand se soit inspirée, pour ce passage, de sa propre expérience. Si tel est le cas le sentiment de frustration de Sarah, tout comme celui de la romancière, fut un stimulant qui l'incita à multiplier les aventures amoureuses. Sa liaison avec Kératry dura plusieurs mois — jusqu'au jour où il fut envoyé en mission militaire au Mexique.

En mars 1863, trois semaines après sa rupture avec la Comédie-Française, Sarah fut engagée pour jouer de petits rôles et pour doubler les premières actrices du Gymnase, le théâtre le plus élégant de Paris. Si cet engagement était une régression manifeste il avait également ses avantages. Ses débuts prématurés au Français l'avaient placée dans une situation fausse. À présent, loin des feux de la rampe, elle pouvait dire ses quelques répliques sans être paralysée par la peur, apprendre de ses collègues les trucs du métier, et développer ses aptitudes à un rythme raisonnable.

Chaque soir Sarah regarde les lampistes commencer leurs rondes. La scène, le parterre, les couloirs et les loges s'emplissent bientôt d'une lumière ambrée. On abaisse le lustre ouvragé aux jets de gaz réglés à mi-hauteur pour éclairer les rangées de fauteuils enfermées dans un croissant de loges dorées. Les femmes de ménage bavardent tout en retirant les housses des sièges et en agitant inutilement leur plumeau. Les pompiers casqués, en grande tenue, prennent leur faction tandis que leur chef se place près de la rampe dont la longue rangée de flammes est souvent à l'origine d'incendies dramatiques. Dans les cintres de grands récipients d'eau sont suspendus en cas d'incident. Les préparatifs se poursuivent alors que pour les machinistes c'est le branle-bas de combat ; ils hurlent ordres et contrordres, et tirent poids et poulies comme des marins sur le pont d'un voilier. La claque s'installe sous le lustre prête à applaudir les comédiens qui ont payé son enthousiasme d'un soir. Les musiciens accordent leurs instruments. Le régisseur vérifie un fois encore les accessoires. Enfin la sonnerie retentit et le silence se fait. Les acteurs se pressent dans les coulisses tandis que l'orchestre joue les dernières mesures de l'ouverture. Le rideau se lève et soudain comédiens et spectateurs se trouvent réunis pour communier dans la même ferveur.

Au cours de la saison 1863-1864 Sarah joua sept rôles, certains plaisants, d'autres médiocres, dans des pièces qui étaient — si l'on fait la part des présupposés et des canons de l'époque — fort proches de celles de notre temps. Tout comme aujourd'hui, le public s'intéressait à la représentation dramatique ou comique de liaisons amoureuses et d'intrigues où la jalousie, les problèmes domestiques, les machinations ou les crimes avaient leur part.

Sarah s'était sentie étouffée par ce qu'elle considérait être la bienséance sépulcrale de la Comédie-Française ; mais à présent, par un mouvement contraire de son idéalisme, elle se jugeait bien au-dessus de la frivolité du Gymnase. La future reine de la tragédie souhaitait rugir et non roucouler et malheureusement c'était ce qu'elle devait faire lorsqu'elle chantait des romances qui commençaient ainsi : « Un baiser ? Non ! non [18] ! »

*

En avril 1864 Sarah fit sa première apparition au Gymnase dans *Un Mari qui lance sa femme*, une comédie de Labiche et Deslandes qui, il faut bien le dire, ne contribua pas à lancer la jeune actrice.

> Je n'eus ni succès ni insuccès ; je passai inaperçue. Et, le soir, maman me dit : « Ma pauvre enfant, tu étais ridicule, dans ta princesse russe ! Et tu m'as fait un profond chagrin. »
> Je ne répondis pas un mot ; mais j'eus très réellement le désir de me tuer [19].

Ce n'était pas tant les critiques de Youle qui inspiraient à Sarah des pensées suicidaires que le fait qu'elle était enceinte et que, sans époux ni amant officiel, sa situation était difficile.

À cet endroit de ses Mémoires, dans un chapitre qui pourrait s'intituler « Châteaux en Espagne », Sarah laisse libre cours à son imagination. Il est difficile de faire ici la part entre ce qui est pure invention et ce qui est véridique.

« Je dormis mal, écrit Sarah, et je m'en fus vers six heures du matin chez Mme Guérard. Je lui demandai du laudanum qu'elle me refusa. Et voyant mon insistance, la pauvre chère femme comprit mon dessein. " Alors, lui dis-je brusquement, jurez sur la tête de vos enfants que vous ne direz à personne ce que je vais faire, et je ne me tuerai pas. " »

Sarah poursuit son récit en racontant qu'au lieu de se tuer elle décida, sur un coup de tête, de partir le matin même pour l'Espagne, en compagnie d'une femme de chambre, après avoir confié deux missives à Mme Guérard : « une lettre tendre [pour maman] la suppliant de me pardonner » et « une lettre stupide [pour Montigny, le directeur du Gymnase] qui n'expliquait rien [et que je finissais] par cette phrase : " Ayez pitié d'une pauvre petite toquée [20] " ».

Les pages suivantes font état d'aventures picaresques à Marseille et à Madrid, ainsi que de la décision de s'installer pour toujours en Espagne, projet qu'un télégramme annonçant que Youle était très malade vint bouleverser. À son retour à Paris, après des retrouvailles émouvantes avec sa mère, il fut décidé que Sarah s'installerait dans un appartement de la rue Duphot, à

quelques pas de la demeure familiale, qu'elle prendrait Régina
avec elle tandis que Jeanne resterait avec Youle. Le seul fait qui
soit passé sous silence est probablement l'événement le plus
important de sa vie personnelle, la naissance de son seul enfant,
Maurice, le 22 décembre 1864. Elle ne fait aucune allusion au père
dans ses Mémoires, ni ne mentionne Maurice avant qu'il ait
atteint l'âge de quatre ans. Alors qu'à vingt ans Sarah souhaitait à
tout prix perdre son anonymat, à l'époque de la rédaction de *Ma
double vie* elle s'efforcera de préserver quelque semblant de vie
privée.

Le jeu dramatique, l'interprétation et le sens de l'équivoque
sont parents proches (le terme grec pour acteur n'est-il pas
hypokrites ?) et Sarah était également douée dans ces trois
domaines. Elle donna de nombreuses versions contradictoires de
l'idylle qui conduisit à la naissance de son fils. Dans ses moments
de frivolité elle aimait dire qu'elle ne savait qui de Gambetta, de
Victor Hugo, du général Boulanger ou du duc de Clarence était le
père de Maurice — propos plutôt surprenants puisque à cette
époque elle ne connaissait aucun de ces hommes.

Comme tous les acteurs Sarah n'aura qu'une hantise :
ennuyer son auditoire, fût-il même composé de ses proches et
amis. Aussi, lorsque sa petite-fille, Lysiane Bernhardt, réunit des
documents pour la biographie officielle — nourrie de « témoignages directs » — Sarah lui confiera ce qu'elle affirmera être la
véritable histoire de sa vie. Cependant, quand l'époux de Lysiane,
le dramaturge Louis Verneuil, écrira sa propre biographie « officielle », Sarah n'hésitera pas à le régaler d'une autre « histoire
véridique », suivant là une stratégie de diversion destinée à
cacher certaines vérités désagréables à Maurice et aux enfants de
celui-ci, et d'autres vérités encore plus déplaisantes pour elle-
même [21]. Voici, dans ses grandes lignes, le récit que Sarah fit à son
petit-fils par alliance :

Alors que Sarah jouait au Gymnase, la compagnie fut invitée
à donner un spectacle devant Napoléon III et la cour. Une
représentation de commande aux Tuileries était un honneur
insigne et Sarah était décidée à se surpasser. Lorsque son tour
arriva elle prit place, fit une profonde révérence et annonça
qu'elle allait réciter un poème de Victor Hugo. Ce fut l'une des
bévues les plus monumentales de sa carrière. L'empereur avait
banni le poète républicain plus de dix ans auparavant et une
petite comédienne venue Dieu savait d'où l'affrontait là, dans son
propre palais, en déclamant *Oceano Nox*.

Un frisson glacial parcourut l'assistance. Sarah, pensant
peut-être que le poème choisi était trop lugubre pour le public
impérial, commença une œuvre plus souriante du poète en exil,

« Lorsque l'enfant paraît... ». L'empereur se leva, donna solennellement le bras à l'impératrice et, suivi de ses hôtes scandalisés, se dirigea d'un air désapprobateur vers un salon voisin.

Sarah se retrouva seule en scène, face à des rangées de sièges vides. Elle ne resta pas longtemps ainsi. Le directeur du Gymnase bondit sur les planches en jurant et, la saisissant par le poignet, il menaça de la frapper. À cet instant une voix impérieuse retentit : « Voulez-vous laisser cette enfant tranquille ! » Le chevalier errant venu à la rescousse était un bel homme blond, le plus distingué des princes belges, Charles Joseph Eugène Henri Georges Lamoral, prince de Ligne.

Verneuil termine son récit sur une note euphorique :

> Exaltée, éprise de romanesque, toujours émue par tout ce qui était noble ou rare, [Sarah] fut, aussitôt, vivement intéressée par le chevaleresque jeune gentilhomme qui prenait, ainsi, vigoureusement parti pour une petite comédienne inconnue, insignifiante [...].
>
> De son côté, le prince, visiblement, était, dès ce premier entretien, très séduit par la beauté si personnelle et la nature vibrante de la jeune artiste. La soirée terminée, il la reconduisit jusqu'à la porte de la maison maternelle. Et puis ils se revirent le lendemain, et puis le surlendemain... Et, jusqu'à l'été, chaque jour et chaque soir. Bien vite, ce fut plus qu'un grand amour : une véritable passion, sincère de part et d'autre, le sentiment réciproque le plus rare et le plus touchant qui eût jamais uni deux jeunes cœurs [22].

À Lysiane, Sarah confiera un petit drame tout aussi romanesque. À « la couturière », répétition en costume qui précède la générale, d'*Un Homme qui lance sa femme*, Sarah aperçut sa mère dans une loge avec Dumas et remarqua son air désapprobateur. Tard dans la soirée Dumas rendit visite à Sarah. La situation était fort mauvaise. Il était vrai qu'il l'avait encouragée à devenir actrice. Avait-il eu raison ou non, il ne le savait pas. Mais une chose était sûre : elle avait pris la mauvaise voie. Ce qu'il lui fallait c'était une pause, un changement de décor et du temps pour comprendre qu'en fait elle était son pire ennemi. En un mot, elle devait quitter Paris. Sarah protesta qu'elle n'abandonnerait ni la pièce ni sa mère. Dumas promit de s'occuper de cela. Il écrirait à un ami en Belgique, Monsieur Jean Bruce, qui l'attendrait à son arrivée. Quelques jours plus tard Sarah était à Bruxelles et se rendait à un bal masqué.

Jamais elle ne devait oublier cette soirée de juin. Son carnet de bal fut rapidement rempli de noms prestigieux. Et, souvenir encore plus mémorable, un inconnu masqué entreprit de lui faire la cour. Il était déguisé en Hamlet, elle en Élisabeth d'Angleterre, la reine vierge. D'une pression insistante de sa main gantée sur le dos de Sarah il la conduisit à travers le dédale des couples qui valsaient, par les portes ouvertes, jusqu'au balcon.

Lui : Madame... Mademoiselle... Ne voulez-vous pas retirer votre masque ?
Elle : Et pourquoi, monsieur ?
Lui : Pour me faire plaisir.
Elle : Quel intérêt ai-je donc à vous faire plaisir ?...
Elle ne peut achever, Hamlet, s'approchant d'elle brusquement, la tient contre lui, cherchant à embrasser ses lèvres, mais, bien vite, la main gauche de la jeune fille s'abat sur la joue du danseur :
Elle : Ah ! ça, monsieur Hamlet, je ne suis pas, que je sache, déguisée en Ophélie pour que vous osiez vous permettre une telle liberté !
Interdit, le jeune homme [...] voit se refléter [dans un miroir] l'image d'Hamlet et d'Élisabeth d'Angleterre, en train de se gourmander mutuellement ; le comique de la situation transforme son irritabilité en fou rire. [...]
Lui : Le prince du Danemark supplie Sa Majesté d'Angleterre de lui pardonner tant d'incorrection : *Forgive, or not forgive* ?
Elle (avec un sourire) : *Forgive*...

À la fin de la soirée le prince offrit une rose à Sarah. Un mouchoir brodé à son chiffre était enroulé autour de la tige :
— Cette rose, mademoiselle Bernhardt, est comme votre caractère, hérissée de cruelles épines ; aussi, ai-je rendu ces pointes inoffensives... Comme je connais votre nom et point votre visage et que *je veux* vous revoir, daignez, demain matin, porter cette rose à la promenade afin que je vous retrouve plus vite... Vous devez bien cela au malheureux prince du Danemark.
Dans la matinée Sarah loue une victoria, fixe la rose à son châle de dentelle et prend place dans la longue file des attelages qui descendent et remontent l'élégante avenue Louise. Dans sa robe jaune ondoyante et sous son joli chapeau de Paris, elle est l'image parfaite de la femme du monde qui se lance. Bientôt un jeune et beau cavalier s'approche de sa voiture. « Madame Élisabeth », dit-il en retirant son haut-de-forme avec un geste gracieux. « Monsieur Hamlet », murmure une Sarah rougissante.
Et ainsi commença cette grande histoire d'amour. Une lettre envoyée par Monsieur Bruce à Alexandre Dumas semble apporter quelque crédit au récit de Sarah :

Bruxelles, juin 1863

... Ainsi, mon cher Dumas, votre jeune amie, Mlle Sarah Bernhardt, a fait la conquête de Bruxelles. À notre bal, elle captura le cœur du prince L... Je crois qu'ils se sont revus. M'en voudrez-vous d'avoir trop distrait cette petite fille, ou me féliciterez-vous d'avoir permis à une actrice de se libérer des préjugés ? [...]

P.-S. — À l'instant, je reviens de l'hôtel de Hainaut et de Flandres... Sarah ne s'y est pas montrée depuis huit jours !... Elle voyage, paraît-il, « avec des amis ». Je crains que ces amis, réunis en une seule personne, n'aient limité le déplacement au boulevard de la Toison-d'Or... Voilà ce qui arrive quand on lâche une libellule avec un papillon [...] [23].

Jamais à court d'imagination, Sarah donnera non seulement deux autres versions de cette liaison, mais également deux dénouements qui sont étrangement proches du renoncement de Marguerite dans *La Dame aux camélias*. Assez tristement ses fantaisies romantiques ne peuvent celer le fait que le prince n'était pas aussi galant homme qu'elle l'avait espéré. Il ne reconnut pas l'enfant comme son fils, ni n'offrit de subvenir à ses besoins. Ce n'est que lorsque *la petite Sarah* * sera devenue *la grande Sarah* * qu'il tentera de faire amende honorable. Sarah ne devait jamais l'oublier ni lui pardonner. Bien des années plus tard, dans des lettres à d'autres amants, elle s'appesantirait sur son amour pour le prince de Ligne et sur ses « espérances déçues, ses larmes d'impuissance, son désespoir qui lui donnait des pensées de suicide ».

Marie Colombier confirme le désespoir de Sarah dans *Les Mémoires de Sarah Barnum*. Marie qui, tout comme sa « meilleure amie », appréciait la prestance et la distinction du prince, évoque Sarah se précipitant « tout en larmes chez l'auteur de son malheur ». Le prince donnait une réception et avait oublié d'inviter Sarah. À la vue de ses larmes il se raidit. Sa *petite amie* * allait lui gâcher sa soirée. Mais rien ne pouvait ébranler l'assurance mondaine dont il avait hérité avec sa fortune et ses titres. Au mot de « séduction » il eut un petit rire discret. Mais cet amusement tourna à l'incrédulité lorsque Sarah lui dit qu'elle était enceinte de ses œuvres.

« Ma jeune amie, dit-il, priez donc [l'actrice] Augustine Brohan de vous piloter de ses conseils. Cette aimable femme, pour votre gouverne, vous paraphrasera volontiers un de ses plus jolis mots : " Quand on s'assoit sur un fagot d'épines, on ne sait pas quelle est celle qui vous pique ! " » Puis, ajoutant qu'il ne pouvait négliger plus longtemps ses invités, il baisa la main de Sarah et la conduisit jusqu'à la porte [24].

Ligne conserva son amour et son argent mais il fit à Sarah un présent infiniment plus précieux, un enfant qui susciterait chez elle une dévotion dont elle ne se savait pas capable. Mais la jeune femme, qui n'avait que vingt ans à la naissance de Maurice, n'était pas une madone placide. L'angoisse que provoquaient les moindres larmes de son fils ou ses moindres petits rhumes, la tendresse qu'elle lui portait ne pouvaient satisfaire les aspirations d'une femme douée de son énergie inépuisable. En l'absence d'engagement dans un théâtre elle décida rapidement d'exploiter d'autres aspects de ce qu'elle nommait son « Moi ».

« Oh ! je sais que je n'ai aucun talent, confiera-t-elle un jour à Jules Renard, mais j'ai voulu goûter à tout [25]. » Ce fut ainsi qu'elle porta un intérêt marqué à la peinture et à la sculpture, une passion qui avait fort bien pu naître chez Félix Nadar car l'atelier du photographe était au centre de la vie artistique de son époque. Tout le monde posait pour lui : Verdi, Berlioz et Rossini ; Baudelaire, George Sand et Flaubert ; Delacroix et Courbet ; les frères Goncourt, l'anarchiste russe Mikhaïl Bakounine et même Rachel mourante.

Si ces grands personnages étaient déjà célèbres lorsque Nadar les photographia, Sarah n'était qu'une inconnue quand elle posa pour lui. Les premières études qu'il réalisa d'elle pourraient s'intituler *Jeune Femme au seuil de l'existence*. Nadar nous la montre avec le talent d'un grand portraitiste. Il est clair que Sarah avait su l'émouvoir et qu'elle serait capable d'émouvoir des salles entières. On décèle dans ces clichés ce que les acteurs nomment une présence. Drapée dans des plis de velours à la Titien, Sarah fait preuve d'un sens certain du jeu dramatique. Dans un portrait elle est une Vierge rêveuse, ardente et mélancolique. Dans un autre, créature sibylline, sensuelle et avide des plaisirs de la chair, elle tourne vers l'objectif un regard plein de séduction. Plus tard, Paul, le fils de Nadar, prendra des centaines de photographies de l'actrice.

Fréquenter l'atelier de Nadar était un véritable apprentissage en soi. Tout y était flamboiement et nouveauté : les conversations, les tableaux, les techniques mêmes de la photographie. L'atelier, le boulevard des Capucines où il était situé, le nom même de l'artiste né Tournachon, tout était nouveau. Nadar, véritable géant, était une étude en rouge : sa chevelure, ses moustaches, le peignoir flottant qu'il portait pour travailler, les murs intérieurs et la façade même de son atelier resplendissaient de sa couleur de prédilection.

Son atelier était un des lieux de rencontre du *Tout-Paris artistique* *. Dumas y côtoyait Offenbach, Sardou y croisait Gustave Doré. Alors que Nadar prenait cliché sur cliché, ses amis s'exerçaient à l'escrime dans un coin du vaste studio ; d'autres buvaient, bavardaient, discutaient d'art ou de politique, parlaient de leurs histoires de cœur ou des ascensions en aérostat de leur hôte.

Mais cette atmosphère bohème ne pouvait faire oublier à Sarah que sa carrière était au point mort. Entre avril 1864 et août 1866 elle ne joua que dans un seul spectacle, une féerie, *La Biche aux bois*, au théâtre de la Porte-Saint-Martin. Le poète Robert de Montesquiou — qui sera l'un des modèles de Proust pour le baron de Charlus — évoquera l'apparition de celle qui deviendrait son amie, « endormie sur un de ces tertres de gazon que la naïve machinerie d'alors faisait avancer en roulant. Elle avait des cheveux châtains légèrement ondulés, une grâce maigre, un profil légèrement ovin... Alors dans tout son éclat, des tristesses semblaient parfois l'envahir et c'est dans de telles minutes qu'elle était la plus émouvante [26] ».

Si le court engagement de Sarah dans cette pièce à la mode était un pas en arrière, elle y prit cependant un plaisir extrême. Comme la plupart des comédiens sérieux elle aimait la vulgarité innocente et les artifices consommés des acteurs du théâtre de boulevard. Elle conservera la nostalgie de ces vedettes populaires, tombées depuis longtemps dans l'oubli, lorsqu'elle rédigera ses Mémoires, et parlera avec affection de Delphine Ugalde, qui la dirigea dans leurs duos. « Oui, écrira-t-elle, j'allais chanter avec une véritable chanteuse, la première artiste de l'Opéra-Comique. [...] Elle me trouva une jolie voix ; mais je détonnais sans cesse. Elle me soutenait et m'encourageait. » Pour Mariquita, la danseuse du moment, elle aura des mots chaleureux : « Oh ! qu'elle était charmante, cette délicieuse Mariquita, dans ses danses pleines d'entrain, de caractère, et de grande distinction toujours [27]. »

*

Sarah trouva amusant, et même instructif, de jouer dans *La Biche au bois*, mais cet engagement ne devait pas lui permettre de commencer à payer ses factures. Elle était l'inconscience même et préférait les ignorer. Toute idée d'économie lui était étrangère et les dettes n'étaient qu'une incitation à faire de nouvelles dépenses encore plus extravagantes. Ses toilettes — le temps des robes données par Rosine était bien révolu — étaient hors de prix. Maurice, avec ou sans père, était élevé comme le petit prince qu'il eût pu être ; et, aussi irritant que cela eût été pour Sarah, la nourrice, la femme de chambre et la cuisinière espéraient toucher leurs gages régulièrement. Sarah n'avait pas d'autre choix que de jouer le jeu de sa mère. Et ainsi, tout en gardant un œil sur les possibilités d'engagement, elle devint, comme nombre de ses amies actrices, de plus en plus dépendante des amants. Elle ouvrit son salon de satin crème à des aristocrates, des banquiers, et — la leçon était retenue — des critiques dramatiques.

Si l'on en croit Marie Colombier, tous ces messieurs s'entendaient à merveille. « Ce qu'il y a de curieux, fait-elle dire à Sarah Barnum, c'est que la petite bande marche comme un seul homme. [...] Ils s'adorent entre eux et je crois, ma parole, que moi partie, ils continueraient à se réunir dans mon salon[28] ! »

Sarah se sous-estimait. Elle était très belle et sa vitalité galvanisait ceux qui la fréquentaient. Son comportement imprévisible les enchantait. Ses amants et ses amis s'amusaient beaucoup à la voir fuir ses créanciers et se cacher dans la maison qu'elle louait à Auteuil. Ils lui faisaient une place dans leur lit quand il était trop tard pour qu'elle regagnât sa retraite campagnarde après une soirée de plaisirs. Lorsque ses domestiques, parce qu'elle avait négligé de les payer, partirent en emportant ses meubles, ses amants garnirent son appartement de chaises, tables, linge et argenterie. L'un d'entre eux, homme probablement prudent, lui offrit même un ravissant bidet.

Les succès que Sarah remportait en tant que courtisane étaient en fait plus manifestes que ceux qu'elle avait connus comme pensionnaire de la Comédie-Française. À vingt ans elle n'avait pas encore eu l'occasion de déployer ses talents personnels. Peut-être n'y avait-elle pas cru. Ses échecs sur scène et l'attitude négative de Youle n'avaient guère contribué à affirmer sa confiance. Installée sous son propre toit, réconfortée par les sourires de sa « ménagerie » ainsi qu'elle nommait son cénacle, Sarah se trouvait soudain transportée de l'adolescence à l'âge adulte. Le fait qu'elle n'eût pas de théâtre où se produire n'empêchait pas cette actrice-née de jouer la comédie. Il faut certes un certain talent dramatique pour simuler la passion et accepter l'argent de ses amants avec une aisance nonchalante. En outre, cela lui donnait l'occasion de s'étudier ; elle mettait en scène ses entrées et ses sorties, ses éclats de rire et ses larmes, ses gestes sinueux, avec un narcissisme vigilant qui la rendait aussi irrésistible à ses yeux qu'à ceux de sa coterie.

Quinze ans plus tard, le critique anglais Tom Saylor devait évoquer les résultats de la discipline que Sarah s'était imposée au cours de ses années de courtisane : « La musique charmeuse de sa voix douce et argentine, les caresses séduisantes et ondulantes de ses bras souples et de son corps svelte, tout le vocabulaire de l'abandon sans retenue d'une femme amoureuse... »

De tels charmes ne s'acquièrent pas dans les conservatoires d'art dramatique, ni dans l'intimité d'un cabinet de travail. Les années de frivolité et de vie légère contribuèrent de manière subtile mais sûre à enrichir l'art de Sarah et à rendre sa présence sur scène encore plus fascinante.

Sarah aurait pu faire sien le principe de Miriam Rooth,

l'héroïne d'Henry James, qui, parlant du « monde bas et vil », affirme : « Faites-le payer, sans pitié, pressurez-le. C'est ce pour quoi il est fait, payer pour l'art [29]. » Sarah, à l'instar de Miriam, ne perdit jamais de vue cet objectif ultime.

Cela faisait plus de deux ans qu'elle jouissait ainsi de sa « liberté » lorsqu'elle écrivit à Doucet, en 1866, pour lui demander un rendez-vous. Elle lui devait son entrée au Français, peut-être l'aiderait-il encore. Le lendemain même Doucet la faisait appeler. Après un sermon cinglant qui stigmatisait son caractère intraitable, son existence tapageuse et son comportement peu diplomate, il proposa de la recommander à Félix Duquesnel, « coadjuteur *ad latus* », autrement dit associé, du directeur du théâtre de l'Odéon, le deuxième théâtre national de France. Mais il y avait une condition à cela, ajouta-t-il avec sévérité : elle devait promettre de s'assagir. Sarah éclata en sanglots, promit, mais ses larmes cachaient mal un sourire. Elle savait que l'habile tante Rosine avait invité Doucet à dîner quelques jours plus tard et qu'il préférerait apporter de bonnes nouvelles plutôt que de mauvaises à la table familiale.

Duquesnel, l'un des grands directeurs de théâtre à Paris, n'oublierait jamais sa première rencontre avec Sarah. Il lui avait envoyé une lettre qui était restée sans réponse lorsqu'un jour, ainsi qu'il l'écrivit :

> [Ma femme de chambre anglaise du nom de Willie] entra chez moi comme affolée [...]. « Monsieur, monsieur, me dit-elle, je ne comprends pas, mais il y a là une dame chinoise qui demande à parler à monsieur ! »
>
> J'étais très intrigué, ne me connaissant aucune relation avec l'empire du Milieu, et lui dis avec une certaine curiosité : « Faites entrer la dame chinoise. »
>
> Alors, je vis devant moi la créature la plus idéalement charmante qu'on puisse rêver — Sarah Bernhardt à vingt ans — cela dispense de toute description. Elle n'était pas jolie, elle était pire !!
>
> [...] Sarah Bernhardt avait une sorte de blouse en crêpe de Chine, de couleur claire, brodée en couleurs chatoyantes, de forme chinoise ; les bras et les épaules demi-nus ; et sur la tête, un petit toit en paille fine avec des petits grelots tout autour qui s'agitaient au moindre mouvement.
>
> [...] Notre entrevue fut rapide, nous nous comprîmes vite et sans grande phrase.
>
> Je vis que je me trouvais vis-à-vis d'une créature merveilleusement douée, intelligente jusqu'au génie, d'une grande énergie, sous son apparence si frêle et si délicate, et d'une volonté sauvage.
>
> La femme était charmante, séduisante au possible ; quant à l'artiste, on la sentait vibrer, sous la femme, il n'y avait qu'à lui faire la route, à la mettre en lumière.
>
> Que dire aussi de cette voix, pure comme le cristal, qui vous

prenait au cœur, et dont les vibrations étaient douces comme une musique céleste.

J'étais convaincu, dès cette première entrevue ; ainsi que saint Hubert, j'avais vu la croix de feu[30] !

Sarah également fut conquise. Elle ne pouvait s'imaginer qu'un homme aussi jeune, élégant, charmant et enthousiaste, pût être directeur de théâtre. À la fin de l'entretien, Duquesnel lui demanda de revenir à deux heures de l'après-midi pour rencontrer son associé, Charles de Chilly. Sarah redoutait cette entrevue. Elle avait naguère passé une audition devant Chilly qui n'avait aimé ni son apparence, ni sa voix, ni sa réputation. Néanmoins elle qui était toujours en retard fut exacte et dut faire antichambre plus d'une heure. Comme nombre de gens peu ponctuels, Sarah considérait qu'il était de la plus extrême grossièreté de la faire attendre.

« Je commençais à grincer des dents, racontera-t-elle, et seul, le souvenir de ma promesse faite à Camille Doucet m'empêcha de m'en aller. » Enfin Duquesnel paraît et annonce, avec un sourire de conspirateur, qu'elle va rencontrer l'autre ogre. Cinq minutes plus tard, elle se trouve face à Chilly, ancien comédien et homme fort irascible ; il examine Sarah des pieds à la tête, et, sans un mot, lui tend un contrat. Puis, pointant un index accusateur sur Duquesnel, il hurle : « Vous savez, c'est lui qui est responsable de vous[31], car moi, pour rien au monde, je ne vous aurais engagée. » Sarah, qui ne se laissait jamais prendre au dépourvu, répliqua : « Ma foi, Monsieur, s'il n'y avait que vous, je n'aurais pas signé. Nous sommes donc quittes[32]. »

L'éclat était justifié car le contrat, d'une durée d'un mois, ne serait renouvelé que si Sarah donnait satisfaction. Elle ravala son amour-propre et signa l'humiliant document. Du moins était-elle de retour au théâtre.

Le 15 août 1866, l'Odéon présenta une soirée de gala pour l'anniversaire de l'empereur. Sarah jouait Aricie dans *Phèdre* et Silvia dans *Le Jeu de l'amour et du hasard* de Marivaux. Son interprétation d'Aricie fut assez bonne mais le personnage baroque de Silvia ne lui convenait pas. Pour ajouter à son tourment sa robe de soie blanche ornée de nœuds bleus et de rubans rouges était d'un effet ridicule. Chilly ne put se contenir plus longtemps et alla se plaindre à Duquesnel. Sa soi-disante actrice était épouvantable ; sa diction était fausse et sa voix sonnait mal. Et quant à la robe tricolore, on aurait cru que Sarah allait entonner *La Marseillaise* ! Les recettes du théâtre étaient déjà suffisamment faibles sans elle. Il fallait la renvoyer.

Duquesnel croyait en sa protégée et proposa de payer sur ses propres honoraires une partie des cachets de l'actrice si Chilly acceptait de la garder. Cet arrangement devait bien évidemment rester secret mais au théâtre, les secrets, s'il en existe jamais, ne tiennent pas. Bientôt toute la compagnie savait que Duquesnel partageait la couche de Sarah et qu'il aimait cela, pour reprendre ses mots, « corps et âme ».

Le 14 janvier 1867 Sarah fit ses débuts officiels à l'Odéon dans le rôle d'Armande des *Femmes savantes* de Molière. Moins d'un siècle s'était écoulé depuis que Marie-Antoinette avait honoré le théâtre de sa présence. À l'époque il était connu sous le nom de Théâtre-Français de l'Odéon. Mais la France, artiste à transformations rapides, allait débaptiser la salle à chaque changement de régime. Avec l'adoption de la Déclaration des droits de l'homme en 1789, le nom de théâtre de la Nation sembla plus approprié. Avec la montée de la fièvre révolutionnaire il devint théâtre de l'Égalité. Puis, sous Napoléon Ier, il fut baptisé théâtre de l'Impératrice. L'histoire poursuivant son mouvement de balancier, on remplaça une fois encore les lettres d'or de la façade. Pendant l'exil de l'empereur il prit le nom de Théâtre Royal ; au cours des Cent-Jours il redevint théâtre de l'Impératrice pour retrouver, avec la Restauration, l'appellation de Théâtre Royal. Finalement, on le rebaptisa théâtre de l'Odéon, nom inspiré à l'origine par l'architecture néoclassique du bâtiment et qu'il a conservé jusqu'à nos jours.

À l'époque de Sarah, l'Odéon était une institution de la rive gauche, le point de ralliement des artistes, des intellectuels et des étudiants de la Sorbonne, tous avides de ces nouveautés où se mêlait une pointe d'anti-impérialisme. Victor Hugo, à qui le bannissement avait donné une stature encore plus imposante, était leur dieu, George Sand, leur génie tutélaire.

Ah ! ce théâtre de l'Odéon ! C'est le théâtre que j'ai le plus aimé. Et je ne l'ai quitté qu'à regret. Tout le monde s'aimait. Tout le monde était gai. Ce théâtre est un peu la continuation de l'école. Les jeunes venaient tous là. Duquesnel était un directeur plein d'esprit, de galanterie et de jeunesse.

Souvent, pendant les répétitions, on allait faire à plusieurs de grandes parties de balle au Luxembourg, durant les actes dont on n'était pas.

Je me souvenais de mes quelques mois auparavant à la Comédie-Française : ce petit monde était guindé, potinier, jaloux.

Je me remémorais mes quelques mois au Gymnase : on ne parlait que de robes, chapeaux ; on papotait de mille choses si loin de l'art.

À l'Odéon, j'étais heureuse. On ne pensait qu'à monter des pièces. On répétait le matin, l'après-midi, tout le temps. J'adorais cela.

J'habitais l'été un pavillon dans la villa Montmorency, à Auteuil. Je venais dans un « petit-duc » que je conduisais moi-même. J'avais deux poneys merveilleux que m'avait donnés ma tante Rosine, parce qu'ils avaient failli lui casser la tête [...]. Je longeais tous les quais à fond de train ; et, malgré l'atmosphère diamantée par le soleil de juillet, malgré la gaieté des bruits du dehors, c'est avec une véritable joie que j'escaladais les marches froides et fendillées et que je me dirigeais vite vers ma loge, distribuant des bonjours en courant. Puis, dégagée de mon manteau, de mon chapeau, de mes gants, je bondissais sur la scène, heureuse d'être enfin dans cette ombre infinie. La maigre lumière de la « servante [33] » accrochait, de ci, de là, soit un arbre, soit une tourelle contre le mur, soit un banc ; et les visages des artistes ne recevaient la lumière que par instants.

Moi, je ne trouvais rien de plus vivifiant que cet air plein de microbes ; rien de plus gai que cette ombre ; rien de plus lumineux que ce noir ! [...] La vie me semblait un éternel bonheur [34].

Peu après ses débuts, Sarah reçut un signe d'encouragement de Sarcey qui, parlant de son charme, lui promit un bel avenir si seulement elle acceptait de travailler. Sarah était tout à fait disposée à suivre ce conseil. Elle avait seulement besoin d'un sourire indulgent de cette déesse capricieuse du théâtre, la Chance. Celle-ci se manifesta au cours de l'été sous les traits de George Sand qui avait remarqué Sarah dans l'*Athalie* de Racine mise en scène par Duquesnel.

Le protecteur de Sarah, toujours soucieux de trouver de nouvelles mises en scène pour les pièces classiques, avait ajouté à la tragédie de Racine un accompagnement musical de Mendelssohn pour en accentuer le caractère dramatique. Les chœurs devaient être récités par des élèves du Conservatoire. L'idée était superbe mais vouée à l'échec. Lors des répétitions les élèves, désemparés par les indications musicales complexes, s'embrouillèrent dans leur texte et durent être renvoyés. Duquesnel décida alors d'employer Sarah. Elle était musicienne, apprenait très vite ; pourquoi ne pas lui demander de dire les chœurs ? Grâce aux années de piano que sa mère lui avait imposées, Sarah se joua des difficultés. Même le redouté Chilly se montra impressionné lorsque Sarah apprit ses vers en une nuit et son étonnement fut encore plus vif quand la pureté de sa diction et la simplicité de ses manières lui valurent des applaudissements le soir de la première.

Ce succès lui fit obtenir un rôle insignifiant dans *Le Marquis de Villemer* de George Sand, un roman que l'auteur avait adapté pour la scène avec le précieux concours d'Alexandre Dumas *fils* [35]. La pièce avait provoqué chez le public un formidable mouvement anticlérical lors de sa première représentation trois ans plus tôt.

Des foules énormes avaient envahi la place de l'Odéon et crié, en agitant leurs chapeaux : « À bas l'Eglise ! Vive George Sand ! » À l'intérieur du théâtre les spectateurs, pris d'une de ces manifestations de passion furieuse auxquelles les Parisiens se laissent parfois aller, sifflaient, hurlaient, tapaient des pieds et menaçaient d'en venir aux mains. L'empereur applaudit le spectacle non sans quelque appréhension. Le fils de George Sand rapporta que Flaubert « pleurait comme une femme[36] ». Avec le recul ce succès de scandale apparaît surprenant. *Le Marquis de Villemer* est aujourd'hui aussi passé que l'encre qui a servi à l'écrire et ses allusions hostiles à l'Église sont à peine perceptibles. Ce ne serait pas la dernière fois que le contenu social ou politique d'une œuvre en masquerait la médiocrité et l'absence de qualités littéraires.

La reprise de 1867 ne fut pas particulièrement mouvementée mais elle représenta une étape importante pour Sarah qui était ravie de découvrir l'intérêt que George Sand lui portait. C'était là un modèle à imiter : une femme courageuse qui, avec ce qu'Henry James nomme sa « monstrueuse vitalité », avait défié la morale de son temps tout en sachant gagner la vénération des Français.

> Mme George Sand, douce et charmante créature, [écrivit Sarah] était d'une timidité extrême. Elle parlait peu et fumait tout le temps. Ses grands yeux étaient toujours rêveurs. Sa bouche, un peu lourde et vulgaire, avait une grande bonté. Elle avait peut-être été d'une taille moyenne, mais elle semblait tassée.
> Je regardais cette femme avec une tendresse romanesque. N'avait-elle pas été l'héroïne d'un beau roman d'amour ? Je m'asseyais tout près d'elle. Je lui prenais la main et la tenais le plus longtemps possible dans la mienne. Sa voix était douce et charmeuse[37].

Un mois après son apparition dans *Le Marquis de Villemer*, Sarah joua Mariette dans *François le Champi*, autre adaptation d'un roman de George Sand. Le rôle exigeait de la subtilité. Mariette, ainsi que la décrit l'auteur, était « une belle et jolie jeune fille, vermeille comme une aube de printemps et réveillée comme une linotte [...], innocente encore [mais qui] se plaisait aux compliments et en avait soif comme une mouche du lait[38] ». Sarah interpréta le rôle avec le charme et le pathétique qui convenaient mais son véritable talent était ailleurs.

Cette même année la Comédie-Française reprit *Hernani* d'Hugo avec un succès retentissant. Désireux d'apporter également son soutien au poète républicain, l'Odéon demanda l'autorisation officielle de monter *Ruy Blas*. Il lui fut répondu par un « non » impérial. Duquesnel décida alors de présenter *Kean*, le superbe portrait que Dumas avait fait du tragédien anglais et l'une des

grandes pièces du XIXe siècle. Il est facile d'imaginer la satisfaction que ressentit le vieil écrivain en apprenant que sa petite
protégée, alors âgée de vingt-trois ans, serait la séduisante Anna
Domby auprès de Pierre Berton en Kean et son amusement quand
il découvrit que son admirable premier rôle était follement épris
de sa première actrice.

Si Hugo était l'âme de Paris, Dumas en était le cœur. Son
nom suffisait alors à faire naître des sourires sur les visages car, à
l'image de ses œuvres, le mulâtre magnifique était animé d'une
fougue extraordinairement contagieuse. Qu'aurait été Paris sans
sa présence dans les réunions littéraires et les bals officiels, ou
dans les coulisses où il arrangeait des rendez-vous avec de jolies
actrices ? Malgré l'affection que lui portait le public, les spectateurs lors de la reprise de février 1868, déçus par la substitution
de *Kean* à *Ruy Blas*, étaient décidés à livrer bataille. Dès l'instant
où Dumas entra dans sa loge, rapporta Sarah, les étudiants
commencèrent à hurler et à frapper des pieds en cadence. « *Ruy
Blas* ! *Ruy Blas* ! Victor Hugo ! Victor Hugo ! », scandaient-ils. « Je
regardais par le trou de la toile, très intéressée et très énervée. Je
vis le grand Dumas, pâle de colère, montrant le poing, criant,
jurant, tempêtant. » Le chahut dura une heure. Quand le rideau se
leva enfin, un crescendo de cris perçants et de battements de pieds
couvrit la voix des acteurs. Et lorsque Sarah fit son entrée,
étrangement vêtue « en Anglaise de 1820 », les hurlements se
muèrent en rires féroces. Momentanément frappée de stupeur,
elle s'accrocha à la porte qu'elle venait de franchir. À cet instant,
ceux qu'elle nommait ses « chers petits amis les étudiants »
lancèrent leur contre-attaque.

Aussi jeune et enflammée que les étudiants eux-mêmes Sarah
se dirigea vers la rampe. « Mes amis, vous souhaitez défendre la
cause de la justice », hurla-t-elle pour couvrir le vacarme. « Est-ce
bien la servir que de rendre, ce soir, M. Dumas responsable des
décrets qui ont proscrit M. Hugo ? » Le silence se fit. Avec un
sourire rayonnant, Sarah reprit son rôle. Alors, à mesure que
l'action avançait, les ricanements se transformèrent en cris
d'enthousiasme. Lorsque le rideau tomba, les bruyants zélateurs,
reconnaissant en Sarah une des leurs, lui firent une ovation
fraternelle. Dans les coulisses Chilly était tout sourire. Après tout
Duquesnel avait eu raison. La jeune femme avait des qualités et
méritait non seulement des félicitations, mais également une
augmentation de son cachet.

Quelques jours plus tard Sarah ouvrit *L'Opinion nationale* et
lut : « Mlle Sarah Bernhardt paraît avec un costume excentrique
qui augmente encore la tempête, mais sa voix chaude, cette voix
étonnante, émeut le public. Elle l'avait dompté, comme une petite
Orphée [39]. » Enfin elle était lancée. À la fin de la saison, elle joua

trois autres rôles dont celui de Cordelia dans *Le Roi Lear*. Théophile Gautier évoqua sa grâce et la beauté de la scène de l'agonie et le public n'eut plus d'yeux que pour *la petite Sarah* *. Il ne lui manquait plus qu'un rôle qui lui permît de donner la vraie mesure de ses dons.

*

En janvier 1869, Agar, voluptueuse beauté et première tragédienne de l'Odéon, demanda à Sarah de lire *Le Passant*, pièce en un acte d'un poète encore inconnu, François Coppée. L'intrigue a pour cadre un jardin florentin de la Renaissance et conte l'histoire d'une rencontre passionnée entre Silvia, courtisane vieillissante, et un jeune troubadour du nom de Zanetto. Coppée, jeune homme timide, de petite taille, éperdument amoureux de la sculpturale Agar, avait créé, avec le personnage de Silvia, le rôle parfait pour sa maîtresse qui lui dit que l'une de ses camarades, la mince et charmante Sarah Bernhardt, était née pour jouer Zanetto. Il restait à convaincre Chilly de monter ce dialogue lyrique. Duquesnel décrira l'irruption d'Agar dans le bureau directorial. Brandissant une liasse de papiers, elle cria : « Monsieur de Chilly, Monsieur de Chilly, j'ai découvert un chef-d'œuvre. — En vers ? demanda Chilly d'un air méfiant. — En vers admirables, répondit l'actrice d'une voix sonore. — Tous les vers sont admirables », soupira Chilly. Il fallut bien des cajoleries pour persuader le directeur de lire le manuscrit mais, cela fait, son scepticisme tourna à l'enthousiasme et il accepta de donner une ou deux représentations de la pièce. On reprendrait un vieux décor du répertoire. Sarah serait l'ardent ménestrel et Jules Massenet composerait une sérénade pour son entrée en scène[40].

Écrit en vers bien prosaïques, *Le Passant* n'est que déclamations pompeuses et romanesque facile. Un troubadour erre dans un jardin au clair de lune, déclare son amour à une courtisane lasse du monde, et, à l'aube, poursuit son chemin tandis que la dame soupire : « Que l'amour soit béni ! Je puis pleurer encore ! »

Quatre jours après la première, Sarah put lire dans *L'Opinion nationale* :

> *Le Passant*, de M. François Coppée, a enchanté le public. [...]
> Cette saynète à deux personnages me paraît être [...] un petit chef-d'œuvre de grâce poétique et tendre. Un peu trop d'oiseaux jaseurs peut-être, de prés verts et de ciel bleu ; c'est le péché mignon des néoparnassiens. Mais la langue de M. Coppée est généralement nette et ferme ; son vers est d'une élégance exquise. [...]
> Mlle Sarah Bernhardt rappelait, par son costume, le chanteur florentin du sculpteur Dubois [ce costume était en effet inspiré de

cette statue alors fort célèbre]. Il y a malheureusement, dans sa personne, des détails qui ne lui rendent pas le vêtement masculin trop favorable. Mais avec quel charme délicat et tendre n'a-t-elle pas dit ces vers délicieux ! Un peu précieuse peut-être par endroits, et cette préciosité même était en harmonie avec la couleur du rôle ! Elle a été fêtée, rappelée, acclamée par un public ravi. [...] Cette première représentation n'a été, d'un bout à l'autre, qu'un triomphe[41].

L'article était signé de Francisque Sarcey, dont l'admiration pour Sarah Bernhardt ne se démentirait plus. Il avait jugé la pièce aux apparences et pris ce qui brillait pour de l'or ; avec le temps, *Le Passant* a perdu son éclat. Cependant Sarah, à vingt-quatre ans, connaissait enfin le succès. Des photographies d'elle en Zanetto nous laissent deviner les qualités de son interprétation : son intensité poétique, son instinct du geste juste et, surtout, son identification parfaite avec le personnage qu'elle incarne. Elle avait créé une image romantique pour son époque, un symbole de l'amour innocent qui devait émouvoir jusqu'aux Parisiens les plus blasés.

Sarah joua *Le Passant* cent quarante fois avec Agar ou, quand cette comédienne n'était pas disponible, avec Marie Colombier. Elle connaissait, pour la première fois, la gloire. Sa loge était envahie de manuscrits, de poèmes d'amour « longs, longs... trop longs pour les lire », de fleurs, de présents et de propositions — innocentes ou malhonnêtes. Jusqu'alors Sarah n'avait été qu'une simple mortelle ; avec *Le Passant* elle devint l'idole des étudiants et la muse des poètes. « Un secret instinct la pousse, écrivit Théodore de Banville. Elle récite les vers comme le rossignol chante, comme le vent soupire, comme l'eau murmure, comme Lamartine les écrivait jadis[42]. »

Pour couronner leur succès, Agar et Sarah donnèrent une représentation de commande aux Tuileries. L'honneur semblait d'autant plus doux à Sarah qu'elle n'avait pas oublié la colère de Napoléon III. Cette fois, l'empereur fut tout sourire, en particulier lorsqu'il la surprit dans les coulisses répétant une révérence et murmurant « Sire, Sire » pour trouver l'inflexion juste. Sarah, à son tour, s'amusa fort de voir l'impératrice, sa dignité diminuée par la perte d'un soulier, sortir en claudiquant au bras d'un courtisan impassible.

III

Les amours et la guerre

C'est à cette époque que Sarah, qui devait être le principal modèle de la Berma dans *À la recherche du temps perdu*, rencontra Charles Haas dont Marcel Proust s'inspirerait pour Swann. D'un point de vue romanesque Sarah et Charles n'étaient encore que des personnages en quête d'auteur, perdus dans les brumes du temps, car leur première rencontre précède de deux ans la naissance de l'écrivain et de quelque quarante ans le début de *La Recherche*. Si les dons extraordinaires de Sarah Bernhardt lui ont valu de rester présente dans notre mémoire, Charles Swann [ou Haas], ainsi que Proust l'écrira, « bien qu'il n'eût rien " produit " [...] eut la chance de durer parce que celui [qu'il devait] considérer comme un petit imbécile a fait de [lui] le héros d'un de ses romans [1]... ». Au moment de leur rencontre Haas était l'homme à séduire et Sarah serait l'heureuse femme qui y parviendrait.

« Monsieur Second Empire », ainsi que le surnommaient affectueusement ses proches, était un des phares de la société parisienne. L'un des rares juifs membres du Jockey Club, il avait pour amis le prince de Galles, les peintres Tissot et Degas, et fréquentait en hôte apprécié les salons du Faubourg Saint-Germain. Homme d'une grande distinction, Haas avait le meilleur tailleur d'une ville qui se piquait d'élégance. Mais ce ne furent ni son habit impeccable ni le gardénia qui ornait sa boutonnière qui attirèrent Sarah ; sa réputation d'homme couvert de femmes, et son désir, rare chez les roués de l'époque, de partager ses vues sur l'art et la vie avec une simple actrice avaient des charmes bien plus grands.

Dans ses lettres à Charles Haas, nous découvrons une Sarah puérile, vulnérable, prête à user de toutes les armes d'une séduction vulgaire, et jouant un rôle qu'elle pensait propre à satisfaire l'urbanité et le goût pour une existence canaille de son nouvel amant. Son instinct était juste. Aux yeux de Haas elle appartenait au monde des femmes faciles avec qui les hommes bien nés condescendent à forniquer lorsqu'ils n'ont pas d'obligations sociales plus élevées.

Dans l'un de ses premiers billets, Sarah dessina un lit à baldaquin aux draps froissés sous lequel elle griffonna « Venez ! Venez !! Venez !!! » Le crescendo des points d'exclamation suggère que Charles était à la hauteur de sa réputation de bourreau des cœurs et des corps. Dans un autre message à la ponctuation tout aussi suggestive, elle confiait : « Je meurs absolument — de vous voir. J'ai mille amours mais un vrai ! » De tels appels impudiques — si différents du ton hautain des dames du Faubourg — n'empêchèrent pas Charles Haas d'être infidèle à Sarah, ainsi que le révèlent les lettres suivantes :

> Mon Charles adoré, car il n'y a pas à s'en dédire, je t'aime, ne riez pas cela m'agace. [...] Je sais bien que tu ne m'aimes pas ; mais fais comme si tu m'aimais. Ami, viens me voir à 3 heures ; cela me fera tant plaisir.
> Et puis qui sait ; j'ai peut-être beaucoup perdu en ne venant pas cette nuit !!! Tu m'aimes dis ? Ha, au fait ça m'est égal.
> Donne tes lèvres ? ?
> Viens.
>
> Sarah

> Merci pour tes lettres, mon cher amour ; merci surtout pour tes visites depuis ton retour ; non, vrai, je me roule ! Viens tu rouleras avec moi — de rire — s'entend...
> Je double les baisers que tu m'as envoyés et je te les renvoie — quelle avalanche !
> Un mot, je te prie ; mais moins éthéré que les précédents.
> Mes deux mains dans les tiennes.
>
> Sarah[2]

La frivolité de Sarah fit place au désespoir quand elle découvrit par l'intermédiaire d'un ami commun, le journaliste Arthur Meyer, qu'elle n'était pas l'unique amante de Haas.

> [...] Ah ! je vous en prie, tâchez qu'elle se tienne tranquille ! Je trouve cela si ridicule ! Ce n'est vraiment pas le moment pour me faire rire. Je ressens à présent le contrecoup, je suis souffrante, surtout de la poitrine ; revenez, le plus tôt possible, Charles ; je voudrais tant vous voir, oh ! soyez tranquille je ne vous ennuierai pas longtemps ; ne pensant pas trouver l'idéal que j'avais rêvé enfant, j'ai voulu quand même le posséder ; quand, par hasard, je découvre un être de qualité soit physique, soit morale, qui doit avoir mon idéal, je brave tout pour aller

cueillir cette fleur rare et l'ajouter à mon bouquet, comme je ne veux pas mourir avant de l'avoir achevé, c'est ce qui fait, Ami, qu'ayant l'amour pour loi, j'ai la fantaisie pour guide !

C'est ce qui fait aussi que je suis nerveuse et triste, j'espère toujours que je trouverai le complément direct ; mais hélas ! il est trop indirect. Voilà pourquoi, Charles, je suis allée vers vous, je me suis donnée à vous, voilà pourquoi je vous aime !

[...] Mes deux mains dans les vôtres. Tout mon moi[3] !...

L'homme idéal auquel Sarah faisait allusion était, bien évidemment, le prince de Ligne qui l'avait abandonnée lui laissant une blessure qui ne se refermerait jamais. Il ne pouvait guère en être autrement quand son fils, Maurice, qui chaque jour ressemblait davantage à son père, lui était un rappel vivant de son amour déçu. Lorsque le débonnaire Haas jugea que le temps était venu de se séparer de sa petite amie, il s'efforça de rendre la rupture aussi joyeuse que possible, mais Sarah prit très mal la chose :

Tout cela est bien dramatique pour un être léger comme vous. Vous rirez peut-être beaucoup ! Tant mieux ! Moi je pleurerai longtemps ! [...] Adieu mon cher Charles, j'ai pour vous une indéfinissable tendresse. Je vous adore ; vous ne m'aimez pas, vous n'y pouvez rien ! Ni moi. Je vous envoie un souffle plein d'amour[4].

À la fin de leur liaison, Haas lui donna discrètement un peu d'argent. « À titre de prêt, écrivit Sarah, j'accepte. Merci, Ami, merci[5]. »

Ils demeureraient cependant bons amis jusqu'à la mort de Haas en 1902. Comme pour marquer le terme de leur idylle, un soir où Haas et Arthur Meyer dînaient chez Sarah, au 16 de la rue Auber, un incendie éclata qui ravagea l'appartement et tout ce qu'il contenait. Personne ne fut blessé mais Sarah, qui n'était pas assurée, se retrouva sans logis et sans argent.

L'annonce de l'incident dans la presse suscita un vaste mouvement de sympathie. Sarah reçut des dizaines de lettres et de poèmes de soutien. Un de ces témoignages, adressé au « passant », suggérait qu'un esprit libre comme le sien n'avait nul besoin de biens ni d'ornements :

Passant, te voilà sans abri :
La flamme a ravagé ton gîte.
[...]
Tu pleures tes beaux diamants ?...
Non, tes grands yeux les ont encore !
[...]
Tes bracelets ?... Mais tes bras nus :

Tu paraîtras cent fois plus belle !
Sur les bras polis de Vénus
Aucun cercle d'or n'étincelle ! [...] [6]

Sarah ne fut guère sensible à des sentiments aussi éthérés. Duquesnel plus réaliste l'aida à compenser ses pertes en organisant à l'Odéon une représentation à bénéfice. À la surprise générale Adelina Patti, la cantatrice mondialement connue, accepta de se joindre aux autres artistes qui apportèrent leur concours à cette soirée de gala ; en effet la diva n'avait pas pour habitude de donner un récital au bénéfice de qui que ce fût, excepté elle-même. Une seule question fut bientôt sur toutes les lèvres : qui avait pu convaincre la Patti ? La réponse était simple : Sarah elle-même. La jeune coloratur venait d'épouser le marquis de Caux, membre attitré de la ménagerie de Bernhardt. Sarah, qu'un petit chantage n'effrayait pas, avait promis au cher marquis d'être discrète s'il persuadait son épouse de faire don de ses trilles et vocalises. « Je les ai fait chanter tous les deux », confiera-t-elle, ravie, à Marie Colombier.

La Patti fit un triomphe et le public bissa la cavatine de Rossini, « *Una voce poco fa* ». Les étudiants, juchés sur les fauteuils, « leurs têtes enfiévrées d'art » ainsi que l'écrivit Sarah, saluèrent la cantatrice de trois bans et de cris si puissants qu'effrayée par un accueil aussi bruyant elle ne sut si elle devait faire une révérence ou s'enfuir. Lorsqu'elle quitta le théâtre, un groupe de jeunes mélomanes l'escorta aux cris de « Vive la Patti ! ». Cela suffit peut-être à la consoler d'avoir chanté gratuitement. Les recettes de la soirée furent considérables et Sarah, qui avait dû se réfugier chez sa mère, put louer un petit appartement rue de l'Arcade avant de s'installer, au 4 de la rue de Rome, dans un appartement plus vaste où elle demeura les cinq années suivantes. Phénix renaissant de ses cendres, elle était plus que jamais le centre d'intérêt du public.

En 1870, Sarah se vit confier le premier rôle de *L'Autre*, pièce nouvelle de George Sand, mise en scène par l'auteur. Comme cela devait être le spectacle phare de la saison, Sarah se crut assez proche de la dame de Nohant pour la prendre comme confidente lors de leurs promenades dans les Jardins du Luxembourg. Il ne lui vint pas à l'esprit que le récit de sa vie, de ses amours et de ses ambitions, pouvait ne rencontrer qu'une oreille indifférente.

Dans le journal qu'elle tenait pendant les répétitions George Sand dépeint la « charmante » Sarah sous un jour plutôt déplaisant.

29 janvier. – Scène de Berton à Sarah, très accentuée. Boudera-t-elle demain ? [...]

2 février. – Je gronde Sarah. [...]

3 février. – Ils vont bien sauf Sarah – bonne fille bête décidément.

5 février. – Sarah est bête à bien des égards, mais elle est d'un charmant caractère. [...] *

9 février. – Sarah et Berton absents. Jeanne, fausse couche, la sœur de Sarah, balle dans la main [7].

10 février. – Mlle Sarah se fait attendre, se fiche bien de sa sœur, n'a pas travaillé et interprète son rôle comme une grue prostituée qu'elle est.

C'est la grue Sarah qui joue tout à côté. Que ces femmes de théâtre sont stupides ! [...] *

14 février. – Je ne crains que Mlle Sarah qui est toquée mais ils jurent qu'elle ira bien. [...] *

20 février. – On joue beaucoup mieux, Sarah surtout.

Sarah a été secouée par mes reproches du commencement, elle joue enfin la jeune fille honnête et intéressante. [...] *

26 février. – Le succès dominant est celui de Pierre [Berton], Sarah aussi [8].

On pourrait penser que George Sand qui s'était faite la championne de la cause des humbles et des exclus aurait été au-dessus du mépris général dont les acteurs faisaient l'objet à l'époque. Les « femmes de théâtre » ne sont certainement pas plus « stupides » que le commun des mortels. Elles ont au contraire une intelligence instinctive, de l'esprit et un don d'observation qui leur est propre. Sa longue expérience de dramaturge aurait dû habituer l'auteur de *Consuelo* aux hésitations et aux maladresses qui entrent dans l'élaboration d'un rôle. Mais c'est peut-être ce même manque de sensibilité qui conduisit George Sand à faire l'amour avec Pagello, le beau médecin italien, dans la légendaire chambre d'hôtel vénitienne sous les yeux de son jeune amant, Alfred de Musset, malade et alité. Quant au vocabulaire insultant de Sand, elle avait atteint l'âge du célibat accepté et choisi d'oublier la vie légère et gourmande de ses jeunes années. Il est clair que c'est l'idée d'accepter de l'argent en échange d'amour qui lui fait horreur lorsqu'elle qualifie Sarah de « prostituée ». Il demeure que, dans sa quête bien connue de satisfactions charnelles, les souffrances que George Sand infligea à ses amants furent certainement plus douloureuses qu'une simple ponction d'argent.

Sarah ignora tout des propos tenus par son amie dans son journal mais elle prit la mesure de son propre succès dans *L'Autre* lorsque Théophile Gautier, moins avare en compliments que Sand, affirma que c'était sa meilleure création. « Elle est jeune, charmante, d'une ingénuité chaste et hardie en même temps, comme une vraie jeune fille qui ne sait rien, ne craint rien, et n'a rien à se reprocher. [...] Elle a aussi la note tendre, émue et sympathique[9]. »

La déclaration de guerre de la France à la Prusse, le 19 juillet 1870, mit temporairement fin à la carrière de Sarah. L'empereur avait su jusqu'alors éviter tout conflit, et sa décision de se lancer dans une aventure militaire était suicidaire. À présent il semblait intoxiqué par sa propre propagande et était déterminé à prouver que la France n'était pas seulement la nation la plus civilisée mais aussi la plus puissante d'Europe, voire du monde. S'il avait rempli les obligations de sa charge peut-être aurait-il hésité car, alors qu'il s'enivrait de gloire et de grandeur, la Prusse produisait de redoutables armes de guerre.

La Grande Exposition de 1867 avait donné à Paris l'occasion de voir un témoignage de la puissance prussienne. Herr Krupp avait présenté un nouveau canon de cinquante tonnes et offert à l'empereur un modèle plus classique mais en acier (jusqu'à cette date les pièces d'artillerie étaient coulées en bronze). Ces merveilles enchantèrent les dames de la cour. Napoléon III, quant à lui, fut davantage séduit par un nouveau matériau, l'aluminium, et commanda un service de table fabriqué dans ce métal extraordinairement léger. Les Parisiens purent s'extasier devant les inventions les plus récentes : les Américains présentèrent l'étonnante ampoule électrique d'Edison à côté d'équipements médicaux modernes ; les Anglais envoyèrent des trains de chemin de fer ; et Nadar promena les visiteurs au-dessus des parcs de l'exposition dans un aérostat à deux étages, tandis que les bateaux-mouches, la dernière innovation en matière de bateaux promenades, descendaient et remontaient la Seine. La fête n'aurait pas été complète sans musique. On donna la première de *Roméo et Juliette* de Gounod et Offenbach présenta *La Grande Duchesse de Gérolstein*, une opérette censée illustrer la stupidité teutone et qui amusa fort Bismarck. Hélas, les Français, qui s'enorgueillissaient de leur subtilité, ne comprendraient le rire du Chancelier de Fer qu'après leur défaite cuisante devant l'armée prussienne.

Les menus plaisirs de l'existence disparurent rapidement dans Paris menacé par la guerre. Les comédiens étant appelés sous les drapeaux, les théâtres durent fermer. Sarah, que le sort de sa famille inquiétait, parvint avec beaucoup de mal à lui trouver des places dans un train en partance pour Le Havre. Sur le quai, au moment du départ, elle fut prise de regrets. Son premier mouvement avait été d'accompagner les siens : jamais encore elle ne s'était séparée de Maurice. Quant à Youle, Jeanne et Régina, c'était une chose d'avoir des sentiments mitigés à leur égard, et une autre de les voir envoyer des baisers d'adieu du train bondé. Cependant, tout comme elle ne pouvait imaginer quitter la scène au cours d'une représentation, elle ne pouvait se décider à fuir Paris au milieu d'une telle tragédie. Finalement, avec le vague espoir de se rendre utile d'une quelconque façon, elle regagna son appartement désert de la rue de Rome.

Son désœuvrement n'allait pas durer. Les actrices de la Comédie-Française avaient converti une partie de leur théâtre en « ambulance », c'est-à-dire en hôpital pour les blessés. Pourquoi ne pas faire la même chose à l'Odéon ? Il suffisait d'obtenir l'autorisation du préfet de police. Sarah avait le cœur serré lorsque, quelques jours plus tard, elle se rendit aux Tuileries. Mais dès qu'on l'introduisit dans le bureau du préfet elle sut que tout irait bien, que les peines d'amour n'étaient pas perdues, car le fonctionnaire qui l'accueillit n'était autre que le comte de Kératry, son bel amant de jadis. D'une seule haleine Sarah expliqua qu'elle avait besoin de pain, de lait, de viande, de légumes, de sucre, de pommes de terre, d'œufs, de café — et de l'autorisation d'installer une ambulance à l'Odéon. L'esprit encore plein de tendres souvenirs, Kératry l'assura qu'elle serait « servie au-delà de [ses] désirs ». Mais ce n'était pas encore assez pour Sarah. Elle avait aperçu le luxueux paletot fourré de Kératry et le demanda pour un de ses soldats. Le préfet éclata de rire et le lui donna. Alors qu'il en vidait les poches, il demanda s'il pouvait conserver son beau foulard de soie blanche. Prenant une mine résignée, Sarah accepta.

Encouragée par ce succès, Sarah poursuivit sa collecte. Les dons se multiplièrent. Les Rothschild envoyèrent des barriques d'eau-de-vie et des bouteilles de vin. Félix Potin, qui avait été son voisin, lui fit porter du riz, des lentilles et des sardines, tandis que M. Menier, le grand chocolatier, lui donnait cinq cents livres de chocolat. Une ancienne camarade d'école lui fit parvenir deux cents livres de beurre salé et Betzy, la sœur de sa grand-mère, expédia de Hollande « trois cents chemises de nuit en magnifique toile de son pays [10] ». Bientôt une activité intense régna à l'Odéon. On installa la cuisinière de Sarah devant un immense fourneau et son mari fut chargé de conduire l'immense voiture d'ambulance tirée par des chevaux. Et Sarah, Guérard et Marie Colombier, superbes dans leur imposant uniforme d'infirmière, furent fin prêtes. Il ne restait qu'un problème : l'absence de blessés à soigner.

Et l'artiste se promenait sur le balcon [écrira Marie], regardant, comme sœur Anne, si elle ne voyait rien venir. Oh ! qu'elle aurait béni la voiture marquée de la croix rouge de Genève, qui lui aurait apporté un blessé, un blessé pour de vrai, bien éclopé, bien intéressant, un de ces soldats qu'on panse avec de la charpie, qu'on opère avec de jolis outils bien luisants [...] !

Pour un peu, elle aurait pris un revolver et serait allée s'embusquer près des fortifications pour se confectionner à elle-même un blessé sérieux : elle l'aurait si bien soigné ensuite !

Hâtons-nous de le dire : tout en nourrissant le désir d'avoir de sérieuses victimes [...] l'actrice avait pour ses malades la tendre sollicitude et le dévouement absolu qui furent l'apanage de toutes les Parisiennes pendant l'horrible siège[11].

C'était là un bel hommage de la part de l'ironique assistante de Sarah. En effet très vite, lorsque les combats se rapprochèrent de la capitale, les blessés affluèrent. On dut placer des lits dans la salle, les loges, le foyer et le buffet du théâtre. La scène elle-même était envahie de soldats mutilés ou mourants. Jusqu'alors Sarah avait considéré la guerre comme une allégorie martiale, intéressante mais lointaine. À présent, c'était devenue une réalité effrayante. Quelques mois plus tôt des milliers de fantassins et de cavaliers, gonflés d'orgueil dans leurs uniformes colorés, avaient défilé sur les boulevards aux cris d'un optimisme naïf de « À Berlin ! À Berlin ! ». Maintenant le tonnerre des canons de Krupp se faisait entendre tandis que les Prussiens enserraient Paris dans une étreinte mortelle.

Ah ! l'injustice de la guerre ! [écrivit Sarah] L'infamie de la guerre ! Il ne viendra donc pas, le moment rêvé où il n'y aura plus de guerres possibles ! Où un monarque qui voudrait la guerre serait détrôné comme un malfaiteur ? Il ne viendra donc pas le moment où un cénacle cosmopolite où le sage de chaque pays représentera sa nation et où les droits de l'humanité seront discutés et respectés ?

Tant d'hommes pensent ce que je pense ! Tant de femmes disent comme moi ! Et rien ne se fait[12].

*

Personne n'était préparé au terrible froid qui s'abattit sur la capitale en janvier 1871. Le manque de combustible était tel que les échafaudages des bâtiments en construction, les volets des maisons, les bancs des jardins du Luxembourg et même les accessoires et les sièges de l'Odéon furent utilisés comme bois de chauffage. Les femmes et les enfants transis de froid se pressaient à l'entrée du théâtre. Les réverbères, ces sentinelles de la nuit, restèrent éteints pendant des mois. La famine menaçait. Le bétail qui avait été rassemblé dans les parcs publics fut abattu et consommé. On ne voyait plus de chiens ni de chats errer dans les rues et Castor et Pollux, deux éléphanteaux qui avaient fait la joie des petits Parisiens, disparurent du jardin d'Acclimatation[13].

Une boucherie à la mode exposa de la viande de loup. Une autre proposa, à un prix spécial, deux chevaux de course que le tsar avait offerts à Napoléon III. On servit du kangourou chez Brébant, le restaurateur des gens de lettres, et des amis prévenants offrirent à Victor Hugo, rentré d'exil, des quartiers d'ours et d'antilope. Ainsi que l'on pouvait s'y attendre, le marché noir s'organisa et l'on vit les bourgeois bien nourris ignorer superbement les plaintes des affamés. Les Français conservèrent cependant leur sens de l'humour ainsi que le montre un menu rédigé par quelque irréductible : « Consommé de chien au millet, Brochettes de foie de chien à la *maître d'hôtel**, Émincé de râble de chat, *sauce mayonnaise**, [...] Bégonia *au jus**, Plum-pudding au jus et à la moelle de cheval[14]. »

Les Allemands, dont l'étau se refermait sur Paris, commencèrent à bombarder la rive gauche de jour comme de nuit. Le chaos qui s'ensuivit fut indescriptible. Vingt mille personnes fuirent leurs logis en emportant avec elles quelques biens. Cependant, tout comme les Londoniens pendant le Blitz, les Parisiens étaient fascinés par le spectacle des combats. Des foules se rassemblaient sur la place de la Concorde pour voir les bombes tomber sur Saint-Cloud. Le peintre Auguste Renoir racontera qu'un de ses amis, distrait, demandait qui tirait lorsqu'un obus explosait près de sa maison.

De nombreuses personnes n'eurent pas la chance d'être ainsi épargnées par la mort. Un jour Sarah envoya un petit garçon chercher des médicaments à la pharmacie toute proche. Comme elle se penchait à la fenêtre pour l'inviter à se dépêcher, il se retourna pour lui sourire. À cet instant un obus le faucha.

> Ah ! l'horreur ! l'horreur ! [écrira-t-elle] Quand nous arrivâmes près de l'enfant, ses pauvres entrailles étaient répandues sur le sol, toute sa poitrine, sa pauvre petite figure rouge et pouponne étaient dépouillées de leur chair, plus d'yeux, plus de nez, plus de bouche, rien, rien, que des cheveux au bout d'une loque sanglante, à un mètre de sa tête. On eût dit que deux pattes de tigre avaient ouvert le ventre et dépiauté avec rage et raffinement le pauvre petit squelette[15].

Quand le quartier de l'Odéon fut bombardé, Sarah fit transporter ses malades dans les caves du théâtre. Mais cela s'avéra inutile. Les canalisations gelées avaient éclaté, l'eau avait envahi les sous-sols et des rats affamés couraient autour des lits. Il n'y avait rien d'autre à faire que de fermer le théâtre et d'envoyer les soldats les plus gravement blessés au Val-de-Grâce. Sarah loua un appartement vacant pour les autres et, avec l'aide de Guérard, les soigna jusqu'à leur guérison. À cette date, Marie Colombier, considérant que l'action humanitaire de Sarah n'était qu'une façon d'attirer l'attention, avait déserté son poste. Quelles qu'eussent été les critiques de Marie, le comportement de Sarah fut héroïque. Sa santé était fragile, l'absence de nouvelles de sa famille l'inquiétait, mais elle trouva la force de donner des représentations théâtrales au profit de l'effort de guerre, de veiller des nuits entières à réconforter les blessés et à assister les mourants. Si, comme Marie l'a dit, elle joua un rôle, elle le fit avec une conviction qui lui gagna la sympathie de ses concitoyens et lui donna un sentiment légitime de fierté.

Vers la fin du siège de Paris, Sarah reçut des nouvelles de sa mère par l'intermédiaire de l'ambassadeur des États-Unis. Tout allait bien. Youle avait emmené toute la famille du Havre à Bad Hombourg, une ville d'eau près de Francfort. Ils étaient sains et saufs et Sarah n'avait pas à se faire de souci. En fait Sarah était atterrée. Ses ennemis avaient toujours affirmé qu'elle était allemande. Et, à présent, alors qu'elle avait passé des mois à servir son pays, sa propre mère attisait la flamme xénophobe. Au désespoir, Sarah partit pour l'Allemagne après la signature de l'armistice. Onze jours plus tard, après un périple harassant au cours duquel elle dut emprunter toutes sortes de moyens de transport, train de marchandises, charrette de paysan, cabriolet,... Sarah retrouva enfin sa famille et, Maurice serré contre son cœur, elle ramena tous les siens en France où une autre tragédie les attendait.

Les Français, humiliés par la défaite de Sedan et emplis d'amertume, s'entre-déchiraient en une sanglante guerre civile. Le régime des hobereaux et des notables s'était effondré laissant un grand vide. À Paris, les ouvriers, les artisans et le petit peuple allaient se lancer dans la première expérience mondiale de communisme. Le grand rêve de la Commune serait de courte durée. En moins de douze mois, les troupes versaillaises posèrent, au prix d'une répression efficace et féroce, les bases de la IIIe République. Sarah ne s'était jamais sentie concernée par les problèmes sociaux. Enfant du Second Empire, elle avait pris pour acquis son faste ostentatoire et son indifférence pour la misère. Le monde dans lequel elle avait vécu était fort restreint. Ses apparitions sur scène et les joyeux soupers qui suivaient ne pouvaient guère l'inciter à s'intéresser aux conditions inhumaines de travail et d'existence de la classe ouvrière.

Si la guerre franco-prussienne avait été un mélodrame chauvin et xénophobe, la Commune fut une tragédie fratricide plus complexe. Napoléon III étant prisonnier en Allemagne, ses adversaires politiques qui avaient été muselés pendant presque

vingt ans s'entre-dévorèrent. Une fois encore la Liberté, l'Égalité et
la Fraternité furent présentées à un peuple plein d'espérance
comme les valeurs salvatrices, et, une fois encore, elles se
révélèrent illusoires. Les machinations égoïstes et brutales qui se
donnaient l'apparence de l'amour de la patrie intriguaient et
révoltaient Sarah tout à la fois. Elle sentait que la Commune était
en quelque sorte un éveil, « la vie après la mort », et pour elle
cette renaissance signifiait être au cœur des événements. Cela lui
paraissait d'autant plus naturel qu'elle comptait parmi ses amis
de grandes figures politiques comme Léon Gambetta, Henri de
Rochefort, Émile de Girardin et Paul de Rémusat. « Tous m'intéressaient : les plus fous et les plus sages », écrivit-elle[16]. (Et
chacun d'eux joua un rôle dans la fondation de la IIIe République.)
Pendant ce temps, quelque cent mille personnes quittaient Paris.
Il est facile de comprendre cet exode lorsque l'on songe à ce que
Clemenceau a décrit comme la folie furieuse et sanguinaire qui a
saisi les Parisiens pendant le mois de mai 1871. Après avoir été
bombardé par les Prussiens Paris allait être mis à feu et à sang par
les Parisiens eux-mêmes. Pendant les négociations de paix entre la
France et la Prusse, l'armée régulière française rassembla ses
forces à Versailles et mit le siège devant la capitale sous les yeux
des Allemands victorieux installés dans la campagne environ-
nante.

Sarah se réfugia à Saint-Germain-en-Laye, où elle assista,
incrédule, avec des centaines de Parisiens étrangement endi-
manchés, à l'incendie de la ville qui leur était chère. À ses côtés se
tenait son dernier admirateur, le capitaine Arthur O'Connor,
aristocrate irlandais qui servait dans l'armée française. Sarah,
disait-on, avait arraché O'Connor du lit de Régina. Quoi qu'il en
fût, la triste vérité était que Régina, qui n'avait que seize ans à
l'époque et que la mort devait emporter deux ans et demi plus
tard, était tombée dans la prostitution.

Alors que Paris était la proie des flammes, Sarah et O'Connor
faisaient l'amour ou montaient à cheval dans la forêt environ-
nante. Ces excursions n'étaient pas sans danger car les bois
étaient pleins de rebelles en armes. Un soir un communard tenta
de tuer O'Connor. La balle se perdit mais le cheval de Sarah se
cabra et désarçonna sa cavalière. Sarah allait se remettre en selle
quand O'Connor se lança à la poursuite de son assaillant et
l'abattit. Avant qu'il ne lui donnât le *coup de grâce**, Sarah
s'interposa et le supplia d'épargner l'homme.

« J'eus peine à reconnaître mon ami, écrivit-elle. Ce joli
homme blond, correct, un peu snob mais charmant, me semblait
être devenu une brute[17]. » Leur amitié persista mais Sarah,
hantée par cette scène, racontera que jamais elle n'oublia le
masque de tueur qui s'était plaqué sur le visage rieur d'O'Connor.

Le beau capitaine n'était pas son unique amant. En bonne courtisane, elle en avait deux. Le premier était maître de son cœur et avait accès à sa couche lorsque celle-ci n'était pas occupée. Le second lui versait une rente et était maître de son temps. O'Connor était son *amant de cœur**, Jacques Stern, un riche banquier, sa source de revenu. Cette situation exigeait discrétion et doigté, deux domaines dans lesquels Sarah n'excellait pas. En fait, dès qu'elle aura acquis son indépendance financière, elle cherchera davantage à offrir ses charmes à de séduisants jeunes artistes qu'à les monnayer à des vieillards fortunés. Mais, en 1871, elle n'était encore qu'une cocotte maladroite, ainsi que Marie Colombier s'empressera de le noter :

Ce noble Irlandais [...] de simple courtisan au début s'amouracha peu à peu. Des tiraillements se produisirent. Il devint jaloux, ne pouvant plus sentir Consterney [Stern] et se révoltant de tout son orgueil quand il réfléchissait à la fausseté de son rôle. Être l'amant de cœur d'une femme, cela s'allie mal avec le port d'un blason royal !

Aussi, résolu d'en finir, le jour où, revenu à Paris, le jeune homme eut la chance de gagner à son cercle cinquante mille francs en deux heures, s'empressa-t-il de courir chez Sarah :

— Cher Ange, lui déclara-t-il en brandissant son portefeuille, j'ai là une jolie collection de bank-notes... Tu vas me faire le plaisir de mettre ton banquier à la porte et de m'aimer à *mes heures*. Hein ?...

Il ne lui fut répondu ni oui ni non, mais, le lendemain, Consterney se trouvant seul dans le boudoir de l'artiste, la femme de chambre entra portant une facture dont, dit-elle, on demandait le règlement immédiat.

— Chéri, passe-moi donc dix louis que je paye cette note ! soupira la Barnum.

Le banquier fit la sourde oreille. [...] Il n'était pas avare, mais vraiment il ne pouvait faire plus. Déjà il avait payé à sa maîtresse trois mensualités d'avance. Il ne lâcherait plus un sou !

— Ah ! c'est ainsi ! cria-t-elle, mais vous ne savez donc pas que c'est par pur amour pour vous que je vous demande de l'argent ? Tenez, il y a O'Konil [O'Connor] qui m'offre cinquante mille francs pour vous lâcher !... Au fait, je suis bien bête, n'ayant qu'un mot à dire...

[...]

— Ah ça ! [dit Stern, en caressant ses favoris,] je te croyais une femme intelligente, ma pauvre Sarah. Comment ! O'Konil t'offre cinquante mille francs et tu hésites ? Mais accepte... accepte hardiment... je serai ton amant de cœur !

[...]

O'Konil donna ses cinquante bank-notes, et d'auxiliaire, d'« *extra* », passa au rang de premier sujet. Il eut les honneurs de la vedette et redressa son front désormais sans rougeur.

Quant à cet excellent philosophe de Consterney [...], il se frotta les mains, trouvant, en financier pratique, qu'il faisait une bonne affaire. Tous les dimanches, en effet, sa « maîtresse » venait déjeuner chez lui et trouvait vingt-cinq louis sous sa serviette. De la sorte, il s'en tirait par mois avec deux mille francs. Cent louis au lieu de deux cents qu'il payait jusque-là, cela fait en tous pays cent louis de différence [...].

Un beau jour, O'Konil, Français de par un acte de naturalisation, dut rejoindre le régiment auquel il appartenait comme officier. [...]

Le jeune homme parti, [Sarah] voulut se retourner vers Consterney, l'assaillit de plus fréquentes demandes, mais elle se heurta à de formels refus. [...] Le banquier, finalement, rompit tout net [18].

Dix ans plus tard, Jacques Stern devait épouser Sophie Croizette, l'amie d'enfance de Sarah et sa future rivale à la Comédie-Française.

Au cours de la dernière semaine de mai 1871, l'armée française mit fin à la Commune en massacrant, selon les estimations, entre vingt et trente-six mille Parisiens. Ce fut là, pourrait-on dire, l'acte de baptême de la IIIe République. Par chance l'appartement de Sarah avait été épargné mais le Paris qu'elle avait connu avait disparu à jamais. Les communards avaient incendié le Palais de Justice, les Tuileries et le magnifique Hôtel de Ville, ainsi qu'un grand nombre de théâtres et d'églises. Des rues entières avaient disparu. Des monceaux de pierres, de gravats et d'éclats de verre témoignaient de l'âpreté des combats entre l'armée et les communards. Tout ce qui restait, semblait-il, c'étaient un sentiment de malaise et une odeur âcre, souvenirs de l'humiliation de la France.

Profondément désabusée, Sarah répandit du parfum dans son appartement, tira les rideaux et attendit que la vie reprît son cours. Un jour, Monsieur de Chilly lui rendit visite et lui annonça que l'Odéon avait été restauré et qu'une pièce nouvelle était à l'étude. Sarah, bien sûr, jouerait le premier rôle. Étendue sur sa chaise longue, l'actrice laissa échapper un « non » plein de lassitude. Chilly se leva pour prendre congé mais il gardait une carte dans sa manche. À la porte il murmura le nom d'une rivale de Sarah qu'il allait devoir engager. Il avait touché juste. « Oh, Chilly, mon cher Chilly, s'écria Sarah, en se relevant d'un bond, quand commençons-nous ? » Elle reprenait la lutte, toute disposée à répéter pour une première en octobre. La pièce qui la ramenait au théâtre était *Jean-Marie* d'André Theuriet, l'histoire d'une jeune paysanne bretonne qui, croyant à tort que son fiancé a péri en mer, accepte d'épouser un vieil homme [19]. Bernhardt et Paul Porel, dans le rôle du fiancé, émurent le public aux larmes.

Ce fut un moment d'intense émotion pour les comédiens comme pour les spectateurs car chacun savait que Sarah avait soigné le jeune homme dans ce même théâtre quelques mois auparavant. Dix jours plus tard, Sarah apparaissait dans *Fais ce que dois* de Coppée, un lever de rideau patriotique assez insignifiant. Ce spectacle marquait les débuts de sa sœur Jeanne qui, depuis l'âge de dix-sept ans, avait fait quelques apparitions sur diverses scènes et connu bien des aventures. Sarah, qui n'oubliait pas ses premiers échecs, était confiante. Sa jolie sœur, promit-elle à Chilly, travaillerait sérieusement et se couvrirait de gloire. Sarah obtint également pour Marie Colombier un contrat de trois ans qui allait s'avérer bien plus satisfaisant car Marie avait du talent et, à la différence de Jeanne, elle amusait Sarah.

Une lettre que Sarah lui avait envoyée après sa tournée de représentations du *Passant* dans les villes d'eau allemandes donne le ton de leur amitié :

Paris, septembre (?) 1869

[...] Je m'ennuie à mourir, comprends-tu cela ? à mourir ! Je t'aime, ma chère Marie, et bien sincèrement. Je travaille beaucoup, et suis déjà très fatiguée, car j'ai attrapé un méchant rhume en chemin de fer. [...] Ma bourse commence à se vider, et je vois le moment où je serai sans le sou. Je t'avoue que cela ne me fait pas grand plaisir à entrevoir. Mais, bah ! nous en avons vu d'autres, n'est-ce pas, Marinette ?

Mon fils est revenu hier matin de voyage ; il est magnifiquement beau ; tu verras ! [...] Il n'y a pas un chat ici ; rien que des monstres, et encore des monstres pas dorés. Tu vois d'ici voltiger autour de la frêle demoiselle Sarah ces gros papillons de plomb.

Ce n'est vraiment pas la peine ; au moins qu'en attrapant des papillons il nous reste un peu d'or aux doigts.

Suis-je assez juive ? ? ?

Mille baisers de ton amie qui t'aime et t'embrasse bien.

Sarah[20].

Sarah avait beaucoup changé depuis le temps où, jeune femme libre et frivole, elle écrivait cette lettre ; elle avait vu la guerre et son cortège d'horreurs et s'était efforcée inlassablement d'en soulager les victimes. Elle n'exagérait pas lorsqu'elle disait à Chilly qu'elle était épuisée. Ce n'était pas tâche facile pour elle de retrouver sa splendeur passée et la même chose pouvait être dite pour le théâtre de l'Odéon lui-même.

En novembre 1871, l'Odéon présenta Sarah dans *La Baronne*, pièce d'Édouard Foussier et Charles Edmond qui conte l'histoire d'une femme, rendue folle par une séquestration abusive dans un asile d'aliénés, qui revient à la raison, tue la personne qui l'a fait interner et échappe à la justice en feignant la démence[21]. Même le public friand de mélodrames jugea l'intrigue ridicule et la pièce tomba rapidement dans l'oubli.

Lorsque, en janvier 1872, Sarah joua le rôle titre de *Mademoiselle Aïssé*, pièce en vers de Louis Bouilhet, mise en scène par Gustave Flaubert, elle put croire que la chance avait enfin tourné. Bouilhet, dont les pièces précédentes avaient connu un certain succès, était mort deux ans plus tôt et Flaubert tenait à rappeler au monde oublieux le talent de son ami disparu. Sarah, Marie Colombier et Paul Porel applaudirent et pleurèrent lorsque Flaubert, manifestement ému, leur lut le texte[22]. Malgré les efforts entrepris pour insuffler un semblant de vie à cette œuvre — Flaubert donna même des cours particuliers à la séduisante Marie Colombier — le public bouda la pièce qui comportait trop de ressemblances avec *La Dame aux camélias* de Dumas. *Le Figaro* jugea que Sarah avait « montré beaucoup de dignité et de sensibilité » dans le rôle de l'héroïne mais remarqua que son manque de force physique l'avait condamnée à rester trop souvent dans des « gammes sourdes, attristées, lugubres », et qu'il lui faudrait corriger la monotonie de son débit[23]. Marie Colombier, par contre, avait toutes les qualités qu'exigeait son rôle d'intrigante et de débauchée. Après ce nouvel échec, l'Odéon et Sarah avaient désespérément besoin d'un triomphe et, cette fois, dans une œuvre de qualité incontestable. Victor Hugo allait leur apporter tout cela de manière magistrale.

*

Après vingt ans d'exil, héros chenu tout droit sorti d'Homère, Hugo était rentré en triomphateur dans son pays. Peu de figures de l'histoire littéraire ont bouleversé leurs compatriotes comme lui. Symbole de la république, il redonnait par sa poésie l'espoir à un peuple vaincu dans un pays abattu :

> *Laissez entrer en vous, après nos deuils funèbres,*
> *L'aube, fille des nuits ; l'amour, fils des douleurs.*

Lorsque Sarah apprit que l'écrivain l'avait choisie pour jouer doña Maria de Neubourg, l'infortunée reine d'Espagne de son *Ruy Blas*, elle ressentit une immense fierté et aussi quelque appréhension, fierté parce qu'elle avait lu les œuvres d'Hugo « avec passion », appréhension parce que sa « petite cour imbécile » l'avait convaincue que l'homme était « un révolté, [et] un renégat ». Quand on lui annonça qu'Hugo l'attendait chez lui pour la première lecture et non au théâtre, en terrain neutre, elle hésita, ne sachant que faire :

Je racontai ce fait inouï, à cinq heures, chez moi, devant ma petite cour ; et femmes et hommes se récrièrent : « Comment ? Ce châtié d'hier ! ce pardonné d'aujourd'hui ! ce rien du tout ! osait demander à la petite idole, à la reine des cœurs, à la fée des fées, de se déranger ? »

Tout mon petit cénacle était en émoi. [...] Elle n'ira pas ! « Écrivez-lui ceci... Écrivez-lui cela... »

Alors qu'ils s'empressaient tous de l'aider à composer quelque lettre impertinente, le maréchal Canrobert intervint : « Prenez l'excuse d'un malaise subit, dit-il, et, croyez-moi, ayez pour lui le respect qu'on doit au génie. »

Sarah suivit ce conseil. « Monsieur, écrivit-elle, la reine a pris froid. Et sa Camerera Mayor lui interdit de sortir. Vous connaissez mieux que personne l'étiquette de cette cour d'Espagne. Plaignez votre reine, Monsieur ! »

Le poète, amusé de reconnaître des échos de *Ruy Blas* dans les mots de Sarah, répondit sur le même ton :

Je suis votre valet, Madame.

Victor Hugo[24]

Lorsqu'ils se rencontrèrent enfin, Sarah s'étonna d'avoir pu se laisser abuser par sa ménagerie. L'homme était « si fin et si galant », peut-être un peu chiffonné, mais avec une noblesse dans l'attitude qui ne pouvait que faire pâlir de honte ses amis du Jockey Club. Néanmoins, en bonne observatrice, elle le jugea sans indulgence, lui trouvant trop de ventre, le nez commun, la bouche sans beauté et l'œil égrillard. Ces petits défauts ne devaient cependant pas l'empêcher de jouer à la coquette. Alors qu'Hugo dirigeait un des acteurs, elle se hissa sur une table et commença à balancer les jambes. C'était ce type de comportement qui avait déchaîné la fureur de George Sand au cours des répétitions de *L'Autre*. Mais Victor Hugo n'était pas la dame de Nohant. À la vue des chevilles de Sarah il se dressa au milieu de l'orchestre et improvisa :

Une reine d'Espagne, honnête et respectable,
Ne devrait pas ainsi s'asseoir sur une table[25].

Pour une fois Sarah resta sans voix.

Le 19 février 1872 eut lieu un événement de portée considérable dans l'histoire du théâtre français : la reprise fort attendue de *Ruy Blas*. Un public de soirée de gala réserva un accueil enthousiaste à Hugo, et Sarah brilla de mille feux ainsi qu'il se doit pour une étoile. Le caractère surprenant de son jeu éblouit les spectateurs. Se pouvait-il que cette souveraine fût la petite Sarah, l'actrice qu'ils connaissaient ? Les indications scéniques d'Hugo décrivent son entrée en scène un peu avant la fin du premier acte : « La reine, vêtue magnifiquement, paraît, entourée de dames et de pages, sous un dais de velours écarlate porté par quatre gentilshommes de chambre, tête nue. » Mais c'est dans le deuxième acte que Sarah captiva le public. Dans une robe de brocart blanc tissé de fil d'argent, sa tête aristocratique coiffée d'un ravissant diadème d'argent, elle était une œuvre d'art sans égale. Son interprétation fut parfaite. La grâce de ses gestes, la beauté de sa voix et sa superbe déclamation des vers d'Hugo furent jugés au-delà de tout éloge. Théodore de Banville devait écrire de sa doña Maria :

> Jusqu'à la fin des âges, toujours l'image de Sarah Bernhardt sera évoquée, lorsque Ruy Blas dira :
> « Elle avait un petit diadème de dentelle d'argent [26]. »

Sarcey, qui avait douté du talent de Sarah, parlera en des termes enthousiastes, lors d'une reprise de *Ruy Blas*, de sa dignité mélancolique, de ses mouvements nobles et harmonieux, de sa grâce poétique. Pour lui, son don le plus précieux était sa belle voix aux inflexions multiples.

> La voix est languissante et tendre [écrira-t-il], la diction d'un rythme si juste et d'une netteté si parfaite qu'on ne perd jamais une syllabe, alors même que les mots ne s'exhalent plus de ses lèvres que comme une caresse. Et comme elle suit les ondulations de la période qui se déroule, sans la briser jamais, lui gardant l'harmonie de ses lignes flexibles. Et de quelles intonations fines et pénétrantes elle marque certains mots, à qui elle donne ainsi une valeur extraordinaire [27] !

À propos d'une représentation plus tardive de la pièce, il devait écrire : « Il y a des mots qu'elle a dits à ravir avec une finesse spirituelle ; [...] d'autres qu'elle a jetés au quatrième acte avec l'impétuosité d'une passion qui rompt ses digues. [...] Elle a chanté, oui, chanté, de sa voix mélodieuse, ces vers qui s'exhalent comme une plainte que le vent tire d'une harpe suspendue [28]. »

Ainsi que le suggèrent ses propos, Sarcey pensait en termes de musique. Pour lui les pièces d'Hugo étaient parsemées d'arias et de duos qui ne demandaient qu'à être mis en musique ; si l'intrigue en était le livret, la poésie en était la partition [29].

Lorsque le rideau tomba sur la première apparition de Sarah dans *Ruy Blas*, amis et inconnus se précipitèrent dans les coulisses pour admirer, toucher ou encenser le nouveau prodige. Soudain le silence se fit. La foule des admirateurs s'écarta pour laisser passer

Hugo qui, accompagné d'Émile de Girardin, venait présenter ses hommages :

> En une seconde, j'évoquai toutes les stupides pensées que j'avais eues contre cet immense génie.
>
> J'eus le souvenir de ma première entrevue, guindée et tout juste polie avec cet homme de bonté et d'indulgence. J'aurais voulu, à cet instant où toute ma vie ouvrait ses ailes, lui crier mon repentir et lui dire ma dévotieuse gratitude.
>
> Mais, avant que j'aie pu parler, il avait mis le genou en terre, et tenant mes deux mains sous ses lèvres, il murmura : « Merci, merci. »
>
> Ainsi, c'était lui qui disait merci. Lui, le Grand Victor Hugo, dont l'âme était si belle, dont le génie universel emplissait le Monde. [...]
>
> Ah ! que j'étais petite, honteuse et heureuse ! [...]
>
> Il était si beau, ce soir-là, avec son large front auquel s'accrochait la lumière, sa toison d'argent drue, tels des foins coupés au clair de lune, ses yeux rieurs et lumineux.
>
> N'osant me jeter dans les bras de Victor Hugo, je tombai dans ceux de Girardin, l'ami sûr de mes premiers pas [30], et je pleurai [31].

Sarah allait surmonter sa timidité et ne pas tarder à se jeter dans les bras d'Hugo, ainsi que le laisse penser le journal du poète à partir de la première de *Ruy Blas* :

> *21 février 1872*. – Salle comble. [...] J'ai vu et félicité Sarah Bernhardt. Elle m'a dit : embrassez-moi. *Besa de boca*.
>
> *24 février*. – M. Gustave Flaubert est venu me voir ; il accompagnait Mlle Sarah Bernhardt.
>
> *28 mars*. – Je suis allé à l'Odéon. J'ai vu Mlle Sarah Bernhardt dans sa loge ; elle s'habillait [32]...

Le 10 juin, Victor Hugo offrit un grand dîner pour la centième de *Ruy Blas*. Une fois encore, Sarah sut vaincre sa timidité. « Mais embrassez-nous donc, nous, les femmes ! » s'écria-t-elle. « Commencez par moi ! » Le viril poète de soixante-dix ans s'exécuta avec plaisir. « Finissez par moi », hurla Sarah au milieu du brouhaha [33]. Cette joyeuse réunion devait s'achever de façon tragique. Alors qu'Hugo portait un toast Chilly fut victime d'une attaque. Il mourut trois jours plus tard sans avoir repris connaissance et Duquesnel se retrouva seul à la tête de l'Odéon.

La liaison de Sarah et d'Hugo dura, semble-t-il, plusieurs années. Un jour, une amie vit Sarah, fort agitée, quitter le domicile de Victor Hugo. « Qu'as-tu ? Je ne t'ai jamais vu cet air...

— Je viens de recevoir le baiser du poète ! » répondit simplement la jeune femme [34].

Les aimables attentions d'Hugo ne furent pas la seule

récompense de Sarah. Bien avant le dîner fatal, elle avait été invitée à rejoindre la Comédie-Française. Rien n'aurait pu lui faire davantage plaisir. Les appointements étaient plus élevés, le prestige plus grand et sa vanité était flattée que le premier théâtre de France fît ainsi amende honorable après l'avoir chassée dix ans plus tôt. Un seul obstacle demeurait : le contrat qui la liait à l'Odéon pour encore une année. Mais le respect de l'éthique n'était pas le fort de Sarah. Elle signa un contrat avec le Français sans se soucier d'obtenir un congé de l'Odéon et la saison de printemps se passa dans une ambiance de franche hostilité. Son double jeu lui valut un procès — elle dut payer six mille francs de dédit — quelques scènes violentes et une rupture avec Duquesnel. Ce n'était certes pas la première fois qu'elle causait des ennuis à son dévoué ami. Un soir, au cours d'un entracte, sa camériste la trouve étendue dans sa loge, comme morte, une expression de béatitude sur le visage. La troupe se précipite et chacun sanglote et se signe avec effroi. Un Duquesnel bouleversé s'avance alors sur scène pour annoncer la terrible nouvelle lorsque de grands éclats de rire se font entendre. Sarah a ressuscité de parmi les morts. Duquesnel, que cette petite plaisanterie n'avait pas amusé, l'invita à quitter la compagnie mais il ne put que la réengager lorsqu'il comprit qu'il avait scié la branche sur laquelle il était assis. Cette fois cependant son étoile montante, son actrice préférée, celle qu'il avait découverte, sa protégée, était allée trop loin.

> Il était peiné ; et j'en avais un peu de honte [écrira-t-elle], car cet homme ne m'avait donné que des preuves de sympathie ; et c'était lui qui, en dépit de Chilly et de tant d'autres mauvais vouloirs, avait tenu la porte ouverte à mon avenir [35].

*

C'était une Sarah bien différente qui revenait à la Comédie-Française après une absence de dix ans. Elle n'était plus cette petite inconnue paralysée par le trac, mais une actrice accomplie dont le charme suggestif et l'élégance arrogante fascinaient les amateurs de théâtre. Ainsi qu'on peut l'imaginer, de nombreux comédiens du Français ne partageaient pas l'enthousiasme général. Il avait fallu, en fait, tout le renfort de publicité de Sarcey, de Girardin et d'autres grands noms de la presse, pour les convaincre que Sarah appartenait à leur compagnie. Ils durent certainement prendre très mal l'affirmation de Théodore de Banville selon laquelle « l'engagement de Mademoiselle Sarah Bernhardt est un fait grave et violemment révolutionnaire. C'est la poésie qui entre dans la maison de l'art dramatique et, pour tout dire en un mot, le loup est dans la bergerie [36] ».

Bien que la compagnie fût hostile à Sarah, elle avait besoin de sang neuf et d'une réorganisation complète. L'accoutumance au succès et aux visages par trop familiers avait endormi la vénérable maison. Institution subventionnée par l'État, elle avait pour fonction de présenter des œuvres classiques ou contemporaines d'une haute tenue littéraire et ne se préoccupait guère de rentabilité. En conséquence, il lui arrivait souvent de jouer devant des salles à moitié vides.

Ce qui manquait au Théâtre-Français, c'était une nouvelle philosophie et une nouvelle Rachel pour relancer les locations. Jules Perrin, qui avait été nommé Administrateur général en 1871, était un bon juge sur ces questions. Il avait été responsable de l'Opéra-Comique avant de prendre la direction de l'Opéra où il avait su éblouir les Parisiens avec les premières grandioses de *Don Carlos* de Verdi et de *L'Africaine* de Meyerbeer. Se trouver à la tête de ce que l'on nommait indifféremment la Comédie-Française, le Théâtre-Français ou la Maison de Molière, était un défi bien plus grand. Car, sous quelque nom que ce fût, c'était l'institution la plus représentative de l'esprit français. Depuis le siècle de Louis XIV la France dominait le théâtre européen. Tout comme le français était la langue internationale, les œuvres du répertoire étaient données sur toutes les grandes scènes et les comédiens français passaient pour être les meilleurs au monde. La tâche de Perrin était donc de préserver cette position dominante.

L'art doit se renouveler pour conserver son niveau d'excellence. Molière, pour qui « la grande règle de toutes les règles » était de plaire au public, avait apporté un souffle nouveau au théâtre. Mais, avec le temps, l'esprit iconoclaste du grand auteur comique avait fait place à une gravité solennelle. Sarcey, dont l'admiration pour la Comédie-Française ne se démentirait jamais, comparait cet illustre théâtre à une grande maison bourgeoise riche et sérieuse. Un comité d'anciens comédiens pleins de morgue siégeait et jugeait sans concession toute nouvelle pièce et toute nouvelle recrue, et c'était lui qui promouvait les pensionnaires, membres ordinaires de la compagnie, au rang de sociétaires, acteurs qui, comme leur nom l'indique, appartiennent à la Société et perçoivent, en sus de leurs appointements, une part des profits annuels du théâtre. Il est certain que l'atmosphère consacrée et les traditions séculaires de la Maison de Molière avaient leur charme, même si le plafond était noirci par l'éclairage, les fauteuils étroits et les murs décrépits. Mais ce qui importait le plus, c'était la perfection du jeu d'ensemble de comédiens qui étaient tous passés par le Conservatoire.

Perrin, conscient du danger que représentait une gloire héritée pour des établissements sous tutelle de l'État, savait qu'un bouleversement artistique de la maison était nécessaire. Il procéda avec lenteur et intelligence, remplaçant les costumes anachroniques par d'autres historiquement plus crédibles, et introduisant des décors et des ensembles de mobilier authentiques. Le jeu lui-même, sujet ô combien épineux, fit l'objet d'un réexamen. Les sociétaires les plus anciens, qui étaient certes d'incomparables récitants, disaient leur texte d'une manière pompeuse qui évoquait une époque révolue, plus solennelle. Le réalisme était dans l'air du temps et Perrin envisageait de répondre à l'attente du public en engageant de jeunes comédiens « modernes » dont le style serait en accord avec l'époque de l'après-guerre.

Sarah fit sa rentrée à la Comédie-Française, le 6 novembre 1872, dans le rôle de Gabrielle de *Mademoiselle de Belle-Isle* d'Alexandre Dumas *père*. Était-elle encore hantée par ses débuts désastreux dix ans auparavant ou craignait-elle de n'être pas à la hauteur de la campagne de presse qui avait précédé son engagement, elle déçut. Ce n'est qu'au cinquième acte, ainsi que le rapporte Sarcey, que : « Agacée par la froideur du public, Mlle Sarah Bernhardt s'est retrouvée toute entière [...]. C'était bien notre Sarah, la Sarah de *Ruy Blas* que nous avions tant admirée à l'Odéon [37]. » Les représentations suivantes virent l'actrice se ressaisir. Sarcey qui avait pressé Perrin de faire jouer Sarah dans une tragédie classique sut qu'il ne s'était pas trompé lorsqu'il la vit enfin dans le rôle de Junie de *Britannicus*. Il écrivit dans *Le Temps* : « Son succès a été éclatant et incontesté. M. Perrin l'a costumée avec un goût merveilleux : elle a naturellement je ne sais quel charme poétique ; elle dit le vers avec une grâce et une pureté raciniennes ; la victoire est gagnée aujourd'hui. Personne ne s'avisera plus de chicaner l'opportunité de son admission à la Comédie-Française. Elle est de la maison [38]. »

La victoire remportée ce soir-là ne fut pas uniquement due à Sarah. La représentation avait été marquée par la troisième apparition d'un jeune acteur qui terminait là ses débuts, Jean Mounet-Sully, homme d'une grande beauté avec qui Sarah allait connaître une liaison troublante et tumultueuse. Originaire de Bergerac, il avait vécu jusqu'à l'âge de vingt-six ans dans une atmosphère de piété calviniste. Mais l'existence dans une petite ville de province était trop étouffante pour un jeune homme à l'esprit artiste qui, tout en se préparant à devenir pasteur, se rêvait peintre, compositeur ou tragédien déclamant des alexandrins devant un public extasié. Au terme d'un débat intérieur douloureux, Mounet avait quitté les vignobles familiaux pour courir sa chance au Conservatoire de Paris.

Dans un passage de ses Mémoires, *Souvenirs d'un tragédien*, il évoquera l'éducation traditionaliste qui avait été la sienne :

Le préjugé contre les comédiens régnait encore presque absolument, et surtout en province. Lorsqu'à [sic] force d'insistance j'eus
obtenu licence de partir, le jour de mon départ, la chère femme [sa
mère] me dit en m'embrassant :

— Ton père nous a laissé une petite fortune et un nom sans
tache. Ne compromets ni l'une ni l'autre.

Je répondis : « Maman, je te jure qu'un jour je serai millionnaire et décoré ! »

C'était énorme ce que je disais là, et j'avais la sensation que je
m'engageais plus qu'il n'était raisonnable. Mais j'avais la Foi ! [...]

Je lui demandai encore, avant de m'en aller :

— Je veux, en partant, ta bénédiction et ton assentiment.

— Mon assentiment, à cette carrière de comédien, je ne puis te
le donner, me répondit-elle. Mais ma bénédiction te suivra partout
où tu iras.

La sainte femme ! Son souvenir est sûrement le plus précieux
trésor de ma vie [39].

En 1867, Mounet entra au Conservatoire et trouva quelques
emplois dans divers théâtres comme le faisaient parfois les élèves
doués. L'année suivante il passa une audition pour Chilly qui
l'engagea pour de petits rôles à l'Odéon, dont celui de Cor-
nouailles dans *Le Roi Lear*. Le 6 avril 1868, comédien encore
inexpérimenté, il fit ses débuts entouré d'une brillante distribution : Beauvallet en Lear, le grand Taillade dans le rôle du Fou,
Agar en Goneril et Bernhardt en Cordelia.

Mounet, évoquant cette époque, écrira : « Sarah Bernhardt
avait déjà fait parler d'elle. Elle commençait à être célèbre. [...] Je
l'admirais passionnément. Elle ne me connaissait pas, ne me
remarquait pas même. Je n'étais rien. Elle passait devant moi
comme une étoile lointaine [40]. » Sarah connaissait alors le succès
et ne s'intéressait guère à ce jeune débutant, sinon pour se moquer
de ses maladresses. Au cours d'une représentation dont ils
devaient s'amuser plus tard, il poussa un « Ah ! » si retentissant
que le public commença à pouffer. Aveuglé par la honte —
Mounet ne saurait jamais contenir ses émotions — il se précipita
vers les coulisses et heurta la porte. Si le décor ne fit que vaciller,
le public lui s'écroula littéralement de rire. Lorsqu'il eut enfin
quitté la scène, il éclata en larmes. Duquesnel tenta sans résultat
de le réconforter. Frappant de ses poings la muraille, Mounet
répétait entre deux sanglots qu'il était fini et que jamais il ne
serait bon à quoi que ce fût.

Lorsqu'il rejoignit l'armée, au début du conflit avec la Prusse,
Mounet était fort abattu et la fin des hostilités n'apporta aucune
embellie. Tout restait à faire. Duquesnel proposa de le reprendre à
l'Odéon mais avec des cachets si ridiculement bas qu'il refusa.
Fatigué d'errer d'un théâtre à un autre, il décida de regagner la

demeure familiale et de se faire viticulteur ou clerc de notaire. Ses bagages étaient prêts quand il apprit que Perrin souhaitait l'auditionner pour le rôle d'Oreste dans *Andromaque*. Le soir même il écrivait une lettre enthousiaste à sa mère. Non seulement il jouerait le rôle mais, miracle des miracles, il avait obtenu, chance inouïe pour un débutant, un contrat de trois ans.

Son talent exceptionnel allait faire de Mounet-Sully, pendant plus de quarante ans, le tragédien le plus illustre de la Comédie-Française. Avec sa tête léonine, sa crinière châtain ébouriffée, ses traits ciselés et son corps de gladiateur, il était l'idéal baroque du héros racinien. La démesure de ses gestes avait quelque chose de grandiose. Sa voix était d'une puissance extraordinaire et Sacha Guitry devait dire : « En ville il vous parlait comme de l'autre côté d'une large rivière [41]. »

> Je me revois, à cette époque [écrira Mounet]. J'étais vraiment ivre de fougue et d'exaspération vitale. Je promenais Oreste dans la rue, sous les roues des omnibus... Je veux dire que lorsque j'étais enveloppé du fracas de verre et de ferraille des lourds véhicules passant sur la chaussée, j'en profitais pour hurler à pleins poumons :
> « Dieux ! Quels ruisseaux de sang coulent autour de moi ! ! ! » Et mon hurlement se perdait dans le tonnerre des voitures... [...] Car je dois confesser que je n'ai jamais osé crier chez moi de peur d'étonner mes voisins. [...]
> Je portais à la ville ma tête du théâtre, avec mes longs cheveux... On se retournait sur moi [42].

Les passants n'étaient pas les seuls à n'en pas croire leurs yeux et l'apparence de Mounet devait étonner Sarah elle-même. Un jour, elle l'arrêta dans les coulisses du théâtre, mais écoutons Louis Verneuil, auteur dramatique lui-même, décrire la scène telle que la comédienne la lui a certainement rapportée :

> Sarah le regarda avec attention et, stupéfaite, lui dit :
> — Non, ce n'est pas possible !... C'est toi, Mounet ?
> Mounet-Sully, un peu surpris, confessa :
> — C'est moi.
> — Mais qu'est-ce qui t'est arrivé ? [...] Tu es très beau !...
> — On me l'a déjà dit, répondit naïvement Mounet.
> — Enfin, je ne suis pas folle, tu n'étais pas beau comme ça, à l'Odéon ?
> Il réfléchit un instant :
> — Je crois que si.
> Elle haussa les épaules, incrédule :
> — Allons !... Je m'en serais aperçue !... [...] Tu joues ce soir ?
> — Oui.
> — J'irai te voir dans la salle [43].

Ce soir-là, après la représentation, Sarah se vit accorder ce que de nombreuses femmes dans l'assistance avaient rêvé d'obtenir. Elles n'eussent pas été déçues car Mounet — dans sa vieillesse, évoquant sa virilité, il affirmera : « Jusqu'à soixante ans je crus que c'était un os[44] » — était aussi passionné au lit qu'il pouvait l'être sur scène.

Ainsi commença une liaison qui devait unir, dans l'amour comme dans la violence, deux caractères également exaltés. Il est rare que des êtres exceptionnellement doués s'éprennent l'un de l'autre tant ils sont épris de leur propre image. L'idylle entre Sarah et Mounet ne semblait donc pas placée sous les meilleurs auspices. Élevée dans le sérail parisien, Sarah en connaissait les détours. Ses nombreuses liaisons lui avaient appris à traiter les hommes comme ils la traitaient. Elle maîtrisait depuis longtemps l'art de répondre à la dureté des cœurs par un attachement aux biens de ce monde. En outre, le Tout-Paris sensible à sa gloire grandissante lui témoignait un respect nouveau. Les étudiants de la Rive gauche n'étaient plus les seuls à se précipiter pour rêver devant son sanctuaire. Artistes et membres de la bonne société ne se seraient pas sentis dans le mouvement s'ils n'avaient pu, négligemment, glisser son nom dans les conversations. Victor Hugo lui-même ne s'était-il pas agenouillé à ses pieds ? En un mot, sa réussite était complète. Sarah faisait la joie des caricaturistes. Les femmes imitaient ses manières et ses admirateurs prenaient plaisir à répéter — et à embellir — les rumeurs la concernant. Avoir une liaison durable avec un petit provincial dorloté par sa mère n'entrait certes pas dans ses projets, mais l'attachement de Mounet-Sully pour la beauté et la pureté dans la vie comme dans l'art lui semblait chose reposante après les princes de Ligne et autres Charles Haas qu'elle avait connus.

D'autre part, Bergerac et les conseils prudes de sa mère, personne fort pieuse, n'avaient pas préparé Mounet à la fréquentation, fût-elle occasionnelle, de femmes comme Sarah. Avoir pour maîtresse une actrice du demi-monde s'accompagnait d'un protocole qu'il ne comprenait pas, et jamais il ne lui vint à l'esprit que Sarah pouvait le considérer comme son *amant de cœur**. Où aurait-il appris cet art de mentir et de tisser des intrigues qui est une partie intégrante de telles liaisons ? Il vivait dans un monde plus simple où les mères étaient sacrées, les épouses soumises et les amantes fidèles.

Faire don de son corps à une femme était une preuve éclatante de virilité, mais respecter une femme qui s'offrait librement était chose impensable. En bon calviniste Mounet, ainsi qu'il le confiera plus tard, espérait sauver Sarah du péché et la conduire sur le chemin de la vertu.

Sarah avait fréquenté une tout autre école. Elle ne se considérait pas comme une fille perdue mais comme une femme qui s'était élevée dans le monde. Elle n'appartenait à personne et tenait à sa liberté. Prendre pour amant un jeune et beau comédien qui gagnait un misérable salaire de six mille francs par an était un plaisir d'ordre charnel, un luxe qu'elle pensait pouvoir s'offrir, mais elle n'avait nullement l'intention de se séparer de sa « ménagerie » qui réglait ses factures et lui offrait les robes et les bijoux qu'elle aimait. Après tout, elle avait obtenu cette reconnaissance du public dont Mounet rêvait encore ; la séductrice, c'était elle ; lui n'avait fait que succomber à ses charmes. Mounet la changeait agréablement, ce qui ajoutait à son plaisir, des journalistes et des hommes du monde blasés qui formaient sa cour. La vanité et l'ambition entraient également en ligne de compte. Leur succès conjoint dans *Britannicus* avait donné naissance à des projets grandioses de collaboration qui devinrent réalité lorsque le public comprit que la présence héroïque de Mounet sur scène formait un contraste saisissant avec la féminité fragile de Sarah, et que sa déclamation pleine de fougue était le contrepoint idéal des effusions lyriques de la comédienne. Enfin Sarah éprouvait la double satisfaction de se montrer au bras de l'homme le plus beau de la place et d'avoir enlevé Mounet à sa maîtresse, Maria Favart. Bien plus âgée que Sarah, Favart était une des premières actrices de la compagnie et elle « détenait » de nombreux rôles que Sarah convoitait. Si les deux jeunes gens réussissaient à s'imposer comme le couple romantique de la Comédie-Française, peut-être Sarah parviendrait-elle à supplanter Favart au théâtre comme elle l'avait fait dans la vie. L'idée n'était guère honorable, mais le monde des coulisses ne l'était pas davantage. En un éclair leur liaison fut connue du Tout-Paris car peu de choses émoustillent autant les amateurs de théâtre que de savoir que les acteurs qu'ils admirent sont amants à la ville comme à la scène. Le couple apportait au théâtre magie et féerie et Perrin, en habile administrateur, le réunit sur les affiches aussi souvent qu'il le put.

*

En novembre 1872, alors qu'ils répétaient *Britannicus*, Sarah et Mounet commencèrent à échanger une correspondance dans le style ampoulé de l'époque. Il semblerait que Sarah eût compté davantage pour Mounet que lui pour elle, car si elle égara la plupart des lettres qu'il lui envoya, Jean numérota, classa et conserva presque une centaine de celles qu'il reçut. Cette correspondance nous donne une image saisissante d'un couple emporté dans le tourbillon de la passion amoureuse.

Espérer découvrir la « véritable » Sarah dans ses messages en apparence candides serait faire preuve d'un optimisme illusoire ; elle était trop bonne actrice, trop caméléon, pour se dévoiler ainsi. Dans ses lettres à Haas, homme raffiné s'il en fut, elle s'était présentée, par désir de plaire, comme son inférieure, mais, à présent, actrice reconnue, elle se jugeait supérieure à Mounet et adoptait un rôle fort différent en accord avec les faiblesses de ce provincial romantique assez naïf pour croire en l'amour vrai. Après les premiers billets frivoles il est à la fois touchant et ironique de voir Sarah, éternelle provocatrice, donner des conseils étonnamment sensés à son amant qui se montrait sur scène aussi peu docile qu'elle :

9 janvier 1873

> Ce n'est guère une lettre d'amour que je vous écris, mon doux ami, mais une lettre de raison ; je sors du cabinet de notre administrateur [Perrin] et il m'a dit le chagrin que nous cause votre entêtement inimaginable [...]. Je t'en supplie au nom de l'art, au nom de l'amour profond que j'ai pour toi, je t'en supplie, dompte-toi un peu.
>
> Essaie ! On parlait de te nommer sociétaire la semaine prochaine et ceci je te l'affirme, et voilà que par ton caractère d'opposition tu donnes raison aux nombreux ennemis que te suscite ton talent ; j'ai trouvé quelques-uns de tes camarades qui t'aiment et qui m'ont pris à part — comprenant — devinant l'infinie tendresse que tu m'inspires, tous s'accordent à dire que tu les effraies par ton caractère d'opposition et qu'ils craignent la discussion terrible que tu ferais sans aucun doute naître chaque fois qu'il y aurait un comité.
>
> Enfin, mon bien-aimé, je t'en prie, je t'en supplie même, arrête ton esprit à cette idée que seul contre tous, tu n'as pas raison que diable [...].
>
> [...] Veuille seulement te contraindre un peu ; un tout petit peu, je t'en conjure au nom de mon amour [...][45].

Ainsi que Sarah devait l'apprendre, la résistance de Mounet aux conseils était aussi forte que sa résistance aux directives de mise en scène. Il fallait tout lui expliquer, tout lui rendre tangible. Dans *Britannicus* il insista, par exemple, pour que le serpent qu'il devait tenir fût un véritable reptile et non un accessoire. Si on lui demandait de sortir côté cour, il sortait côté jardin. Invité à crier il murmurait, et se mettait à hurler quand il devait parler bas.

Mais il était bien d'autres explications qui échappaient à Mounet. Peu après le début de leur liaison amoureuse, il reçut l'une de ces nombreuses lettres d'excuses dans lesquelles Sarah

expliquait qu'elle devait annuler un de leurs rendez-vous nocturnes :

Janvier 1873

Ne fronce pas les sourcils, mon bien-aimé, et ne m'en veuille
pas trop. J'ai conduit mon petit garçon pour un mois à Paris le
trouvant ce matin tout fiévreux.

Ce soir, je ne suis guère tranquille et reste auprès de lui pour
être à la visite du médecin demain matin. J'espère que cela ne sera
rien, rien — mais je suis avant tout maman.

Tu comprends bien ce que je te dis, tu sens que c'est vrai, ami,
et qu'il est en ce monde des choses qu'on n'invoque jamais pour
couvrir même un caprice — donc, aimé, ne sois pas fâché, et
maintenant laisse-moi te parler de ma folle tendresse, laisse-moi te
dire que je t'aime de toutes les forces de mon âme, que mon cœur est
tien et que je suis presque heureuse ; que peut-être je vais aimer la
vie maintenant que j'aime l'amour ou plutôt que je connais
l'amour ! T'ai-je dit mon doux amour et mes fièvres d'amour et mes
espoirs déçus, et mes perpétuelles recherches, suivies du vide, du
néant toujours ; et mes larmes de rage, et mes cris d'impuissance et
mon vrai, mon sincère désespoir qui me conduisait au suicide ?

Si je t'ai dit cela, je te le dis en vérité, mon cher Seigneur, car je
te dois de ne plus pleurer et d'espérer beaucoup. Je te dois par-
dessus tout la connaissance de l'amour, non de celui que j'inspire,
mais de celui qui devient mien, de celui que je ressens, je suis si tant
heureuse d'aimer enfin et de t'aimer toi ! [...] Appuie-toi sur mon
cœur, réchauffe ma tristesse et mon scepticisme sur ta chaude âme,
ouvre-moi ton être et laisse m'y entrer que je sois tienne toute et
reçois dans ce baiser fait de souvenirs et d'espérances tout ce que
cœur de femme a de bon, de poétique.

Je t'aime cela est vrai, je t'aime à pleine âme. Je mets mes bras
autour de ta tête et mes lèvres sur les tiennes. Je te murmure toutes
les paroles d'amour que tu sais.

Ta tienne
Sarah Bernhardt [46]

En dépit de ses protestations amoureuses, la lettre de Sarah
renfermait les semences du malheur de Mounet. Il se peut fort
bien, qu'animé par un irrépressible besoin d'analyser, il se fût
demandé pourquoi elle se disait « *presque* heureuse », et quelles
étaient ces choses qu'on ne pouvait invoquer même « pour couvrir
un caprice ». De quel caprice douteux pouvait-il bien s'agir [47] ?
Mais c'était l'allusion à ses liaisons passées qui troublait Mounet.
Involontaires ou non, séducteurs ou cruels, les propos de Sarah
attisèrent sa jalousie. À partir de cet instant il fut hanté par la
pensée de ses anciens amants, fantômes qu'il était tout aussi
incapable d'affronter que d'ignorer. Si le passé de Sarah était

plein de « fièvres d'amour » et d'« espoirs déçus », pourquoi le présent aurait-il dû être différent ? Le désir de savoir ce que ses moindres gestes ou propos cachaient torturait Mounet. Sarah, flattée mais effrayée, l'appelait son « doux Seigneur », son « Maître », et le suppliait de conserver son calme. Même son invitation enjouée, « Aussitôt que tu seras prêt, siffle, je t'en prie, que je monte te dire bonsoir », était suivie d'une recommandation inquiète : « Ne sois pas fâché et ne laisse pas traîner ce mot [48]. »

Avec le temps Sarah se montrerait de moins en moins sensible aux appels de Mounet. Cependant, cela l'amusait, amante incertaine de ses sentiments, de le garder ainsi en suspens et, lorsqu'elle sentait son emprise fléchir, de lui envoyer des lettres passionnées ou de lui accorder une nuit d'amour. Jean ne savait distinguer la vérité du mensonge, l'amour de la comédie. Comment devait-il prendre ses excuses incessantes ? Elle se sentait fatiguée, des affaires l'accaparaient, il lui fallait consulter le médecin de Maurice, recevoir les amis de son fils, travailler. Quand tout échouait, elle reprenait la vieille excuse, disait qu'elle était « toute, mais toute malade », et ne pouvait venir [49]. Peut-être était-ce vrai. Dès le début de leur liaison, Sarah n'hésita jamais à annuler un rendez-vous avec Mounet en prétextant qu'elle était souffrante :

Février 1873 (?)

Je ne suis pas bien, mon ami Jean, mais pas bien du tout. Je n'ose te porter ce petit être malade. Je t'envoie donc seulement mon cœur, mon âme, mes baisers d'amour, de tendresse.

Sais-tu, mon doux Seigneur, que sans cesse je pense à toi, que je ne rêve qu'à toi, que mon seul et unique désir est de t'appartenir sans que rien te puisse faire froncer le sourcil ; être ta maîtresse, ton être, ta tienne ? Sais-tu que tout ce qui évoque ton souvenir me fait bondir le cœur ? Sais-tu enfin que je t'aime ardemment avec toutes les forces de mon âme, tous les regrets et larmes de mon triste passé ?

Je voudrais reprendre ma vie, mes baisers, toutes ces sensations idiotes ; je voudrais que mon esprit fût aussi vierge que l'était mon cœur quand je t'ai aimé. Enfin sache que je t'aime, cela est vrai, cela est grand comme l'amour. Mes lèvres disent bonsoir aux tiennes et puis écoute ce qu'elles disent encore ces bavardes !

Sarah [50]

Les lèvres de Sarah n'étaient pas les seules à Paris à se laisser aller aux bavardages. Les acteurs du Français s'amusaient de la voir s'adonner au jeu de l'infidélité avec son amant jaloux, tout en la condamnant et en se gaussant de Mounet. Un incident devait encore ajouter à leur joie. À la fin d'une matinée théâtrale, Mounet surprit Francisque Sarcey qui faisait les cent pas dans les coulisses. D'un air soupçonneux il lui demanda ce qu'il attendait là. Sarcey expliqua qu'il avait invité Sarah à dîner. Mounet, convaincu que le critique, petit homme bedonnant, espérait bien obtenir quelque faveur après le repas, oublia toute prudence et, faisant fi des chroniques défavorables que cela pouvait lui valoir, insulta Sarcey et le défia en duel. Le journaliste répliqua qu'il n'avait pas pour habitude de se battre avec des enfants et, prenant Sarah par le bras, il l'entraîna vers le rendez-vous suspect.

Les crises de jalousie de Mounet n'avaient pas pour seul cadre le théâtre. Un soir, Sarah et Mounet se querellèrent violemment dans un fiacre qui les conduisait chez lui.

Marie Colombier se fit une joie de rapporter la scène :

> Poussé à bout, ivre de colère, ne sachant plus ce qu'il fait, Money [Mounet] qui, pour ne pas étrangler sa compagne, cherche d'instinct quelque chose à détruire, brise les glaces et d'un coup de pied défonce le devant du *sapin*. Cris du cocher, arrêt du véhicule, scandale, rassemblement. Sarah a déjà sauté par une portière. Elle ne s'est point émue, elle rit toujours. Cependant, tandis qu'elle s'éloigne discrètement de son pas léger, le comédien se débat entre un sergent de ville et le cocher. C'est chez le commissaire que l'aventure se dénoue. Il paye dix louis d'indemnité à l'automédon et s'en va, honteux de sa colère, mais navré de la conduite de Sarah, rejoindre sa maîtresse. Il la trouve endormie[51].

Cela aurait suffi à refroidir l'ardeur de tout homme, mais pas celle de Mounet. Cependant, il ne dut guère apprécier les lettres suivantes, écrites alors que Sarah s'efforçait de concilier des répétitions difficiles à la Comédie-Française et les drames ô combien éprouvants pour les nerfs qu'elle jouait avec son exigeant amant. En fait, elle était épuisée.

Mars 1873

> Oh ! ne te fâche pas, je t'en prie, Jean, mon bien-aimé Jean. J'ai été bien souffrante toute la journée, *il faut absolument* que je sois sage — donc, si tu veux être bon, tu viendras m'embrasser mais tu iras ensuite te coucher chez toi. Voilà mon petit discours fini. Maintenant il faut que je te dise un secret ; j'ai le cœur gros de t'avoir fait du chagrin hier ; je le regrette bien et je t'en aime plus. Je ne serai plus méchante, non jamais je te jure — ne riez pas — je t'aime, je t'aime. Je voudrais bien être à demain soir car je me suis bien soignée.
>
> Je hume [?] tes baisers et te donne tout mon moi.

Sarah Bernhardt[52]

Les relations difficiles qu'elle entretenait avec Jean n'étaient pas son seul problème. Au printemps de 1873, Perrin devait ébranler sa confiance en lui confiant le rôle de l'altière princesse Falconieri dans *Dalila* d'Octave Feuillet, emploi qui, jugea-t-elle, la desservirait. Écrivain doué, Feuillet était admiré pour ses pièces mondaines qui mettaient en scène des pécheresses de haute naissance à qui le destin réservait de terribles drames. Perrin, qui n'ignorait pas le double jeu de Sarah avec Mounet, pensa que le rôle d'une femme fatale qui trompe ses amants lui conviendrait à merveille. Assez curieusement, Sarah estima qu'un comportement aussi retors était étranger à sa nature et demanda à jouer le rôle de la vertueuse héroïne. Mais l'emploi avait été promis à la maîtresse de Perrin, la belle et brillante Sophie Croizette. Jeune femme blonde et séduisante, l'idole de la compagnie, la Croizette était tout le contraire de Sarah : un modèle de santé, d'amabilité et de sagesse. Pour compléter ce tableau, il faut ajouter que Sarah connaissait sa rivale depuis l'enfance et l'aimait beaucoup.

Le succès dépend souvent de la crainte de l'échec. Mais ni la crainte ni l'ouate dont Sarah bourra son corsage pour arrondir sa silhouette ne suffirent à restaurer sa confiance. À bout de nerfs et convaincue que Perrin lui avait délibérément refusé le rôle, elle se tourna vers son seigneur et maître :

Mars 1873

Mon bien-aimé Jean,

    Je suis tombée à la répétition. J'ai été prise d'une violente quinte de toux suivie de crachements de sang. MM. Perrin et Feuillet m'ont transportée dans ma voiture et je suis au lit. Je t'en prie, mon amant aimé, je t'en prie viens me voir. Cela me fera tant de plaisir. [...] Je te demande pardon pour toutes mes tracasseries ; [...] il faut me beaucoup pardonner parce que je souffre. [...]

Sarah [53]

Il ne fait guère de doute que le malaise de Sarah avait été provoqué par les tensions de sa liaison avec Jean et aggravé par le sentiment qu'elle avait de travailler dans un climat d'hostilité. Au cours de ces quatre mois passés à la Comédie-Française, en plus de son triomphe dans *Britannicus*, elle était apparue, avec des succès de critique divers, dans *Mademoiselle de Belle-Isle*, *Le Mariage de Figaro*, et *Mademoiselle de la Seiglière* de Jules Sandeau. Et maintenant, ainsi qu'elle l'avait craint, sa princesse Falconieri était un échec. Profondément troublée, elle s'accrocha à Jean, sans cesser cependant d'imaginer de nouvelles façons de le tourmenter :

28 mars 1873

[...]
Je n'ai joué *Le Passant* qu'à minuit et demi et j'avais fini seulement à une heure un quart ; rentrée chez moi à une heure et demie. Je n'aurais pu me rendre chez nous qu'à deux heures passées ; cela m'aurait tuée. Je suis donc rentrée chez moi désolée de ne te pouvoir prévenir et bien certaine que tu m'accusais de cent vilaines choses. C'est mal, fort mal, mon bien-aimé, mais je ne sais t'en vouloir, je t'aime. [...] C'est toi que j'aime dans l'amour et je te veux aimer longtemps puisque toujours est une ironie. Écris-moi un mot qui me donne du courage pour ce soir dans ma loge. Veux-tu ? ?
Je me suspends à ton cou, mon amant aimé, jusqu'à ce que mes baisers aient lassé tes lèvres.

Ta bien tienne
Sarah Bernhardt [54]

Les propos de Sarah n'apportèrent à Jean qu'un faible réconfort. Admettre qu'elle savait que son amant l'accusait de « vilaines choses » ne pouvait que nourrir ses soupçons, non les apaiser. Et son cynique « aimer longtemps puisque toujours est une ironie » ne pouvait guère réjouir un homme qui rêvait de l'épouser. Tout au long du printemps Sarah écrivit à Mounet des lettres conçues pour le lier à elle, enflammer sa jalousie et le torturer en lui laissant entendre qu'il pourrait la perdre : elle était souffrante, elle se mourait, elle l'aimait avec passion ; elle était trop fatiguée pour aller le voir ; elle le verrait le soir suivant ; la fièvre la clouait au lit ; son fils, la seule personne qui l'aimât vraiment, était malade. Elle souhaitait en avoir fini avec tous ses tracas pour être ce qu'il désirait qu'elle fût ; si le moindre soupçon lui traversait l'esprit il pouvait venir chez elle à n'importe quelle heure du jour ou de la nuit et vérifier ses agissements.

Une lettre datée du samedi 2 avril 1873 laisse penser que Sarah avait trouvé un nouvel amant.

Oh ! ne pleure plus, je t'en prie, Jean, ne pleure pas ! Je ne sais pourquoi mais tes larmes me suivent, me brûlent — ami, je suis bien malheureuse [...]. Mon doux ami, mon amant adoré, mon cher amour, je reviendrai, attends-moi ! !
Oui, en fait pourquoi est-ce que j'hésite ? C'est le bonheur qui me tend les bras et puis, quand tu ne m'aimeras plus, la tombe est si proche, n'est-ce pas ? et il est si facile de chanter le chant du cygne. Il faudrait donc que, parce que tu as rencontré sur ta route une

créature à laquelle tu as donné l'amour, à laquelle tu as révélé le je-ne-sais-quoi qui fait vivre, il faudrait donc que ta loyale et belle âme souffre mort et martyre. Non, non, mille fois non ! Je viendrai demain, je viendrais même ce soir mais mon être souffre et mes larmes ont rougi mes yeux alors que les tiens faisaient bondir mon cœur.

Dors ! aime-moi — aime-moi et entends ce cri de douleur, de regret et de passion.

Sarah [55]

Jean s'empressa, dans un transport de joie, de répondre :

Samedi — Le Rouet (?) Minuit

[...] Que je suis heureux et que je suis fier du mouvement généreux auquel tu as obéi en écrivant ce cher billet que je viens de trouver sur mon bougeoir au moment où je poussais l'exclamation qui m'était devenue habituelle, hélas ! depuis que je ne t'*attendais plus* : « Mon Dieu ! Mais qu'est-ce que je vais devenir, moi ? »

[...] Si tu savais comme tu as eu raison d'obéir à la voix de ton cœur, et de te laisser aller dans ces deux bras obstinément tendus vers toi ! — Ah ! Comme mes craintes, mes angoisses, mes larmes sont loin, et comme tout souvenir pénible est effacé par ce *présent* tout ensoleillé d'avenir ! — Tu crains ma jalousie, me disais-tu cet après-midi, tu as peur que je me souvienne du passé ? ? — Mais le passé n'existe que lorsqu'il a un retentissement dans le présent, — et maintenant, après ce cri sincère et passionné que tu n'as pu retenir, qui a débordé de tout ton être, et qui m'est arrivé chaud et lumineux — j'ai confiance, je crois, et j'espère ! ! — Oh ! Sarah, Sarah, ma *Sarah* ! ! Que je suis heureux ! — Tu m'aimes enfin ! C'est vrai ! c'est bien vrai ! — Non ! plus jamais ne te tourmenterai de mes soupçons, qui seraient maintenant de véritables injures [à la femme] que je désespérais de jamais rencontrer ailleurs que dans mes rêves, cette femme que je croyais une chimère de mon imagination malade, et à laquelle ton frêle petit corps servait de prison, cette femme qui n'a pas de passé, elle, entends-tu bien ? — je la connais enfin. Elle existe. Je l'ai vue aujourd'hui un moment, et je la verrai demain, et toujours ! — Oh ! Joie, elle a tes traits, elle est toi ! — Je te *vois*. Maintenant, je te *sens*, je te *possède*, tu es *nous* ! !

Puis, ne crains rien, va, tu seras heureuse : je mettrai sur ton front et sur tes bras une aigrette et des dentelles de baisers, puisque tu ne peux pas te passer de luxe, méchante ! ! ! — Chère amoureuse, chère femme, chère maîtresse bien-aimée, aie confiance toi aussi, et crois, et espère : l'avenir est aux gens de bonne volonté ! — Et nous sommes jeunes et forts et nous nous aimons ! !

Oh ! Qu'il est heureux ton *Jean* [56]

Mounet devait rapidement comprendre que Sarah, malgré les cris extatiques que la fougue amoureuse provoquaient chez elle, demeurait la créature insaisissable qu'elle avait toujours été. Croyant naïvement que le mariage serait une garantie de fidélité, il lui demanda à plusieurs reprises de l'épouser. Sarah, qui ne pouvait s'imaginer en victime permanente de sa jalousie ni en épouse fidèle et aimante, refusa à chaque fois.

Les semaines passèrent dans un silence glacial. Lorsque la glace se brisa enfin, elle révéla des eaux tumultueuses :

Samedi matin 26 juillet 1873

Ma Chère Sarah,

[...]

Oh ! rassure-toi, je ne ferai pas un plaidoyer, je ne récriminerai pas. Ce qui est fait est fait. Je ne prétends pas que tu oublies, mais je veux que tu me pardonnes ce que tu as souffert par moi, en considération de mon amour, et de ce que j'ai souffert moi-même. Tu dis que je t'ai frappée, ma Chère adorée. Je n'en ai aucun souvenir, mais — je vois encore les marques noires que mes mains ont laissées sur tes bras, et tes yeux rouges et gonflés par les larmes de la nuit, me poursuivent comme un mauvais rêve. J'ai été brutal, — et je crains maintenant de l'avoir été sans motifs. Je me dis que je pourrais bien avoir été trompé par les apparences et que ta douleur si violente n'était peut-être causée que par l'injustice de mon accusation. Mais je me suis mis *sous tes pieds*, mais j'ai imploré mon pardon avec toute la voix de mon cœur, et pendant toute cette longue nuit, tu es restée froide et glacée ; sourde à mes supplications et à mes larmes. Comment cela est-il possible ? Dis-le-moi ! Si tu étais sincère, quand il y a deux jours tu as trouvé des accents pour me convaincre de ton amour, pour me donner cette folle ivresse de bonheur qui m'avait un moment fait croire à la possibilité de *l'avenir* — comment, pourquoi, m'as-tu dit brusquement hier que tu ne m'aimais plus depuis un mois. Depuis un mois ! Qu'est-ce que cela veut dire ? À quel événement de notre vie commune se rapporte cette date ? Je cherche et je ne trouve pas ! — Ah ! les meurtrissures, les bleus de tes bras seront guéris et oubliés dans quelques heures, ma pauvre bien-aimée, mais comment guérira jamais l'affreuse blessure que m'ont faite tes paroles. Quand m'as-tu menti ? Est-ce avant, est-ce après ? Et pourquoi ce mensonge ? Moi qui t'aimais tant, moi qui t'aime tant encore et qui t'aime *pour toi*, tu le sais, tu m'as accusé d'égoïsme et de méchanceté ! Sarah !... Sarah !... Je voulais te dire une foule de choses qui disparaissent maintenant noyées dans la douleur présente. Je voulais te dire mes projets, mes plans d'avenir !... car j'en avais fait ; et de si beaux !...

[...] J'ai peur d'avoir été injuste cette nuit. Pardonne-moi ! C'est ce mot-là surtout, que je voulais te dire, car je reconnais, oui je reconnais que j'ai peut-être eu tort, et je tiens à ce que tu le saches. [...] Tu as pleuré seulement parce que je t'accusais au moment même où tu songeais à réaliser notre rêve commun, en me donnant cette dernière preuve d'amour que j'attends depuis si longtemps, et que je t'ai demandée plus encore pour toi que pour moi ? — Oh ! dis-moi : oui ! Et je te croirai, et plus jamais je ne douterai de toi, et je t'aimerai davantage encore si c'est possible, en raison du martyre involontaire que je t'aurai fait subir. [...]

Ne m'en veuille plus ce ne serait pas juste. [...] Il suffit que tu le saches, bien, que je t'aime, et que je serais désolé plus qu'on ne peut le dire si tu continuais à avoir peur de ton bien prosterné et repentant

Jean[57]

Dès le lendemain Sarah répondait :

Dimanche matin 27 juillet 1873

Oui, Jean, oui tu as été brutal, injuste, et tu as dépassé la mesure.

J'ai senti que ton despotisme tuait à jamais mes rêves d'avenir, car j'en faisais aussi. La confiance renaît avec l'amour et, quelques mensonges que je t'ai faits (mensonges qui prouvaient ma tendresse), tu ne devais m'accuser. J'ai dit la vérité, Jean, depuis un mois je me suis heurtée quantité de fois à cette indomptable jalousie qui te fait marcher sur les lois de la bienséance à tout propos et en quelqu'endroit [sic] que nous soyons.

Tu m'as fait souffrir cette nuit de toutes les angoisses du regret, j'ai pleuré de douleur vraie en voyant s'écrouler sous ta main brutale les rêves caressés par mon cœur, les chers projets d'avenir que je formais.

Lors de mes dernières scènes, il me semblait bien que tu ébranlais fortement mes châteaux mais ils se trouvaient encore debout, étayés par ma tendresse — c'est fini.

Jean, ils se sont écroulés cette nuit, et les décombres noyés dans mes larmes. Qu'ils dorment, ces chers rêves, je ne les veux point éveillés. [...]

Non, Jean, je ne t'ai pas menti — il y a deux jours, mon cœur retrouvait dans le tien l'écho de la petite douleur que je venais d'éprouver — mon regard rencontrant ton bon regard tout lumineux de larmes, je me suis sentie émue et je t'ai aimé.

Je ne veux pas te faire plus de chagrin qu'il n'est nécessaire, mais j'ai le cœur bien froissé, vois-tu. Je ne sais si je pourrai guérir — tu as avili ma dignité de femme à chaque instant, alors qu'ayant éloigné de moi les amis qui m'entouraient, pour me dévêtir, tu t'es imposé quand même entrant dans ma loge alors que mes amis attendaient à la porte. Tu leur disais ainsi, mais je la connais c'est [ma] maîtresse, je la vois nue ainsi chaque jour. Tu n'as pas compris, mon pauvre Jean, que l'amour se donne mais ne veut pas qu'on le prenne. J'ai dû subir tes violences sans causer de scandale ; enfin tu m'as torturée avec les armes que je t'avais mises en main ; ma tendresse, mon amour pour toi t'ont servi d'étendard.

Ah ! tu m'as fait bien du mal, Jean, je te le pardonne puisque tel semble être ton désir. Mais chez moi pardon n'est pas oubli. Laisse donc à mon cœur le temps de penser [?] qu'il oublie et nous verrons après ce que nous pourrons faire des bribes de notre mutuel amour. N'aie pas de chagrin, mon Jean, l'art va de nouveau nous réunir sous peu de jours. Nous laisserons nos cœurs juges de la situation, ne forçons pas notre tendresse. Au revoir, Jean, je t'abandonne ma tête que tu as si lâchement meurtrie. Puissent tes baisers raviver l'amour sur mes lèvres. J'en doute.

Sarah Bernhardt [58]

*

C'est au cours de ces journées troublées, alors que Mounet la brutalisait et la torturait avec ses lettres passionnées, que la Comédie-Française demanda à Sarah de démontrer ses dons dans *Chez l'avocat*, une saynète en vers libres fort spirituelle de Paul Ferrier. L'épreuve était difficile car elle devait donner la réplique à son vieil ami, Constant Coquelin, qui deviendrait l'un des grands noms de la scène française. En de telles circonstances, il n'est pas étonnant que certains critiques eussent été sévères pour la comédienne.

Mounet, et c'était l'une de ses qualités les plus attachantes, vouait un véritable culte au talent de Sarah. Il se montrait aussi sensible aux chroniques qui la prenaient pour cible qu'à celles qui le concernaient directement. Aussi fut-elle touchée, *quand même**, lorsque, dans la lettre qui suit, il vola à son secours :

28 juillet 1873

Ta lettre m'a tellement *décontenancé*, ma chère adorée, que je m'étais bien promis de ne plus t'écrire. Cette façon hautaine et glaciale de récapituler les torts que peut m'avoir donnés envers toi mon trop violent amour m'avait rempli le cœur de tristesse [...]. C'est maintenant une cruelle certitude pour moi : tu ne m'aimes plus, si même tu m'as jamais aimé ! [...]

Ce n'est donc pas pour te parler de *nous*, ma toujours bien chérie, que je t'écris ce mot. — Mais devant l'attitude de certains journaux à propos de ton dernier rôle, je ne puis m'empêcher de crier, à travers les océans (de glace ?) qui nous séparent : Ne crains rien ! Tu es dans le vrai : Marche, et surtout ne te décourage pas ! [...] Tu as fait merveilleusement un véritable tour de force [...]. S'il prend fantaisie [aux critiques] de te revoir dans ce petit rôle dont tu as fait un abrégé du poème de la femme (je ne ris pas !) tu seras bien vengée, va ! car ils comprendront alors combien ils se sont trompés, et ils seront obligés d'en convenir, sous peine de vivre éternellement brouillés avec leur conscience, ce qui est la pire des choses, surtout pour un critique de théâtre.

Là-dessus, mon cher ange, [...], je baise le plus platoniquement possible le bout de tes jolies griffes roses, et je reste bien tien.

Jean [59]

Mounet faisait preuve peut-être d'un amour aveugle mais il était d'une grande lucidité dans ses jugements. Le talent de Sarah ne se limitait pas à la tragédie : elle était également merveilleuse dans la comédie. Son public l'adora dans *Chez l'avocat* et, si quelques critiques, habitués à voir en Sarah une tragédienne, furent incapables de l'imaginer en comédienne lyrique, d'autres trouvèrent que Coquelin et elle, qui jouèrent cette pochade avec un charme et une verve extraordinaires, formaient un couple comique incomparable.

Si des doutes subsistaient encore concernant son talent, ils disparurent le 22 août lorsqu'elle obtint un « succès immense » dans le rôle titre d'*Andromaque*. L'interprétation de Mounet fut aussi fort admirée, en particulier par Sarah qui lui rendra un hommage appuyé dans ses Mémoires : « Je n'oublierai jamais cette première représentation dans laquelle Mounet-Sully obtint un triomphe délirant. Ah ! qu'il était beau, Mounet-Sully, dans ce rôle d'Oreste ! son entrée, ses fureurs, sa folie, et la beauté plastique de ce merveilleux artiste, que c'était beau [60] ! »

Un mois plus tard, dans le rôle d'Ariane de *Phèdre*, elle obtint, reconnut-elle modestement, « le succès de la soirée ».

Sarah, comme Mounet-Sully, savait parfaitement que la rumeur commençait à parler d'eux comme du premier couple d'acteurs de la Comédie-Française. En fait la fin de l'année 1873 devait consacrer Sarah comme tragédienne classique. Aiguillonnée par le succès elle ne prit pas de congés et continua pendant l'été à jouer Aricie et Andromaque. Malgré leurs triomphes communs Sarah avait conscience que leur liaison était un échec. Cinq jours après sa première apparition en Aricie elle écrivait à Mounet :

Dimanche soir 21 septembre 1873

[...] Notre bonheur dépend de notre séparation. Je ne pourrai jamais supporter pareil absolutisme, vous seriez éternellement malheureux.

Donc que l'amitié nous unisse, vidons la coupe de l'Amour en tendresses amicales. [...] Je n'ai connu l'amour que par vous et de vous — Je ferme mon cœur au moment où il brûle encore. [...] Que l'art jouisse de son triomphe ! Pour lui, ami, nous resterons amants, voulez-vous ? [...]

[...] Notre pauvre saison fleurie est passée. Les feuilles d'automne déjà sèment la tristesse. Adieu donc à l'amour. Tu as su le

faire naître mais pas le faire mourir — moi je le conserverai.
À vous, Jean,
douloureusement

Sarah[61]

Quelques heures plus tard, Sarah recevait cette réponse :

> Je n'y comprends rien, rien, rien, ami, amant, maîtresse — je
> n'y comprends rien, sinon que mon cœur n'a jamais battu plus
> douloureusement.
> Depuis deux jours je vous attends, avec la même angoisse dans
> l'âme, avec les mêmes larmes dans les yeux, et j'attendrai ainsi...
> jusqu'à ce que... tu me *reviennes* ou que je meure.
>
> Ton toujours tien
> Jean
> P.S. À demain matin donc, n'est-ce-pas, à déjeuner, nous ne
> parlerons pas de nous, si vous voulez, mais du moins, mes yeux
> verront les vôtres[62].

Au début d'octobre, Sarah se rapprocha de Jean, comme pour
prolonger le drame tortueux auquel ses manœuvres, sa coquetterie et sa capacité à infliger des souffrances ou à donner du plaisir à
sa guise, donnaient corps. Ainsi, bien qu'elle « aimât l'amour » et
Jean, à sa manière, elle ne pouvait résister au jeu des avances et
des retraites. L'un des leitmotive de ses lettres rappelait le
traitement odieux que le prince de Ligne lui avait réservé. Ce
qu'elle ne reconnaissait peut-être pas en elle-même, c'était son
désir de faire payer aux autres hommes ses malheurs passés.

À l'automne Régina, la plus jeune sœur de Sarah, devait à son
tour être victime de son mélange inconscient d'affection et de
cruauté. Dans une note à Mounet, Sarah trouva une nouvelle
excuse pour annuler un rendez-vous :

> Je reçois une dépêche de ma sœur Régina qui m'annonce son
> arrivée pour demain à cinq heures du matin. Comme elle n'a d'autre
> domicile que le mien, Jean, je suis forcée de rester pour la
> recevoir[63].

Pour protéger Régina de Youle, Sarah l'avait prise avec elle
lorsqu'elle s'était installée rue de Rome dans un appartement en
entresol. Mais ses prévenances, semble-t-il, ne purent compenser
des années de négligence. À dix-huit ans, Régina était une
prostituée émaciée rongée par la tuberculose.

Un passage sinistre de *Ma double vie* nous donne la version de
Sarah des derniers jours de sa malheureuse sœur :

Cet appartement de la rue de Rome était petit. Ma chambre était minuscule. Le grand lit de bambou prenait toute la place. Devant la fenêtre était mon cercueil, dans lequel je m'installais souvent pour apprendre mes rôles. Aussi, quand je pris ma sœur chez moi, trouvai-je tout naturel de dormir chaque nuit dans ce petit lit de satin blanc qui devait être ma dernière couchette, et d'installer ma sœur sous les amas de dentelles, dans mon grand lit de bambou.

Elle-même trouvait cela tout simple, puisque je ne voulais pas la quitter la nuit et qu'il était impossible d'installer un autre lit dans cette petite chambre. Puis, elle avait l'habitude de mon cercueil.

Un jour, ma manucure, entrant dans ma chambre pour me faire les mains, fut priée par ma sœur d'entrer doucement parce que je dormais encore. Cette femme tourna la tête, me croyant endormie dans un fauteuil ; mais, m'apercevant dans un cercueil, elle s'enfuit en poussant des cris de folle. À partir de ce moment, tout Paris sut que je couchais dans mon cercueil ; et les cancans vêtus d'ailes de canard prirent leur vol dans toutes les directions[64].

Mais il n'y eut pas que les commérages pour répandre la nouvelle. En effet Sarah chercha à tirer parti de la situation et demanda à Melandri, l'un des grands photographes de Paris, de prendre des clichés d'elle allongée dans sa bière couverte de fleurs, tout de blanc vêtue, les bras croisés, les yeux clos, dans une attitude évoquant le repos éternel. Bientôt les photographies se trouvèrent sous forme de cartes postales dans les boutiques. Cela devait rapporter beaucoup d'argent à Melandri et à Sarah qui reçut un cachet appréciable. Les célébrités de la scène et même de grands dramaturges comme Ibsen avaient alors coutume d'arrondir leurs revenus par la vente de photographies.

L'origine de ce cercueil demeure mystérieuse. Sarah expliquera qu'elle l'avait acquis pour s'habituer à l'idée de la mort. Selon une rumeur peu crédible, ce cercueil lui aurait été donné par sa mère. Marie Colombier affirmera qu'il s'agissait d'un cadeau d'un amant, quelque Roméo nécrophile qui aurait aimé y faire l'amour, mais faut-il la croire ? Il demeure que ce cercueil était une preuve tangible du caractère morbide de Sarah, tout comme le crâne posé sur son bureau, présent de Victor Hugo sur lequel figurait un quatrain funèbre, et le squelette anatomique plaisamment baptisé Lazare qui trônait dans son atelier. À l'instar de nombreux artistes de son temps, Sarah était fascinée par le mystère de la mort et par les charmes troubles de la débauche. Comme Baudelaire, qui fut le porte-parole de sa génération, elle désirait ardemment :

Plonger au fond du gouffre, Enfer ou Ciel, qu'importe ?
Au fond de l'Inconnu pour trouver du nouveau[65].

Si Régina n'avait pas été aux portes de la mort, le goût de Sarah pour le macabre aurait eu quelque chose de romantique :

26 novembre 1873

Jean

[...] Souvent je souffre nerveusement, mais non, non, c'est mon âme qui est atteinte, mon cœur, l'essence de ma vie ; tout est contre moi, tout me crie douleur, lassitude, amertume !... Pardonne-moi, ami, et reçois dans ce baiser mêlé de mes pleurs, triste rosée d'effroyables orages, le plus amoureux des baisers de celle qui aime t'aimer et qui est tienne.

Sarah Bernhardt [66]

Et, quelques jours plus tard :

Jean

Je ne vous ai pas écrit parce que je suis exténuée de fatigue. J'ai pendant quatre nuits de suite disputé son pauvre petit corps de dix-huit ans à la mort. Je reste victorieuse ; mais le serai-je longtemps ?

Mes yeux rougis de larmes s'offrent à vos baisers et mon amitié embrasse votre amour.

[...] Bonsoir, Jean

Dormez et ne vous faites pas de chagrin pour cet être inquiet, maladif et fantasque qui a nom

Sarah Bernhardt [67]

Les termes qu'emploie Sarah pour se décrire, « cet être inquiet, maladif et fantasque », ne pouvaient être choisis avec plus de justesse, car elle ne semblait pas comprendre que la présence d'un cercueil ne faisait qu'aggraver les angoisses de la jeune fille. Sarah — toujours convaincue qu'elle serait elle-même emportée très jeune par la tuberculose — cherchait-elle à rivaliser avec sa sœur et s'efforçait-elle, quelles qu'eussent été ses inquiétudes, de lui ravir la vedette ? Pour Marie Colombier la moindre chose eût été que Sarah remisât le cercueil dans une autre pièce.

La pauvre poitrinaire [écrira-t-elle dans *Les Mémoires de Sarah Barnum*], à considérer ce lugubre mobilier, souffrit un martyre véritable. Des cauchemars horribles hantèrent ses courts et rares sommeils.

Il fallut la veiller. Seule, elle mourait de peur et tremblait presque autant quand sa sœur restant là, s'introduisait dans sa bière. [...] Vous feriez bien d'enlever votre coffre, dit un matin le docteur à Sarah qui l'accompagnait. Il est prématuré [68]...

Le 10 décembre 1873, Sarah écrivit à Mounet :

> Cette longue et douloureuse agonie est une ironie du sort — cette lutte avec la mort est une injustice.
>
> Ses dix-huit ans crie [sic] grâce, elle a obtenu une amnistie ; mais elle sera de courte durée. Je vous envoie, Jean, mon plus douloureux sourire et mes yeux reçoivent de vos lèvres le baiser amical ; car il faut qu'il en soit ainsi pour votre repos, et notre art.
>
> Je vous aime bien mais je ne vous aime plus

Sarah [69]

Le 16 décembre 1873, Mounet recevait une photographie de Régina dans une feuille de papier deuil, avec ces simples mots : « Elle est morte ce matin ».

> L'enterrement fut superbe [rapportera Marie]. *Phèdre* y retrouva des larmes. Le vieux Perrinet [Perrin] en la voyant verser les pleurs à ruisseaux et au point d'en déraidir son voile de crêpe, s'écria :
> — Décidément ! elle est très forte ! [...]
> De fait, jamais une de ses pensionnaires n'avait eu les accents pathétiques, l'expressive mimique que la Barnum trouva, postée à la porte du *Père-Lachaise*, pour remercier ses amis [...].
> Le *Tout-Paris* était là : critiques, hommes du monde, écrivains, camarades, etc., etc.
> — Ce n'est pas un enterrement, s'écria un chroniqueur, c'est une *première*... dernière [70] !

Le fait que Sarah eut tiré un parti théâtral de son chagrin était aussi prévisible que les propos ironiques de ses amis. Ses pleurs n'étaient pas la seule chose qu'ils trouvaient curieuse. Quelques mois plus tôt, elle avait menacé de quitter la scène pour toujours afin de se consacrer à la sculpture et à la peinture. Ses proches pensèrent qu'il s'agissait d'une nouvelle preuve de sa démesure ou de sa folle fantaisie. Mais c'était la méconnaître. Elle prit un atelier, trouva un professeur et se mit à « travailler la sculpture avec une ardeur folle ». Les résultats furent impressionnants. Pendant vingt-trois ans, de 1874 à 1896, les œuvres de Sarah seront exposées au Salon où elles atteindront des prix suffisamment élevés pour exaspérer les artistes professionnels et irriter ses camarades comédiens.

L'atelier de Sarah à Montmartre était plus qu'un lieu de travail, c'était un refuge loin des rivalités intestines de la

Comédie-Française où, pensait-elle avec un sens certain des réalités, elle comptait plus d'ennemis que d'amis. Dans cet atelier ensoleillé qui dominait la ville, elle s'entoura d'artistes et d'écrivains, d'amis en qui elle pouvait avoir confiance. Alphonse Daudet comptait au nombre de ses visiteurs réguliers. Son intérêt pour Sarah dépassait la simple admiration pour la comédienne. Il l'observait avec l'œil du romancier — à sa propre table, dans l'atelier de Sarah, et dans le salon de l'éditeur Charpentier où le Paris littéraire et artistique se réunissait chaque semaine. En 1876 il publia *Le Nabab*, un roman à clef qui connut un succès immédiat. Le livre traitait de manière transparente — trop transparente pensèrent certains — de Sarah (sous le nom de Félicia Ruys) et de Morny (sous celui de duc de Mora). Daudet, qui avait été dans sa jeunesse secrétaire de Morny, saisissait là l'occasion de faire payer à son ancien maître sa dureté passée. Sarah y est décrite sous les traits d'une femme sensible, au tempérament fougueux, consumée par son art — elle est sculpteur — et impatiente de jouir de la vie. Avec la liberté propre au romancier, Daudet fait passer Morny des bras de Youle à ceux de Rosine puis à ceux de Sarah. Il ne manquait certes pas d'amateurs de cancans convaincus que le duc avait joui des faveurs des trois femmes. *Le Nabab* ajoutait donc, pour ceux qui s'intéressaient davantage à la vie privée de Sarah qu'à son art, un peu plus de piquant à ses apparitions sur scène.

Quoi qu'en eussent pensé ses amis à l'ironie facile, Sarah n'avait pas joué la comédie lors des funérailles de Régina. La mort de sa sœur l'avait tant bouleversée que son médecin lui conseilla de prendre un peu de repos dans le sud de la France, mais Sarah, n'en faisant encore une fois qu'à sa guise, décida d'aller en Bretagne accompagnée de son nouvel amant, le beau et charmant Gustave Doré.

Il semble qu'en ce début de l'année 1874, les sentiments de Sarah eussent changé. Elle avait compris qu'il valait mieux ne pas reprendre avec Mounet, dans le rôle de la victime, son jeu de la séduction. Rompre toute relation était chose malaisée, mais mentir à Mounet était tout aussi difficile. Aussi résolut-elle de lui dire sinon toute la vérité, du moins une partie.

Elle valait mieux comme amie que comme maîtresse, lui écrivit-elle. Pouvait-il faire montre de courage et accepter cela ? Elle souhaitait que la tendresse qu'il lui témoignait servît de « protectrice à sa vie si folle et si inquiète et si maladive[71] ».

Deux semaines plus tard, Sarah, incapable de supporter les manifestations de colère de Mounet qu'avait suscitées sa lettre, lui envoya une nouvelle missive fort explicite sur ses problèmes sexuels :

2 février 1874

Monsieur Mounet-Sully

Je n'ai rien compris hier au soir à votre brusque accueil ; mon cher Mounet, je ne sache pas vous avoir rien fait qui justifie cette conduite. Notre dernière entrevue si j'ai bonne souvenance vous avait mis au courant de mes dispositions — je vous ai dit, formellement dit que je ne vous aime plus, je vous ai quitté en vous serrant la main et vous demandant d'accepter en échange de l'amour, l'amitié, de même que je réclamais la vôtre. Que me reprochez-vous ? pas mon manque de franchise je suppose, j'ai été loyale, je ne vous ai jamais trompé, j'ai été vôtre absolument.

C'est votre faute si vous n'avez pas su garder votre bien. Et puis voyez-vous, mon cher Jean, je ne suis pas faite pour le bonheur et ce n'est pas ma faute — je vis d'émotions sans cesse renouvelées et j'en vivrai ainsi jusqu'à l'épuisement de ma vie.

Je reste aussi inassouvie le lendemain que la veille, mon cœur demande plus de battements qu'on ne m'en peut donner ; mon corps si frêle trouve que l'accomplissement de l'amour lui donne la fatigue et jamais l'amour rêvé.

Je suis en ce moment dans une prostration complète ; ma vie semble s'être arrêtée. Je n'ai ni joies ni douleurs, mais une grande lassitude. Je voudrais vous verser l'oubli de moi, je vous supplie de ne m'en point vouloir. Que voulez-vous, je suis un être incomplet, il ne faut pas m'en vouloir, je suis bonne au fond, je vous assure et s'il m'était possible de vous empêcher de souffrir je le ferais ! ! Mais vous ne voulez que mon amour et vous l'avez tué ! Ah ! Je vous en supplie, mon cher Jean, donnez-moi la main

Sarah [72]

La vieille antienne de Sarah, « je ne vous ai jamais trompé, j'ai été vôtre absolument », ne pouvait que raviver le ressentiment de Mounet. Mais se voir reprocher d'être incapable de la satisfaire sexuellement, comprendre qu'elle avait été déloyale, qu'elle l'avait trompé alors même qu'elle prétendait vivre avec lui des moments d'extase amoureuse, était trop pour son orgueil de mâle et de don Juan. On pourrait croire que la rancœur, la jalousie et la violence auraient suffi à étouffer tout reste d'amour, mais la passion obsessionnelle de Mounet était tout sauf raisonnable. Six mois s'écouleraient encore avant qu'il ne se libérât des « jolies griffes roses » de Sarah.

*

Quand tout fut consommé, Mounet, plus ordonné dans la vie qu'en amour, rassembla les lettres de Sarah et les brouillons crayonnés de ses propres réponses, les réunit avec un ruban et les rangea dans un coffret d'argent décoré de la devise de la comédienne, *Quand même**. Sarah, quant à elle, s'efforça de le chasser de son esprit — sinon de son existence. Cela devait s'avérer difficile. Sarah et Mounet, bien avant que leur liaison ne cessât, avaient présenté à la scène ce qu'ils n'avaient pas su être à la ville : l'image idéale de l'amour romantique. Car, si Sarah devait simuler l'extase dans la chambre à coucher, il en allait autrement au théâtre. Là, elle pouvait séduire le public, son « monstre bien-aimé », donner du plaisir et en éprouver, assumer les nombreuses facettes de sa personnalité complexe, engranger les louanges et non les critiques. À ce tournant de son existence il se peut que l'art dramatique, avec son intensité, ses ovations enthousiastes et le sentiment de contentement qui l'accompagnait, lui eût donné plus de joie que sa quête inassouvie du plaisir sexuel.

Dans *Le Cousin Pons*, Balzac affirme que « l'homme n'existe que par une satisfaction quelconque[73] ». Sarah partageait certainement cette opinion mais, à la différence du romancier, elle ne pouvait tirer plaisir du travail créatif chaque fois que l'inspiration lui venait. Elle ne jouait habituellement que deux fois par semaine, ce qui était alors jugé suffisant dans une compagnie qui s'enorgueillissait d'avoir une centaine de pièces à son répertoire et d'employer un grand nombre d'acteurs de premier plan. Malheureusement Sarah n'était pas faite pour obéir aux ordres d'autres personnes. Elle était une diva, une étoile qui devait chaque soir monter au firmament ; elle voulait choisir ses rôles et ses partenaires, et être le centre de son univers. Mais dès qu'elle demandait à Perrin de lui confier un rôle particulier, il répondait qu'il l'avait promis à une autre actrice. L'ambitieuse Sarah passa de longues nuits à pleurer. Ses évanouissements, ses vomissements de sang se firent plus fréquents et ses amis s'inquiétèrent. Elle s'enferma dans son atelier de Montmartre. Comme la Comédie-Française ne lui donnait aucune chance de faire œuvre créatrice, elle se consacrerait à sa sculpture. À huit heures chaque matin elle montait à cheval, et à dix heures elle se réfugiait dans son atelier, au 11 boulevard de Clichy.

Poussé par la presse et par le ministère des Beaux-Arts, Perrin lui confia enfin le second rôle de la nouvelle pièce d'Octave Feuillet, *Le Sphinx*. Cela devait être l'événement théâtral de la saison. Perrin avait donné le rôle titre, ce qui n'étonna personne, à sa favorite, la talentueuse Sophie Croizette. Malgré leur rivalité, qui divisait le public en deux factions hostiles, les répétitions commencèrent dans un climat d'harmonie. Vêtue à la dernière mode, ou plutôt selon sa propre conception de la mode, Sarah avait tout de l'originale qu'elle était. Des fleurs à la main, elle portait une stricte robe de velours noir simplement rehaussée d'une collerette blanche. Elle travailla avec sérieux — aucun détail ne lui échappait — mais, dès qu'il y avait une pause, elle devenait une tout autre femme.

Feuillet la décrivit esquissant des pas de danse, sautillant, s'asseyant au piano et chantant quelque bizarre rengaine. Puis elle faisait les cent pas, grignotait des chocolats qu'elle gardait dans son réticule ou se remettait du rouge aux lèvres avec une patte de lapin. Il l'évoquera avec sa rivale :

> Rien d'amusant comme de les voir sortir, elle et Croizette, après les répétitions, suivies de leurs mères. Elle s'en vont comme deux déesses effarouchées, le nez au vent, le chapeau Rabagas posé en arrière sur leurs énormes perruques blondes, balançant leurs petits parapluies, parlant et riant à tue-tête, faisant se retourner les passants ; puis elles entrent chez le pâtissier Chiboust et se crèvent de gâteaux [74].

Tout alla bien jusqu'à la première répétition en costume. Le troisième acte du *Sphinx* se passe dans une clairière. Croizette apparaît au centre de la scène dans les bras du bel acteur qui joue le rôle du mari de Sarah. Un rayon de lune les révèle en train d'échanger un baiser dont la hardiesse fut saluée par un tonnerre d'applaudissements. Sarah entre alors sur un petit pont et surprend le couple infidèle. Elle est en robe de soirée et tient, d'un geste las, la sortie de bal qui doit lui couvrir les épaules. Baignée par le clair de lune, elle s'arrête dans une pose si saisissante et poignante que tout le monde applaudit à nouveau. Tout le monde sauf Perrin qui se dresse et hurle : « Un effet de lune suffit ! Éteignez pour Mlle Bernhardt ! » Mais, ainsi que l'écrivit Sarah, elle ne pouvait accepter cela : « Je bondis sur le devant de la scène : Pardon, M. Perrin, mais vous n'avez pas le droit de me retirer ma lune ! Il y a sur le manuscrit : " Berthe s'avance pâle, convulsée, sous le rayon de lune. " Je suis pâle, je suis convulsée, je veux ma lune ! »

Perrin insista pour que Croizette, qui avait le premier rôle, fût seule à être baignée de lune. « Eh bien, Monsieur, donnez une lune brillante à Croizette et une petite lune à moi... » s'écria Sarah.

L'Administrateur resta sur ses positions, tout comme Sarah qui menaça d'abandonner le rôle si elle n'obtenait pas satisfaction. Deux jours passèrent pendant lesquels Sarah resta obstinément chez elle tandis que Perrin faisait répéter une autre actrice. Finalement Octave Feuillet alla la chercher. Tout était arrangé, lui dit-il en lui baisant les mains, « la lune vous éclairera toutes les deux [75] ».

La première du *Sphinx* fut un triomphe pour les deux

actrices. La publicité née des querelles entre « Croizettistes » et « Bernhardtistes » contribua à faire de la pièce un tel succès populaire qu'elle fut donnée trois fois par semaine, chose exceptionnelle au Français où le programme changeait habituellement chaque soir.

Croizette fit sensation dans la scène du suicide, lorsqu'elle avala une fiole de poison et que son visage, à l'aide d'effets de lumière appropriés et de maquillage, prit une sinistre teinte verte qui, suggérant quelque accès de tétanie et de delirium, terrorisa les spectateurs. Pendant des semaines des articles véhéments parurent dans la presse, signés souvent par des médecins, qui discutaient de l'authenticité ou de l'exagération ridicule de l'agonie hideuse et prolongée de Croizette. Pour contrebalancer les effets mélodramatiques de sa rivale, Sarah joua avec une force et une sérénité qui provoquèrent l'enthousiasme des connaisseurs et de Sarcey.

> Au dernier acte [écrivit Sarcey], où elle est l'épouse outragée qui pardonne, elle déploya une intensité de passion, à la fois digne et véhémente, qui arracha de véritables cris d'admiration. Chacun de ces mots : « Tu veux savoir si j'ai tes lettres ?... » s'échappait, net et coupant, de ses lèvres frémissantes, comme des flèches qui sifflent, en fendant l'air[76].

Il se peut que l'intensité dramatique de Sarah lorsqu'elle prononçait ces mots eût été inspirée par les lettres poignantes que Mounet lui envoyait alors et qu'elle conserva malgré leur caractère désagréable et insultant. Sa gaieté naturelle était constamment refroidie par les exigences répétées de son amant. Ainsi que l'écrit Benjamin Constant, « c'est un affreux malheur de n'être pas aimé quand on aime ; mais c'en est un bien grand d'être aimé avec passion quand on n'aime plus[77] ».

Et Sarah n'aimait plus si, comme le disait Mounet, elle avait jamais aimé.

Dans *Ma double vie*, Sarah se décrit comme une poitrinaire qui crachait le sang, perdait connaissance et traversait de douloureuses périodes d'épuisement. Certes bien des personnes ne croyaient pas en ses accès de faiblesse ; à leurs yeux Sarah n'était qu'une hypocondriaque ou une hystérique. Peut-être avaient-elles raison car, jusqu'à la fin de sa longue vie, elle devait faire montre d'une activité acharnée.

Au cours de l'été exceptionnellement chaud de 1874, alors que les relations entre Sarah et Jean s'étaient dégradées et pesaient d'un poids terrible sur chacun d'eux, Perrin leur confia les premiers rôles dans une reprise de *Zaïre* de Voltaire, pièce qui n'était plus au répertoire depuis vingt ans. Sarah demanda un mois de congé pour raisons de santé mais Perrin, qui ne lui faisait pas confiance, refusa ; il fixa les répétitions en juin et en juillet et la première au début du mois d'août. « Furieuse de l'entêtement féroce de ce bourgeois intellectuel », Sarah se promit de jouer à en mourir.

Une anecdote qu'elle rapporte dans ses Mémoires nous conduit à penser — ainsi que l'avait fait Perrin — que Sarah utilisait la maladie (provoquée au besoin) comme prétexte pour n'en faire qu'à sa guise. Enfant, raconte-t-elle, sa mère insistait pour qu'elle mangeât de la panade au petit déjeuner. Lorsque la bonne avoua que Sarah ne touchait jamais à ce brouet qu'elle détestait, Youle força sa fille à en avaler un plein bol en sa présence. Dès que sa mère eut le dos tourné Sarah but le contenu d'un encrier. Bien entendu elle ne tarda pas à ressentir de violents maux d'estomac et se précipita vers sa mère en hurlant : « C'est toi qui me fais mourir ! » Youle, qui ignorait ce que la capricieuse enfant avait fait, éclata en sanglots.

> Elle ne m'a jamais plus forcée à avaler quoi que ce soit [écrivit Sarah] et après tant d'années passées, je me retrouvais avec les mêmes sentiments rancuniers et enfantins : « Ça m'est égal, me disais-je, je tomberai sans connaissance sûrement et je vomirai le sang ; et peut-être j'en mourrai ! Et ce sera bien fait pour Perrin ! Il sera furieux ! » Oui, je pensais cela. Je suis aussi bête que cela, par moments. Pourquoi ? Je ne puis le définir mais je le constate [78].

Sarah et Mounet, en dépit de la chaleur et de leurs relations difficiles, travaillèrent fort bien ensemble. Ils se conseillèrent, s'encouragèrent l'un l'autre et chacun trouva dans les dons de son partenaire une source d'inspiration.

Le matin de la première, Jean reçut ce billet :

6 août 1874

Mon cher Mounet

> Vous serez superbe ce soir, je vous le jure. Je vous supplie d'éviter ce hoquet dont je vous parlais hier. J'ai passé ma nuit à travailler la scène que vous savez ; je ferai mon possible pour la dire dans le sentiment de terreur. Je vous jure que j'y mets toute ma bonne volonté, tout mon désir de vous être agréable.
>
> Courage et à ce soir.

Votre camarade,
Sarah Bernhardt [79]

Aussi désireuse qu'elle eût été de mourir sous les yeux de Perrin, Sarah ne s'effondra pas en scène. Elle se sentit, au contraire, plus alerte que jamais, en particulier lorsque Sarcey pressa le public d'aller voir ce que Mounet et elle étaient parvenus à faire de la pièce de Voltaire. « Quelle grâce et quelle noblesse d'attitude ! C'est un ravissement, écrivit-il à propos de Sarah. Je ne saurais trop engager les jeunes gens à s'en aller au Théâtre-Français [...]. Ils verront là un spectacle dont ils seront bien aise de se souvenir plus tard. Car on ne retrouvera pas de longtemps, pour jouer *Zaïre*, deux artistes qui soient si complètement les personnages de Voltaire, qui apportent à leur rôle tant de jeunesse, de flamme et, si j'ose le dire, de génie[80]. »

La première de *Zaïre*, ainsi que l'affirmera Sarah, marqua un tournant dans sa vie :

> [...] Je compris que mes forces vitales étaient au service de mes forces intellectuelles. [...] Et je me trouvais, ayant tout donné, même au-delà, un parfait équilibre !
>
> [...] J'avais entendu dire, et j'avais lu dans les journaux, que ma voix était jolie, mais frêle ; que mon geste était gracieux, mais vague ; que ma démarche souple manquait d'autorité [...].
>
> Je venais d'avoir la preuve que je pouvais compter sur mes forces physiques ; car j'avais commencé la représentation de *Zaïre* dans un tel état de faiblesse qu'il était facile de prédire que je ne terminerais pas le premier acte sans un évanouissement. D'autre part, quoique le rôle soit doux, il exige deux ou trois cris qui pouvaient provoquer les vomissements de sang si fréquents chez moi à cette époque. [...] J'avais poussé mes cris avec une rage et une douleur réelles, espérant me casser quelque chose, dans mon inepte désir de jouer un tour à Perrin.
>
> Ainsi, cette petite comédie manigancée par moi tournait à mon profit. Ne pouvant être mourante à ma volonté, je changeai mes batteries et résolus d'être forte, solide, vivace, et vivante, jusqu'à l'énervement de quelques-uns de mes contemporains [...] qui me prirent en haine dès qu'ils eurent la certitude que je vivrais longtemps peut-être[81].

Ce rétablissement miraculeux semblerait démontrer qu'elle avait exagéré son état ou que le succès peut être un merveilleux remède pour la neurasthénie, sinon pour la tuberculose. *Zaïre* remporta un triomphe et fut donné une trentaine de fois, un record que la pièce de Voltaire n'avait jamais connu. Il est vrai, cependant, qu'au bout d'une semaine Sarah se sentit trop mal pour continuer et Perrin dut interrompre les représentations jusqu'à son retour.

La plupart des critiques reconnaissaient à présent que le rêve que Sarah et Jean avaient caressé de devenir le premier couple d'acteurs de France s'était réalisé. Mais pour les deux comédiens il était douloureux de constater que leur idylle avait tourné au cauchemar et que cette « compréhension parfaite » qu'ils mon-

traient dans leur jeu n'avait jamais existé dans leur vie. Naturellement chacun se plaisait à faire reposer cet échec sur l'autre, ainsi
que l'illustre la lettre suivante de Mounet :

> Dimanche 18 octobre 1874, une heure du matin
>
> Vous ne viendrez pas, j'en suis bien sûr maintenant, et somme
> toute, vous ferez aussi bien. [...]
> Oui, c'est vrai, j'ai fait pleurer une femme [Mounet, une fois
> encore, fait allusion à Maria Favart], qui m'aimait et qui était
> bonne, belle, plus que vous, parce que vous aviez réussi à vous
> emparer de mon cœur, mais j'ai été franc avec elle, et je l'ai presque
> forcée à me plaindre, car j'avais conscience des dangers que j'allais
> courir dans cette folle aventure de mon cerveau. [...]
> Depuis longtemps déjà je ne croyais plus à votre amour, tant
> affirmé et si peu prouvé. Ce qui me retenait encore, c'est que je
> croyais désespérément à l'existence de quelques bons sentiments
> chez vous... c'est fini. Vous êtes jugée. Vous n'êtes plus dangereuse.
> Vous m'avez proposé une infamie ces jours derniers et je me disais :
> « Elle ne me propose cela que parce qu'elle est sûre que je
> n'accepterai pas. Elle ne m'aime plus : c'est un subterfuge pour
> avoir l'air de faire venir de moi la rupture définitive. » Voilà
> vraiment ce que je me disais. Je ne serais pas étonné maintenant de
> m'être trompé encore une fois.
> Quand on manque à ce point de toutes les délicatesses, quand
> on est capable d'écrire (sans le signer il est vrai) ce que vous avez
> écrit ce soir, on doit être porté à supposer les mêmes sentiments
> chez les autres.
> Adieu donc, et bien adieu cette fois, ma pauvre fille. Priez Dieu
> que l'indifférence me vienne vite car le mépris est une terrible chose
> pour ma faible nature[82].

Nous ne saurons jamais ce que Sarah avait suggéré dans sa
lettre non signée — ménage à trois, liberté mutuelle ou quelque
relation perverse ? — mais Mounet jugea cela indécent. Cette
« infamie » lui donna la force de baisser le rideau sur son
malheureux attachement pour elle. Le calviniste qui avait cru
pouvoir laver Sarah de ses péchés était enfin libre, sa dignité
restaurée, ou il le pensait :

> 8 novembre 1874
>
> Ma Pauvre Sarah,
>
> [...] Vous m'avez fait bien souffrir, mais je vous ai tant aimée !...
> Je vous pardonne de m'avoir trompé, parce que je vous devine
> malheureuse. Je ne vous demande qu'une chose c'est de penser
> quelques fois que j'ai peut-être été maladroit avec vous, mais que
> tous mes efforts tendaient du moins à vous faire meilleure, et à vous
> rendre digne de vous-même.

Vous ne l'avez voulu. Peut-être ne l'avez-vous pas pu... Quoi qu'il en soit je vous pardonne et je *nous* plains.

Mounet-Sully [83]

10 novembre 1874

Merci de tout mon cœur, Jean, merci pour votre bonne inspiration et merci pour votre pardon. C'est bon. C'est bien ce que vous avez fait là.

Je vous en garde une infinie reconnaissance.

Sarah Bernhardt [84]

Huit mois plus tard, Mounet devait envoyer à Sarah comme une manière de post-scriptum à leur correspondance :

Jeudi 9 juillet 1875

[...] Vous me ferez bien plaisir en me renvoyant une photographie de moi que vous avez prise un jour dans mon album, *contre mon gré*, et qui a *pour moi* la valeur d'une relique.

Mon frère l'avait emportée avec lui à l'armée de la Loire, et l'a promenée sur son cœur et sous les balles prussiennes, pendant toute la durée de la guerre.

Il me serait désagréable de la laisser entre vos mains [...]. C'est une *chose sainte* pour moi, et vous ne croyez pas aux choses saintes... Vous les niez tout au moins par ignorance, — je le sais maintenant, j'en suis sûr et j'ai horreur des profanations. Renvoyez-la moi donc [...].

Je n'ai plus qu'un droit sur vous, mais je suis disposé à en user : c'est de rompre tous les liens qui nous attachent dans le Passé.

[...] J'ai beaucoup souffert par vous, mais je ne souffrirai plus. Vous êtes morte pour moi, jusqu'au jour où mourra ce corps de prostituée qui vous ressemble. Ce jour-là, peut-être reviendra-t-il pleurer dans ces bras, le spectre blanc de nos amours passées.

Mais jusque-là... tenez, non seulement je ne vous aime plus, mais je regrette de vous avoir aimée !

Vous voyez donc bien que vous n'avez que faire de ce portrait-là... et même de mes lettres, et que vous devriez renvoyer le tout.

Allons, ayez le courage d'accepter les conséquences de vos coupables fantaisies, et tâchez d'être un honnête homme, puisque *rien* ne peut vous décider à être une honnête femme.

Mounet-Sully [85]

À la fin de 1874, quelques jours avant la représentation de *Phèdre* donnée pour l'anniversaire de Racine, Perrin demanda à Sarah d'en jouer le rôle titre. À cette simple suggestion elle crut mourir de peur. Elle allait devoir, en effet, se mesurer à un redoutable adversaire, Rachel, la grande tragédienne disparue dont le souvenir hantait encore les esprits. Si la pièce était un modèle de tragédie, la situation elle-même ne manquait pas d'éléments comiques. Maria Favart, dont Sarah avait volé l'amant, avait refusé le rôle sans penser un seul instant que Perrin l'offrirait à sa jeune rivale. Mounet, qui n'avait pu oublier « l'infamie » de Sarah, serait Hippolyte, la victime innocente de ses désirs incestueux. Mais si Sarah se montrait frivole en amour elle était la conscience même lorsqu'il s'agissait de travail. Ne disposant que de quelques jours pour répéter elle demanda conseil à l'un de ses anciens professeurs, François Régnier, qui lui dit de ne pas s'inquiéter. Il lui suggéra de pousser le rôle vers la douleur plus que vers la fureur et de ne pas forcer sa voix. Tout le monde y gagnerait, dit-il, même Racine.

Comme tout bon élève du Conservatoire — et d'ailleurs comme bien des spectateurs — Sarah connaissait de mémoire de nombreuses scènes de *Phèdre*. Cependant trouver en aussi peu de temps le ton juste pour le rôle féminin le plus difficile du théâtre français était une entreprise considérable. Mais Sarah était une actrice exceptionnelle et, le soir de la première, elle maîtrisait parfaitement son texte. Elle attendait dans sa loge quand un acteur vint, au comble de l'excitation, lui dire que la salle était comble et que l'on avait dû refuser deux cents personnes. Prenant soudain conscience de l'importance de sa tâche elle éclata en sanglots. Perrin s'efforça de la calmer mais ses encouragements furent sans effet. Alors, avec l'instinct de l'homme de théâtre, il s'empara de la houppette de Sarah et lui repoudra le visage avec une maladresse si comique qu'elle éclata de rire. À cet instant Martel, qui jouait Théramène, entra et lui montra un visage défiguré par un faux nez de cire.

« Cette apparition comicomacabre, écrivit-elle, me rendit toute ma gaieté et, dès lors, toute la possession de mes moyens[86]. » Ces bouffonneries lui redonnèrent assez d'assurance pour entrer en scène mais sans avoir recouvré « toute la possession de [ses] moyens ». Le trac l'avait envahie, comme souvent lors de la première représentation d'un rôle important. Sa nervosité se manifestait toujours de la même façon : elle plaçait sa voix trop haut, parlait trop vite, accentuait de manière exagérée ses « d » et ses « t », et ce fut, malheureusement, ce qu'elle fit pendant tout le premier acte. Elle connaissait bien ces défauts mais était incapable de les corriger. Cependant l'une de ses qualités — dès qu'elle devinait chez les spectateurs déception ou hostilité — était sa volonté de se montrer à la hauteur des circonstances et de conquérir « *quand même** » le public. Ce soir-là, à partir du deuxième acte, elle fut sublime.

Si dans l'esprit des vieux habitués la pièce demeurait la propriété de Rachel, Sarah avait fait là un brillant début. Elle avait su donner une grande force expressive au texte de Racine, à ces vers qu'elle devait méditer, polir et faire siens au cours des années à venir. Mais, ce 21 décembre 1874, Sarah ne pouvait deviner quels honneurs l'avenir lui réservait. L'étude, le temps, les nombreuses reprises de la pièce et la maturité allaient lui permettre de convaincre certains de ceux qui avaient entendu la voix de bronze de Rachel que « sa voix d'or » pouvait aussi magnifiquement servir la poésie, que Phèdre était son plus grand rôle et qu'elle en était la première interprète vivante. Et pour ceux qui trouvaient les deux comédiennes également sublimes, Rachel avait la puissance majestueuse d'une déesse, Sarah la fragilité tragique d'une femme.

Le critique anglais George Henry Lewes, compagnon de George Eliot, comparant leur manière de dire un seul hémistiche, « C'est toi qui l'as nommé », jugea que Sarah était plus convaincante que Rachel lorsque, « avec un profond frisson d'horreur », elle détournait les yeux de l'intrigante Œnone, alors que Rachel lui lançait simplement un regard de reproche.

En 1908, Lytton Strachey, membre éminent du groupe de Bloomsbury, vit Sarah dans *Phèdre*. Dans un texte aussi véhément que la description que Charlotte Brontë avait fait de Rachel dans le même rôle, il écrivit :

> Entendre le texte de Phèdre dit par Sarah Bernhardt, voir, au paroxysme de l'horreur du crime et du remords, de la jalousie, de la furie, du désir et du désespoir, toutes les forces obscures du destin fondre sur cet esprit supérieur, alors que le ciel et la terre le rejettent, que l'Enfer s'ouvre, et que l'urne terrible de Minos s'écrase avec fracas sur le sol — c'est véritablement approcher l'immortalité, plonger en frissonnant dans d'infinis abîmes et contempler, ne serait-ce qu'un instant, la lumière éternelle [87].

Sarah n'a, très certainement, jamais lu ce texte de Strachey, mais en 1908 elle n'avait plus besoin d'encouragements ni de louanges. Depuis longtemps déjà elle avait prouvé quel était son talent lorsque, drapée dans les robes grecques de Phèdre, elle déclamait les vers limpides de la terrifiante tragédie d'amour et de mort de Racine.

IV

Doña Sol

Le 14 février 1875, Sarah devint sociétaire de la Comédie-Française. Le lendemain elle créait le rôle titre de *La Fille de Roland*, drame fantaisiste d'Henri de Bornier inspiré de la célèbre chanson de geste. La pièce lui réservait un court monologue, la description d'un duel censé se passer à l'extérieur de la scène et au cours duquel son fiancé vainc son adversaire sarrasin. La manière dont elle dit ces quelques vers lourds de réminiscences de la guerre contre la Prusse déchaîna l'enthousiasme du public. La défaite était encore proche et les Français étaient animés, pour reprendre le mot d'Henry James, « d'un sentiment de patriotisme presque morbide ». Sarah, que son costume faisait ressembler à ces statues qui ornent les églises romanes, laissa dans les esprits une impression forte et durable. Pour la première fois, et l'expérience devait souvent se répéter, elle apparaissait comme le symbole de son pays. Cependant ni la reconnaissance officielle ni les douze représentations qui devaient être données de *Phèdre*, les répétitions, les séances d'essayage, les obligations familiales ou sociales, ne pouvaient satisfaire l'avidité d'une femme comme elle. Aussi se consacrait-elle de plus en plus à la sculpture et à son atelier. Jusqu'alors elle avait eu pour professeur Mathieu-Meusnier, artiste réputé qu'elle avait rencontré lorsqu'il lui avait offert un bronze la représentant dans le rôle du Passant. À présent il lui fallait un maître bien plus intéressant : ce serait Gustave Doré. Trois ans plus tôt il l'avait vue à la Comédie-Française et, frappé par la beauté de son jeu, lui avait envoyé une des études qu'il avait réalisées pour l'Évangile de saint Jean. Ce présent entraîna une invitation dans la loge de l'actrice et, comme Sarah considérait que l'amour était le plus court chemin vers l'amitié, dans sa couche. Bientôt Paris n'ignora rien de leur liaison ni de leur voyage romantique sur les côtes sauvages de Bretagne, une escapade qui enflamma la jalousie de Mounet.

Après ses longues et douloureuses relations avec Mounet, Sarah trouvait certainement en Doré un changement agréable. L'acteur avait espéré la ramener sur le chemin de la vertu ; l'artiste, qui avait eu des liaisons avec des divas éminemment peu réformables comme Adelina Patti, Christine Nilsson, la soprano suédoise, et Hortense Schneider, la reine de l'opérette, ne recherchait que le plaisir. Mounet lui avait offert la sécurité domestique de son appartement sous les toits et la vie cloîtrée du théâtre ; Doré lui proposait l'exaltation d'une vie de bohème, raffinée certes, et les horizons sans limites de la liberté artistique. Même son atelier, avec ses fresques de forêts, de ruines, de lacs déserts et ses vues en trompe-l'œil du Rhin, était au goût de la comédienne.

À quarante ans, Doré était riche et beau ; artiste célèbre, décoré de la Légion d'honneur, il était invité à la cour d'Angleterre, tenait un salon de musique fort animé et fréquentait les lions du monde des arts et des lettres. En un mot, c'était un homme tel que Sarah les aimait. Cependant il était loin d'être universellement admiré. Les Goncourt, qui eurent souvent l'occasion de l'observer, voyaient en lui un être fruste, ennuyeux et prétentieux, « un paysan attaqué de mysticisme[1] ». Il faudra attendre sa mort pour qu'Edmond de Goncourt se résigne à reconnaître, non sans réticence, dans un semblant d'oraison funèbre, qu'il avait « découvert, sous l'enveloppe balourde et grossière de l'homme, un loyal garçon[2] » — mince éloge pour un aussi prodigieux artiste. Gustave Doré était peut-être trop rustre, trop alsacien pour les distingués Goncourt qui voulaient, dans leurs romans, dépeindre « la vie vraie » mais qui jugeaient celle-ci répugnante lorsqu'ils se trouvaient confrontés à elle. Ses démonstrations extravagantes de force physique et ses excès de boisson les déconcertaient certainement. En fait, le spectacle de Doré gesticulant, se démanchant et se contorsionnant au cours d'un bal masqué les avait horrifiés. Vincent Van Gogh, qui appréciait particulièrement la série de gravures que Doré avait consacrée aux scènes de la vie à Londres, admirait en lui l'homme qui disait « travailler comme un bœuf » ; quant à Gustave Courbet, il déclara modestement : « Il n'y a personne que lui et moi. Il a du sang dans les veines ! »

Pour Sarah, bien évidemment, aucun homme ne pouvait avoir trop de sang dans les veines pour lui plaire. Elle ne résistait pas davantage aux compositions macabres de Doré, aux scènes de mort et de supplices et aux paysages désolés qui emplissaient ses gravures et ses toiles.

Les lettres qu'elle envoya à Doré rappellent malheureusement beaucoup celles écrites à Mounet. Elle avait changé d'amant mais non de style : Doré était son bien-aimé, son adoré, le grand artiste qui la possédait corps et âme. Elle était sienne, de plus en plus intensément sienne. Il fallait qu'il sache qu'elle ne disait pas ces choses à la légère, que c'était la vérité, ainsi qu'elle le répétait avec insistance. Après s'être ainsi offerte, Sarah commença à se dérober. Elle ne pouvait tenir leur rendez-vous du lundi mais serait toute à lui le vendredi, le samedi et le dimanche. Comment, demandait-elle, avait-elle pu oublier la promesse faite le soir précédent de le rencontrer ? Comment cela avait-il pu lui sortir de l'esprit ? Puis, retrouvant les anciennes formules, elle annulait un rendez-vous prétextant que Maurice, ou elle-même, était souffrant. Doré acceptait ses excuses avec un calme que Mounet aurait pu lui envier. Il est vrai que Mounet avait aimé Sarah avec une intensité mélodramatique et une jalousie proche de la folie, alors que Doré l'aimait comme on aime un animal familier, en acceptant l'affection qu'il vous témoigne mais en se méfiant de ses griffes et de ses crocs. Cependant ils partageaient de nombreuses heures de bonheur, quand elle ne se refusait pas ou quand ils travaillaient ensemble, Sarah attentive aux conseils du maître et Doré sensible au désir de perfection de son élève.

Au bout d'un certain temps, Sarah comprit qu'elle pouvait tirer un autre parti de Gustave. Leur ami Charles Garnier, qui venait d'achever le nouvel Opéra de Paris, dessinait à présent, pour Monte-Carlo, les plans d'un casino et d'un théâtre. Si elle pouvait convaincre Doré de réaliser une sculpture pour la façade, lui dit Garnier, il lui commanderait à elle un groupe faisant pendant. Sarah s'empressa d'écrire à Gustave en adaptant les faits pour qu'ils s'accordent à son projet :

> Ami, je suis chargée d'une mission diplomatique près de vous, alors je casse tout et vais droit au but. Voilà la chose : Garnier fait un grand théâtre, à Monaco ; il y a deux groupes de façade ; il m'en confie un et m'a dit qu'il aurait un grand désir de vous demander votre concours ; mais il craint que vous ne refusiez ; est-ce vrai, ami chéri, que vous ne voudriez pas m'avoir pour confrère en pendant ; cela me rendrait fière ! Répondez vite à votre amie qui vous aime à plein cœur ! Répondez de suite si Garnier peut vous faire sa demande sans risque d'être refusé par votre grandeur.
>
> Tendrement[3].

Il est compréhensible que Doré eût hésité à accepter de telles conditions. La sculpture était une forme d'expression artistique nouvelle pour lui et il se faisait déjà une haute opinion de son talent ; l'offre de Garnier le tentait mais il ne souhaitait pas voir son travail associé à celui d'un amateur. Sarah, bien que novice dans l'art de modeler la glaise ou de tailler la pierre, était passée maître dans celui de l'intrigue. Sans consulter Doré elle lui força la main en laissant entendre dans la presse qu'ils avaient tous deux accepté de décorer le casino. Quand son « Gustave adoré » apprit la nouvelle, il l'accusa de mener un double jeu. Sarah se précipita de nouveau à son écritoire, dans l'espoir cette fois de cacher ses manigances. Elle expliqua que les journaux ne racontaient qu'un tissu de mensonges et que jamais elle n'oserait faire quoi que ce fût sans son accord préalable.

Finalement Doré céda et Sarah, ravie du succès de sa machination qui alliait art, amour et affaires, lui envoya, pour le remercier, une de ses cartes de visite gravées sur laquelle, comble de l'habileté, elle se présentait avec Garnier comme les obligés du peintre.

> Vous avez fait deux heureux, Garnier et
> SARAH BERNHARDT
> qui vous envoie un baiser.
>   S.B.
> Garnier viendra vous voir, je pense,
> demain ou après-demain.

Sarah invita Marie Colombier à l'accompagner à Monte-Carlo pour l'inauguration du casino. Observatrice toujours attentive et ironique, Marie ne manqua pas de remarquer que Sarah, « gonflée encore des cochonneries à l'ail » qu'elle avait dévorées dans le train, prit, quand elle se retrouva entourée de ses admirateurs, « une simple grappe de raisin, qu'elle picora en créature éthérée vivant de rosée et de fleurs[4] ! ». Lorsqu'on dévoila la sculpture qu'elle avait réalisée, Sarah n'eut pas à jouer la comédie ; *Le Chant*, groupe représentant une figure ailée qui joue de la lyre avec un enfant à ses pieds, soutenait la comparaison avec *La Danse* de Doré. Encouragée par cette réussite Sarah se lança dans une composition plus ambitieuse, *Après la tempête*, une statue grandeur nature représentant une vieille Bretonne pleurant sur le corps de son petit-fils mort noyé. Présentée au Salon de 1876, cette œuvre émut le public et obtint une mention honorable. Certains visiteurs éblouis se demandèrent si Sarah avait réalisé la statue elle-même ; d'autres pensèrent qu'elle n'aurait jamais dû s'adonner à la sculpture. Rodin, qui n'avait pas hésité à qualifier de « saloperie » un *Buste de jeune fille* qu'elle avait exposé au Salon des Artistes français en 1874, déclara que « le public [était] idiot de s'attarder » devant ses œuvres[5]. Mais Doré était fier des progrès de son élève et il lui conserverait son amitié jusqu'à sa mort sept ans plus tard.

Que Sarah ne se fût pas attachée à Gustave Doré à l'exclusion de toute autre personne n'est pas chose étonnante. Ainsi elle continua à rendre visite à Hugo qui, le 2 novembre 1875, nota dans son journal : « *No sera el chico hecho*... L'enfant ne sera pas fait. » André Maurois, dans *Olympio*, la biographie qu'il consacra au romancier et poète, cite une lettre énigmatique que Sarah écrivit cette même année à M. de Lambert, son médecin :

> Quant à l'Angleterre, le voyage est remis. La vraie raison est la crainte qu'on a d'avoir des troubles à propos de Victor Hugo. Je suis malade, énervée... irritée de la bêtise égoïste des gens ! Je tente demain le dernier effort.
>
> Sarah[6]

Faut-il penser, ainsi que Maurois se le demande, que Sarah envisageait d'avoir un enfant du poète alors âgé de plus de soixante-dix ans ? Il est également possible que le « dernier effort » dont parle l'actrice ait été une allusion à une tentative d'avortement.

La vie scandaleuse de Sarah et son éblouissante réussite fascinaient tout le monde. À trente ans elle était en passe de devenir une légende. Les visiteurs étrangers de passage à Paris, animés par la même curiosité qui les conduisait devant la Joconde, venaient la voir jouer. Tchaïkovski évoqua sa « brillante composition dans *Andromaque* ». William James, le philosophe et psychologue américain, aussi ensorcelé que l'était son frère Henry, écrivit : « Son interprétation est la plus belle que j'aie jamais vue — comme ciselée à la pointe d'un stylet — et elle est l'être humain le plus racé, le plus fougueux que j'aie jamais vu — physiquement c'est un vrai squelette. »

Les correspondants étrangers envoyaient à leurs journaux des chroniques la concernant. Les romanciers, nous le savons, la prenaient pour modèle de leurs héroïnes, et les peintres exposaient ses portraits. Le public, stimulé par un personnage qu'il pouvait tout à la fois idolâtrer et mépriser, épiait le moindre de ses gestes avec cette avidité que l'on réserve habituellement aux personnalités politiques et aux gens immensément riches. La célébrité modifia l'image que Sarah se faisait d'elle-même et l'attitude des membres de son entourage. Ses colères prirent aux yeux de ses proches un caractère magistral, son arrogance devint celle d'une souveraine, sa vie amoureuse l'apanage d'une déesse de l'Olympe. Son goût pour la « réclame » était jugé vulgaire — et il l'était certainement — mais la vulgarité peut prendre diverses formes. Sarah était-elle, sur ce point, plus condamnable que le vaniteux Dumas, l'extravagant Gautier, ou que George Sand qui s'affichait en pantalon et fumait le cigare, la question reste ouverte. Tout comme eux, elle était ravie d'être le point de mire de tous les regards. Néanmoins, la part du diable étant faite, lorsqu'on s'avisera d'écrire l'histoire de la publicité, Sarah méritera une place d'honneur au panthéon de ses pionniers.

S'il est vrai que les célébrités du monde du théâtre aiment à s'entourer de disciples qui leur sont dévoués corps et âme, Sarah ne fit jamais exception à cette règle. Son choix se porta — faut-il s'en étonner ? — sur des personnes qui n'avaient ni ses dons extraordinaires ni son succès phénoménal. Louise Abbéma et Georges Clairin, tous deux peintres de talent, devaient bientôt occuper le centre du cercle de ses intimes, une place laissée vacante à la mort de sa mère, en mai 1876. Certes, Sarah n'avait jamais été très proche de Youle, mais sa mère était l'une des rares personnes avec qui elle pouvait être elle-même. À présent elle allait jouir de ce luxe des plus rares, une famille selon son cœur.

Louise Abbéma, fille d'une famille distinguée et aisée, était de quatorze ans la cadette de Sarah. Élève de Carolus-Duran, elle retint l'attention des critiques, encore adolescente, en peignant un délicieux tableau de sa famille au bord de la mer. Deux ans plus tard, Sarah posa pour elle dans une élégante robe à traîne. L'œuvre fut exposée au Salon de 1876, en même temps que le superbe portrait que Clairin avait fait de la comédienne et que le groupe *Après la tempête* de Sarah.

Bien évidemment l'intimité croissante entre Louise et Sarah ne passa pas inaperçue car Abbéma était une jeune femme d'allure virile qui portait cheveux courts, chemise et cravate, et affichait un attachement passionné pour Sarah. On ne sait si cet amour fut partagé ni même si Sarah avait un quelconque penchant pour les femmes, bien que l'on suppose généralement que tel fut le cas. Elle adorait en effet, en dépit de sa séduction et de son charme tout féminins, jouer des rôles d'homme à la scène comme à la ville. Melandri, qui l'avait photographiée dans son cercueil, vendait à présent des cartes postales qui la montraient vêtue de la veste et des pantalons de soie blanche qu'elle avait dessinés pour son rôle de sculpteur. Elle avait déjà incarné d'ardents jeunes hommes dans *Le Passant* et *Le Mariage de Figaro* et allait poursuivre dans cette voie avec Lorenzaccio, Hamlet, Pelléas et l'Aiglon. Des *romans à clef** comme *Dinah Samuel* de Champsaur et *Le Tréteau* de Jean Lorrain tendraient à laisser croire qu'elle n'était pas insensible aux femmes. Peut-être s'agissait-il de cette quête « d'émotions sans cesse renouvelées » dont elle avait parlé à Mounet[7]. Il demeure que Louise Abbéma, quelles qu'aient été les faveurs de Sarah pour elle, accepta pendant presque cinquante ans cet état d'heureuse soumission.

Les astres se trouvaient dans une conjonction tout aussi favorable quand Sarah rencontra Georges Clairin. Homme chaleureux, cultivé, amusant, il savait, lorsque Sarah se comportait mal, la sermonner ainsi que l'aurait fait un frère attentionné ; sa présence était bénéfique. Ils avaient eu des relations amoureuses avant de devenir, comme c'était souvent le cas avec Sarah, des amis très proches. Nous connaissons peu de chose sur la vie de Clairin et, cependant, les nombreux portraits qu'il fit de Sarah nous apprennent beaucoup sur l'actrice, sur sa façon d'être, sur ses attitudes dans ses divers rôles, et les dessins qu'il réalisa pour *Ma double vie* nous permettent de la suivre tout au long de sa carrière mouvementée. Clairin peignit de charmantes scènes de genre ayant pour cadre l'Afrique du Nord, réalisa les décors pour la première représentation de *Carmen* de Bizet, et décora les plafonds de l'Opéra de Paris et du casino de Monte-Carlo. Le jour où il acheva le plus célèbre de ses portraits de Sarah il atteignit certainement à la perfection de son art. Ce tableau nous montre la comédienne étendue sur un divan, légèrement appuyée sur un coussin aux tons chatoyants, un éventail à la main. Elle porte une *robe d'intérieur** de satin blanc ornée de plumes à la gorge, aux poignets et à l'extrémité d'une ample traîne qui tombe en plis tourbillonnants près d'un élégant lévrier couché à ses pieds. Elle est chaussée de mules noires et de bas d'un bleu éclatant qui rappelle le bleu de ses yeux. Rien dans son attitude ondoyante et son sourire impénétrable n'évoque la femme du monde. En fait aucune dame du Faubourg Saint-Germain n'aurait accepté d'être représentée dans une tenue aussi intime et une pose aussi provocante. Mais Sarah, faisant fi des convenances, jouait à la sphinge détentrice de secrets troublants, voire indécents.

*Le Tout-Paris** s'assembla devant la toile lorsqu'elle fut exposée au Salon, ensorcelé par le pouvoir suggestif de cette vision. Le nom de Sarah Bernhardt fut à nouveau sur toute les lèvres, cette fois parce que l'actrice avait réussi à faire accepter une sculpture au Salon, ce qui n'était pas un mince exploit pour un amateur, et parce que ses traits ornaient les cimaises des salles d'exposition sur des portraits réalisés par un jeune homme et par une femme plus jeune encore dont on disait qu'ils étaient follement épris d'elle.

*

Henry James, alors âgé d'une trentaine d'années, séjourna un temps à Paris où il fut le correspondant du *New York Tribune* auquel il envoya une série de « lettres » qui furent éditées, après sa mort, sous le titre de *Parisian Sketches*[8]. Dans son compte rendu du Salon, daté du 6 mai 1876, il se montra bien moins enthousiaste à l'égard de l'œuvre de Sarah ou des portraits qu'elle avait inspirés :

Une œuvre qui cependant attire sa part de curieux est une énorme représentation, par M. Clairin, de Mlle Sarah Bernhardt, l'étoile particulièrement brillante de la Comédie-Française. Étant donné le très petit espace qu'occupe cette dame dans la réalité — sa minceur tient du phénomène — on peut s'étonner de la place que prend son image au Salon. Mais l'ampleur et le brio superficiel de la toile de M. Clairin ne le placent pas, je pense, bien au-dessus de la médiocrité. On y voit briller de loin un remarquable peignoir de satin blanc, dans lequel l'actrice, qui se prélasse sur une sorte de divan oriental, s'enroule et s'enchevêtre, avec sa grâce personnelle, quelque peu serpentine. On y voit des plantes, des draperies, des tapis, et un grand lévrier. La seule chose qui manque est Mlle Sarah Bernhardt elle-même. Elle manque encore plus dans son second portrait par Mlle Louise Abbéma, où elle est debout, dans une robe de sortie noire ; et, dans cette œuvre d'une taille presque égale, aucun accessoire, bon ou mauvais, ne pallie l'insuffisance [9].

Pour ne pas être totalement incomplet, je dois dire que Mlle Sarah Bernhardt, l'actrice, expose un groupe énorme, une vieille paysanne tenant sur ses genoux, dans une attitude de délire, le corps de son petit-fils noyé. Cela sent fortement l'amateurisme, mais c'est d'une surprenante qualité de la part d'une jeune femme que le public connaît pour appliquer son ingéniosité artistique à de tout autres fins [10].

Si James considérait que Clairin n'était pas parvenu à rendre la véritable Sarah, il se peut qu'il ait préféré le portrait réalisé un an plus tôt par Philippe Parrot. On ne trouve dans cette toile ni atmosphère de serre, ni lévrier venant compléter la courbe serpentine du peignoir, ni jolis pieds chaussés de bleu. La Sarah de Parrot est une créature repliée sur elle-même, une jeune femme qui doute de son avenir ; celle de Clairin, une aventurière pleine d'assurance, toute disposée à mener le monde par le bout du nez. En fait, les deux tableaux sont des portraits également fidèles de l'actrice à trente-deux ans.
Si l'on fait abstraction du décès de sa mère, 1876 fut pour Sarah une année faste. Pour commencer, sa réputation de femme fatale se trouva confirmée lorsque Edmond de Lagréné, diplomate, défia un journaliste en duel pour défendre ce que l'on pourrait appeler l'honneur de la comédienne. Ce geste insensé avait été provoqué par la publication d'un article malveillant dans une feuille à scandale. L'auteur de la chronique ne pouvant en assumer la responsabilité demanda à un ami, Carle de Perrières, de le remplacer. Lagréné fut légèrement blessé à la main. L'offenseur, bien qu'ayant remporté le duel, accepta de présenter des excuses. « Madame, écrivit-il, je me mets à vos pieds et vous demande humblement pardon. » Sarah, magna-

nime, s'empressa de répondre : « Je vous pardonne. Ne restez pas
à mes pieds[11]. »

Alors que résonnait le cliquetis des épées au bois de Boulogne,
Sarah répétait *L'Étrangère*, une comédie dramatique d'Alexandre
Dumas *fils*. L'annonce de la pièce fit sensation car c'était la
première fois que le célèbre dramaturge écrivait pour la Comédie-
Française. La distribution, jeune et brillante, réunissait, en
particulier, Sarah, Croizette, Coquelin et Mounet-Sully. L'intrigue, construite sur un conflit d'amour et d'ambition sociale entre
des êtres pauvres au cœur pur et des individus riches, vénaux et
blasés, avait de quoi séduire le public, et le nom même de Dumas
était un gage de succès. À cinquante-deux ans, il connaissait tous
les secrets du métier sauf, peut-être, celui permettant d'écrire de
véritables chefs-d'œuvre. Pendant un quart de siècle cet habile
dramaturge avait offert au public dialogues épicés et situations
scabreuses agrémentées de jugements moraux, usant là d'une
recette qui plaisait à ses admirateurs et leur donnait l'impression
d'être du côté de la vertu. La nouvelle pièce suivait le schéma
habituel de Dumas mais le personnage central de Mrs. Clarkson,
joué par Sarah, surprit les spectateurs. Perrin, comme à son
habitude, avait essayé de jouer un tour à Sarah en confiant le rôle
plus sympathique et crédible de la duchesse de Septmonts à
Sophie Croizette. Une fois encore Sarah s'emporta et menaça de
se retirer.

Croizette, fort embarrassée, écrivit à Dumas : « J'ai le cœur
serré parce que je vais partir, parce que je vais à l'inconnu. Et
mon inconnu à moi, c'est la duchesse... Dites donc, si j'allais
dérailler ? Ah ! mon Dieu, mon Dieu[12] !... » Le soir de la première,
il apparut clairement qu'elle avait eu raison de penser que ce rôle
ne lui convenait pas et que le combat de Sarah pour l'obtenir
avait été légitime. Alphonse Daudet, tout comme Henry James,
prit le parti de Sarah.

« [...] Il me semble que si Mlle Sarah Bernhardt avait joué la
duchesse de Septmonts elle y aurait eu plus d'effet que Mlle Croizette et aurait sauvé les côtés un peu osés du rôle à force de
poésie[13]. »

James, dans son meilleur style puritain, envoya aux lecteurs
du *New York Tribune* une critique fort incisive de *L'Étrangère* :

> [...] L'ensemble [de la pièce] est très relâché et l'intrigue est à la
> fois extrêmement improbable et profondément désagréable ; désa-
> gréable, surtout, parce qu'il ne s'y trouve pas un personnage qui ne
> se comporte grossièrement mal, d'une façon ou d'une autre. Tout le
> monde est dans son tort, et l'auteur plus que les autres. Et puis le
> drame est saturé d'un arôme de mauvaise compagnie et de vie
> dissolue qui est le signe distinctif de la Muse de Dumas[14].

Et Henry James de s'intéresser plus particulièrement au personnage joué par Sarah :

> [...] L'étrangère qui donne son titre à la pièce, et qui est interprétée par cette actrice fort intéressante, Mme Sarah Bernhardt, est, sous le nom de Mrs. Clarkson, fille de notre propre démocratie. Elle explique, au deuxième acte, dans une mortelle harangue — la plus longue, montre en main, que j'aie jamais entendue — qu'elle est la fille d'une esclave mulâtre et d'un planteur de Caroline. Ainsi qu'elle l'exprime elle-même : « Ma mère était jolie ; il la remarqua ; je suis née de cette remarque. » Mrs. Clarkson [...] est le personnage le moins réussi que l'auteur ait jamais dépeint. Pourquoi doit-elle être américaine, pourquoi doit-elle avoir du sang noir, pourquoi est-elle le démon implacable qu'on prétend, pourquoi récite-t-elle la tirade mélodramatique et interminable dont j'ai parlé, pourquoi entre-t-elle, pourquoi sort-elle, pourquoi, bref, existe-t-elle — tout cela est la perfection du mystère. [...] Elle constitue, de la part de Dumas, une incroyable faute de goût. On doit avouer, cependant, que son apparition dans la pièce produit un effet magistral[15].

Il suffit d'examiner une photographie de Sarah en Mrs. Clarkson pour comprendre l'impression que son entrée en scène fit sur James. Sarah, dans une superbe robe jaune et noir dont la traîne forme à ses pieds une mare miroitante, est l'image même de l'élégance théâtrale. Dans un excellent article pour le magazine américain *The Galaxy*, l'auteur des *Ambassadeurs* compara Sarah et Croizette dont la rivalité était bien connue :

> Ces deux jeunes femmes sont les enfants [...] d'un type éminemment contemporain selon lequel une actrice ne joue pas pour susciter l'intérêt mais pour fasciner. Il serait inutile de parler de Mlle Croizette car, bien qu'elle ait de grands attraits, je pense que l'on peut (avec la froide impartialité de la science) la classer comme une Sarah Bernhardt de second rang, moins inspirée, et (pour employer le mot à la mode aujourd'hui) plus « brutale ». (La brutalité de Mademoiselle Croizette est sa carte maîtresse.) Quant à Mademoiselle Sarah Bernhardt, elle est tout simplement, à présent, à Paris, l'une des grandes figures du moment. Il serait difficile d'imaginer une incarnation plus brillante de la réussite féminine ; elle mérite à elle seule un chapitre.

D'après ces propos, il est possible de comprendre pourquoi Sarah avait le sentiment que le Théâtre-Français ne l'appréciait pas. Mis à part les rôles classiques et romantiques dans lesquels elle brillait d'un éclat unique, elle était constamment ignorée ou employée à mauvais escient. Il vint cependant un moment où elle entreprit de démontrer que même lorsqu'elle jouait « à contre-emploi » elle était capable d'éclipser ses partenaires. Plusieurs mois après *L'Étrangère*, Perrin, qui était plus doué pour la mise en scène que pour le choix des pièces, monta *Rome vaincue*, un drame en vers d'Alexandre Parodi, le bien nommé. En effet *Rome vaincue*, variation prétentieuse sur un thème emprunté à l'Antiquité, n'était qu'un simulacre de tragédie. Comme nombre de pièces médiocres, elle offrait à ses interprètes des possibilités insoupçonnées. Sarah avait joué jusqu'alors assez de rôles mineurs pour être un bon juge de leur valeur relative. Aussi, à la surprise générale, elle demanda non pas le rôle de la jeune vestale mais celui de sa grand-mère, une septuagénaire aveugle qui — cela donne le ton de la pièce — poignarde la jeune fille pour lui épargner d'être enterrée vivante, châtiment auquel elle a été condamnée pour avoir perdu sa virginité. Les amateurs de théâtre partagent généralement le sentiment que l'un des critères permettant de reconnaître un grand comédien est sa capacité à transformer son visage, à déguiser sa voix et son caractère. Dans le rôle de la vieille Posthumia Sarah se surpassa. L'effet produit fut si puissant que ses admirateurs les plus fervents se firent un devoir d'arriver vers dix heures, à temps pour — selon les mots de James — voir Sarah « s'en sortir fort bien ». Ce n'était pas ironie de la part de James. « Mlle Sarah Bernhardt, écrira-t-il dans *The Nation*, joue non, comme on aurait pu s'y attendre, la vestale coupable, mais l'aïeule héroïque. La façon dont elle interprète le rôle est une nouvelle preuve de son extraordinaire intelligence et de l'immense étendue de ses talents ; c'est au plus haut degré pittoresque. Elle camoufle sa jeunesse et sa beauté sous de longs voiles et des tresses grises au point de ressembler à une *Mater Dolorosa*, une madone de pietà. Comment réussit-elle, pour simuler la cécité, pendant une demi-heure, à ne montrer que le blanc des yeux, c'est là son secret. Son récit de l'accident qui lui a fait perdre la vue déchaîne par sa terrible sérénité des applaudissements immenses. [...] »

L'éloge de James paraît réticent comparé à l'euphorie de Sarcey. Trois jours après la première, ce critique qui pouvait, par la seule force de sa plume, faire la carrière d'un acteur ou la briser, écrivit : « C'est la nature même, servie par une intelligence merveilleuse, par une âme de feu. [...] Cette femme joue avec son cœur et ses entrailles. C'est une artiste merveilleuse, incomparable, une créature d'élite magnifique, en un mot, une actrice de génie [16]. »

À cette date Sarah avait quitté son appartement de la rue de Rome et s'était installée dans sa propre maison à l'angle de la rue Fortuny et de l'avenue de Villiers. C'était un geste magnifique et dispendieux, si dispendieux que nombreux furent ceux qui se demandèrent d'où l'argent venait. Sarah affirma qu'elle avait hérité une jolie somme d'une grand-tante, mais rares furent ceux qui la crurent. Avec sa désinvolture habituelle elle ne recula devant aucune dépense et s'engagea dans des dettes gigantesques. Sa grandiose installation, signe manifeste de réussite, lui procura une joie immense. En vérité peu de chose lui avait donné autant de plaisir que de voir la construction s'élever au cœur du nouveau quartier chic de la plaine Monceau. Debout sur un échafaudage branlant ou sur le toit encore inachevé, elle se riait des avertissements horrifiés de ses amis, plaisantait avec les ouvriers et discutait des plans avec l'architecte. Lorsque les travaux furent achevés, Sarah trouva son hôtel particulier « ravissant ». C'était une de ces folies alors fort à la mode, un palais de conte de fées avec des ornements Renaissance. La décoration intérieure ne posa aucun problème. Avec un bel enthousiasme, Doré, Clairin, Abbéma, Parrot et d'autres amis peintres dressèrent échelles et échafaudages pour couvrir les murs de fresques allégoriques. La plus amusante de ces œuvres fut réalisée par Clairin qui représenta Sarah, sur le plafond de sa chambre, en Aurore, déesse de l'aube, entourée de créatures mythologiques en qui l'on pouvait reconnaître ses familiers. L'événement méritait une fête qui ne devait plus connaître de fin, Sarah présidant, en costume de sculpteur, de longs et animés repas dans la salle à manger à moitié terminée. Non seulement elle se fit construire une nouvelle demeure, mais elle adopta un mode de vie tout différent. Dorénavant, oubliant le Jockey Club, elle serait une artiste entourée d'artistes, la reine d'une vie de bohème fastueuse.

Si l'on peut regretter que Sarah n'ait jamais posé pour Monet, comme le fit Marie Colombier, ou pour l'un des grands maîtres de l'impressionnisme, il est douteux que quiconque ait pu nous donner d'elle un portrait plus attachant que celui que réalisa Doré à la fin des années 1870, alors que la notoriété de l'actrice n'avait pas encore franchi les frontières. Dans cette aquarelle Doré nous présente une image fragile, tendre, poétique de celle qui allait bientôt se lancer à la conquête du monde.

*

Le 21 novembre 1877, la Comédie-Française reprit, dans une brillante mise en scène, *Hernani* avec Mounet-Sully dans le rôle titre et Sarah en doña Sol. Le lendemain, on apporta un présent à Sarah accompagné du billet suivant :

Madame,

Vous avez été grande et charmante ; vous m'avez ému, moi vieux combattant, et à un certain moment, pendant que le public attendri et enchanté par vous applaudissait, j'ai pleuré. Cette larme que vous avez fait couler est à vous et je me mets à vos pieds.

Victor Hugo[17].

La « larme » du poète était un diamant piriforme suspendu à un délicat bracelet. Ce présent et le message bouleversèrent Sarah.

La première représentation de la pièce en 1830 avait provoqué l'une des grandes batailles de l'histoire du théâtre. Des étudiants aux cheveux longs et des intellectuels à l'apparence inquiétante, menés par le jeune Théophile Gautier en pourpoint rose et pantalon vert pâle, envahirent la Comédie-Française et semèrent la terreur, aux cris d' « À la guillotine, les genoux », dans les rangs des bourgeois au crâne chauve. Bien des choses avaient changé depuis cette époque. Les licences poétiques d'Hugo qui avaient choqué les tenants de l'école classique étaient à présent considérées comme du grand art. Les premiers partisans du nouveau romantisme — Gautier, Dumas *père*, Sainte-Beuve et Gérard de Nerval — avaient disparu. Seul Hugo vivait encore et se souvenait de la glorieuse querelle. *Hernani* était devenue une pièce classique qui ne déchaînait plus les passions et, en dépit de sa grandiloquence et des invraisemblances de l'intrigue, le mouvement et la beauté du texte troublaient les esprits imaginatifs et les faisaient rêver au temps des épopées chevaleresques.

Peu de personnes étaient plus sensibles que Sarah au génie et aux sonorités du verbe d'Hugo. Toujours aussi consciencieuse lorsqu'il s'agissait de son métier, elle rendit régulièrement visite au poète pour lui demander des conseils sur le personnage de doña Sol et pour polir avec lui chacun de ses vers. La création d'*Hernani* avait provoqué une émeute ; sa reprise en 1877 fut accueillie avec un respect presque religieux.

Alphonse Daudet, dans un compte rendu émouvant, s'étonna de l'accueil triomphal, « bras levés, fronts découverts » que « le public des *premières*, ce public blasé, critiquant, amateur de l'uniformité médiocre et des banales aventures de la comédie moderne », réserva « à tous ces beaux vers, héros des batailles romantiques, non plus haletants et fiévreux comme ils apparaissaient jadis dans leurs cuirasses bossuées et les fumées sanglantes du combat, mais fiers et calmes, respirant la sécurité, l'apaisement, portant avec eux quelque chose de solennel et de consacrés[18] ».

Daudet n'était qu'éloges pour Sarah :

Jamais Mlle Sarah Bernhardt ne s'était montrée si touchante que dans cette nouvelle création de doña Sol [écrivit-il]. Jamais elle ne s'était servie avec un art si merveilleux de la rare faculté qu'elle possède de sentir profondément les choses et de les exprimer d'une façon personnelle. Des vers que chacun connaît, que toute la salle murmure avant elle, prennent tout à coup dans sa diction harmonieuse une intonation saisissante, inattendue [...]. Et comme elle sait écouter, s'émouvoir à l'action du drame ! [...]

Les vers sont admirables ; mais quel charme l'actrice leur prête encore ! Nous avions craint que cette voix si délicate, ce pur cristal sonore et fragile manquât de puissance pour les explosions de la fin. C'était méconnaître les ressources artistiques de la comédienne, qui a trouvé dans cette insuffisance même des cris déchirants et nouveaux bien appropriés à son sinistre débat entre Ruy Gomez et Hernani [19].

D'après ces propos, il est évident que Sarah avait atteint le zénith de ses talents de jeune actrice. Comme Hugo elle savait que « *Les mots sont les passants mystérieux de l'âme* ». Son interprétation mélodieuse et fluide s'offrait au public dans toute sa beauté. Huit ans plus tôt, elle avait joué le rôle du troubadour florentin de Coppée avec une sensibilité poétique telle que ses admirateurs affectueusement ne l'appelaient plus que « le Passant ». L'empreinte dont elle venait de marquer l'héroïne d'Hugo était si indélébile qu'elle devint pour tous « doña Sol ».

En plus des cent seize représentations d'*Hernani*, un record, Sarah apparut dans l'*Amphitryon* de Molière et le *Mithridate* de Racine. Comme si cela ne suffisait pas à occuper ses journées, elle sculptait, peignait, recevait un nombre croissant d'amis, et elle réussit même à faire une délicieuse escapade qui lui valut quelques désagréments. Les voyages en aérostat fascinaient alors l'imagination populaire. Dans *De la Terre à la Lune*, Jules Verne avait lancé Nadar, sous l'anagramme transparente d'Ardan, dans l'espace. Victor Hugo avait, lui aussi, payé un tribut aux nouveaux aéronautes :

> *Audace humaine ! effort du captif ! sainte rage !*
> *Effraction enfin plus forte que la cage !*
> *Que faut-il à cet être, atome au large front,*
> *Pour vaincre ce qui n'a ni fin, ni bord, ni fond,*
> *Pour dompter le vent, trombe, et l'écume, avalanche ?*
> *Dans le ciel une toile et sur mer une planche* [20].

Il se peut que ces vers aient été un hommage à Léon Gambetta qui était devenu un héros national le jour où, pendant le siège, il avait quitté Paris en ballon et survolé les troupes prussiennes. Intime, certains disaient amant, de Sarah, le chef républicain s'était porté volontaire pour transmettre des documents au quartier général des forces armées à Tours dans l'espoir d'obtenir des secours pour la capitale assiégée. Une foule énorme s'était massée près de l'endroit où se dresse aujourd'hui le Sacré-Cœur ; là, Gambetta, d'une pâleur romantique dans son manteau doublé de fourrure, était monté dans la fragile nacelle d'osier ; il avait jeté un regard inquiet vers le ballon gonflé de gaz inflammable et donné le signal du départ. Alors qu'à terre des assistants tiraient et guidaient le vaisseau dans les airs, Gambetta avait déployé un drapeau tricolore aux cris de « Vive la France ! Vive la République ! ». Après une série de secousses et de rotations, l'aérostat avait entamé son ascension et, dans un silence majestueux, pris la direction de Tours.

Gambetta, l'un des favoris de la ménagerie de Sarah, aimait à régaler ses amis, car la modestie n'était pas son fort, du récit de son aventure. Des exploits aussi dangereux n'étaient pas faits, selon lui, pour les femmes. Sarah, pour qui le courage n'avait pas de sexe, allait lui prouver le contraire, au cours de l'Exposition de 1878, en faisant, chaque jour, des ascensions dans un ballon captif installé dans les jardins des Tuileries et manœuvré par Henry Giffard, l'inventeur du premier dirigeable. Mais rester sagement attachée au sol n'était pas ce dont elle rêvait, aussi demanda-t-elle à Giffard d'organiser un vol libre.

Une semaine plus tard, Sarah, Clairin et leur pilote, un neveu d'Eugène Godard, pionnier des vols en aérostat, grimpent dans la nacelle d'un superbe ballon rouge baptisé le *Doña Sol* en l'honneur de l'intrépide comédienne. C'est là un spectacle incongru digne d'une comédie de Labiche. Sarah a revêtu une longue robe en cachemire, une veste ornée de plumes, une écharpe de soie et un petit chapeau à ruban. Une mince canne et une paire de bottes de cheval bien astiquées complètent, en cas d'atterrissage forcé, sa tenue de vol. Clairin en haut-de-forme et costume élégant semble sur le point de partir pour une promenade rue de la Paix. Seul le jeune Godard porte ce qu'il juge être un équipement de vol, un manteau aux multiples poches qui lui arrive aux chevilles et une espèce de calotte d'alchimiste. Entre autres bagages, les voyageurs emportent un télescope, un panier à pique-nique bien garni et un carnet de croquis pour Clairin.

Le *Doña Sol* s'élève tandis qu'un groupe enthousiaste d'amateurs d'exploits sportifs agitent leurs chapeaux et prennent des paris, et que les amis de Sarah hurlent : « Attention ! Revenez ! Ne nous la tuez pas ! » Le ballon survole bientôt les Tuileries, la place de la Bastille et le cimetière du Père-Lachaise où Sarah, les bras chargés de fleurs, fait tomber une pluie de pétales en direction des tombes de Youle et de Régina. Bientôt on ne voit plus que le ciel sans limites et la campagne verdoyante.

Dans ses Mémoires, Sarah décrira ses impressions : « J'ai

laissé Paris brumeux : je respire sous un ciel bleu, je vois un soleil radieux. Autour de nous des montagnes opaques de nuages aux crêtes irisées. [...] C'est admirable ! c'est stupéfiant ! Pas un bruit, pas un souffle. [...] Le spectacle devenait féerique. De gros nuages moutonnés de blanc nous servaient de tapis. De grandes draperies orange frangées de violet descendaient du soleil pour s'aller perdre dans les nuages de notre tapis[21]. » Dans son euphorie, Sarah déclame des adaptations de poèmes médiévaux de Musset, puis entonne avec Clairin des chansons populaires bretonnes. Lorsque le soir vient elle fait des sandwiches de foie gras et Clairin débouche une bouteille de champagne. On lève les verres en l'honneur de ce jour de gloire, de l'avenir de l'aviation et de tous les artistes passés ou présents. À deux mille six cents mètres d'altitude Sarah se plaint d'un saignement de nez et de bourdonnements dans les oreilles. Comme la nuit tombe, Godard invite le couple ravi à se préparer à la descente. On ouvre la soupape et on lance par-dessus bord les guideropes tandis que le *Doña Sol* se rapproche de la terre. À cinq cents mètres Godard fait retentir un puissant appel de trompe auquel répond un coup de sifflet strident. Le ballon vogue au-dessus d'une petite gare de chemin de fer à des kilomètres de tout lieu connu. Quelques instants plus tard, cinq hommes empoignent les cordes et amènent le *Doña Sol* vers la terre. Sarah lève les yeux au ciel mais ne voit que le ventre du ballon : sa beauté ronde et solide disparue, ce n'est plus qu'une fripe flasque de soie vernie. Une pluie violente accueille les aéronautes à leur descente de la nacelle d'osier. L'aventure est terminée. Quelqu'un propose un parapluie à Sarah qui refuse car, dit-elle, elle est si mince qu'elle passe entre les gouttes. Après une longue attente à la gare, le trio prend un train pour Paris. La nuit est très avancée lorsque Sarah se couche et que sa femme de chambre lui remet un billet de Perrin lui demandant de venir le voir le lendemain. Alors que le *Doña Sol* survolait la capitale, Perrin avait rencontré Robert de Montesquiou : « Tenez, dit le poète, regardez dans le ciel... Voilà votre étoile qui file ! » Perrin avait levé la tête, et montrant le ballon qui s'élevait : « Qui est là-dedans ? — Sarah Bernhardt ! » Perrin avait grommelé : « Encore un de ses tours ! Mais celui-là, elle le paiera[22]. »

Le jour suivant Perrin donna à Sarah une volée de bois vert, lui reprochant son mauvais caractère, ses caprices et ses excentricités. En outre elle avait violé une des règles de la maison en quittant Paris sans autorisation de l'administration et devrait payer une amende. Quelques années plus tôt Sarah aurait éclaté en sanglots. Cette fois elle pouffa de rire avec une condescendance étudiée, dit à Perrin que cette discussion l'ennuyait et offrit sa démission. Mais à présent le Théâtre-Français ne pouvait se passer d'elle. Des excuses furent présentées, l'amende fut oubliée et bientôt Sarah reprit son travail.

Comme de nombreux comédiens célèbres, Sarah prétendait ne jamais lire la presse, en particulier lorsqu'il s'agissait d'articles la concernant. C'était là un autre de ses pieux mensonges car, cette même année, elle répondit à une chronique qu'elle avait, semble-t-il, étudiée avec grand soin.

> Il n'est bruit, dans Paris et dans tous les cercles à la mode, que des faits et gestes de Mlle Sarah Bernhardt [avait écrit Albert Millaud dans *Le Figaro*]. La question de la Bosnie, elle-même, se trouve reléguée au second plan. Les principaux rédacteurs des journaux parisiens oublient tout pour ne s'occuper que de Mlle Sarah Bernhardt, et de sa récente ascension dans le ballon de M. Giffard. C'est que Mlle Sarah Bernhardt n'est pas une femme ordinaire. Elle tient de la déesse, elle a quelque chose d'aérien, d'idéal dans la forme. Sa maigreur n'est que le résultat du dégagement de la matière. [...] Ce n'est, dit-on, qu'au-dessus des tours de Notre-Dame qu'elle commence à respirer[23].

Si Sarah avait arrêté là sa lecture, elle aurait pu accepter la description du chroniqueur avec bonne grâce, mais le journaliste n'avait nulle intention de la flatter. Il était au contraire de ces esprits futiles qui imaginent pouvoir modifier la course des étoiles et leur montrer où et comment briller. Il croyait que Mlle Bernhardt était entourée de ce type d'amis maladroits qui, par goût de la publicité et par les histoires qu'ils colportent, finissent par faire du tort à leurs artistes préférés. Nul n'appréciait plus que lui le charme, l'esprit, l'instruction et les nobles aspirations de la jeune actrice. Pourquoi fallait-il que certains de ses courtisans en vinssent à ruiner cette image en racontant qu'elle était bizarre et excentrique et en lui faisant une réputation à laquelle, espérait-il, elle ne tenait pas ? Ils finiraient par ne plus voir que Sarah Bernhardt l'aéronaute, Sarah Bernhardt le sculpteur, Sarah Bernhardt et ses onze pères ! Albert Millaud, lui, pensait que toutes ces Sarah ne valaient pas celle qu'il avait applaudie dans ses grands rôles.

Sarah ne pouvait ignorer de tels propos. Quelques jours plus tard, *Le Figaro* publiait sa réponse :

> Votre bienveillance pour l'artiste m'engage à défendre la femme. Ce ne sont pas des amis maladroits, mais des ennemis adroits qui me lancent ainsi à la tête du public. [...] Je trouvais un grand plaisir à monter en ballon. [...] Je vous assure que je n'ai jamais écorché de chiens, ni brûlé de chats. Et je regrette de ne pouvoir prouver que je suis naturellement blonde. Ma maigreur est excentrique, dit-on. Qu'y puis-je faire ? Je préférerais être délicieu-

sement « à point ». [...] On me reproche de vouloir tout faire en dehors du théâtre : sculpture, peinture, piano... Et qui cela gêne-t-il, si mon service au Théâtre Français ne s'en est jamais ressenti[24] ?...

Comme pour donner une nouvelle preuve de ses multiples talents, Sarah écrivit un délicieux livre sur son voyage en ballon intitulé *Dans les nuages. Impressions d'une chaise. Récit recueilli par Sarah Bernhardt.* Illustré par Clairin, l'ouvrage eut non seulement du succès, mais il donna l'occasion à l'actrice de se moquer de ses critiques en exagérant à l'extrême leurs ridicules assertions. « J'avais bien entendu dire, rapporte la chaise, [que doña Sol] brûlait des chats pour manger du poil rôti, qu'elle faisait ses délices de queues de lézard et de cervelles de paon sautées au beurre de singe. Je savais qu'elle jouait au crocket avec des têtes de mort coiffées de perruques Louis XIV. Je la croyais capable de tout[25]... » Ce livre enjoué, sans prétention, destiné essentiellement aux enfants, amusa presque tout le monde à l'exception de Gustave Flaubert, trahi par son éditeur.

« Charpentier, écrivit Flaubert à Mme Brainne, après m'avoir promis, pendant deux ans, et repromis au mois de septembre dernier, qu'il ferait pour les étrennes de 1879 une édition de luxe de mon *Saint Julien*, lâche ma littérature pour celle de Sarah Bernhardt[26]. » Mais ce qui l'irrita plus encore, ce fut un article de la *Revue moderne*, qui comparait favorablement Sarah Bernhardt à George Sand[27]. « Où s'arrêtera le délire de la bêtise ? » se demandait Flaubert au comble de la rage[28]. Eût-il vu Sarah dans la reprise de *Ruy Blas* (il avait cessé de s'intéresser au théâtre quelques années auparavant) qu'il eût peut-être reconsidéré son jugement car, si la littérature et le jeu théâtral sont deux choses différentes, une belle représentation procure des émotions aussi profondes et durables qu'un grand roman. Dans *Hernani* Sarah avait su émouvoir le public. À l'Odéon, sept ans plus tôt, elle avait enthousiasmé des spectateurs peu disposés à encenser son jeune talent. À présent, actrice accomplie, elle était capable de tirer le meilleur parti de ses dons, de sa voix, de son corps et de sa compréhension exceptionnelle de la poésie romantique. En outre elle avait ce que Sarcey, que l'admiration laissait sans mots, nommait son « je-ne-sais-quoi », cette qualité indéfinissable dont on garde le souvenir longtemps après que la pièce s'est estompée dans les mémoires.

Traditionnellement la Comédie-Française donnait des représentations chaque jour de l'année, mais en 1879 on annonça que le théâtre serait exceptionnellement fermé en juin et en juillet car il fallait procéder à d'importants travaux. Perrin reçut immédiatement une offre d'Hollingshead et Mayer, les directeurs du Gaiety Theatre de Londres. Un contrat fut signé aux termes duquel la troupe au complet devait passer six semaines à Londres, du 2 juin au 12 juillet. Perrin était ravi de donner une saison en Angleterre, ce qui l'aiderait à payer la rénovation de son théâtre. De surcroît, il avait grande envie de montrer au public britannique les prodiges qu'il avait accomplis au cours de ses huit années de règne. Il avait toutes les raisons d'être fier de ce qu'Henry James décrivait comme « la perfection particulière [du Théâtre-Français] : une chose consacrée, historique, académique... ». Jamais le prudent critique n'avait vu quoi que ce fût « d'aussi harmonieux, artistique, achevé — le travail dramatique raffiné à un point auquel la scène anglaise n'est pas accoutumée ».

Le programme soigneusement étudié, comportant la liste des spectacles prévus et la distribution des rôles, que Perrin envoya à Hollingshead indiquait que Sarah Bernhardt ne jouerait pas le soir de l'ouverture. Par retour du courrier Perrin reçut un télégramme d'Hollingshead précisant que la moitié des places avait été réservée sur le seul nom de Sarah ; il était donc essentiel qu'elle apparût le premier soir. Comme Perrin ne pouvait pas offenser les acteurs déjà inscrits pour cette représentation, il décida d'ajouter le deuxième acte de *Phèdre* spécialement pour Sarah. Il est fort probable que Perrin et Croizette, irrités par la popularité de Sarah, appréciaient l'idée de rabattre un peu de sa superbe.

Sarah saisit l'occasion qui lui était offerte pour annoncer qu'elle n'irait à Londres que si elle était nommée *sociétaire à part entière**, le titre le plus élevé dans la hiérarchie du Théâtre-Français. Tout d'abord le comité renâcla, et finalement il céda ; Sarah et Sophie Croizette furent toutes deux promues, ce qui leur permettrait de percevoir une part plus importante des bénéfices de la compagnie. Tout cela n'était que les prémices de ce qui devait être un tournant spectaculaire dans l'existence de Sarah.

*

Quelques jours avant le départ, un visiteur inattendu se fit annoncer dans l'atelier de Sarah ; il s'agissait d'Edward Jarrett, un impresario américain qui avait des bureaux à New York, Paris et Londres.

C'était « un homme de haute stature », écrivit Sarah.

> Il avait les yeux clairs et durs, des cheveux d'argent, une barbe soignée ; il s'excusa très correctement, admira ma peinture, ma sculpture, mon hall, tant et si bien que je ne savais pas encore quel était son nom.
> Quand, au bout de dix minutes, je le priai de s'asseoir pour me dire le but de sa visite, il commença d'une voix posée, avec un fort

accent : « Je suis M. Jarrett, impresario. Je puis vous faire faire une fortune. Voulez-vous venir en Amérique ? — Jamais de ma vie ! m'écriai-je vivement. Jamais ! jamais ! — Oh ! bien. Ne vous fâchez pas. Voici mon adresse, ne la perdez pas. » Puis, au moment où il prenait congé : « Ah ! dit-il, vous allez à Londres avec la Comédie-Française, voulez-vous gagner beaucoup " de l'argent " à Londres ? — Oui, comment ? — En jouant dans les salons. Je vous ferai faire une toute petite fortune [29]. »

En quelques minutes un contrat fut signé et, une semaine plus tard, l'annonce suivante paraissait dans le *Times* de Londres :

> Comédies de salon de Mlle Sarah Bernhardt,
> sous la direction de Sir... Benedict.

> Le répertoire de Mlle Sarah Bernhardt se compose de comédies, proverbes, saynètes et monologues écrits spécialement pour elle et un ou deux artistes également de la Comédie-Française. Ces comédies se jouent sans décors ou accessoires et s'adaptent, à Londres comme à Paris, aux matinées et soirées de la haute société. Pour tous les détails et conditions, prière de s'adresser à M. Jarrett (secrétaire de Mlle Sarah Bernhardt), au Théâtre de Sa Majesté [30]...

Quand Perrin vit le *Times*, il fut atterré. Il avait peine à comprendre qu'un membre de l'austère Théâtre-Français pût s'abaisser à d'aussi mesquines opérations commerciales. Se sentant légalement dans son droit (d'autres acteurs de la compagnie avaient donné des représentations privées), Sarah campa sur ses positions. Bientôt la querelle fut connue du public et Perrin dut finalement annoncer dans la presse que les acteurs du Français étaient libres d'employer leur temps à leur guise.

Lorsque Sarah embarqua au Havre elle pensait bien s'être préparée à toutes les éventualités. Emmitouflée dans un épais manteau, elle emportait « des bonbons contre le mal de mer ; des opiacés contre le mal de tête ; du papier de soie pour [se] mettre dans le dos ; des cataplasmes compressifs pour [se] mettre sur le diaphragme ; et des semelles goudronnées pour mettre dans [ses] souliers, car il ne fallait pas, surtout, prendre froid aux pieds [31] ». Un jeune admirateur, inquiet des dangers que son idole pouvait avoir à affronter, ajouta encore à ces précautions lorsqu'il se précipita sur la passerelle avec une ceinture de sauvetage conçue spécialement pour elle. Il s'agissait d'un appareillage encombrant composé d'une douzaine de vessies de la taille d'un œuf. Onze de ces vessies, gonflées d'air, renfermaient un morceau de sucre, la douzième contenait de l'eau-de-vie. Dès que le bateau eut quitté le port Sarah fut prise d'un de ses célèbres *fous rires** et fit jeter l'objet par-dessus bord.

> ... Ce qui fut vraiment beau, et un spectacle inoubliable, [raconte Sarah dans ses Mémoires], ce fut notre débarquement à Folkestone. Il y avait là des milliers de personnes ; et ce fut la première fois que j'entendis crier : *Vive Sarah Bernhardt !* Je tournai la tête et me trouvai en face d'un jeune homme pâle — la tête rêvée d'Hamlet — qui me remit un gardénia. [...] Cela me gênait un peu et me charmait quand même. Une camarade [...] me dit méchamment : « Bientôt on te fera un tapis de fleurs... — Le voilà ! » s'écria un jeune homme en jetant devant moi une brassée de lis. Je m'arrêtai confuse, n'osant marcher sur ces blanches fleurs, mais la foule, pressée derrière moi, me forçait d'avancer. [...]
>
> « Un Hip ! Hip ! Hurrah ! pour Sarah Bernhardt ! » s'écria le fougueux jeune homme. Sa tête dépassait toutes les autres têtes ; ses yeux étaient lumineux ; ses cheveux, longs ; il avait l'air d'un étudiant allemand. C'était cependant un poète anglais, un des plus grands de ce siècle ; poète plein de génie, mais hélas ! tourmenté depuis et vaincu par la folie : c'était Oscar Wilde [32].

Cet accueil exalté déplut aux autres acteurs qui soupçonnèrent Sarah d'avoir, une fois encore, manigancé cela. Si l'on en croit Hollingshead, ils se trompaient : « Il ne s'agissait pas d'une foule manipulée par quelque Barnum mais d'un rassemblement spontané et enthousiaste de gens venus voir Sarah Bernhardt. Les photographes guettaient Sarah Bernhardt ; les chroniqueurs et les " correspondants spéciaux " consacraient des articles de fond à Sarah Bernhardt. Avant le lever de rideau de la première le grand public britannique avait fait d'elle une étoile — une étoile de première grandeur. »

Un intérêt aussi prématuré mit, ainsi qu'on peut l'imaginer pour une personne ayant son tempérament, les nerfs de Sarah à rude épreuve. Être ainsi distinguée aux dépens des autres acteurs de la Comédie-Française etait flatteur mais terrifiant, car cela la plaçait dans une situation particulièrement exposée. À son arrivée à Charing Cross elle eut le sentiment d'être abandonnée. Au lieu des foules glorieuses de Folkestone seuls deux hommes de confiance d'Hollingshead attendaient le train pour conduire les comédiens à leur hôtel. Un bref instant un tapis rouge déroulé fit tressaillir Sarah. Leur était-il destiné ? Non, lui dit-on, il avait servi au prince et à la princesse de Galles qui venaient de partir pour la France. Pourquoi, demanda-t-elle vexée, étaient-ils partis ? Il lui fut répondu qu'ils avaient des engagements à Paris. Ils ne seraient donc pas à Londres pour la première et la loge royale serait occupée par le duc de Connaught.

« J'étais désespérée... écrivit Sarah. Je ne sais pas pourquoi ; mais j'étais désespérée. Je trouvais que tout cela allait mal [33]. »

Elle traversa Londres « le cœur serré » et la première impression qu'elle eut de la capitale victorienne, ville noire et sinistre, ne lui rendit pas le moral.

Dans ce moment d'abattement, la charmante maison de Chester Square qu'elle avait louée pour la durée de son séjour lui parut triste, tout comme les monceaux de fleurs envoyées par ses amis parisiens. Même l'énorme bouquet de roses de Sir Henry Irving, le grand acteur anglais, lui parut inquiétant. Tout — la maison, les fleurs, et les trente-sept journalistes qu'elle reçut le jour suivant — semblait lui dire : « Vous allez jouer devant un public étranger. Prouvez maintenant que vous êtes aussi grande artiste qu'on le dit. »

Le 2 juin 1879, pour sa première représentation, la Comédie-Française donna une soirée de gala car c'était l'une des très rares fois où la compagnie se déplaçait au complet hors de France. Lorsque le rideau se leva, des applaudissements nourris saluèrent les quelque cinquante membres de la troupe qui avaient revêtu les costumes correspondant aux rôles qu'ils allaient interpréter. Des bustes de Shakespeare et de Molière décoraient chaque extrémité de la scène et Édouard Got, le doyen de la compagnie, déclama un poème à la gloire de ces illustres dramaturges. La cérémonie terminée, Sarah regagna sa loge, émue par cet accueil et impressionnée par l'importance de la tâche qui l'attendait. Trois fois elle se maquilla, et trois fois, se trouvant laide, elle enleva le tout d'un coup d'éponge. Sa voix, lorsqu'elle fit un exercice, lui parut enrouée dans les notes graves et voilée dans les aiguës :

> Je pleurai de rage. On vint me prévenir que le second acte de *Phèdre* allait commencer. Je devins folle. Je n'avais pas mon voile. Je n'avais pas mes bagues. Ma ceinture de camées n'était pas attachée. [...] Je les terrifiais tous par mon état nerveux. J'entendis Got marmonner : « Elle devient folle ! »[...] Il fallait entrer en scène. [...] J'avais le trac, mais pas celui qui paralyse : celui qui affole. C'est déjà pas mal, mais c'est préférable. On fait trop, mais on fait quelque chose.
>
> La salle entière avait applaudi mon entrée en scène pendant quelques instants ; et, courbée sous mon salut, je me disais intérieurement : « Oui, oui... vous allez voir... je vais vous donner mon sang... ma vie... mon âme. » Et quand j'entamai ma scène, comme je ne me possédais pas, je la pris un peu trop haut. Impossible de redescendre, une fois lancée. J'étais partie. Rien ne pouvait plus m'arrêter.
>
> Je souffrais, je pleurais, j'implorais, je criais ; et tout cela était vrai ; ma souffrance était horrible, mes larmes coulaient brûlantes

et âcres. J'implorais Hippolyte pour l'amour qui me tuait, et mes bras tendus vers Mounet-Sully étaient les bras de Phèdre tordus par le cruel désir de l'étreinte. Le dieu était venu.

Et, quand le rideau tomba, Mounet-Sully me releva inaminée et me transporta dans ma loge[34].

Quand le rideau se releva, le public fut témoin d'un spectacle presque aussi étonnant que la représentation elle-même. Sarah — impressionnante de beauté mais visiblement à bout de forces — vint saluer soutenue par Mounet. La tête droite, ils firent face, avec la dignité grave de statues antiques, au public qui s'était levé pour les acclamer. Ce fut une ovation comme l'Angleterre en avait rarement connue. Emportée par ces vagues d'enthousiasme qui déferlaient de la salle, Sarah comprit qu'elle venait de prendre place parmi les idoles du théâtre.

Mais les idoles elles-mêmes ont parfois des problèmes. Le soir suivant, Sarah joua *L'Étrangère* dans un tel état d'épuisement qu'elle oublia deux cents lignes du récit qu'elle faisait à Croizette. Si ce monologue était essentiel pour la compréhension de l'intrigue, il ne l'était pas pour Sarah qui se mit à improviser : « Si je vous ai fait venir ici, Madame, c'est que je voulais vous instruire des raisons qui m'ont fait agir... j'ai réfléchi, je ne vous les dirai pas aujourd'hui[35]. » Sophie Croizette, désemparée, quitta la scène tandis que le brave Coquelin entrait pour terminer l'acte aussi bien qu'il le pouvait. Ce malheureux incident devait, pendant des années, faire la joie de chacun des trois protagonistes au cours de leurs dîners en ville. Il est facile d'imaginer quel tour particulier chacun d'eux donnait à sa propre version de la gaffe historique de Sarah.

Les journaux londoniens ne firent aucune allusion au trou de mémoire de Sarah, peut-être parce que les critiques dramatiques, tout comme le public, avaient succombé au charme de la nouvelle Rachel. Ainsi que l'écrivit Henry James : « Il faudrait une sorte de génie pour donner une idée de l'intensité, de l'exaltation, certains dirent de la folie, dans la curiosité et l'enthousiasme provoqués par Mlle Sarah Bernhardt. »

Personne, au cours de cette première, ne fut plus enthousiaste que le jeune Oscar Wilde qui déclara : « Ce ne fut qu'en entendant Sarah Bernhardt dans *Phèdre* que je compris la douceur de la musique de Racine. » Il écrivit un poème, publié le 11 juin dans *The World*, en l'honneur de Sarah[36], la couvrit de fleurs et d'invitations, et chercha mille façons de lui être agréable. Sarah sut apprécier l'attitude de Wilde qui, à la différence de la plupart des hommes qui formaient sa cour, ne cherchait nullement à la séduire ; cependant elle était assez fine pour deviner que, si quelque motif expliquait l'assiduité de Wilde, il ne s'agissait pas du désir vulgaire de la posséder mais de l'ambition vague encore d'écrire une pièce pour elle. Ce rêve devait se réaliser, bien qu'imparfaitement, une douzaine d'années plus tard, lorsque Sarah revint à Londres pour répéter *Salomé*, œuvre que Wilde avait écrite en pensant à elle. L'accueil que la capitale britannique réserva à Sarah était quelque peu différent de ceux qu'elle avait connus jusqu'alors. Paris l'avait habituée à l'hommage et aux flatteries des écrivains et des artistes et, de temps à autre, elle était ravie de partager leur couche, de lire leurs pièces, ou de poser pour eux. Mais lorsqu'un membre de la bonne société parisienne, un Rothschild ou un Polignac, paraissait dans les coulisses, c'était manifestement dans l'intention de lui faire des avances et d'entamer une liaison amoureuse. Il n'aurait certainement pas été question de l'inviter à dîner à la table familiale. Après tout, elle n'était qu'une comédienne. Les aristocrates londoniens se seraient peut-être comportés de la même façon si le prince de Galles ne s'était entiché de Sarah. Ces attentions royales donnèrent le ton à la haute société. Les portes de Mayfair s'ouvrirent en grand. Bientôt on vit Sarah faire du cheval à Hyde Park avec lord Dudley et dîner chez la duchesse T., la marquise R. et d'autres dames irréprochables de la Cour. Quelques personnes collet monté opposèrent cependant une résistance. Lady Cavendish, par exemple, confia dans son journal : « Londres est devenu fou de la principale actrice de la Comédie-Française : Sarah Bernhardt, une femme de réputation notoirement impudique. Non contente de se laisser courtiser sur scène, cette femme est invitée à jouer dans les maisons respectables, même à déjeuner ou à dîner ; et tout le monde se précipite. C'est un scandale outrageant. »

Sarah était partagée quant à ces invitations. Bien qu'elle trouvât ses hôtes « charmants, pleins d'humour » et le peuple anglais « le plus hospitalier du monde », elle pouvait se montrer aussi désinvolte que les plus hautains des Britanniques. Elle savait que son comportement était « odieux », mais lorsqu'il lui fallait respecter un engagement, elle résistait, ennuyée d'avoir à écrire pour s'excuser, ennuyée de fréquenter des gens qui ne parlaient pas français, fâchée de ne pouvoir elle-même s'exprimer en anglais, irritée également à l'idée que son absence susciterait peut-être plus d'intérêt encore que sa présence [37]. Dès le départ, il fut évident que Londres préférait Sarah à tout ce que le Théâtre-Français avait à lui offrir. Lorsque Sarah était à l'affiche, les recettes s'élevaient à 12 500 francs au moins et, lorsqu'elle ne jouait pas, à 10 000 tout au plus. Ces sommes inspiraient aux Français, offensés de voir le public préférer le talent de Sarah à celui des membres plus chevronnés de la compagnie, des commentaires attristés sur le goût des Anglais. Ce n'était pas que les

Anglais n'appréciaient pas le merveilleux jeu d'ensemble de la troupe mais plutôt que son style déclamatoire empesé — comme un grand vin qui ne supporte pas le voyage — était déplacé au Gaiety Theatre. *The Truth*, un hebdomadaire londonien, observa que, « exception faite de Bernhardt et de Coquelin, chaque phrase que les acteurs prononçaient était accompagnée d'un geste censé, on le suppose, être conventionnellement approprié. Ce geste était tenu non seulement pendant la durée de la réplique, mais encore une minute après sa fin. Le ton, il est vrai, est varié mais il a toujours quelque chose de théâtral et de déclamatoire. »

Le troisième samedi de la saison Sarah ne se sentit pas bien, et, comme elle devait donner deux représentations, elle demanda à être excusée pour la matinée. Edmond Got, qui avait la responsabilité de ces questions, prit calmement la nouvelle. Un bon remplacement, soutenu par une brillante distribution, compenserait sans aucun doute la défaillance d'une actrice souffrante. C'était compter sans la popularité de Sarah auprès du public. Dès que l'annonce de son retrait fut connue, les spectateurs assiégèrent le théâtre pour se faire rembourser. Bien sûr Sarah en fut fort réjouie mais ses collègues jugèrent qu'elle avait trahi non seulement la Comédie-Française, mais la France elle-même.

Comme pour exacerber leur irritation, Sarah annonça une exposition de ses peintures et sculptures dans une élégante galerie de Piccadilly. La rumeur circula que le prince de Galles serait présent car, à cette époque, ce n'était plus un mystère que le futur roi d'Angleterre avait obtenu de Sarah plus qu'une simple révérence. Si le moindre doute avait subsisté, il eût été dissipé par une lettre que Sarah envoya au doyen de la compagnie pour excuser son absence lors d'une répétition et expliquer que le prince l'avait retenue fort tard dans la nuit. Cette « représentation de commande », dont la durée réelle fit l'objet de conjectures, donna matière à de nombreux commérages en coulisses de la part des acteurs amateurs d'histoires grivoises comme des actrices jalouses qui déclaraient haut et fort que le comportement de Sarah était des plus méprisables. Cependant ils allèrent, ainsi que des centaines d'autres personnes, à son vernissage pour voir le prince Édouard et la princesse Alexandra, le prince Léopold, futur Léopold II de Belgique, Gladstone, le Premier ministre, les peintres Everett Millais et lord Leighton, et l'actrice elle-même qui n'était pas la moindre des célébrités présentes. Une version en marbre du groupe *Après la tempête* trouva acquéreur, ainsi que la plupart des autres œuvres apportées par l'actrice. À l'ouverture de l'exposition on servit, innovation audacieuse, du champagne et Sarah se montra aussi séduisante qu'elle seule savait l'être. Vêtue d'un costume sobre et élégant, une main posée sur une canne précieuse que lui avait offerte le prince de Galles, elle échangea des réflexions avec Gladstone sur les leçons morales que l'on pouvait tirer de *Phèdre* et sur la peine de mort à laquelle elle était hostile. Il est inutile de préciser que Sarah trouva rapidement comment employer l'argent que la vente lui avait rapporté. En fait, elle prétendit que la seule raison qui l'avait conduite à organiser une exposition était son désir d'acheter quelques animaux. Elle profita d'un jour de liberté pour aller à Liverpool visiter la ménagerie d'un certain Mr. Cross. Pourquoi Sarah qui possédait déjà trois chiens, *Minuccio*, *Bull* et *Fly*, un perroquet nommé *Bizibouzou* et un singe baptisé *Darwin*, souhaitait-elle acquérir de nouveaux pensionnaires reste une énigme. Lorsqu'elle revint à Chester Square, elle était l'heureuse propriétaire d'un guépard, d'un chien-loup, de six petits caméléons aux yeux protubérants et d'un caméléon plus gros qu'elle portait sur son épaule, attaché par une chaîne d'or à sa robe. Gustave Doré, Georges Clairin, Louise Abbéma et Madame Guérard, qui étaient tous venus la soutenir à Londres, l'attendaient sur le perron. À la vue de la nouvelle ménagerie, le maître d'hôtel eut un mouvement d'effroi et Madame Guérard se précipita dans sa chambre en criant. Mais ce fut le guépard, animal en apparence plus dangereux, qui ravit la vedette lorsque, libéré de sa cage, il bondit en grognant et en miaulant jusqu'à l'arbre le plus proche. Les chiens se mirent à hurler, le perroquet poussa des cris stridents, Darwin secoua sa cage, et les amis de Sarah que son sens des situations imprévues ravissait toujours furent pris de fou rire.

« Toutes les fenêtres s'ouvrirent et, au-dessus du mur de mon jardin, plus de vingt têtes apparurent, curieuses, tremblantes, furieuses [38]. »

Le lendemain tout Londres ne parlait que du charivari de Chester Square. (Se pourrait-il que le panneau « Aucun bruit autorisé après 10 heures du soir », que l'on peut voir aujourd'hui apposé sur cette paisible place, ait été une conséquence du comportement peu civil de Sarah?) Monsieur Got avertit Sarah que si elle persistait à se comporter de manière aussi insensée la presse la prendrait pour cible. Les correspondants des journaux français, fâchés qu'elle eût ainsi relégué à l'arrière-plan la troupe du Français, déclenchèrent les hostilités. Ils affirmèrent que pour un shilling n'importe qui pouvait la voir habillée en homme, qu'elle fumait de gros cigares sur le balcon de sa maison à Londres, qu'elle prenait sa femme de chambre pour lui donner la réplique au cours de ses représentations privées, qu'elle pratiquait l'escrime en costume de Pierrot, et qu'elle avait cassé deux dents à son professeur de boxe. Même son vieil ami Francisque Sarcey, qui avait suivi la Comédie-Française pour sa saison londonienne, lui consacrait des articles venimeux. Il se peut que le dépit eût expliqué en partie ce revirement ; en effet, si les Anglais clamaient bien haut leur admiration pour Sarah, ils critiquaient le pédantisme et la prétention de Sarcey qui, pour des cachets impressionnants, faisait, avant les représentations, des conférences sur la supériorité du théâtre français comparé au théâtre anglais.

Sarah, plutôt que de mépriser ces sottises, mais elle n'aurait pas été Sarah, envoya une lettre ouverte à Albert Wolff, son principal détracteur au *Figaro*, lui demandant comment il pouvait accorder foi à de telles insanités. Si les calomnies imprimées sur son compte lassaient ses compatriotes, et s'ils décidaient de lui faire un mauvais accueil à son retour, elle démissionnerait de la Comédie-Française. Et si les Anglais, fatigués de tout ce tapage, lui témoignaient de la malveillance et non plus cette chaleureuse admiration qu'elle avait connue jusqu'alors, elle quitterait l'Angleterre pour épargner à la compagnie d'autres sujets d'embarras. Lorsqu'ils lurent sa lettre, les camarades de Sarah se montrèrent compréhensifs. À sa grande surprise plusieurs d'entre eux la prirent à part et lui dirent de ne plus songer à quitter le Français.

En dépit de son attitude de fermeté, Sarah se sentait mal à l'aise lorsqu'elle rentra à Paris après son triomphe sans précédent. Elle était arrivée à Londres portée par une vague de popularité. À présent elle était perdue au milieu d'un océan hostile. Quel crime avait-elle commis ? Certes, elle avait éclipsé la Comédie-Française, mais non pas en jouant différemment de ce qu'elle faisait à Paris. On l'avait préférée à Croizette, mais fallait-il la blâmer parce que les Britanniques trouvaient cette actrice trop corpulente et vulgaire ? Elle avait vendu ses œuvres d'art, mais n'était-elle pas le seul membre de la Comédie-Française à en faire ?

Émile Zola, dont les vues, ainsi qu'on peut l'imaginer, étaient plus tolérantes que celles d'un Sarcey ou d'un Wolff, fut le seul à lui venir en aide. Pourquoi, demandait-il dans un article publié dans *Le Voltaire*, la presse avait-elle déclaré la guerre à Mme Sarah Bernhardt ? Pourquoi sa peinture, sa sculpture, sa prose déchaînaient-elles l'ire des journalistes parisiens ? Pourquoi pensaient-ils qu'elle faisait de l'art par amour de la réclame ou qu'elle ne devait pas vendre ses toiles et ses statues comme les autres artistes ? Leurs sarcasmes impitoyables et sans esprit sur sa maigreur étaient plus vulgaires que tout ce qu'elle avait jamais fait. Ils l'attaquaient parce qu'elle voulait voir son nom imprimé, mais c'étaient eux, et non pas elle, qui inventaient des histoires diaboliques pour alimenter la chronique. Ils ne pouvaient évidemment pas croire qu'elle se fût exhibée à Londres vêtue en homme pour quelques francs, ni qu'elle mangeât du singe rôti ou dormît avec des squelettes. Et même si ces contes ridicules étaient vrais, c'était son affaire et non la leur. Ce battage déplaisant autour d'une actrice que, la veille encore, ils adoraient était leur fait. C'étaient eux qui créaient le scandale et non la grande comédienne dont le talent seul devait être jugé.

Sarah affronta à nouveau le public parisien à l'occasion de la cérémonie annuelle en l'honneur de Molière. Perrin lui conseilla de ne point paraître car il craignait qu'une cabale ne fût dirigée contre elle. Une lettre lourde de menaces que Sarah lui montra justifia son inquiétude :

> Mon pauvre squelette, tu feras bien de ne pas faire voir ton horrible nez juif à la Cérémonie après-demain. Je crains pour lui qu'il ne serve de cible à toutes les pommes qu'on fait cuire en ce moment dans ta bonne ville de Paris à ton intention. Fais dire dans les échos que tu as craché le sang, et reste dans ton lit à réfléchir sur les conséquences de la réclame à outrance.

> Un abonné [39]

Perrin repoussa la lettre avec dégoût. Il y en avait d'autres, lui dit Sarah, trop grossières pour être montrées. Dans ce cas, dit Perrin, il fallait qu'elle participât à la cérémonie.

Une foule immense était venue honorer la mémoire du dramaturge et saluer le retour des comédiens à Paris. Comme l'exigeait la coutume, les acteurs s'avancèrent deux par deux pour déposer palmes et couronnes sur le buste de Molière, mais quand vint le tour de Sarah il y eut un silence soudain car elle entra seule en scène.

> Je m'avançai lentement vers la rampe et, au lieu de saluer comme mes camarades, je restai droite, regardant de mes deux yeux dans tous les yeux convergeant vers moi. On m'avait annoncé la bataille : je ne voulais pas la provoquer, mais je ne voulais pas la fuir.
> J'attendis une seconde, je sentais la salle frémissante, énervée ; puis, tout à coup, soulevée par une impression de tendresse généreuse, elle éclata dans une fanfare de bravos et de cris. Et le public, si aimé et si aimant, se grisait de sa joie. Ce fut certainement un des plus beaux triomphes de ma carrière [40].

Il y eut d'autres grands moments au cours de la saison 1879-1880, en particulier la reprise de deux de ses meilleurs rôles : la reine dans *Ruy Blas* et doña Sol dans *Hernani*. Pour le cinquante-naire de la première historique du drame de Victor Hugo, une fête fut donnée le 25 février 1880 au cours de laquelle Sarah fit une lecture enflammée du poème de Coppée, « La Bataille d'*Hernani* ». Un banquet qui réunissait toutes les célébrités littéraires et politiques de Paris fut ensuite organisé à l'hôtel Continental en l'honneur d'Hugo. Celui-ci, à son tour, rendit hommage à sa grande doña Sol en l'invitant à s'asseoir à sa droite.

Le triomphe de Sarah devait être de courte durée. Au printemps, Perrin insista pour qu'elle jouât dans *L'Aventurière* d'Émile Augier, une pièce qu'elle détestait, écrite par un dramaturge qu'elle méprisait. Habituellement, qu'elle aimât ou non le rôle, elle travaillait avec acharnement et sérieux. Cette fois elle fit preuve d'une frivolité suspecte, négligeant les répétitions et les séances d'essayage. La veille de la première elle se plaignit d'une laryngite, maladie diplomatique jugea Perrin, et pria l'Administrateur de reporter la représentation. Perrin refusa. Sarah se soumit donc, à contrecœur, et ayant l'air, devait-elle dire, « d'une théière anglaise », elle interpréta le rôle, ainsi que l'écrivit Vitu, comme une vulgaire prostituée sortie d'un roman de Zola. L'accusation de vulgarité donna à Sarah un excellent prétexte pour faire ce dont elle avait envie. Et ainsi, dit-elle : « Je jetai mes lauriers et mes fleurs aux quatre vents. Je rompis brutalement le contrat qui me liait à la Comédie-Française et par cela même à Paris [41]. » Le 18 avril 1880, elle écrivit à Perrin :

Monsieur l'Administrateur,

[...] Vous ne m'avez accordé que huit répétitions sur la scène, et la pièce n'a été répétée que trois fois dans son ensemble.

Je ne pouvais me décider à paraître devant le public. Vous l'avez absolument exigé. Ce que je prévoyais est arrivé. [...]

C'est mon premier échec à la Comédie, ce sera le dernier.

Je vous avais prévenu le jour de la répétition générale. Vous avez passé outre, je tiens parole. Quand vous recevrez cette lettre, j'aurai quitté Paris.

Veuillez, Monsieur l'Administrateur, recevoir ma démission immédiate, et agréer l'assurance de mes sentiments distingués.

Sarah Bernhardt [42]

Pour éviter toute discussion inutile avec Perrin ou avec le comité du Français, Sarah envoya une copie de sa lettre au *Figaro* et au *Gaulois*. Le lendemain, elle se trouvait à Sainte-Adresse, près du Havre, où elle passa un après-midi pluvieux à marcher sur la plage et à réfléchir. Sa démission, avait-elle dit au comité, était due à la façon mesquine dont l'administration du théâtre et la presse l'avaient traitée. Ce qu'elle taisait, et qu'allait révéler le procès que la Comédie-Française lui intenterait, c'était que, loin d'être trop malade pour assister aux répétitions de *L'Aventurière*, elle avait été occupée à constituer sa propre troupe ; en effet, elle avait signé, sans en informer la Comédie, un contrat avec

Hollingshead et Mayer pour une série de représentations au Gaiety Theatre de Londres. D'ailleurs, quand le procès fut jugé à Paris, Sarah et sa nouvelle compagnie se trouvaient en Angleterre. Maître Allou, l'avocat de la Comédie-Française, s'empressa de dire qu'elle avait enfreint un des règlements de la maison qui stipulait qu'aucun acteur ne pouvait prendre de congé sans l'autorisation du Comité. Cette calculatrice, affirma-t-il, avait séduit le public anglais avec son sens artistique remarquable, son élégance, son talent pour la sculpture et ses dons littéraires. Mais était-il digne d'une telle femme de signer un contrat (et, fallait-il le répéter, sans avertir la Comédie-Française !) avec un Barnum américain pour aller aux États-Unis ? Elle serait châtiée pour une telle faute. « Est-ce que, en quittant ce milieu sympathique,... elle ne perdra pas une partie de sa valeur ? Est-ce que l'on peut transporter cela en Amérique, comme une marchandise exotique ? Elle ne sera pas comprise. Ses effets si délicats, son art si raffiné seront confondus, par un public étranger, avec ceux de comédiens vulgaires. Et que sera-ce donc quand la fugitive entendra de loin les bravos retentissants saluant des gloires nouvelles qui peuvent si vite égaler la sienne [43] ? »

Au terme du procès Sarah fut condamnée à renoncer aux quarante-trois mille francs qu'elle aurait reçus comme pension de sociétaire si elle était restée attachée au théâtre pendant vingt ans et l'avait quitté à l'amiable. En outre elle devait payer cent mille francs de dommages et intérêts, somme qu'elle ne verserait jamais. Quelques années plus tard, lorsque la Comédie-Française fut dévastée par un incendie, elle accueillit gratuitement la compagnie dans son propre théâtre.

À la fin de mai 1880, un mois environ après sa rupture avec le Théâtre-Français, Sarah repartit pour le Gaiety Theatre de Londres. Il s'agissait d'un réengagement et, comme tout réengagement, c'était un défi. Elle savait qu'il lui fallait se surpasser et que le public, quoique fort bien disposé à son égard, espérait voir son admiration justifiée. Sarah s'acquitta de cette tâche avec les honneurs. De plus elle se comporta de manière exemplaire.

Hollingshead, qui n'avait guère apprécié les relations qu'il avait eues avec la Comédie-Française, n'était qu'éloges pour l'honnêteté, le sérieux et le désir de bien faire de Sarah. Mais ce fut son énergie — elle donna vingt-huit représentations en trente jours — qu'il jugea réellement remarquable. Tout aussi remarquable fut la venue à Londres des critiques Sarcey, Vitu et Lapommeray. L'année précédente, ils avaient tous trois éreinté Sarah et l'actrice s'imaginait qu'ils l'avaient suivie dans l'espoir de la voir échouer. À son grand soulagement ils la trouvèrent plus séduisante que jamais. Tout cela n'avait été, après tout, que dépit amoureux. « Elle est prodigieuse », télégraphia Sarcey à Paris après la première de Sarah comme comédienne indépendante le 24 mai. « Rien, rien à la Comédie ne nous remplacera jamais ce dernier acte d'*Adrienne Lecouvreur*. Ah ! qu'elle eût mieux fait de rester à la Comédie ! [...] Que voulez-vous, nous y perdons autant qu'elle. [...] Quel dommage ! Quel dommage ! » Une semaine plus tard, Sarcey écrivit, à propos de son triomphe dans *Froufrou* de Meilhac et Halévy :

> Je ne crois pas que jamais, au théâtre, l'émotion ait été plus poignante. Ce sont là, dans l'art dramatique, des minutes exception-nelles où les artistes sont transportés hors d'eux-mêmes, au-dessus d'eux-mêmes [...]. Eh bien, dis-je à Mlle Sarah Bernhardt après la représentation : « Voici une soirée qui vous rouvrira, si vous le voulez, les portes de la Comédie-Française — Ne parlons plus de cela, me dit-elle. N'en parlons plus. » Soit. Mais quel dommage ! Quel dommage [44] !

Pendant le séjour de Sarah à Londres, Edmond Got lui rendit une visite officielle. La Comédie souhaitait la reprendre même si elle persistait dans son désir d'aller d'abord en Amérique. Elle devait comprendre que l'Amérique la détruirait, qu'elle serait trop heureuse alors de retrouver la Comédie-Française qui, dans l'affaire, n'aurait pas la meilleure part. Sarah jugea ces propos intolérables. Sa bourse bien garnie (ses recettes au Gaiety Theatre égalaient presque celles réalisées par le Français un an plus tôt), sa fierté professionnelle restaurée, sa vanité satisfaite, elle refusa. Elle était ravie de se reposer sur des lauriers qu'elle avait cueillis elle-même. De surcroît sa santé était meilleure. « Dormant mieux, je commençais à manger un peu, écrirait-elle dans ses Mémoires. Et grand fut l'étonnement de ma petite cour quand, à mon retour de Londres, ils virent leur idole arrondie et rosée [45]. »

*

Paris n'eut guère le temps de voir Sarah. Après quelques jours consacrés à surveiller la progression des travaux de sa maison, la nouvelle directrice de compagnie partit pour Bruxelles et Copen-hague. Si le succès remporté au cours des quatre représentations données au théâtre de la Monnaie à Bruxelles eut quelque chose de provincial, Copenhague fut pour Sarah une révélation car elle comprit à cette occasion qu'elle était une vedette de dimension internationale. Comme le train entrait en gare, elle se pencha à la fenêtre et entendit un « Hurrah ! si terrible » qu'elle en fut effrayée. Deux mille Danois lui firent une haie de la gare à son hôtel, jetant des fleurs sur son passage, lui envoyant des baisers et lançant leurs chapeaux en l'air aux cris de « Vive Sarah Bernhardt ! » Elle eut peur de ne pouvoir répondre à leur attente mais le soir même, au Théâtre Royal, elle sut se montrer à la hauteur de sa réputation. Ce ne fut pas sans fierté qu'elle put lire dans *Le Figaro* du 16 août que sa représentation d'*Adrienne Lecouvreur* avait connu « un succès immense devant un public magnifique ». Le roi et la reine du Danemark, leur fille Alexandra, princesse de Galles, leur fils, qui venait d'être fait roi de Grèce sous le nom de George Ier, et son épouse la reine Olga, étaient présents et « les reines [avaient] jeté leurs bouquets à l'artiste française au milieu des acclamations. [Ce fut] un triomphe sans précédent[46] ».

Le roi Christian IX lui décerna l'ordre du Mérite, une décoration « très joliment ornée de diamants », et mit à sa disposition le yacht royal pour une visite à Elseneur.

Au retour de ce voyage, Sarah, penchée sur le bastingage, regardait l'eau filer quand, à sa surprise, elle remarqua quelques pétales de rose qui glissaient dans le courant :

> Puis des milliers de pétales. Et, dans le mystérieux déclin du soleil couchant, éclatèrent, comme une fanfare étouffée par des baisers, les chants mélodieux des fils du Nord.
> Je levai les yeux. Devant nous se balançait, poussé par le vent, un joli bateau aux voiles déployées : une vingtaine de jeunes gens jetaient des brassées de roses que le petit flot nous apportait et chantaient les merveilleuses légendes des siècles passés. Et tout cela était pour moi. [...]
> Et dans cette fugitive minute qui m'apportait toute la beauté de la vie, je me sentis tout près de Dieu[47].

Cependant, au cours d'un dîner donné en son honneur, il semble bien que Sarah se soit trouvée placée à côté du diable. Tout se passa sans incident jusqu'au moment où le baron Magnus, ambassadeur de Prusse, porta un toast et dit, d'une voix tonitruante : « Je bois à la France qui nous donne de si grand artistes ! À la France, à la belle France que nous aimons tous ! » Sarah, qui pleurait encore la perte de l'Alsace et de la Lorraine, se dressa, pâle et tremblante. « Soit, dit-elle avec des accents raciniens, buvons à la France, mais à la France tout entière, monsieur le ministre de Prusse ! » Sur ces mots l'orchestre attaqua *La Marseillaise*. La gaffe diplomatique de Sarah ne lui fit aucun tort. Lorsqu'elle quitta Copenhague au milieu des cris enthousiastes de « Vive la France ! », elle sentit que cette ferveur s'adressait autant à son pays qu'à elle-même.

Avant que Sarah ne partît pour l'Amérique, Félix Duquesnel, qui ne lui gardait pas rigueur pour sa défection à l'Odéon, organisa un tour de France qui devait conduire l'actrice dans vingt-cinq villes en vingt-huit jours — un rythme de travail fort éloigné de celui de la Comédie-Française où elle ne jouait qu'une ou deux fois par semaine. Rien n'aurait pu mieux lui convenir. Elle fut ravie à l'idée de ne pas interrompre sa folle activité, de toucher un joli cachet et d'avoir l'occasion de peaufiner *Adrienne Lecouvreur* et *Froufrou* pour New York. Ses amis projetèrent de l'accompagner dans les diverses villes où Duquesnel avait organisé des excursions et des fêtes en son honneur. Dans son désir de lui plaire, il avait également demandé aux dignitaires de chaque ville de lui faire découvrir les monuments et les musées célèbres du lieu. Mais la pensée de visiter des églises lui était odieuse.

> Je n'y peux rien [confia-t-elle]. « Mais entrer dans des salles froides pendant qu'on m'explique quelque absurde et interminable histoire ; me fatiguer à regarder les plafonds ; [...] entendre admirer la restauration de cette aile alors que j'eusse préféré qu'on la laissât s'effriter ; me faire admirer les profondeurs de fossés qui, autrefois, étaient pleins d'eau et sont maintenant secs comme vent du Nord, d'Est... tout cela m'assomme à hurler !
>
> D'abord, je déteste, depuis mon enfance, les maisons, les châteaux, les églises, les tours, enfin tous les édifices dépassant la hauteur d'un moulin. [...] Je ne dis pas de mal des Pyramides mais je préférerais cent fois qu'on ne les eût pas élevées [48].

Sarah, ainsi que nous l'avons vu, avait pour règle de tirer le meilleur de la vie. À présent qu'elle n'était plus sous les ordres de Perrin, elle était libre de ses jugements, de ses décisions et pouvait agir selon ses goûts. Ce qui importait réellement, c'était le répertoire pour la tournée américaine. Ayant un instinct sûr pour ce qui lui convenait, elle choisit des pièces qui mettraient le mieux en valeur son talent : *Phèdre, Adrienne Lecouvreur, Hernani, Froufrou,* et un drame qu'elle n'avait encore jamais joué, *La Dame aux camélias* de Dumas *fils.* Il lui fallait aussi, tâche aisée, éblouir par ses costumes. Styliste remarquable, l'une des premières personnes à s'intéresser aux costumes dits « d'époque » pour le théâtre, elle savait dessiner et coudre, portait ce qui servait le mieux sa beauté et dépensait avec une insouciance princière. Elle fit tisser des soieries spéciales à Lyon, commanda des velours en Italie, des zibelines et des chinchillas en Russie. Ses costumes scintillaient de perles de cristal, d'ornements de nacre et de roses thé en satin brodées à la main. Et elle n'eut aucune hésitation lorsque la robe de bal qu'elle devait porter dans le rôle de Marguerite de *La Dame aux camélias* lui fut facturée dix mille francs !

Malheureusement la troupe que Sarah réunit autour d'elle n'était pas à la hauteur de ses costumes. Elle n'avait guère le choix. En 1880, les Français répugnaient à se rendre en Amérique sauf pour y chercher fortune ou pour échapper à la loi. Ils se divertissaient à la lecture des romans de James Fenimore Cooper mais n'étaient pas assez fous pour désirer connaître de telles aventures. Ainsi Sarah dut se contenter d'un premier rôle nommé Édouard Angelo, bel homme mais comédien sans grand talent, qui partageait sa couche de manière intermittente depuis l'époque de l'Odéon. « Doué d'une force herculéenne » et d'un grand courage, Angelo serait un excellent chien de garde et un amant rassurant si le temps venait à lui peser. Sa sœur, Jeanne, fut recrutée pour les seconds rôles mais, quelques jours avant le départ, elle abusa des drogues et dut être placée dans une maison de santé. En désespoir de cause Sarah demanda à Marie Colombier de la remplacer. La situation était délicate. Dans leur jeunesse Marie s'était considérée comme l'égale de Sarah. À présent Sarah était célèbre et Marie n'était qu'une actrice frustrée, avec une tendance à l'obésité, nerveuse, rancunière et trop intelligente pour son propre bien.

Marie gardera le souvenir de sa « meilleure amie », ainsi qu'elle appelait Sarah, se jetant à son cou et lui demandant de faire ses malles. Pourquoi ? demanda Marie, serais-je sur le point de partir en voyage ?

« En Amérique », répondit Sarah qui lui expliqua, qu'en dépit de leurs stupides querelles, elle était la seule personne capable de lui faire une telle faveur de manière aussi impromptue. Mais qu'en était-il de ses costumes, s'inquiéta Marie. Quand apprendrait-elle ses rôles ? Tout cela pouvait s'arranger, dit Sarah. À son grand soulagement Colombier accepta de partir. Pendant ce temps, les journaux prévoyaient toutes les catastrophes possibles, y compris l'éventualité d'un naufrage, et invitaient Sarah à ne pas oublier l'échec de Rachel aux États-Unis. Tous ces sauvages ne comprenaient pas un mot de français et les éléphants de cirque faisaient certainement mieux leur affaire. Qu'importaient les dollars ? La vraie fortune, c'étaient les applaudissements et l'admiration du seul peuple civilisé au monde, les Français. Sarah, qui se sentait « le besoin d'un autre air, d'un plus grand espace, d'un autre ciel[49] », ignora ces sombres prophéties.

Le 15 octobre 1880, à six heures du matin, enveloppée jusqu'aux oreilles dans un manteau d'hermine, Sarah franchit la passerelle de *L'Amérique*, un paquebot décrépit, mi-vapeur, mi-voilier, qui devait l'amener à New York. Une foule d'amis et d'admirateurs se pressaient sur le quai pour l'acclamer. Clairin, Abbéma, Duquesnel et d'autres membres de sa cour l'accompagnèrent à bord. Elle était triste de quitter ses intimes et encore plus triste de laisser son fils de quinze ans qui se précipitait à terre puis revenait en courant lui faire des adieux déchirants.

Enfin la passerelle fut relevée, des coups de sifflet retentirent, et *L'Amérique*, saluée par des salves de canon, quitta le port et entra dans le chenal. Sarah partait à la conquête du Nouveau Monde.

V

La conquête de l'Amérique

La traversée de l'Atlantique marqua une nouvelle étape dans la carrière artistique de Sarah. Jusqu'alors, en dépit de son originalité, elle avait été le pur produit du Conservatoire et de la Comédie-Française. Dorénavant, actrice et directrice de troupe, elle était libre de créer un théâtre à sa propre image. Il faut dire, à son crédit, que les personnes qui travaillèrent avec elle furent impressionnées par son jugement, sa science de la mise en scène et sa capacité à élucider les passages les plus épineux de *Phèdre* ou de *Froufrou*. Cependant, l'Atlantique Nord et ses tempêtes n'étaient guère propices à l'expression de ses talents de chef de troupe. Elle passa les premiers jours enfermée dans sa cabine, « en effroyable désespérance », devait-elle écrire, « pleurant des larmes lourdes, des larmes qui brûlent la joue. Puis le calme se fit, ma volonté surmonta ma douleur[1] ». Plus prosaïquement elle souffrait du mal de mer et du mal du pays et rien, pas même les tendres soins de Guérard et de Félicie, sa femme de chambre, ne put la convaincre de quitter sa couchette. Finalement le médecin du bord lui prescrivit une promenade vivifiante à l'air libre. Sur le pont elle découvrit Marie Colombier en train de minauder avec le capitaine. À l'idée de se voir ainsi voler la vedette, Sarah eut un sursaut d'orgueil, elle leva les bras au ciel et adressa un hymne au vent et aux flots. Puis, après un regard séducteur au capitaine, elle fixa la taille généreuse de Colombier et déclara qu'il n'y avait rien de tel que la minceur pour prévenir le mal de mer. À cet instant le navire, aussi malicieux que Sarah, bondit sur une vague gigantesque, hésita un instant et, avec une vibration, plongea en avant. Personne ne vit plus Sarah de la journée, mais lorsqu'elle fut sur pied, il n'y eut plus moyen de l'arrêter. Elle répéta ses scènes avec Angelo, organisa des répétitions pour la compagnie, consulta son impresario, passa des heures à étudier ses rôles, et s'efforça de rassurer Marie qui, non sans raisons, s'inquiétait de ne pas avoir de contrat écrit.

Les impressions de voyage de Sarah, telles qu'elle les rapporte dans ses mémoires, ont le pittoresque d'une suite de gravures de Gustave Doré : *L'Amérique* ballottée dans une tempête épique, *L'Amérique* vaisseau fantôme couvert de neige tandis qu'une silhouette vêtue d'hermine — il s'agit bien sûr de Sarah — contemple, émerveillée et extatique, la mer, Sarah assistant à la naissance de l'enfant d'un couple d'immigrants, la présence d'une bande de coupe-jarrets prêts à assassiner les passagers de première classe.

La rencontre de Sarah et d'une femme vêtue de noir, qu'elle empêcha de tomber au bas d'un escalier lorsque le navire fit une soudaine embardée, est plus émouvante.

« Vous auriez pu vous tuer », dit Sarah.

« Oui, fit l'inconnue dans un soupir, Dieu ne l'a pas voulu. » Puis, jetant un regard à celle qui l'avait sauvée, elle lui demanda son nom. Sarah Bernhardt s'étant présentée, « Je suis Mary Todd Lincoln », dit la femme.

« Et une grande douleur s'empara de tout mon être, raconte Sarah, car je venais de rendre à cette malheureuse femme le seul service qu'il ne fallait pas lui rendre : la sauver de la mort. Son mari, le président Lincoln, avait été assassiné par le comédien [John Wilkes] Booth, et c'était une comédienne qui l'empêchait de rejoindre le cher mort[2]. »

Pendant les onze jours de la traversée, Sarah et son impresario furent inséparables. « Le terrible M. Jarrett », comme elle l'appelait, était un homme froid, obstiné et d'une dureté implacable. Ses récits étaient autant d'illustrations de son caractère. Un jour Sarah l'interrogea sur la cicatrice qui barrait sa joue droite. C'était la conséquence, expliqua-t-il, d'une violente altercation avec un autre impresario à propos d'un contrat pour la cantatrice Jenny Lind.

« Regardez bien cet œil, Monsieur », avait-il dit à son rival. « Il lit dans votre pensée tout ce que vous ne dites pas ! »

« Il lit mal ! rétorqua son adversaire, car il n'a pas prévu cela ! » Et il tira un coup de revolver en direction de Jarrett.

« Monsieur, répliqua Jarrett, c'est ainsi qu'il fallait tirer pour le fermer à tout jamais ! » Et il logea une balle entre les deux yeux de l'homme, qui tomba raide mort[3].

Sarah, faut-il le préciser, était captivée par les histoires invraisemblables de Jarrett. Elle devait toujours parler de lui comme d'un homme « honnête et probe », rare compliment de la part d'un artiste pour son impresario. Agent brillant, fervent admirateur de Sarah, Jarrett organisa des centaines de représentations, consentit des cachets fabuleux et veilla à ce que sa protégée, ô

combien précieuse, jouît des meilleures conditions de confort.
Tel était l'homme qui présenta Sarah Bernhardt à l'Amérique.
Plusieurs mois à l'avance il avait alimenté la presse de récits
extravagants sur les succès remportés par l'actrice et sur ses
excentricités. Aussi, lorsque *L'Amérique* jeta l'ancre dans le port
de New York, une foule de journalistes et d'officiels français
montèrent à bord pour accueillir la Bernhardt dans le grand
salon. Leur première impression ne correspondit guère à l'image
qu'on leur avait faite d'elle. Au lieu de la femme fatale dévoreuse
d'hommes venue de la cité de la mode et du vice, ils virent
apparaître une jeune personne extrêmement pâle, toute grâce et
distinction, qui écouta le discours de bienvenue du consul de
France avec une modestie exemplaire, adopta une attitude de
recueillement respectueux lorsque éclatèrent les accents de *La
Marseillaise* et qui, avec un sourire d'esthète, enfouit son visage
dans les fleurs qu'on lui offrait. Une file interminable d'amateurs
enthousiastes se bouscula alors pour lui serrer la main. Fatiguée
de ces « shake-hands », ainsi qu'elle les nommait, qui meurtris-
saient ses doigts chargés de bagues, incapable de s'exprimer en
anglais, elle crut devenir folle en s'entendant répéter « Combien
je suis charmée » et, finalement, ses nerfs lâchèrent.

   « Je sentis que j'allais me fâcher ou pleurer, devait-elle raconter. Je pris le parti de m'évanouir. Je fis le geste de la main qui
voudrait mais ne peut... J'ouvris la bouche... je fermai les yeux...
et me laissai choir tout doucement dans les bras de Jarrett[4]. »
Experte dans les scènes d'agonie, Sarah s'étendit sur un sofa et
écouta les propos affolés qui s'échangeaient autour d'elle jusqu'au moment où un médecin apparut et ordonna aux visiteurs
de quitter la pièce. Dès qu'ils se furent éloignés elle se leva d'un
bond et, prenant Jarrett dans ses bras, l'entraîna dans une valse.
Mais sa joie se changea en désespoir lorsqu'il lui apprit qu'il
avait invité tous les reporters à venir à son hôtel plus tard dans
la journée.

   L'attitude de Sarah, habituellement si friande de publicité,
peut sembler étonnante mais elle est compréhensible lorsque
l'on se souvient que les Européens n'avaient pas encore adopté
l'habitude américaine de s'attaquer en masse aux célébrités. Si
Sarah était bouleversée à l'idée de rencontrer les journalistes,
elle fut terrifiée lorsqu'elle vit la foule bruyante qui l'attendait
sur la jetée. Il n'y avait pas là d'Anglais poètes les bras chargés
de lis, ni de Danois prêts à s'écarter respectueusement sur le
passage d'une idole de la scène. Cette foule campait sur ses
positions, écarquillant les yeux et grimaçant comme s'il s'était
agi de la grande parade d'un cirque. Il fallut tous les efforts de
Jarrett, de son associé, Henry Abbey — à qui Sarah donnait du
« Monsieur l'Abbé » —, et d'un imposant détective de la Pinker-

ton pour ouvrir la voie à leur fragile protégée. Une voiture fermée les conduisit à l'Albermarle, un hôtel luxueux sur la Cinquième Avenue.

L'appartement réservé par Abbey plut à Sarah. Monsieur Knœdler, le marchand d'art, avait envoyé des bustes de Molière, de Racine et de Victor Hugo pour que l'actrice se sentît chez elle. Le salon était une copie de son salon à Paris, avec des peaux d'ours, des ottomanes, des palmiers en pots et un divan couvert de coussins de satin que surmontait une tapisserie persane. Une seule chose lui fut désagréable : une cinquantaine de reporters y faisaient les cent pas en attendant de pouvoir la questionner. Dès qu'elle les vit elle courut s'enfermer dans une chambre attenante, poussa un meuble contre la porte, s'étendit sur un tapis et s'endormit, sourde aux coups frappés contre la porte et aux exhortations furieuses de Jarrett. Son geste de défiance était plus digne de faire les manchettes des journaux que les questions auxquelles elle répondit lorsqu'elle daigna enfin apparaître. Quelle était la pointure de ses chaussures ? Quel tour de taille faisait-elle ? Que prenait-elle au petit déjeuner ? Était-il vrai qu'elle nourrissait son lionceau de cailles vivantes ? Aimait-elle New York ? Combien valaient ses bijoux et ses robes ? Pendant tout ce temps un jeune homme, à l'écart, dessinait. Un artiste, songea Sarah qui demanda à voir son œuvre.

« Il me remit sans honte, se souvint-elle, son horrible dessin : un squelette coiffé d'une perruque frisée. Je déchirai le dessin et le lui jetai au nez. Et, le lendemain, cette horreur paraissait dans les journaux, soulignée d'une rubrique désagréable[5]. » Pendant son séjour aux États-Unis Sarah fit la joie des caricaturistes qui la représentèrent de mille façons, virago mince comme un fil chassant à coups de pied un reporter, squelette que l'on maquille et que l'on costume pour la scène, canne surmontée d'une éponge, boa constrictor efflanqué, ou corde se tordant sous l'emprise de la passion. Jarrett et Abbey — qui étaient d'ardents partisans de la publicité — saisirent le train en marche et firent circuler des récits fracassants, imaginaires ou non, illustrant les caprices ou les extravagances de Sarah. Leur campagne de publicité, tapageuse et vulgaire, fut la première consacrée à créer, rendre populaire et lancer une vedette du spectacle. Sarah réagit avec philosophie : « Rien ne tue, que la mort ! » Tout comme Oscar Wilde, elle pensait qu' « il n'est qu'une chose pire que le fait que l'on parle de vous, c'est que l'on *ne* parle *pas* de vous ».

Deux jours plus tard, Sarah se rendit au Booth Theatre, à l'angle de la Vingt-Troisième Rue et de la Sixième Avenue, où devaient avoir lieu les représentations. Les acteurs prennent toujours un plaisir particulier à franchir la porte des artistes, leur porte, et à découvrir la salle vide, plongée dans l'obscurité et le silence. Sarah ne put jouir de ce plaisir ; à sa stupéfaction elle découvrit, fouillant les quarante-deux malles de costumes et de robes qu'elle avait apportées, une horde d'inspecteurs des douanes aux mains douteuses et le cigare vissé entre les dents. Il y avait également deux odieuses couturières chargées d'estimer la valeur de chaque parure. « Combien avez-vous payé cela, Madame ? » demanda l'une d'elles, en brandissant la robe toute brodée de perles de *La Dame aux camélias*.

« Je grinçais des dents et ne voulais pas répondre, racontera l'actrice. Il était cinq heures et demie. Le froid gelait mes pieds. J'étais morte de fatigue et de rage contenue. On remit au lendemain la suite de l'expertise. La vilaine bande s'offrit à tout remettre dans les malles, mais je m'y opposai. » Sarah préféra envoyer acheter cinq cents mètres de tarlatane bleue pour recouvrir la montagne de vêtements qui jonchaient la scène et confia au mari de Félicie, armé d'un revolver, le soin de veiller à ce que rien ne fût volé. Puis, ayant besoin d'un délassement, elle alla admirer « le chef-d'œuvre du génie américain », le Brooklyn Bridge, encore en construction. Si elle se sentait outragée par les employés des douanes à qui elle devrait finalement payer d'énormes droits, elle fut séduite par le nouvel édifice : « C'est fou ! c'est admirable ! grandiose ! enorgueillissant ! Oui, on est fier d'être un être humain [6]... »

La confiance de Sarah en l'esprit humain fut quelque peu ébranlée lorsqu'elle vit Clara Morris, l'actrice favorite de New York, dans *Alix*, une adaptation édulcorée d'une pièce française légèrement osée, *La Comtesse de Sommerive* de Théodore Barrière. Abbey avait fait annoncer dans la presse que Sarah tenait à applaudir sa consœur américaine avant de paraître elle-même sur une scène new-yorkaise. Naturellement le théâtre était comble.

La description que fit Marie Colombier de la soirée montre qu'elle n'était pas plus tendre pour les autres actrices que pour Sarah :

> Dès huit heures, salle archicomble.
> À neuf heures, pour le second acte, entrée de Sarah.
> Un silence se fait dans les couloirs.
> En grande toilette, Sarah paraît appuyée au bras du représentant et interprète d'Abbey.
> L'orchestre attaque les premières mesures de *La Marseillaise*, tandis que Sarah et son guide pénètrent dans l'avant-scène de gauche, drapée, pour la circonstance, d'une tenture en calicot tricolore.
> [...] Les applaudissements éclatent. Doña Sol fait au public un salut de princesse, et un autre non moins digne de mon côté. Puis, d'un geste brusque, elle se laisse tomber sur le siège qui l'attend.
> La toile se lève. Clara Morris paraît.[...] Imaginez une femme

qui rendrait des points à Sarah pour la maigreur, anguleuse, n'ayant plus d'âge, et qui n'a jamais dû avoir de beauté. De la jeunesse peut-être, mais il y a longtemps. Sa bouche est un trou noir. Ses dents semblent des clous de girofle dans de la cire à cacheter. Et on prétend que l'Amérique est la patrie des dentistes ![...]

Clara Morris paraît très émue. Elle s'appuie contre un portant et salue le public, puis, se tournant vers l'avant-scène de Sarah, elle lui envoie un baiser. Échange de bons procédés.

Nouvelle explosion de bravos et de *hurrahs*. Mais Sarah ne veut pas demeurer en reste. Elle arrache de son corsage la touffe de roses blanches qui fait bouquet, et lance les fleurs aux pieds de l'artiste américaine.

Cris et bravos, cette fois, s'adressèrent par part égale aux deux artistes.[...]

Je n'affirmerais pas, par exemple, que Sarah ne riait pas un peu sous cape.[...]

Une fois seule, le vieux maître Jarrett a dû décerner à l'élève Sarah un bon point qu'elle a bien mérité[7].

Le 8 novembre 1880, Bernhardt fit ses débuts au Booth's Temple of Dramatic Art dans *Adrienne Lecouvreur*, drame écrit à l'origine pour Rachel par Ernest Legouvé et Eugène Scribe. L'une des pièces les plus populaires de l'époque, *Adrienne Lecouvreur*, conte l'histoire des amours tragiques de l'illustre actrice du XVIIIe siècle et de son volage amant, Maurice de Saxe. Œuvre pour une virtuose du théâtre, elle commence sur une note frivole et comporte des textes récités de La Fontaine et de Racine, ainsi qu'une confrontation orageuse entre Adrienne et sa rivale, la princesse de Bouillon. Elle s'achève par une scène d'une extrême intensité qui mêle trahison et mort par empoisonnement. L'action riche en rebondissements se déroule dans un décor Louis XV raffiné qui, dans la mise en scène de Sarah Bernhardt, était un spectacle en soi ; c'était là une excellente chose car le public, dans sa majorité, ne comprenait pas le français et appréciait ce divertissement visuel lorsqu'il quittait le texte des yeux.

La soirée devait réserver à Sarah quelques surprises. Pour commencer, cette pièce que les écoliers parisiens allaient voir pour parfaire leur éducation fut interdite à la jeunesse américaine car le récit de la liaison d'une actrice célibataire avec un aristocrate aux mœurs dissolues fut jugé immoral pour des oreilles innocentes. Puis quelqu'un vint dans les coulisses dire à Sarah qu'un spectateur furieux exigeait d'être remboursé parce qu'elle ne paraissait pas au premier acte. Ce qui l'amusa le plus ce furent, accompagnement délicieusement anachronique, les airs de cancan d'Offenbach et les solos de xylophone que l'orchestre joua entre les actes. Non, décidément, le « Temple de l'Art Dramatique » de Booth n'était pas la Comédie-Française. Cepen-

1. Sarah, à seize ans, lors de son entrée au Conservatoire.

2

3

4

5

6

2. Rosine, tante de Sarah
et sœur de Youle.

3. Youle (à gauche) avec ses filles,
Sarah (au centre) et Jeanne.

4. Youle (à gauche) et Sarah.

5. Sarah, à vingt-huit ans,
avec Maurice, à huit ans.

6. Sarah, à trente-cinq ans,
avec Maurice, à quinze ans.

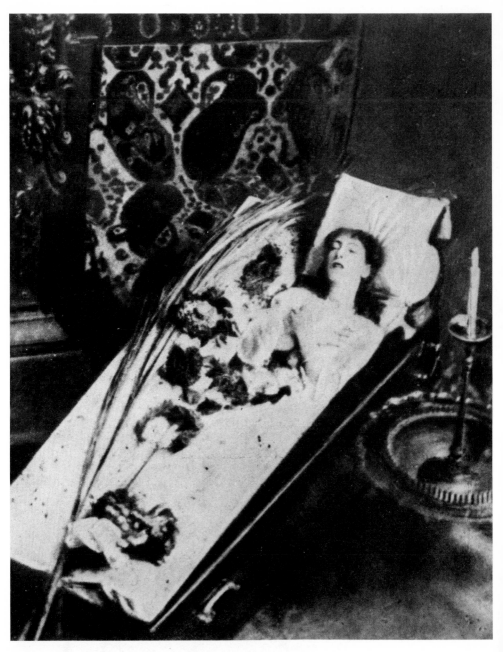

7. Elle joue la morte. Les photographies de Sarah dormant dans un cercueil se vendirent énormément et lui apportèrent une immense notoriété.

8. Mounet-Sully,
partenaire de Sarah,
et le plus exigeant
de ses amants.

9. Gustave Doré,
peintre, sculpteur et graveur,
était le professeur de
sculpture de Sarah —
et son amant.

10

11

12

13

10. Sarah en tournée en Amérique dans un luxueux train privé
connu sous le nom de « Sarah Bernhardt Special ».

11. Dessin de Nevil représentant Sarah interviewée par la presse à son arrivée à New York.

12. Sarah (assise, quatrième à partir de la droite) avec sa troupe, aux chutes du Niagara.

13. Sarah joua devant 5 000 personnes au Convention Hall de Kansas City, Missouri.

14. Dans *Le Passant* de François Coppée (1869), le premier de ses triomphes.

15, 16. Dans son plus grand rôle
romantique, *La Dame aux Camélias*
de Dumas fils (1880).

17. Elle interprète la reine d'Espagne,
Doña Maria de Neuborg,
dans *Ruy Blas* de Victor Hugo.

18. Mounet-Sully
dans le rôle titre de *Hernani*.

19. L'un des plus spectaculaires succès de Sarah Bernhardt :
l'impératrice de Byzance dans *Théodora* de Sardou.

20. Dans *Jeanne d'Arc* de Jules Barbier.

21. Un des rôles les plus controversés de Sarah : Hamlet.

22. Dans *Antoine et Cléopâtre* de Shakespeare.

23. Lady Macbeth dans sa robe de « chardons d'Ecosse ».

24, 25. *Phèdre*.

26. *L'Aiglon.*

27. Portrait de Sarah par George Clairin dans *Ruy Blas* de Victor Hugo.

28

29

28. Portrait de Sarah par Louise Abbéma.

29. Sarah Bernhardt par Philippe Parrot (1875).

30. *La jeune Sarah Bernhardt* par Gustave Doré.

30

31. Dans sa loge, Sarah se prépare pour le rôle d'Izéïl.

32. Portrait de Sarah par Alfred Steven dans le rôle de Fédora (1882).

33. Pendant la Première Guerre mondiale, peu de temps après l'amputation de sa jambe, Sarah divertit les troupes françaises sur le front (1915).

34. Sarah dans l'un de ses derniers films :
Jeanne Doré de Tristan Bernard.

35. Sarah avec ses arrière-petits-enfants, Terka (à gauche) et Bernard Gross, à Nice en 1916.

36. Le cortège funèbre de Sarah s'arrête devant le théâtre qui porte son nom. Ses obsèques furent suivies dans la rue par une foule estimée entre 600 000 et un million de personnes.

dant la soirée apporta son lot de satisfactions. Sarah fut comblée par les vingt-sept rappels du public, les gigantesques corbeilles de fleurs que les ouvreuses transportaient le long des allées et la couronne avec un message en lettres d'or : « À notre Sarah, de la part des artistes et sculpteurs de Paris. » Et, bien sûr, elle fut bouleversée par la foule des admirateurs qui l'attendaient dans le froid glacial pour l'applaudir et lui crier : « Good night, Sarah ! »

L'enthousiasme de New York ne s'arrêta pas là. À l'Albermarle Hotel des centaines de personnes s'assemblèrent sous son balcon brillamment illuminé par un puissant fáisceau électrique. Une fanfare joua *La Marseillaise* lorsqu'elle sortit pour envoyer des baisers à la foule massée à ses pieds. À la réception qui suivit un Américain l'assura que l'Empereur du Brésil n'avait pas provoqué un tel émoi. Oui, dit un autre, mais ce n'était qu'un empereur. Si Sarah avait besoin d'autres louanges, et tel était toujours le cas, les critiques se chargèrent de les lui apporter. Le *New York Times* jugea son interprétation d'Adrienne « plus belle et plus naturelle que celle de Rachel ». Un autre journal observa que ces mêmes situations que Clara Morris « arroserait de longs sanglots ou réduirait en charpie à force de véhémence, Sarah Bernhardt les illumine d'un simple geste, d'une légère inflexion, d'un regard ». Mais ce fut William Winter du *New York Herald* qui trouva les termes les plus flatteurs lorsqu'il parla de son aisance pleine de fougue qui « libérait l'âme de l'humanité et rachetait la vulgarité du monde des mortels ».

Sarah ne se reposa pas sur ses lauriers. Pendant son séjour à New York elle donna vingt-sept représentations à raison d'une par jour et, ce qui est encore plus impressionnant, elle joua sept rôles différents — qui exigeaient tous une grande présence sur scène — dont deux entièrement nouveaux pour elle. C'est là un exploit que peu de comédiens oseraient tenter aujourd'hui. Ses efforts furent largement récompensés. Après ses débuts, les places à trois dollars se vendirent quinze dollars et les abonnements à soixante dollars passèrent à cent vingt. Jarrett et Abbey s'empressèrent d'exploiter ce succès. À leur demande Sarah toucha des droits pour promouvoir confiseries, parfums, gants, robes, bigoudis et même cigares. Dans la presse les pages féminines étaient pleines de dessins de ses toilettes, de l'histoire de sa vie, de descriptions de sa demeure et de ses réflexions sur toutes sortes de sujets depuis le maquillage jusqu'à Molière.

Un tel triomphe suscite souvent des réactions plus ou moins spirituelles ainsi que le prouvent les chansonnettes inspirées par Sarah. L'une d'elles tournait son extravagante garde-robe en dérision :

> *Imaginez la robe de la donzelle*
> *« Faite spécialement », pas moins,*
> *Satin brodé, festons et foison de dentelles*
> *On dit que chaque toilette*
> *Qu'elle porte par la cité*
> *Coûterait la recette*
> *D'un marchand de nouveautés.*

Une autre évoquait ses gains fabuleux :

> *Quand, à ce pays, je dirai « Adieu »*
> *Je sais que j'aurai plus d'une larme ;*
> *Mais j'emporterai bien des dollars,*
> *Des souvenirs le plus précieux.*

De tels couplets étaient aimables facéties comparés aux prêches enflammés d'un certain Dr. Crosby. Sarah Bernhardt, écrivait-il, est une prostituée venue pervertir les mœurs des citoyens américains. Un journal religieux, *The Methodist*, lança une nouvelle attaque lorsqu'il critiqua les Anglais pour avoir ouvert leurs portes à l'actrice pécheresse, la courtisane corrompue qui exhibait son fils illégitime. Quant à son répertoire, ce n'étaient que pièces condamnables, étrangères et pernicieuses. La bonne société, elle-même, prenait soin d'ostraciser l'artiste. James Stebbins, homme riche et respecté dans la ville, illustre parfaitement cette attitude. Ce gentleman — mais mérite-t-il seulement ce nom ? -- avait remué ciel et terre pour rencontré Sarah à Paris et, quand il était enfin parvenu à ses fins, il l'avait couverte de cadeaux fastueux et de propos flatteurs. Mais il refusa de la voir à New York car, dit-il, ce n'était pas Paris. Sarah ne put qu'acquiescer avec un sourire contraint. James Gordon Bennett, le propriétaire du *New York Herald*, fit preuve d'une insensibilité comparable lorsqu'il offrit, au Delmonico's, un dîner en l'honneur de Sarah et invita ses amis à venir sans leur épouse.

Un tel comportement semblait barbare à une femme qui comptait parmi ses amis Victor Hugo, Flaubert, Doré et le prince de Galles. Pour tenter de corriger cette impression, Jarrett organisa une exposition des œuvres d'art de Sarah dans les salons du très fermé Union Club. Une fois encore les femmes ne furent pas autorisées à venir et l'anthropologue qui sommeillait en Sarah s'interrogea sur les coutumes tribales de ces mâles convenables, en chemise empesée, qui jugeaient dangereux de présenter leur compagne à une actrice française.

Si les *grandes dames* * de New York évitaient Sarah comme une paria, elles s'empressèrent d'aller la voir pécher et souffrir dans le rôle de Marguerite de *La Dame aux camélias*. *Camille*, ainsi qu'elles la nommaient, ne leur était pas un personnage inconnu.

Elles avaient vu *Heart's Ease*, une adaptation édulcorée de la pièce de Dumas dans laquelle Marguerite était une coquette inoffensive et Armand un jeune homme convenable, quoiqu'un peu libertin, qui l'abandonnait si grossièrement qu'elle tombait malade et mourait. La représentation donnée par Sarah n'était pas seulement la première de la pièce originale de Dumas à New York, c'était aussi la première fois que Sarah jouait le rôle. Et quel rôle, quelles richesses dramatiques dans cette fable des amours, du sacrifice et de la mort d'une femme capricieuse! Henry James a merveilleusement décrit ce drame :

> *Camille* demeure une œuvre étonnante. La pièce a été donnée dans le monde à un rythme effrayant. Mais l'histoire n'a jamais perdu sa fougueuse jeunesse, son charme que rien ne saurait rendre vulgaire. Ce n'est que champagne et larmes – perversité, crédulité, passion, souffrance dans toute leur fraîcheur... [Elle occupe] une place éminente parmi les histoires d'amour du monde.

Ce sont là des compliments rares de la part d'un homme qui n'admirait pas Dumas *fils*. Cependant la pièce est plus que champagne et larmes, perversité et passion. Le personnage de Marguerite constitue un rôle idéal pour ces rares divas capables de jouer sur nos nerfs, d'éveiller nos sens, de troubler nos facultés critiques, et de nous laisser écrasés sous le poids de nos émotions. Dire que Sarah fit un triomphe dans le rôle de Marguerite serait rester en deçà de la vérité. Elle *fut* Marguerite et pendant trente ans aucune actrice, quoi qu'elle fît, ne put rivaliser avec elle. Ainsi que devait l'écrire Sarcey, seule une femme du monde, née et élevée à Paris, experte dans l'art de transformer la prose en poésie, pouvait mêler ainsi retenue, folle gaieté et désir tragique d'amour au cynisme et à l'insouciante insolence propres à la vie de courtisane.

Pour clore sa saison new-yorkaise, Sarah donna une matinée de gala de *La Dame aux camélias*. Elle était alors devenue « la femme la plus populaire de la ville », une réalité qui se révéla brutalement à elle lorsque, arrivée à l'entrée des artistes, elle découvrit des centaines d'adorateurs l'attendant pour lui faire leurs adieux. L'émotion qu'elle ressentit cessa quand elle comprit que ses admirateurs n'avaient nulle intention de la laisser passer. Ils se battaient pour l'approcher, lui serrer la main, toucher ses fourrures, lui dire qu'ils l'aimaient et espéraient la voir revenir. Une femme manqua la renverser dans son désir d'agrafer une broche à son manteau; une autre coupa une plume de son chapeau. Puis quelqu'un eut l'idée, nouvelle pour Sarah, de lui demander un autographe. Le geste fit des émules et bientôt une bande de « très jeunes gens » jouèrent des coudes, tendirent leurs bras sous le nez de Sarah et lui demandèrent d'écrire son nom sur leur manchette de chemise. L'adulation — ou quelque nom que l'on donne à ce qui pousse les gens à harceler les célébrités — tourna à l'hystérie. Sarah pleurait d'impuissance quand la police arriva pour écarter la foule et conduire l'actrice, « sans courtoisie », jusqu'au théâtre. Une demi-heure plus tard elle était en scène, vision éblouissante dans son costume de Dame aux camélias. Assez curieusement les premiers mots de Marguerite sont une réponse à un admirateur, Varville, qui lui demande : « Est-ce ma faute, si je vous aime ! » « Mon cher, lui dit-elle, s'il fallait écouter tous ceux qui m'aiment, je n'aurais pas seulement le temps de dîner[8] », réplique que Sarah a fort bien pu prononcer avec une emphase particulière après l'épreuve qu'elle venait de vivre aux abords du théâtre.

Après une représentation pleine de panache et de nombreux rappels, Sarah se sentit « morte de fatigue ». Mais Jarrett vint lui dire que des milliers de curieux l'attendaient derrière le théâtre dans l'espoir de la voir. Dans ce cas, dit-elle, elle s'enfermerait dans sa loge et en jetterait la clef. Henry Abbey, plus imaginatif que Jarrett lorsqu'il s'agissait de publicité, suggéra une solution moins dramatique. Jeanne, la sœur de Sarah, qui était souffrante lorsque la troupe avait quitté Paris, venait d'arriver à New York. Pourquoi ne pas tirer parti de la ressemblance familiale et lui demander de saluer la foule rassemblée à la sortie des artistes tandis que Sarah s'enfuirait discrètement par l'entrée principale ? En fin d'après-midi Jeanne, échevelée mais heureuse, arriva à l'Albermarle. Cachée derrière des voiles, des boas et des bouquets de fleurs, elle s'était follement amusée à incarner sa célèbre sœur. Ce fut là peut-être le plus beau rôle de sa carrière.

Le même soir, Jarrett, toujours sensible aux grands titres des journaux, conduisit Sarah chez Thomas Alva Edison à Menlo Park, dans le New Jersey. La rencontre fut des plus surréalistes. Sarah était aussi ignorante en matière de télégraphie duplex et de microtéléphone qu'Edison l'était en ce qui concernait La Fontaine ou Racine. Pour elle Edison était un magicien, un Cagliostro yankee. Pour lui, si la rougeur qui envahit son visage avait le moindre sens, l'actrice était un personnage de conte de fées émergeant de la nuit enneigée, vêtue de soie et chaussée de satin. La visite commença de manière quelque peu guindée, le « roi de la lumière » se montrant réservé et l'actrice se demandant comment rompre la glace.

« Son merveilleux œil bleu, plus lumineux que ses lampes incandescentes, me permettait de lire toutes ses pensées. Alors, je compris qu'il fallait le conquérir ; et mon esprit combatif fit appel à toutes mes forces séductrices pour vaincre ce délicieux et timide savant[9]. » Edison, « vaincu », prit Sarah par le bras et lui fit visiter son laboratoire. C'était un lieu étonnant : des fourneaux rougeoyaient, d'immenses roues tournaient en grinçant, tandis que « la lumière éclatait de toutes parts » en jets crépitants et verdâtres, pareils à des traînées serpentines de feu. Edison, aussi habile organisateur de spectacles que Sarah elle-même, garda le meilleur pour la fin. Sans un mot d'explication il se plaça devant sa dernière invention, le phonographe, et chanta « John Brown's Body ». Quelques instants plus tard sa voix se faisait à nouveau entendre comme un écho magique. Sarah mourait d'impatience d'essayer à son tour. Et ainsi, à des miles de tout endroit connu, l'actrice réalisa son premier enregistrement, quelques vers de *Phèdre*. Pour clore cette rencontre historique, Edison, toute timidité vaincue, interpréta « Yankee Doodle Dandy » en s'accompagnant de claquettes. Sur le chemin du retour, Sarah riait aux larmes en pensant au tête-à-tête qui avait réuni l'incestueuse héroïne de Racine et le puritain « Yankee Doodle » dans les solitudes glacées du New Jersey. Le lendemain la troupe partait pour Boston non sans avoir lu les manchettes des journaux qui proclamaient : « L'homme le plus célèbre des États-Unis rencontre la femme la plus célèbre de France. »

Sarah fut heureuse de se trouver à Boston après les semaines agitées passées à New York. Elle n'était pas seule à réagir ainsi. De nombreux visiteurs étrangers voyaient en New York la cité de l'orgueil, de la rapacité et du philistinisme américains, et jugeaient que ses habitants se montraient soupçonneux à l'égard des Européens, qu'ils étaient incultes et obsédés par l'argent, le pouvoir et la réussite sociale. Boston avait, à leurs yeux, des valeurs plus élevées. Ainsi que Mark Twain le disait, « À New York, on demande de quelqu'un : " Combien vaut-il ? ", à Boston, " Que sait-il ? " ».

Boston découvrit que Sarah « savait » beaucoup de choses — plus peut-être que toute autre actrice qui s'était produite dans cette ville — lorsqu'elle entama son contrat de deux semaines avec *Hernani*. Les critiques furent émerveillés et n'hésitèrent pas à parler, à propos de son interprétation, de « perfection qui défiait l'analyse ». Sarah fut ravie, mais en fait tout à Boston l'enchantait. Il y avait tout d'abord — chose inestimable pour des artistes en tournée — le confort de sa suite à l'hôtel Vendôme, décorée d'œuvres d'art, de porcelaines rares et de tapis envoyés par d'accueillants *Brahmines* [10] qui laissaient leurs cartes de visite accompagnées d'invitations. La générosité et les manières distinguées n'étaient pas leurs seules qualités. Leur culture et leur amour du beau leur faisaient voir en Sarah non une personnalité à scandales mais une spécialiste exceptionnelle dans son domaine. Sarah, quant à elle, était fascinée par ce qu'elle appelait « la race bostonienne », en particulier par la communauté sororale de ces

femmes restées filles qui, pensait-elle, savaient tout, comprenaient tout, étaient indépendantes, chastes et merveilleusement
réservées, comparées aux mégères de New York. Et il lui sembla même qu'elles parlaient toutes français ! L'admiration de
Sarah lui fut rendue au centuple. Au cours des années suivantes
les femmes cultivées de Boston devaient se précipiter à chacune
des représentations qu'elle donnerait. Et il suffisait d'un sourire
de la divine Sarah pour que, servantes de Terpsichore, elles
fussent ravies d'exaucer ses moindres désirs. Colombier, pour sa
part, ne voyait dans ces adoratrices qu'un exemple pitoyable de
la gent féminine, des êtres frustrés, pédants et dépourvus de
toute féminité. Cependant Marie elle-même devait reconnaître
qu'elles étaient pour une large part à l'origine de l'attitude
tolérante de Boston à l'égard de Sarah.

Certaines femmes ne succombèrent pas aux charmes de
Sarah. L'un des exemples les plus significatifs est celui de Lillie
Moulton qui avait vécu un temps à Paris sous le Second
Empire. Chanteuse amateur exceptionnellement douée, elle
avait attiré l'attention de Napoléon III alors qu'elle patinait au
bois de Boulogne ; à partir de ce moment elle avait « fréquenté
tout le monde » et su, chose rare pour une Américaine, conquérir l'estime des aristocrates européens. Sa correspondance renferme des descriptions alertes de l'empereur, de la vie à la cour
et des réceptions à Compiègne.

Pour Mrs. Moulton, Sarah n'était qu'une des nombreuses
célébrités rencontrées au cours d'une vie très mondaine. Un soir
de mai à Paris, Lillie amena sa jeune fille, Nina, voir Sarah
jouer. Mrs. Bradley, une douairière de Boston, et son fils
George, jeune « gentleman » aux manières irréprochables, les
accompagnèrent. Pendant le deuxième acte Mrs. Moulton plaça
Nina au-devant de la loge afin qu'elle pût apprécier le spectacle.

> Voyez comme la vertu est récompensée ! [écrivit Mrs. Moul-
> ton dans sa correspondance]. Une *ouvreuse** entra et demanda à
> *parler à Monsieur**. Imaginez les sentiments du chaste George
> quand on lui dit que la célèbre Sarah souhaitait lui parler et, de
> surcroît, désirait qu'il vînt par les coulisses jusqu'à sa loge. Quelle
> situation ! Ses cheveux roux s'embrasèrent jusqu'à la racine, et
> son visage s'empourpra comme un coucher de soleil. Cependant,
> on est homme ou on ne l'est pas. Il prouva qu'il était capable
> d'affronter le danger quand l'heure en était venue. Tremblant à la
> pensée de Boston, à la perception vertueuse que la ville aurait de
> cela, il imagina les froncements de sourcils puritains de sa famille
> ô combien distinguée quand la nouvelle se répandrait par la cité,
> et il lui revint à l'esprit une certaine scène de la Bible. Il donna
> une dernière torsion fascinante à sa moustache couleur citron et,

se fredonnant à lui-même « Voici le héros conquérant qui s'avance », il ceignit son épée et partit — toutes couleurs au vent.

Sarah ne réservait, ainsi qu'il apparut par la suite, aucun dessein sinistre à l'intrépide jeune Bostonien. Elle voulait simplement savoir si Mrs. Moulton l'autoriserait à faire le buste de sa fille. Non seulement l'idée tenta Mrs. Moulton, mais elle en fut ravie. Quelques jours plus tard elle décrivit les séances de pose dans une lettre adressée à sa mère :

> C'était un enchantement de voir l'artiste à l'œuvre. Elle était habillée comme un homme ; elle portait une veste et un pantalon blancs, et un *foulard* * blanc noué artistiquement sur la tête. [...] Elle fuma des cigarettes tout le temps pendant lequel elle travailla. [...] Pour que l'enfant fût sage, elle répétait parfois ses rôles de sa voix que l'on dit d'or, parce qu'elle se transforme en or pour elle, je suppose ; mais c'était quand Sarah lui parlait de l'album qu'elle faisait pour elle que l'enfant se tenait vraiment tranquille. Tous les artistes qu'elle connaissait y apportaient leur contribution et, quand il serait terminé, Nina pourrait l'avoir. Meissonier, par exemple, peignait une scène de la Guerre de 1870. Gounod écrivait un morceau de musique dédié au *charmant modèle* *, et ainsi de suite.
> À chaque séance Nina demandait : « *Et mon album ?* » Mais jamais on ne le vit. Il n'existait que dans l'esprit fertile de Madame Bernhardt et n'avait d'autre objet que de faire tenir le modèle tranquille. Il paraissait cruel de tromper cette enfant. Jusqu'au dernier moment, quand une fois encore Nina demanda, « Aurai-je mon album aujourd'hui ? », Sarah répondit qu'il n'était pas *tout à fait* prêt, que la reliure n'était pas satisfaisante, et d'autres contes qui, s'ils n'étaient pas vrais, avaient l'effet désiré, et elle termina le buste. Il n'était pas très ressemblant, mais c'était un bel objet artistique et il fut envoyé à l'Exposition suivante où il obtint une « mention honorable », peut-être plus honorable que celle que nous décernâmes à l'artiste chez nous.

Nina, bien évidemment, ne reçut jamais l'album mythique mais Sarah offrit à sa mère une copie en terre cuite du buste.

Mrs. Moulton se trouvait à Boston en visite chez des parents et des amis lorsque Sarah y donna des représentations au début de janvier 1881 :

> J'allai la voir à son hôtel. Elle parut enchantée ; elle était vêtue de la manière qui lui était la plus caractéristique, dans une robe blanche ornée de fourrure. [...] C'était sa première visite. Elle dit qu'elle était surprise de voir autant de gens en Amérique parler français. « Vraiment ? » répondis-je. « Cela ne m'a pas frappée l'autre soir quand je vous ai entendue dans *La Dame aux camélias*. » « Je ne veux pas dire le public, répliqua-t-elle. Il comprend fort peu

et les pages des programmes que l'on feuillette me dérangent tant que parfois j'en oublie mon rôle. Toujours est-il, j'attends que les pages aient cessé de bruire. [...] »

Lorsque je me levai pour prendre congé, elle dit : « Chère Madame, vous connaissez Mr. Longfellow [11] ? »

« Oui, répondis-je, très bien. »

« Ne pourriez-vous obtenir que je fasse son buste ? Vous pouvez lui dire que vous connaissez mon travail, et que je suis capable de le faire s'il m'autorise. »

Je lui dis que j'essayerais. Elle se répandit en remerciements, mais, hélas, Mr. Longfellow, lorsque je lui en parlai, écarta l'idée d'un haussement d'épaules. Il me pria d'assurer Sarah Bernhardt que rien n'aurait pu lui faire davantage plaisir mais, ajouta-t-il avec un clin d'œil malicieux, « je pars pour Portland dans quelques jours et je crains qu'elle n'ait quitté Boston quand je serai de retour... ». Regrettant manifestement sa brusquerie, il dit, « Dites-lui que si elle est libre demain je lui offrirai une tasse de thé ». Puis il ajouta, « Il faut que vous veniez et me serviez de chaperon. Il ne serait pas convenable de me laisser seul avec une visiteuse aussi dangereuse et captivante ».

Il invita Mr. [William Dean] Howells et Oliver Wendell Holmes [12] à la rencontrer. [...] L'après-midi suivant je vis Sarah chez Mr. Longfellow. Alors que nous prenions le thé, elle dit : « Cher Monsieur Longfellow, j'aurais tant aimé faire votre buste mais je suis si occupée que je n'ai vraiment pas le temps. » Il lui répondit de la manière la plus suave, « J'aurais été ravi de poser pour vous mais, malheureusement, je pars pour la campagne demain ». Comme les gens sont habiles !

Mr. Longfellow parle français comme un natif. Il dit : « Je vous ai vue l'autre soir dans *Phèdre*. J'avais vu Rachel dans ce rôle, il y a cinquante ans, mais vous la surpassez. Vous êtes magnifique, car vous êtes *plus vivante**. [...] J'aimerais pouvoir vous faire comprendre ce que j'ai ressenti. »

« Vous le pouvez, dit-elle, et vous le faites — à travers votre poésie. »

« Pouvez-vous lire ma poésie ? »

« Oui. J'ai lu votre " Hi-a-vatare ". »

« Mon — ah, oui — " Hiawatha ". Mais vous ne comprenez certainement pas cela ? »

« Si, dit-elle, je comprends *chaque mot**. »

« Vous êtes merveilleuse », et craignant qu'elle ne fût tentée de réciter « chaque mot » de son « Hiawatha », il s'empressa de lui présenter Holmes qui était tout attention. Enfin la réunion s'acheva. Nous la raccompagnâmes tous à la voiture et, alors qu'elle était sur le point d'y prendre place, elle se retourna avec une impulsion soudaine, jeta ses bras autour du cou de Mr. Longfellow, et dit « *Vous êtes adorable** », en l'embrassant sur la joue. Il ne parut pas mécontent mais, alors qu'elle s'éloignait, il se tourna vers moi et dit : « Vous voyez, j'avais bien besoin d'un chaperon. »

Il serait difficile de dire qui cette rencontre avait le plus amusé : Sarah, à la pensée du poète, alors âgé de soixante-quatorze ans, se protégeant de ses tentatives de séduction ou Longfellow à l'idée de l'avoir échappé belle.

Bien que Sarah trouvât Boston infiniment plus raffiné que New York, c'est dans cette ville qu'elle se trouva entraînée dans ce qui fut certainement la campagne de publicité la plus abjecte de sa carrière. Un certain Mr. Henry Smith parvint à approcher l'actrice ; il était propriétaire d'une flotte de bateaux de pêche et l'un de ses hommes avait réussi à harponner une baleine et à la ramener vivante au port. Malheureusement, Mr. Smith persuada l'aventureuse Sarah d'aller voir l'animal qui reposait, étrangement tranquille, dans un bassin et il invita la comédienne à se promener sur son dos. À partir de ce moment Sarah fut la victime d'une réclame sur laquelle elle n'eut plus aucun contrôle.

Après une dernière représentation éblouissante de *La Dame aux camélias*, Sarah et sa troupe partirent pour New Haven et se rendirent ensuite à Hartford. À la stupéfaction de l'actrice, la baleine, copieusement salée (il était clair qu'elle était morte), voyageait sur une plate-forme de chemin de fer et suivait le même itinéraire qu'elle. Elle était accompagnée de gigantesques placards sur lesquels était écrit :

VENEZ VOIR

L'énorme Cétacé que Sarah Bernhardt a tué en lui arrachant des baleines pour ses corsets qui sont faits par Madame Lily Noë qui demeure... etc.[13]

Mr. Smith était là prêt à prendre les commandes des femmes désireuses d'acheter des corsets faits avec les fanons de la baleine de Sarah. La comédienne était furieuse mais il n'y avait aucun moyen d'arrêter l'entreprenant Américain et Jarrett lui conseilla de ne jamais décourager la publicité, aussi déplaisante qu'en eût été l'odeur. Hartford fut le cadre d'un autre incident malheureux. Lors d'une représentation de *Froufrou* les spectateurs se virent donner par erreur la traduction anglaise de *Phèdre*. Par quelque miracle ils passèrent la soirée dans un bonheur parfait, ignorant apparemment que la pièce dont ils suivaient le texte n'était pas celle qui se jouait devant eux.

« Mais quoi, dit Marie, ils ont payé, ils ont pleuré. Que veut-on de plus[14] ? »

Montréal, ville francophone et étape suivante de la tournée, devait apporter une réponse à cette question. *La Presse* décrivit dans un long article l'accueil enthousiaste que les Québécois réservèrent à Sarah. Louis Fréchette, poète lauréat de l'Académie française de Québec, lut un poème qu'il avait composé en l'honneur de la « charmante Doña Sol », la foule hurlait « Vive la Bernhardt ! Vive la France ! » et Sarah, au bord de l'évanouissement et en larmes, eut bien du mal à rejoindre le Windsor Hotel où une suite lui avait été réservée.

Mais la cité canadienne n'était pas que louanges. L'évêque de Montréal avait menacé d'excommunier toute personne qui assisterait aux représentations de la maudite actrice. Non content de faire cela, il avait étendu l'anathème à Sarah, à sa troupe, ainsi qu'à Scribe et Legouvé, les auteurs d'*Adrienne Lecouvreur*, cette « infâme élucubration » — décision manifestement présomptueuse car Scribe connaissait, depuis quelque dix-neuf ans déjà, le repos éternel ou les tourments de l'enfer. Un rimailleur du magazine *Chic* résuma ainsi la situation :

> *Un évêque — ce n'est pas un canard —*
> *À ses paroissiens cria gare :*
> *Il leur dit : « Si vous allez*
> *Au spectacle de Sarah B.*
> *Dans l'au-delà vous brûlerez. »*
> *Ses ouailles à cette idée furent attristées,*
> *Un court instant, puis saisies de folie,*
> *Et lorsque Sarah parut*
> *La salle était si remplie*
> *Que place debout il n'y avait plus.*
> *Et Sarah d'observer, « Qu'il soit béni,*
> *De malice dans mon cœur nenni,*
> *L'évêque ignorait*
> *Quand cette malédiction il lançait,*
> *Que ma publicité il servait ! »*
> *Et l'évêque sombrement répétait :*
> *« Si de Torquemada l'heureux temps c'était,*
> *Et si cette fille j'attrapais,*
> *Avec fagot, flamme et bûcher,*
> *Je ferais bel auto-da-fé ! »*

La présence de Sarah à Montréal fut plus qu'un événement théâtral. Ce fut l'occasion pour les Canadiens français de montrer que, s'ils étaient soumis aux lois britanniques, leur cœur appartenait à la France. Le soir de la première de Sarah un chœur de deux cents personnes entonna *La Marseillaise*. Toute la soirée les ovations se succédèrent ; le public applaudissait la pièce, la vedette, les acteurs de la troupe, les costumes Grand Siècle — évocation des gloires passées d'une terre ancestrale lointaine. Les acclamations se poursuivaient même pendant les entractes. Des colombes furent lâchées dans la salle, des corbeilles de fleurs descendirent lentement du paradis et une grande couronne de laurier ornée du drapeau français fut offerte à Sarah qui, respectueuse et souriante, la porta à ses lèvres puis la dressa à bout de bras. Ce soir-là, et tous les jours suivants, un groupe d'étudiants attendit « *Notre Sarah* * » à l'extérieur, dans le froid de décembre, pour la porter jusqu'à son traîneau, l'envelopper de fourrures et tirer l'équipage jusqu'à l'hôtel.

Après Montréal la compagnie joua à Springfield, dans le Massachusetts, où Sarah acheta un pistolet d'argent pour se protéger des dangers du Far West. L'arme resta dans son étui car Sarah découvrit qu'elle ne servirait à rien pendant les quatre jours qu'elle passa à Baltimore, une ville qui la surprit par le « froid mortel » qui régnait dans les rues comme dans les maisons et par son apparence de mondanité et d'opulence. Lorsque la compagnie joua la veille du Jour de l'An, les acteurs furent étonnés de constater que les femmes du Sud valaient bien les Européennes lorsqu'il s'agissait d'exhiber diamants et décolletés. Pour célébrer la nouvelle année Sarah invita Marie, Jeanne et deux membres de l'ambassade de France à Washington à se joindre à elle pour un souper. « Quelques instants, se souvint Marie, nous [oubliâmes] l'Amérique, les Américains et leurs dollars pour parler de Paris, des amis bien loin [15]... » Cette nuit-là Sarah pleura. Deux mois déjà avaient passé et l'idée de fêter le premier janvier « loin de ce qui [lui] était cher » lui était insupportable.

Le lendemain Marie demanda l'autorisation de se rendre à New York pour faire des achats. Sarah, sachant que son amie avait quitté la France sans avoir eu le temps de se préparer pour une tournée qui semblait ne plus devoir se terminer, accepta. Marie partit donc non sans promettre de rejoindre la troupe à Philadelphie où elle devait jouer la princesse de Bouillon, le second rôle d'*Adrienne Lecouvreur*, le soir de la première. Tout alla selon ses plans jusqu'au moment où le train qui l'emportait vers la ville des Quakers s'arrêta puis, après une attente interminable, commença à faire marche arrière. Marie demanda ce qui se passait. On lui expliqua qu'il y avait eu un accident plus avant sur la ligne et qu'il faudrait des heures avant que la voie ne fût dégagée. Bouleversée, Marie regarda sa montre ; il était six heures et demie.

« La peur me prend, écrivit-elle. Et la représentation [...] Et moi qui dis le premier mot ! Que faire ? »

Un Français qui se trouvait dans le train proposa d'envoyer un télégramme d'une gare proche. Le texte en était ainsi libellé : « Accident train. Voie encombrée. Changez spectacle. »

Lorsque Marie arriva enfin au théâtre, Sarah, en Phèdre, était en scène. « Du plus loin qu'elle m'aperçoit, raconta Marie, non, cette colère est intraduisible ; Dieu, les saints, le ciel et l'enfer, elle invoque tout à la fois avec une telle force tragique que j'ai peine à placer un mot d'excuse ou d'explication.

— Tu n'es pas morte [hurla-t-elle], tu n'as ni bras ni jambe de cassés. Alors tu es impardonnable [16]... »

Colombier rapporta cette anecdote dans son *Voyage de Sarah Bernhardt en Amérique*, un recueil d'impressions qu'elle envoya sous forme de feuilleton au journal *L'Événement*. Lorsque le livre parut, il remporta un grand succès et marqua les débuts de la carrière littéraire de son auteur. Arsène Houssaye, l'un des hommes les plus brillants de Paris, apporta sa caution à l'œuvre en lui donnant une préface. Hédoniste notoire, bon mémorialiste, et ami d'une foule de gens depuis Morny et Rachel jusqu'à Marie et Sarah, il avait été administrateur de la Comédie-Française de 1849 à 1856. Son avant-propos renferme quelques mots aimables pour les dons de Colombier et une description sans fausse pudeur de la femme elle-même :

> Marie Colombier [...] a traversé toutes les aventures, on pourrait dire toutes les fortunes, sans arriver à être millionnaire comme tant de comédiennes qui ont leur hôtel sur le pavé de Paris. Pas si bête ! Si elle avait un hôtel, elle serait obligée d'y vivre, et alors, adieu les belles équipées ! Sa vie serait réglée comme un papier de musique ; elle ne déchirerait pas tous les six mois ses engagements dans les théâtres ; elle jouerait bien sagement la comédie au Théâtre-Français ou elle odéonerait à l'Odéon. Elle aime bien mieux vivre au jour le jour, selon les jeux de l'amour et du hasard. Savoir son chemin c'est presque la fortune, ne pas connaître demain c'est la bonne fortune. Il n'y a pas au monde de meilleur compagnon que l'imprévu, voilà pourquoi Marie Colombier a couru le nouveau monde avec son amie Sarah Bernhardt.
>
> Quand je dis son amie, je veux dire son ennemie ; deux femmes aussi turbulentes ne peuvent pas vivre ensemble dans les douceurs passives de l'amitié. Elles aiment trop les orages, pour ne pas se jeter la foudre à la face l'une de l'autre. Heureusement qu'il y a des arcs-en-ciel.
>
> Je les ai connues toutes les deux pendant l'orage et sous l'arc-en-ciel, toujours charmantes, même dans leurs colères, à ce point que j'avais toutes les peines du monde à croire qu'elles s'embrassaient pour tout de bon [17].

Marie, dans un de ses élans d'affection, demanda à son éditeur d'utiliser comme frontispice un dessin que Clairin avait fait de Sarah. En guise de légende elle écrivit : « De Sarah Bernhardt à Marie Colombier, sa meilleure amie. » Puis Marie s'arrangea pour qu'un portrait d'elle par Édouard Manet figurât sur la page de titre.

L'engagement suivant de Sarah la conduisit pour deux semaines à Chicago. Elle connut là un triomphe qui « dépassa les prévisions de tous ». Le théâtre était plein et les articles de presse élogieux, en dépit des violents sermons que l'évêque de Chicago, comme celui de Montréal, avait prononcés contre elle et contre le caractère démoniaque de ses représentations. Ces sermons assurèrent une telle réclame à la troupe que Henry Abbey écrivit une lettre dont il envoya une copie aux journaux de la ville :

> Monseigneur,
>
> J'ai l'habitude, quand je viens dans votre ville, de dépenser pour la publicité quatre cents dollars. Mais, comme vous l'avez faite pour moi, je vous envoie deux cents dollars pour vos pauvres [18].

Les sévères admonestations de l'Église n'empêchèrent pas les dames de la bonne société de rivaliser pour accueillir Sarah. Lors de la dernière représentation elles s'associèrent pour lui offrir un collier de diamants entrelacé de camélias. Pour ajouter encore à son plaisir, un jeune homme aux manières aristocratiques avait fait tout le voyage d'Angleterre pour être à son côté. Ensemble ils découvrirent Chicago, « la plus américaine des villes américaines », selon Sarah. Il y avait d'abord cette « vitalité de la ville dans laquelle se croisent, sans jamais s'arrêter, des hommes au front barré par une pensée : le but [19] ». Ensuite, il y avait les trains aériens — ces monstres qui fonçaient en rugissant au-dessus de la foule, crachant de la fumée et des gerbes d'étincelles. Les hautes tours se perdaient dans un tourbillon de neige. Des banques, aussi impressionnantes que le Louvre, bordaient les rues. Une odeur grasse de charbon empuantissait l'air et le lac Michigan était une mer de glace. Même l'hôtel où séjourna Sarah, le Palmer House, l'étonna. Jamais elle ne s'était attendue à voir dans un tel lieu des boutiques de tailleur, des magasins de chaussures, des restaurants, des salles surchargées d'ornements, une pharmacie et des ascenseurs pouvant contenir dix personnes. La suite de Sarah semblait tout droit sortie de l'imagination d'un pharaon avec ses sofas égyptiens, ses lampes supportées par des sphinx de bronze, ses pendules montées sur des pyramides de marbre, et ses gravures de jours de langueur sur le Nil. Comme tous les touristes, Sarah et son sigisbée anglais furent invités à visiter les abattoirs. Le spectacle était abominable et Sarah fut incapable de supporter le massacre à grande échelle, l'odeur nauséabonde et les cris de cauchemar qui accompagnaient le dépeçage et l'étripage des malheureux animaux.

Ce soir-là, encore troublée par cette expérience, Sarah perdit connaissance pendant la représentation de *Phèdre*. Le rideau fut momentanément baissé. Lorsqu'elle reprit connaissance et revint sur scène, il était trop tard ; les spectateurs ayant pris son évanouissement pour la fin de la pièce commençaient à sortir.

Sarah ne tenait pas à jouer encore dans une trentaine de villes où rares seraient ceux qui comprendraient ce qu'elle dirait. Cependant elle était obligée de continuer, non pas à cause des contrats qui pouvaient être rompus, ni par un sentiment de responsabilité à l'égard de sa troupe ; elle avait gagné suffisamment d'argent pour pouvoir la congédier. Mais, comme beaucoup de ces gens qui faisaient fortune en Amérique, elle pensait avoir découvert une mine d'or, un filon qu'elle pourrait toujours exploiter quand son extravagante prodigalité aurait vidé sa bourse. Aussi, en dépit du mal du pays qui la rongeait, elle se força à poursuivre sa tournée.

Cependant Sarah eut une consolation. Jarrett et Abbey, sachant que les petites villes où elle devait se produire ne pouvaient offrir que de médiocres conditions d'hébergement, avaient loué un magnifique train privé. Le Train spécial Sarah-Bernhardt était digne des voyages officiels d'un monarque. En tant que Reine de la troupe, Sarah se vit attribuer la « voiture Palace », un salon roulant décoré de marqueterie, de vitraux, de lampes en cuivre, de tapis persans, de peaux de zèbres, de chaises longues, d'un piano, et, pour l'inconfort de tous sauf du sien, d'un poêle à bois qui restait allumé même par les températures les plus élevées. La voiture panoramique, avec sa plate-forme ouverte où Sarah emmitoufflée de fourrures et de voiles pouvait admirer le paysage toujours renouvelé, était une autre source d'enchantement.

Le wagon-restaurant était également digne d'un roi avec une table pour dix convives, du linge, des plats et de l'argenterie marqués de la devise « Quand même ». À côté de la salle à manger privée, il y avait une cuisine où deux maîtres queux noirs initièrent Sarah aux arcanes de la gastronomie américaine. La chambre de l'actrice ne laissait rien à désirer, avec un lit assez grand pour elle et le toujours disponible Angelo, une coiffeuse d'acajou, un miroir en trumeau doré, et un panier orné de rubans pour l'inévitable chien, un griffon désagréable, et vraisemblablement mélancolique, baptisé Hamlet. À côté de cette splendeur, il y avait une chambre pour Guérard et un compartiment double pour Jarrett et Abbey.

« Notre train, écrira Marie, se compose de trois wagons qu'on appelle ici des *cars* », ajoutant que les aménagements étaient bien plus luxueux que tout ce qu'elle avait vu en Europe. Sarah, devant une telle magnificence, jugea qu'une cérémonie s'imposait. Avant de quitter Chicago, elle fit appeler le mécanicien, lui serra la main et, avec son sourire le plus enjôleur, s'enquit de sa femme, de ses enfants et de sa santé. Rassurée sur sa propre sécurité, elle lui donna un généreux pourboire et des cadeaux pour sa famille.

Marie Colombier décrit la vie à bord du « Spécial Sarah-Bernhardt » :

> On y lit, cause, discute. [...] Il y a les érudits qui traduisent les journaux du pays. Les joueurs se livrent à de terribles parties de baccarat et de piquet. Les piocheurs *creusent* leurs rôles. Les curieux prennent des notes ou consultent les cartes géographiques. Et plus d'une lettre envoyée à un parent ou à un ami de Paris est griffonnée sur la petite table mobile que le garçon nègre fixe en un clin d'œil au premier désir exprimé par le voyageur. [...]
>
> De temps en temps la voix d'un conteur s'élève et les gasconnades ou les bons mots volent d'un bout du *car* à l'autre avec les éclats de rire.
>
> De temps à autre, rarement, Sarah vient visiter notre dortoir-salon avec des petites allures de pion de collège.
>
> Mais d'ordinaire elle demeure enfermée avec le jeune premier, répétant avec une ardeur infatigable, et ne trouvant de plaisir qu'à ces répétitions sans relâche [20].

D'autres fois Sarah invite la troupe dans ses quartiers privés pour une réunion amicale. Ce sont alors numéros de music-hall, chansons, charades, et ce joyeux chahut que les acteurs ont de tout temps aimé. Cependant, la tournée n'a rien d'une partie de plaisir. Lorsqu'ils sont chanceux, les comédiens arrivent une heure avant le lever du rideau ; ils se précipitent au théâtre où ils enfilent leurs costumes, donnent au pas de charge la pièce inscrite au programme et regagnent leurs compartiments pour une nuit de sommeil tandis que le train les emporte vers l'étape suivante. Lorsque, pour leur malheur, le convoi est en retard, ils jouent l'estomac vide, sans même avoir pris le temps de se laver. Ensuite, à leur grand scandale — ils ne sont pas français pour rien — ils doivent se contenter de biscuits, de sardines et de quelques fruits conservés pour de telles occasions.

Le périple fut, bien évidemment, émaillé d'incidents. À Saint Louis Sarah accepta d'exposer ses bijoux dans l'espoir qu'ils lui seraient une réclame et attireraient des spectateurs. En fait cette initiative excita la cupidité d'une bande de malandrins qui préparèrent un vol audacieux. Dans ses mémoires Sarah fera un récit enlevé, quoique mélodramatique, de l'événement sans omettre aucun détail : l'arrestation du bandit, « un véritable colosse », qui avait voyagé suspendu sous le train ; son projet de retrouver ses complices après avoir détaché la voiture de Sarah ; la pendaison du chef de la bande et le sentiment de culpabilité qu'elle ressentit pour l'avoir tenté en exhibant ses joyaux.

Marie enverra une tout autre version de « l'attaque » à *L'Événement*. Quelques heures après avoir quitté la ville, raconte-t-elle, elle fut tirée de sa rêverie par une soudaine agitation :

> Dans la pièce qui forme antichambre au *car* de Sarah [...] j'aperçois les hommes de la troupe qui entrent un par un, prennent sur une table un revolver luisant, et disparaissent avec des airs de conspirateurs.
>
> Qu'y a-t-il donc ? Va-t-on jouer un drame militaire, la *Prise de Pékin* ?
>
> Oh ! c'est bien plus drôle ! Il paraît que nous allons avoir une bataille pour de bon. Un avis, reçu à Cincinnati du chef de la police, a fait savoir à Abbey qu'une bande de coquin veulent profiter du passage de notre train dans les solitudes du Kentucky ou de l'Alabama, pour nous attaquer, piller la caisse et enlever les diamants que Sarah est supposée promener avec elle depuis la fameuse exposition faite à Saint Louis. Un détective spécial est engagé par Abbey et restera avec nous jusqu'à la fin du voyage. [...] Et tenez, voilà que nous sommes armés jusqu'aux dents. Notre petite troupe a un petit air farouche tout à fait réjouissant. Ceux qui n'ont pas de revolver ont reçu un casse-tête semblable à ceux dont sont armés les *policemen* de New York et de Chicago.
>
> Sarah a sorti de son étui une magnifique arme de luxe.
>
> J'ai reçu pour ma part un joli revolver à six coups. On s'arrête en pleine forêt.
>
> Est-ce le moment de l'attaque ? [...] Il s'agit seulement d'essayer son adresse.
>
> Quel dommage qu'il n'y ait pas de prix de tir ! Nous aurions tous des médailles !
>
> [...] Nous sommes remontés dans notre train à dix heures du soir et pas un brigand n'a montré le bout de son nez. Il faut aller se coucher sans faire parler la poudre, c'est vexant. [...] Du charbon, du charbon ! Nous ne marchons pas, nous volons en attendant qu'on nous vole. Je m'endors. Le train s'arrête. Je m'éveille et saute sur mon revolver. Ce sont les pirates !... Hélas ! non, mais c'est aussi curieux. Le wagon aux bagages est en feu. [...] Quelques seaux d'eau et le feu est éteint. On se rendort, la nuit s'achève. La journée se passe. Aucun incident...
>
> [...] Le train se ralentit, s'arrête ; nous sommes en gare de Mobile.
>
> Sarah se mettait à table pour dîner sur le quai, une députation, le consul en tête, avec bouquet et un compliment.
>
> « Une députation ! s'écria Sarah, qu'on me laisse dîner tranquille ; dites que je n'y suis pas, que je suis malade, que je suis morte. Jarrett, mon petit Jarrett, dites-leur tout ce que vous voudrez ; mais, pour Dieu ! que je ne les voie pas ! »
>
> Et elle se lamente, elle crie, tamponne ses yeux de son mouchoir, se frappe le front du poing fermé, et tombe enfin dans une violente crise de nerfs [21].

À partir de ce moment la tournée devint bien plus éprouvante pour l'infatigable Sarah car, en plus des arrêts dans les grandes cités, il y eut de nombreuses représentations uniques dans de petites villes. La troupe joua à Atlanta, Nashville, Memphis, Louisville, Columbus, Dayton, Indianapolis, St. Joseph, Leavenworth, Quincy, Springfield, Milwaukee, Detroit, Cleveland, Pittsburgh, Toledo, Erie, Toronto, Buffalo, Rochester, Utica, Albany et Troy avant de revenir à Boston (quatre mois après son premier passage) où Sarah put « se reposer » en donnant six représentations consécutives qui s'achevèrent avec sa première apparition dans *La Princesse Georges* d'Alexandre Dumas *fils*, un rôle qu'elle avait appris et répété pendant la tournée. À peine eût-elle le temps d'apprécier l'accueil enthousiaste réservé à la pièce que la troupe repartait pour Worcester, Providence, Newark, Washington et à nouveau, sur le chemin du retour, Baltimore et Philadelphie.

Finalement Sarah revint à New York pour une série de représentations d'adieu qui commença par *La Princesse Georges* et s'acheva, le 3 mai 1881, avec *La Dame aux camélias*. Les deux pièces furent ovationnées par le public qui hurlait : « Revenez, Sarah ! Revenez ! »

Sarah devait faire plusieurs autres tournées aux États-Unis, la suivante en 1886-1887 et la dernière en 1916-1918, pendant la Première Guerre mondiale. Au cours des six mois et demi que dura sa première tournée elle gagna approximativement l'équivalent d'un million de dollars actuels. Elle avait donné cent cinquante représentations dans cinquante et une villes, grandes ou petites.

Comme beaucoup d'artistes chevronnés qui se produisent en province, elle trouvait plus amusants les incidents et les aventures liés à ses déplacements que les soirées passées à conquérir un public peu connaisseur. Ainsi en Georgie elle eut une amende d'un dollar et demi pour avoir chassé un dimanche. À La Nouvelle-Orléans elle insista pour que le mécanicien de son train traversât à toute allure un pont que les eaux du Mississippi en crue menaçaient d'emporter et qui s'écroula immédiatement après leur passage. En Louisiane elle acheta un petit alligator qu'elle baptisa Ali-Gaga et qui prit la fâcheuse habitude de se glisser dans son lit. Angelo, qui partageait régulièrement sa couche, dut être très heureux lorsque le saurien mourut, peut-être parce que sa trop indulgente maîtresse avait insisté pour le nourrir uniquement de lait et de champagne.

Aux chutes du Niagara, Sarah, Marie et quelques autres intrépides membres de sa compagnie grimpèrent sur un bloc de glace pour se rapprocher des eaux grondantes et durent, ensuite, redescendre en glissant sur le dos à la grande joie de tous.

L'amour irréfléchi de Sarah pour l'aventure était une chose, sa capacité à captiver le public américain autre chose. Elle ne disposait certes pas de l'avantage d'une Patti ou d'une Melba qui chantaient des mélodies familières accompagnées par un grand orchestre — ce qui en soi était déjà une attraction. Elle ne pouvait pas davantage se comparer à une Pavlova qui parlait le langage muet de la danse. Il est vrai qu'une représentation de Sarah était un spectacle éblouissant de costumes et de bijoux, et que l'on distribuait aux spectateurs traductions en anglais et synopsis de ses pièces. Mais cela n'aurait pas suffi à un artiste de moindre talent pour garder le public sous le charme. En fait le succès de Sarah résidait dans ce qu'Oscar Wilde a décrit comme « la fascination de sa personnalité », ce pouvoir hypnotique qu'elle avait d'émouvoir les spectateurs, l'alchimie mystérieuse de sa présence, la beauté de sa voix, l'expressivité de ses attitudes et la grâce de ses gestes.

Sa réussite financière n'était pas unanimement appréciée ; ainsi une caricature du magazine *Puck* la représenta avec un nez crochu et bestial, sous une pluie de pièces d'or, accompagnée de la légende « La Danaé juive ». À son retour à New York, Sarah invita cependant les acteurs et actrices de la ville à une soirée d'adieu de *La Dame aux camélias*. Ce fut un moment d'intense émotion. Elle reçut plus de cent bouquets de fleurs de la part de ses admirateurs. Le public, et il n'en est pas de plus compréhensif ni de plus chaleureux que lorsqu'il est composé d'acteurs, se leva pour l'acclamer. Tommaso Salvini — qui était, selon Sarah, le plus grand comédien vivant — monta sur scène pour lui offrir un coffret à bijoux orné de lapis-lazuli. Et une jeune fille d'une grande beauté, Mary Anderson, qui devait devenir une actrice de talent, se précipita pour lui donner une « médaille avec un " Ne m'oubliez pas " en turquoises », symbole de fidélité et d'amitié.

Deux jours plus tard, le 5 mai, Sarah quittait l'Amérique pour la France. Le voyage lui parut interminable, la mer agitée lui était une insulte, l'avenir lui semblait incertain car elle savait que ses ennemis, et elle n'en manquait pas, s'étaient acharnés contre elle en son absence. C'était, disaient-ils, une actrice finie et sans le sou. *Le Figaro* lui-même avait publié une diatribe insipide de J.-J. Weiss, polémiste alors fort apprécié :

> Pauvre Sarah Bernhardt !... Pauvre amante passionnée de la renommée !... Si elle a péché pour trop aimer le tapage, elle est bien punie, là-bas. [...] Elle comptait que les salons de New York et de Washington se disputeraient l'honneur de la recevoir. Mais, en Amérique, ils n'en sont point encore, en fait de fusion sociale, au point où nous sommes parvenus à Paris. Et Mlle Sarah Bernhardt, humiliée et rageuse, a dû renoncer aux succès des salons comme à

ceux du théâtre, où ses représentations, bruyamment annoncées, se déroulent devant l'incompréhension de salles clairsemées. Et c'est pour ce piteux résultat qu'elle a jeté au nez de M. Perrin son titre de sociétaire de la Comédie-Française !... Pauvre Sarah Bernhardt [22] !...

Naturellement ces mensonges blessèrent la « pauvre Sarah Bernhardt » qui s'interrogeait sur la réception que la France lui réservait. Lorsqu'elle reçut une dépêche de la Société des sauveteurs du Havre lui demandant de donner, à son arrivée, une représentation dont le bénéfice irait aux familles des courageux marins, elle crut percevoir une lueur d'espoir.

« Ce fut avec une indicible joie que j'acceptai, écrivit-elle. J'allais, en rentrant dans ma patrie aimée, faire le geste qui essuie des larmes. » Sarah se sentit alors « légère, souriante et pleine de dédain pour le vilain malaise dont [la mer] est cause [23] ». Quand le navire fut en vue des terres, un petit vapeur s'approcha. Maurice et Clairin, trop impatients pour attendre sur le quai, étaient venus à sa rencontre.

Marie décrira la scène des retrouvailles, Sarah en larmes étreignant son fils, le tenant à bout de bras et s'émerveillant de le voir autant grandi.

> Tout à coup mon cœur bat plus vite, je me penche, je regarde et je dis à Sarah :
> — Mais voici ma mère et ma sœur !
> Alors les sanglots me montent du cœur à la gorge.
> Hélas ! fausse joie ! Le bateau se rapproche et je distingue Louise Abbéma, un confrère de Sarah avec sa mère.
> Sarah, qui a compris mon erreur, se jette dans mes bras en disant : « Je t'aime bien, ma pauvre chérie. »
> C'est avec des élans du cœur comme ceux-là, que Doña Sol saura toujours se faire pardonner des excentricités les plus étranges [24]...

Pour ajouter à la joie de Sarah, des centaines de personnes s'étaient assemblées sur les quais pour célébrer son retour.

Quand, quelques jours plus tard, Sarah donna *La Dame aux camélias* pour les sauveteurs, Abbéma, Clairin et de nombreux autres amis venus de Paris étaient présents. C'était la première fois qu'elle jouait le rôle de Marguerite en France et tout le monde était curieux de voir comment elle l'interpréterait. Exagérerait-elle, ainsi que certains le craignaient, ses effets comme elle avait dû le faire en Amérique ? Ou était-elle encore capable de retenue et de subtilité, savait-elle encore s'identifier complètement à un personnage ? Ces interrogations étaient vaines. Sarah fut sublime. Le public hurla son enthousiasme, et même Marie, debout dans les coulisses, pleura « comme une enfant » en assistant à la scène finale de la mort. Entre deux rappels, Sarah se vit remettre une médaille et un diplôme de sauvetage. Levant les bras au ciel dans un geste qui semblait embrasser l'univers, elle s'écria, dans le plus pur style Sarah Bernhardt : « Oh! je sauverai quelqu'un, je vous le promets! Par exemple, je ne sais pas nager, mais c'est égal : j'apprendrai[25]. »

Si Sarah n'était pas prête à secourir des malheureux sur le point de se noyer, elle était bien déterminée à se sauver elle-même. Rien ne lui convenait mieux qu'un affrontement direct, en particulier lorsqu'elle pensait pouvoir l'emporter. Si elle avait marqué des points en apportant son soutien aux sauveteurs du Havre, elle gardait d'autres cartes maîtresses en réserve, et parmi celles-ci il y avait Londres. Elle organisa rapidement une saison de trois semaines au Shaftesbury Theatre où elle présenterait les deux pièces de Dumas *fils* qu'elle avait données avec tant de succès en Amérique : *La Princesse Georges* et *La Dame aux camélias*. Cette dernière pièce avait été jusqu'alors interdite en Angleterre et ce fut grâce aux bons offices du prince de Galles que Sarah obtint l'autorisation de la jouer. À la différence de Paris, Londres ne lui faisait pas grief d'être allée aux États-Unis. Dickens, Thackeray et Trollope avaient séjourné dans ce pays, Henry Irving et Ellen Terry projetaient de s'y rendre, et le jeune Oscar Wilde devait bientôt apporter la Beauté à ce Nouveau Monde si peu raffiné. L'attitude des Britanniques à l'égard de leurs anciennes colonies rebelles était en effet réaliste et intéressée. Pourquoi n'auraient-ils pas tiré profit d'un pays riche qui avait tant besoin d'une influence civilisatrice? Quant à Sarah, rien de ce qu'elle faisait n'était condamnable à leurs yeux. La bonne société londonienne la trouvait amusante, les jeunes gens en avaient fait leur idole et les acteurs l'adoraient. Ellen Terry, qui, devenue son amie, l'appellera affectueusement sa « Sally B. », devait décrire, bien plus tard, l'impression que Sarah lui avait faite au début des années 1880.

> Comme elle était merveilleuse à cette époque! Aussi diaphane qu'une azalée, plus même; aussi diaphane qu'un nuage, seulement en moins épais! Elle avait les yeux creusés comme si elle souffrait de consomption. Son corps n'était pas la prison de son âme, mais son ombre. Elle est toujours ce miracle[26]!

Sarah aimait à dire qu'elle attirait tous les excentriques du monde. C'était particulièrement vrai en Angleterre. Les femmes se jetaient à ses pieds lorsqu'elle quittait le théâtre. Les jeunes filles conservaient dans des albums ses photographies et les articles de presse la concernant. Les actrices débutantes apprenaient ses rôles, singeaient ses manières et imitaient sa pronon-

ciation nasillarde en dépit de leur accent britannique. Une vieille
fille construisit un autel dédié à la Divine Sarah qu'elle couvrit de
cartes postales et de reliques telles que gants, peignes et épingles
à cheveux ayant appartenu à l'actrice. Lorsque Sarah apprit cela,
elle déclara : « Sa ferveur pour moi est touchante, oui, touchante ;
je l'aime beaucoup, parfaitement, beaucoup, beaucoup ! Et je ne
veux pas qu'on se moque d'elle. » Puis, après un bref silence, elle
ajouta : « Je crois qu'elle boit [27]. »

*

Après avoir trouvé quelque réconfort en Angleterre, Sarah
rentra en France pour s'entendre à nouveau accuser de trahison
envers son pays et son art. Telle n'avait pas été sa volonté, mais
comment pouvait-elle le prouver ? Enfin une occasion se présenta.
Une grande représentation de gala devait être donnée à l'Opéra
pour le dixième anniversaire du 14 juillet 1871, jour qui marquait
la libération par l'armée prussienne des territoires occupés depuis
la défaite de la France. Le président de la République, Jules
Grévy, devait y assister, ainsi que Gambetta et nombre d'autres
personnalités éminentes. Le programme comprenait trois actes
de *Robert le Diable* de Meyerbeer, des intermèdes et des scènes
présentés par des acteurs du Français. Pour clore le spectacle,
Agar, la vieille amie de Sarah qui avait été sa partenaire lors de la
création du *Passant*, devait déclamer *La Marseillaise*.

Or il se trouvait que l'habilleuse d'Agar, Hortense, aimait
beaucoup Madame Bernhardt et était toujours disposée à lui
rendre service. Sarah la fit venir et lui demanda une faveur :
accepterait-elle de dire à Agar que son amant du moment, un
capitaine de cavalerie en garnison à Tours, avait fait une chute de
cheval et s'était cassé la jambe ? Hortense fut ravie de se faire la
complice de Sarah. Agar se précipita au chevet de son bien-aimé,
non sans avoir demandé à Hortense de prévenir l'Opéra de son
départ impromptu. Mais, suivant en cela les instructions de
Sarah, Hortense ne dit rien de sorte que personne ne se préoccupa
de trouver une remplaçante. L'absence d'Agar provoqua la pani-
que dans les coulisses. Mounet-Sully achevait sa déclamation
d'un poème de Victor Hugo quand, à la surprise générale, Sarah
apparut enveloppée dans un manteau à capuchon. Lorsque
Mounet quitta la scène Sarah lui tendit son manteau et se dirigea
vers la rampe. Là, dans une ample robe blanche, une ceinture
tricolore nouée à la taille, elle attendit que l'orchestre attaquât.
Aux premiers accents de l'hymne national, le chef de l'État et
toute l'assemblée se levèrent, mus par les circonstances mais
stupéfaits à l'apparition de cette renégate qui n'avait pas été
invitée. Sarah commença à déclamer avec une sereine intensité

« Allons, enfants de la patrie... ». Progressivement sa voix enfla en un crescendo émouvant. Alors qu'elle scandait les derniers vers, elle déploya un immense drapeau tricolore. Immobile, la tête haute, le regard enflammé, elle était l'incarnation même de la France patriotique. Le public était électrisé. Les hommes cherchaient leur mouchoir tandis que les femmes sanglotaient franchement. Le président Grévy applaudissait sans se lasser et Gambetta hurlait à en perdre la voix. Les spectateurs émerveillés secouaient la tête et disaient que jamais ils n'avaient été aussi bouleversés, que Sarah était prodigieuse, unique, inouïe. Elle venait de remporter une autre bataille. Elle avait su transformer une défaite annoncée en une éclatante victoire. Agar, dit-on, accepta la supercherie de son amie avec sa bienveillance habituelle. À son âge elle avait connu suffisamment d'intrigues de coulisses pour savoir que le principal atout, pour devenir une étoile, n'est pas la rectitude morale.

VI

Un époux, des amants

Au début de 1882 Sarah rencontra un jeune Grec du nom d'Aristides Damala. Il avait vingt-cinq ans, elle trente-sept. Né au Pirée, où son père avait fait fortune dans le négoce, Damala était encore enfant quand sa famille s'installa à Marseille. Après des études au lycée Louis-le-Grand, il était retourné, mû par le besoin d'action, en Grèce pour s'engager dans l'armée. Beau, généreux, aussi infatué de lui-même que Narcisse, il acquit bientôt la réputation d'être l'officier de cavalerie le plus séduisant d'Athènes. Un an plus tard, ayant eu son soûl de duels, de jeux d'argent et de conquêtes féminines, il fut nommé à la légation de son pays à Paris. Mais la diplomatie exige de la discrétion, une qualité dont Damala manquait cruellement. Le scandale était davantage son domaine. Il avait ruiné l'existence de plusieurs femmes de la meilleure société, s'intéressait également, disait-on, aux garçons, et était morphinomane. Comment ce corsaire byronien, arrogant et parfaitement indifférent aux autres, entra dans la vie de Sarah demeure un mystère. Certaines personnes affirmèrent que sa sœur, Jeanne, qui fréquentait des cercles de morphinomanes, avait servi d'entremetteuse. D'autres dirent que Damala rêvait de devenir acteur et qu'il vint un jour demander conseil à Sarah. Quoi qu'il en fût, on s'accordait généralement à dire que Sarah avait perdu la tête dès l'instant où il lui avait baisé la main. Elle ne manquait certes pas d'admirateurs. Chaque jour le courrier lui apportait sa moisson de déclarations enflammées. Angelo espérait l'épouser et Philippe Garnier, un autre acteur de sa troupe, également fort beau mais meilleur comédien, était éperdument amoureux d'elle. Mais tous ces hommes se montraient trop dociles. Pour Sarah ce qui importait, s'il est permis de tirer quelque enseignement de l'épisode Damala, c'étaient la conquête et le plaisir qui s'accompagne d'incertitude. Elle devait bientôt avoir plus que son content de cette incertitude.

À l'époque de leur rencontre, Sarah était sur le point de s'embarquer avec sa compagnie pour une tournée qui devait la conduire dans les provinces françaises, en Italie, Grèce, Hongrie, Autriche, Suède, Angleterre, Espagne, au Portugal, en Belgique et aux Pays-Bas. Damala préparait, lui aussi, ses bagages. Le gouvernement grec, atterré par son comportement et cherchant à l'éloigner, l'avait nommé à Saint-Pétersbourg. Lorsque son beau corsaire lui dit qu'il aimerait la revoir en Russie, Sarah ne perdit pas un instant : des dépêches furent envoyées aux quatre coins de l'Europe, des dates modifiées et des engagements annulés. Quand tout fut arrangé, elle annonça à Damala qu'elle le retrouverait à Saint-Pétersbourg où elle s'était fait engager pour un mois.

Sarah parcourut l'Europe en conquérante ; la presse était dithyrambique, les spectateurs se montraient prêts à payer leur place deux fois plus cher pour la voir, et l'histoire de sa vie, embellie et épurée, la précédait en guise de réclame. Mais des nuages annonciateurs de tempête s'amoncelaient.

À Turin, une actrice de vingt-quatre ans au talent prometteur, Eleonora Duse, vit, ou plutôt vécut, les représentations données par la Divine. Sarah avait choisi *La Dame aux camélias* pour la première. Comme c'était souvent le cas, non seulement elle se prit au rôle mais son assurance conquit le public. Pendant le premier acte quelqu'un fit — involontairement ou non — un accroc dans la porte de papier qui servait aux entrées et aux sorties. C'était là le genre de chose qu'une autre actrice eût peut-être feint d'ignorer. Mais Sarah n'était pas une comédienne ordinaire. Lorsqu'elle quitta la scène elle passa la main par la déchirure et arracha d'un geste rageur le papier. Rien n'aurait pu plaire davantage aux Turinois. C'était là une tigresse impétueuse, une prima donna selon le cœur des Italiens. La Duse raconta que, pendant le séjour de Sarah, « il n'y eut d'autre nom que le sien dans toutes les bouches, ce soir-là et tous les autres soirs, dans tous les salons et au théâtre. Et tout cela, c'était une femme qui l'avait accompli ! Je me sentis affranchie, je sentis que j'avais le droit de faire tout ce que je souhaitais. [...] J'allais à toutes les représentations pour écouter et pour pleurer. C'est là une femme qui élève la profession, qui porte le public à respecter le Beau et le force à s'incliner devant l'Art ».

À cette époque personne ne soupçonnait qu'un jour la petite provinciale italienne oserait défier Sarah dans les domaines où elle avait affirmé sa suprématie. En 1882 Sarah était accueillie partout comme une souveraine en voyage officiel. Les princes et les grands de ce monde la couvraient de présents. Le roi Humbert d'Italie lui fit don d'un merveilleux éventail vénitien. Alphonse XII d'Espagne lui offrit une broche en diamants. Après une représentation de *Phèdre* l'empereur d'Autriche, François-Joseph, sollicita le privilège de ceindre son cou d'un collier de camées anciens, et l'archiduc Frédéric, « n'acceptant pas qu'une reine habitât l'hôtel », insista pour qu'elle séjournât à Vienne dans un de ses palais[1]. Ce que ces monarques recevaient en retour pour leur générosité demeure un sujet de spéculations, mais on pense généralement qu'un échange de faveurs était chose normale. Comme Sarah respectait les traditions et aimait l'aventure, il n'est pas impensable qu'elle eût ajouté ces noms illustres à sa liste personnelle de *souvenirs de voyage**.

Et il était bien d'autres témoignages d'admiration plus modestes mais non moins émouvants. Ainsi les habitants d'un petit village scandinave demandèrent au mécanicien du train de Sarah de ralentir pour la saluer. Et partout ceux qui ne pouvaient s'offrir des billets de théâtre stationnaient pendant des heures devant son hôtel dans l'espoir de l'apercevoir.

Ce que Sarah attendait avec la plus grande impatience, c'était sa tournée en Russie qui représentait pour elle un double défi : non seulement Damala serait là, mais c'était en Russie que Sarah avait connu jadis un triomphe exceptionnel.

La Vie parisienne publia un dessin représentant Sarah traversant les steppes dans un carrosse impérial escorté de Cosaques à l'apparence terrible. Ce qui se voulait ironique était en fait proche de la vérité. À Saint-Pétersbourg des domestiques en livrée déroulèrent un immense tapis rouge pour éviter qu'elle ne se mouillât les pieds dans la neige, alors que, enveloppée de fourrures, elle allait de sa troïka à l'entrée des artistes. La famille impériale et la cour vinrent chaque soir l'applaudir. Lors d'une représentation de commande au Palais d'Hiver, Sarah joua *Le Passant*, la scène de la mort d'*Adrienne Lecouvreur* et deux actes de *Phèdre*. À la fin de la soirée le tsar Alexandre III, vivement ému, s'avança pour la féliciter. Comme Sarah exécutait une profonde révérence, l'empereur de Toutes les Russies protesta : « Non, Madame. C'est à moi de m'incliner devant vous[2]. » Le grand duc Vladimir ne la traita pas avec la même élégance. Il lui envoya son écuyer pour lui proposer un autre genre de représentation de commande — un dîner intime après le théâtre. Sarah accepta à condition que Monsieur Damala fût également invité. Peu de temps après, l'écuyer revenait porteur d'un message de regret de Son Altesse impériale qui avait oublié un engagement ultérieur.

Naguère encore, Sarah aurait certainement apprécié l'idée d'un tête-à-tête à minuit avec un grand duc et jugé que c'était une manière amusante de piquer la jalousie d'un amant. À présent la situation était inversée : c'était Damala qui jouait à ce jeu et elle que la jalousie dévorait. En effet son beau « mâle », ainsi que le décrivait Colombier[3], ne faisait rien pour cacher sa liaison avec une actrice plus jeune de la troupe. Sarah en fut ulcérée au point de perdre tout sens artistique. Aristides Damala, décida-t-elle, avait l'étoffe d'un acteur. Elle lui confia les premiers rôles que Philippe Garnier avait joués jusqu'alors — à la scène comme à la ville. Garnier, furieux, quitta la troupe et Damala, qui n'avait qu'une ombre de talent, adopta le prénom de « Jacques » et donna, en compagnie de la Divine Sarah, dans le genre exalté. Mais la manœuvre de Sarah, inspirée peut-être par l'idée que les représentations nocturnes et la nécessité d'apprendre ses rôles limiteraient la liberté de Damala, devait se révéler illusoire.

Il y avait d'autres sujets de malaise. À Odessa et à Kiev la foule hurla des propos antisémites et lança des pierres sur sa voiture. À Moscou, un certain Anton Tchékhov, étudiant en médecine de vingt et un ans désargenté, s'en prit à elle d'une autre façon. Écrivain débutant et amateur d'idées à contre-courant, Tchékhov rédigeait alors des articles pour un journal satirique spécialisé dans la critique des dignitaires locaux et des célébrités de passage. Ces chroniques ne devaient guère peser comparées aux louanges que Sarah reçut lorsqu'elle débuta au théâtre Bolshoi le 26 novembre 1881 dans *La Dame aux camélias*. « Hier, déclaraient benoîtement les *Russkie Vedomosti*, au lieu d'une héroïne pompeuse nous avons vu la vivante image d'une femme de mauvaise réputation, profondément amoureuse et malheureuse, qui capte la sympathie et l'intérêt du public avec une force irrésistible. » Le compte rendu poursuivait en louant la technique, la voix, la diction de Sarah, ainsi que son souci des détails. Un autre critique, après avoir reconnu que la Marguerite Gautier de Sarah avait quelque chose de l'éternel féminin, ajouta qu'elle était néanmoins « *parisienne** de la tête aux pieds ». Une telle remarque conduit le lecteur, qui ne saurait oublier le cadre de *La Dame aux camélias*, à se demander si ce critique n'avait pas, comme l'un de ses infortunés collègues américains, suivi par erreur le texte d'une autre pièce.

Finalement ce fut Tchékhov qui se chargea de « la basse besogne ». Avant même l'arrivée de Sarah, le futur dramaturge avait critiqué « l'effrayante » publicité dont elle avait fait l'objet : « Si nous devions empiler tout ce qui a été écrit sur elle et décidions de le vendre 150 roubles la tonne, et si nous consacrions les sommes ainsi obtenues à la " Société protectrice des animaux ", nous jurons sur notre plume que nous pourrions au moins inviter les chevaux et les chiens chez Olivier [restaurant à la mode] ou chez Tatar [ce bouge s'il en est]. » Tchékhov terminait son article en se gaussant des aventures de Sarah en Amérique, de sa rencontre avec Edison et de ses gains extravagants qu'il ne pouvait croire mérités. Cherchant manifestement à susciter des réactions, il écrivait : « Nous la complimenterons en tant qu'hôte et la critiquerons sans réserves, aussi sévèrement que nous le pouvons, en tant qu'actrice. »

Tchékhov allait tenir parole. « Mais que diable se passe-t-il ? » demanda-t-il, lorsqu'il la vit pour la première fois. « Ô Sarah Bernhardt ! Cette faridondaine s'arrêtera bien quand nous aurons poussé jusqu'à l'extrême limite de nos nerfs notre œuvre critique... » Il semble bien en effet qu'il ait été à bout de nerfs lorsqu'il se plaignit que l'image de Sarah évoquait « le bois de Boulogne, les Champs-Élysées, le Trocadéro, Daudet et ses longs cheveux, Zola et sa barbe ronde, [et] notre Tourguéniev... ». De telles gloires méritaient-elles à ses yeux qu'on les méprisât ? Alors que le jeune critique poursuit ses attaques, la raison de son ressentiment apparaît plus clairement ; il partageait la répugnance des slavophiles à l'égard des Français jugés superficiels et décadents.

Lorsque Rachel était venue en Russie en 1853, le critique Pavel Annenkov l'avait condamnée au bûcher. Tchékhov reprenait ici le même anathème. Il pensait que Sarah était intelligente, que c'était une femme de goût qui connaissait fort bien le cœur humain et « tout ce qu'il vous plaira », mais qu'en fin de compte, elle n'était qu'artifice et le pur produit du travail. « Nous nous inclinons profondément devant son travail acharné et nous l'envions. Nous ne voyons pas d'objection à conseiller à nos artistes de premier et de second ordre d'apprendre à travailler auprès d'elle. Nos artistes, soit dit sans offense, sont terriblement paresseux. Pour eux l'étude est plus âpre encore que le raifort. » Tchékhov n'était pas homme à lâcher sa proie : Sarah ne recherchait pas le naturel, se plaignait-il, mais l'extraordinaire, « le sensationnel extrême ». « Nous avons vu, ajoutait-il avec un semblant d'attendrissement, nous avons vu Sarah Bernhardt et tiré un plaisir indescriptible de son travail. Il y a eu de brefs passages dans son jeu qui nous ont presque ému jusqu'aux larmes. Mais les pleurs ne sont pas venus parce que l'artifice étouffe tout enchantement. S'il n'y avait eu cet artifice indigne, cette habileté calculée, cette emphase exagérée, sincèrement, nous aurions éclaté en sanglots. »

Dans une lettre à un ami, Tourguéniev se montrait tout aussi violent : « Je suis fâché contre mes compatriotes qui se ridiculisent à propos de l'insupportable Sarah Bernhardt qui n'a rien sinon une voix merveilleuse — tout le reste est faux, froid et affecté — et le chic parisien le plus repoussant. »

Le dernier article que consacra Tchékhov à Sarah s'achevait ainsi : « Demain, nous reviendrons à Sarah Bernhardt.... Pouah ! Toutefois je n'écrirai plus rien sur elle, même si le rédacteur en chef me paye cinquante kopeks la ligne. Ma plume est sèche. J'abandonne. » Par la suite Tchékhov ne devait plus guère s'intéresser à l'objet de son mépris. Mais ses propos de jeunesse permettent de comprendre pourquoi les acteurs russes ne devaient pas suivre l'école française ni donner au théâtre une Rachel ou une Sarah Bernhardt. Ils produiraient cependant des acteurs tout aussi éminents et une école d'art dramatique qui servirait une poésie de la vie quotidienne aussi étrangère à Sarah Bernhardt que la grandeur française pouvait l'être à celui qui devait devenir le premier dramaturge russe.

Pendant son séjour en Russie Sarah fut obsédée par le désir irrépressible de dominer et de dompter son farouche amant grec. La tâche était désespérée. Il était d'une infidélité notoire, il continuait à se droguer, perdait au jeu des sommes considérables et oubliait de venir aux représentations. Pour aggraver les choses il faisait preuve d'une indifférence méprisante à l'égard des femmes, les séduisant pour les abandonner, attitude humiliante qui portait en elle tous les drames à venir. Pour Sarah, accoutumée à être courtisée, Damala était une énigme. Finalement, à Naples, elle lui demanda de l'épouser, proposition flatteuse de la part de la reine des comédiennes, et Damala accepta. Sarah ne perdit pas une seconde. Comme elle était catholique et Damala grec orthodoxe, il était impossible d'obtenir une autorisation de mariage en Italie ou en France où les engagements suivants devaient les conduire. Ils choisirent donc l'Angleterre protestante. Leur programme était très serré : départ de Naples le samedi matin 2 avril ; arrivée à Londres tôt le lundi 4 avril ; cérémonie de mariage le matin du même jour à Saint Andrew's ; départ immédiat pour Nice et représentation à l'arrivée.

Comme tout ce qui concernait leur union, le voyage fut tumultueux : soixante heures de train à l'allée, trente-six au retour. Le train pour Londres avait plusieurs heures de retard. Damala (était-ce résistance de sa part ?) oublia les documents pour le mariage et dut traverser la ville pour les chercher. La représentation à Nice fut annulée à cause de ce retard mais Sarah avait gagné Damala. La nouvelle de leur mariage se répandit comme une traînée de poudre et personne ne l'accepta de gaieté de cœur. Clairin, Abbéma et le reste de la cour de Sarah pensèrent qu'elle avait perdu la raison. Sardou, qui lui écrivait une nouvelle pièce, crut que c'en était fini de sa première interprète. À sa mère qui lui annonçait l'événement, Maurice, piqué au vif, rétorqua : « Je sais, maman, tu as épousé M. Sarah Bernhardt [4]... » Et les gazettes s'empressèrent d'ironiser sur les liens qui unissaient un couple aussi mal assorti.

Le 26 mai 1882, Paris eut l'occasion de voir « Monsieur Sarah Bernhardt » courtiser Madame Sarah Bernhardt dans *La Dame aux camélias*. L'excitation, ce soir-là, était à son comble. Deux années s'étaient écoulées depuis la dernière apparition de Sarah à

Paris et les esprits mesquins étaient impatients de constater le tort que ses triomphes à l'étranger, où elle se comportait en mercenaire vénal et avide de publicité, avaient fait subir à son talent. De surcroît son impertinence à vouloir imposer au public un comédien amateur les irritait. Sarah savait que la salle était pleine d'ennemis lorsqu'elle fit son entrée sur la scène du théâtre de la Gaîté, et au début sa voix et ses nerfs lâchèrent. Pendant les deux premiers actes elle eut les intonations d'une enfant apeurée, mais lorsqu'elle s'enflamma pour jouer comme elle seule savait le faire, personne ne put lui résister. Lorsque le rideau tomba, ses amis inquiets exultaient malgré leurs larmes, et même ses ennemis avaient mouillé leurs mouchoirs.

Damala, cependant, ne s'en sortit pas aussi bien, selon Édouard Stoullig, le critique du *Rappel* :

> On devine que la vue du mari de Mme Sarah Bernhardt était une des grandes attractions de la soirée. Son entrée, au premier acte, avait fait sensation. « Damala !... Le voilà !... » Et les lorgnettes de se braquer sur le jeune et beau garçon, à l'œil noir, qui avait eu l'honneur d'être distingué par la grande artiste, au point qu'elle en avait fait amoureusement son époux, devant la loi. Si, du point de vue physique, Armand Duval a conquis tous les cœurs, il n'en était pas de même du point de vue artistique. Son inexpérience était colossale, la voix grave au point d'être sourde, la diction pâteuse et embarrassée d'un accent étranger fort prononcé, l'allure uniformé-ment triste et maussade.[...] Pourtant, au quatrième acte, qui est presque tout entier pour Armand, M. Damala a pris une petite revanche. Il eut quelques accents émouvants et sincères. Avec beaucoup de travail, peut-être pourra-t-il faire un comédien. Il est vrai qu'il a, auprès de lui, un professeur dont les leçons devraient lui être profitables [5].

Son professeur, en fait, fut si efficace que certains commencè-rent à voir en Damala un acteur de qualité. Mais non Victorien Sardou, qui — malgré l'insistance de Sarah pour que son mari fût son partenaire — refusa qu'il eût le moindre rôle dans *Fédora*, pièce dont l'action se situe en Russie et qu'il avait écrite spécialement pour elle.

La description que Sardou fait de son héroïne est un vivant portrait de Sarah elle-même :

> C'est la femme, la vraie femme, avec tous ses soubresauts et ses contrastes !... toutes ses ailes et toutes ses griffes ! Et caressante et tendre, et câline et féline ! Des souplesses... des ondulations de couleuvre ! Toutes les perfidies et tous les dévouements !... La haine... féroce !... L'amour... héroïque ! Une raison virile avec des superstitions d'enfant. Des yeux profonds qui donnent le vertige ! Une voix qui remue en nous des vibrations inconnues : la langueur

orientale associée à toute la désinvolture parisienne ! C'est exquis, tout bonnement[6] !

Pour entraîner son héroïne dans l'action, Sardou avait conçu un mélodrame habile à l'intrigue complexe riche en tensions et en rebondissements inattendus. La princesse Fédora croit que son fiancé a été assassiné par un nihiliste, Louis Ipanoff, homme de belle apparence. Dans son désir de vengeance, elle entreprend de séduire le meurtrier afin de le livrer à la police secrète. Mais elle s'éprend de lui et découvre qu'il n'est pas un assassin mais un homme juste et droit. Elle apprend également que son fiancé n'était, en fait, qu'un mufle infidèle. Bouleversée par sa découverte Fédora s'empoisonne, ce qui est l'occasion d'une sublime scène d'agonie. Lorsque le rideau tombe, Louis soulève son corps inerte pour un ultime baiser avant de s'effondrer, évanoui, entre ses bras.

Sarah était impatiente de s'attaquer à cette œuvre intense quoique morbide, tout comme l'était Pierre Berton, son Louis Ipanoff, qui, en plus de ses dons réels d'acteur, avait eu une longue liaison avec elle à l'époque de l'Odéon. Pendant que Sarah travaillait son rôle avec application, Damala était en proie aux plus sombres pensées. Son sort n'avait rien d'enviable. Trois mois plus tôt, il avait épousé la plus célèbre actrice du monde dans l'espoir de partager ses triomphes. Au lieu de cela, les critiques fondaient sur lui, les proches de son épouse le regardaient de haut et son beau-fils le méprisait. Seule Sarah semblait l'aimer — et encore uniquement pendant ses moments de liberté. Il ne mesurait pas combien elle était généreuse à son égard. Un jour elle lui montra une pièce d'un vieil ami, le poète et critique Catulle Mendès, _Les Mères ennemies_, qui comportait un rôle qui ferait assurément de son époux une vedette. Elle demanda à Jacques s'il aimait ce texte, ce qu'il dut reconnaître à contrecœur. Sa réponse fut à l'origine de l'une des extravagances les plus folles de Sarah. Elle loua le théâtre de l'Ambigu, le redécora à grands frais et, pour amadouer son fils, alors âgé de dix-sept ans, elle le nomma directeur et fit mettre le théâtre à son nom. Cependant une clause restrictive avait été ménagée : Maurice devait partager sa charge avec Auguste Simon qui, expliqua-t-elle gentiment, serait peut-être plus au fait des questions de gestion que lui.

La pièce de Mendès, mise en scène par Sarah avec dans les rôles principaux Damala et Agar, fut programmée pour décembre 1882. Ainsi Sarah, qui avait pensé à tout, pourrait affirmer que son époux avait refusé la pièce de Sardou parce qu'il était pris par d'autres engagements. Elle fit travailler Jacques et l'aida à révéler le talent qu'elle était seule à lui prêter. Et ainsi, lorsque la première des _Mères ennemies_ fut donnée, personne ne put dire que le jeune époux de Mme Bernhardt n'était pas un véritable comédien. Malheureusement des compliments aussi équivoques ne pouvaient suffire à apaiser Damala, blessé dans son amour-propre.

Avec *Fédora* Sarah connaissait, elle, l'un de ses plus grands triomphes. Cette pièce marquait un tournant brutal dans sa carrière. Trois ans plus tôt elle avait été la reine de la Comédie-Française. À présent elle devenait la reine du théâtre populaire. Elle devait cette réussite en grande partie à Sardou qui, s'il avait écrit une pièce de second ordre, avait réussi là le meilleur de ses mélodrames, une œuvre qui mêlait de multiples ingrédients, action rapide, police inquisitoriale, sadisme et mort. Merveilleux metteur en scène, il avait su découvrir l'une des facettes du talent de Sarah et avait su le mettre en lumière. Sarah avait toujours écouté ses partenaires avec une attention étonnante. Dans *Fédora* elle ne devait pas seulement écouter, il lui fallait aussi occuper de longs moments de silence par un jeu de pantomime et des attitudes qu'elle rendait encore plus éloquents que les paroles. Même son critique le plus sévère, Auguste Vitu, fut obligé de reconnaître que « Mme Sarah Bernhardt [...] a le mouvement, le geste, l'art suprême d'écouter, de donner une expression au silence et de s'absorber dans l'action comme si c'était sa vie réelle qu'elle jouât naturellement devant un invisible public, qui n'existe pas pour elle ». Il ajoutait qu'elle était « douée de cette spontanéité dans l'inspiration qui plonge l'émotion comme un poignard dans les fibres et dans les nerfs [7] », ce qui décrivait assez bien la manière dont son succès affectait son malheureux époux. Vindicatif et amer, Jacques la tourmentait, la traitant de « juive au long nez » ; il offrait à ses maîtresses des bijoux dont il envoyait les factures à sa femme et saisissait la moindre occasion de lui faire des scènes. Lorsque Sarah ripostait, il la poussait à bout en adoptant l'attitude d'un homme qui serait au-dessus des mesquineries et autres sottises féminines.

Un jour, sans crier gare, il fit l'acquisition d'un uniforme à cape rouge, donna son congé à l'Ambigu et quitta Paris pour s'engager dans les spahis en Algérie. Son départ mettait fin au succès des *Mères ennemies* et annonçait le début d'une série d'échecs cuisants pour le théâtre que sa femme avait acheté pour le rendre heureux. Sarah, contrainte de remplir l'Ambigu, se mit en quête de pièces susceptibles de plaire au plus grand nombre. Mais des cinq œuvres qu'elle produisit, une seule lui donna quelque satisfaction ; il s'agissait de *La Glu*, drame vériste du poète et dramaturge Jean Richepin. Réjane, une jeune et brillante actrice qui illuminait Paris de son charme et de son sens du pathétique, y fit ses débuts. La pièce connut un certain succès, mais son réalisme sévère effraya le public et elle dut, elle aussi,

être interrompue. Si cette entreprise contribua à ruiner financièrement Sarah, elle enrichit son existence. Réjane devint une amie
chérie pour la vie et Richepin un amant également chéri, mais
pour un temps seulement.

En février 1883, Sarah avait englouti près de cinq cent mille
francs dans l'opération et, craignant de perdre son hôtel particulier, elle se résigna à vendre ses bijoux aux enchères. Pendant trois
jours collectionneurs, actrices, demi-mondaines et gens de la
bonne société envahirent l'Hôtel des ventes et renchérirent pour
avoir le privilège de posséder les perles et les diamants de Sarah.
Pour se remettre de ses pertes, Sarah emmena sa troupe pour une
tournée lucrative en Scandinavie et en Grande-Bretagne. Richepin était du voyage, ainsi que l'observa dans une lettre le critique
danois Georg Brandes, ami d'Ibsen : « La Divine Sarah était ici, à
Copenhague, avec son ombre, le poète Jean Richepin. Elle ne le
quittait pas un instant, dînait et dormait avec lui. » La rumeur
continua à Londres où Sarah exhibait fièrement son amant entre
deux représentations fort acclamées de *Fédora*.

Si Sarah avait des raisons de déplorer son mariage, elle
pouvait à bon droit se flatter de sa nouvelle liaison. Richepin, de
cinq ans son cadet, était un spécimen d'une espèce bien différente
des autres hommes qui constituaient sa « ménagerie ». Fils d'un
médecin militaire, il était né en Algérie, avait fait ses études en
France et était passé par l'École normale supérieure. En 1870 il
avait rejoint les rangs des francs-tireurs avant d'entamer une vie
aventureuse, tour à tour marin, docker, lutteur et boxeur. Puis il
avait travaillé dans un cirque comme acrobate et haltérophile.
Edmond de Goncourt pensera peut-être à cela lorsqu'il évoquera,
en 1894, « sa forte et riante prestance d'acrobate après une forte
recette[8] ».

En 1876 Richepin publia un recueil de poèmes enflammés,
hymne aux chemineaux, aux loqueteux et aux vagabonds, *La
Chanson des gueux*, qui lui assura une célébrité immédiate dans le
monde des lettres et lui valut — pour outrage aux bonnes mœurs
— un mois de prison. Lorsque Sarah le rencontra, c'était un
« chippie » avant la lettre, un faune barbu, un bohème qui fonçait
à travers Paris, en tricot moulant qui mettait en valeur sa
puissante musculature et son mépris des conventions, sur un
engin à deux roues qui commençait à faire fureur, la bicyclette.

Sarah avait pris Richepin comme amant après le départ de
Damala pour l'Afrique du Nord. Mais la vie militaire était moins
du goût de Jacques qu'une existence oisive et que les mauvais
traitements qu'il faisait subir à son épouse car, lorsque Sarah
revint de sa tournée à l'étranger, elle le trouva étendu sur le lit,
paisiblement occupé à lire les journaux. Cette apparition devait
avoir ses charmes car non seulement elle l'invita à rester mais elle

congédia Richepin — et avec lui son bonheur. Commença alors une des périodes les plus sombres de son existence. Damala n'avait jamais cessé de prendre de la morphine et son état était désespéré. Il se faisait injection sur injection, se piquant à travers l'étoffe de son pantalon lorsque le manque était trop fort. Un jour Sarah frappa sa sœur à coups de cravache lorsqu'elle découvrit que celle-ci introduisait des drogues en cachette dans la maison. Mais la violence était sans effet. En désespoir de cause, elle demanda une séparation de corps, plaça son malheureux mari dans une clinique et retrouva Richepin. Six mois plus tard, Jacques revenait au logis. À Richepin, qui se montrait jaloux, Sarah demanda d'être patient et de ne pas oublier que c'était lui qu'elle aimait et non Damala avec qui elle restait uniquement pour le sauver de lui-même. Pour montrer sa détermination elle se rendit chez le pharmacien qui délivrait de la morphine à Damala et lui cassa son parapluie sur la tête, geste qui ne servit à rien sinon à la priver d'un instrument bien utile par temps de pluie.

Pendant cette période dramatique, Sarah loua le théâtre de la Porte-Saint-Martin, une salle gigantesque de dix-huit cents places. Là, actrice et directrice, elle produisit *Froufrou* et *La Dame aux camélias*, spectacles dans lesquels elle jouait également. On pourrait croire que les ennuis domestiques lui étaient épargnés quand elle travaillait, mais Damala avait pris la fâcheuse habitude de la surveiller des coulisses. Avec l'insolence bornée de l'amateur — sa science du théâtre se fondait sur cinq mois d'expérience — il faisait suggestions et critiques et tournait tout en ridicule. Sarah s'emporta, l'injuria et le fit jeter hors du théâtre. Leurs démêlés conjugaux faisaient la joie des feuilles à scandale qui consacraient article sur article au couple tumultueux de l'avenue de Villiers. Un journal satirique publia une caricature de Damala, étendu au comble du désespoir sur le divan de Sarah, avec comme légende : « La Damala aux camélias ».

Alors que Damala traînait lamentablement, Richepin préparait une pièce pour Sarah. Ce n'était pas la première œuvre qu'il écrivait pour elle. Le 28 avril 1883 elle était apparue au Trocadéro en Pierrot, avec Réjane en Colombine, dans son *Pierrot assassin*, une pantomime macabre qui laissa une impression durable en dépit du petit nombre de ses représentations. *Pierrot* ne tint pas l'affiche mais donna à Nadar l'une de ses photographies les plus émouvantes : Sarah en clown au visage peint en blanc condamné à jouer la terrible comédie de l'amour et des intrigues. Dans son nouveau drame Richepin s'efforçait de décrire les événements tragiques de 1857 en Inde, pendant les soulèvements indigènes contre la domination britannique. La première de *Nana Sahib* eut lieu le 20 décembre à la Porte-Saint-Martin. Cette pièce n'apporta rien à la gloire de qui que ce fût, et encore moins à celle de

Richepin qui, profitant de la défection du premier acteur tombé malade, prit sa place et ne fit que prouver que son jeu dramatique ne valait pas mieux que son orientalisme irréfléchi.

Alors que *Nana Sahib* essuyait un échec, Damala sortait curieusement de sa torpeur pour s'illustrer dans *Le Maître de forges* de Georges Ohnet. Le succès, cependant, n'améliora pas ses manières. Un après-midi il vint s'asseoir au premier rang du théâtre de la Porte-Saint-Martin pour regarder jouer Sarah et Richepin. La salle était à moitié vide, les spectateurs à demi assoupis. Damala décida bien vite d'apporter un peu d'animation. Chaque fois que sa femme s'approchait de la rampe, il secouait la tête avec commisération et se lamentait à voix haute : « Pauvre Sarah ! » Lorsqu'il quitta le théâtre, Richepin l'empoigna, lui administra une terrible raclée et lui fit comprendre que le monde était trop petit pour eux deux, ce qui devait en effet s'avérer. Damala dut à nouveau être hospitalisé et Richepin eut Sarah toute à lui, ou il le crut. Mais avoir confiance en elle, ou en sa fidélité, c'était se condamner à connaître les mêmes souffrances que Mounet-Sully dix ans plus tôt. Richepin n'était pas homme à accepter ce que Mounet avait enduré et, dès que Sarah décidait de prendre un peu de bon temps, il disparaissait.

Une lettre de Sarah, qui rappelle celles qu'elle envoyait à Mounet ou à Doré, infiniment plus érotique cependant, évoque leurs relations :

> Mon adoré, mon idolé, mon affolant maître. Je te demande pardon, oh ! oui, grand pardon. Je t'ai donc dit des choses bien mal, bien infâmes que tu m'écris de si hurlantes paroles. Je suis tout étourdie dans le flot de tes colères ; tes phrases poignardent mon cœur et [crient] dans mon être. J'ai lu huit pages de toi et toutes se bousculaient à qui arriverait première. Je suis fatiguée de t'avoir tant entendu gronder et cependant je te suis plus tienne que jamais. Il me te faut. Je ne puis être loin de toi. Surtout maintenant que je sais ton esprit irrité et ton cerveau sans but. Reviens, je t'en supplie, reviens. Je t'écrirai demain une lettre officielle te disant de revenir vite, vite. Vois, Jean, je n'y puis rien en vérité. Je t'adore. Je suis à toi parce que cela devait être. [...] Je t'eusse aimé il y a dix ans comme je t'aime aujourd'hui. Je suis, je te le jure, mon adoré seigneur, incapable de te trahir. Oui, je sais bien, j'aime tromper, je suis faite de mauvaises pensées et de trahisons. [...]
>
> Piétine-moi sous tes orages, brise-moi sous tes colères mais aime-moi, mon amant adoré, aime-moi pour l'amour de l'amour. Si fortes que soient mes griffes, elles ne peuvent laisser une trace bien profonde dans ton cœur fait d'amour. Dis-moi que c'est fini, que tu déchireras cette lettre stupide, dis-moi surtout que tu sais bien que je ne trompe pas, que je ne puis te tromper. Ce serait lâche, infâme, stupidement bête. J'ai jeté un cri de vengeance et tu y as cru ; tu sais cependant que ce n'était qu'un cri de rage et de vraie douleur[...]. Je

me soumets à ta volonté et puis aussi soumets mon orgueil. Tu me puniras en me refusant une seconde tes lèvres à baiser. Écris-moi une douce lettre, je t'en supplie — je suis si meurtrie par les dernières.

N'est-ce pas, tu ne fronceras plus tes sourcils ; ta bouche n'a plus son cruel sourire. Je baise tout doucement tes pieds de femme et je m'abandonne toute à tes caresses.[...]

Je te jure que je me tuerai en tombant. Je baise chacun de tes cheveux, je câline doucement ton corps adoré et mes lèvres demandent à tes lèvres cent mille pardons à me rendre[9].

Richepin pardonna bien des fois à Sarah pour finalement mettre un terme à leur liaison l'année suivante. Mais, à la différence de Mounet dont l'amour se transforma en haine, Richepin sut reconnaître, au cours des années qui suivirent, le fait que si elle était incapable de fidélité en amour, son amitié était indéfectible.

*

En décembre 1883 paraissent *Les Mémoires de Sarah Barnum*. C'est le deuxième livre que Marie Colombier consacre à Sarah. Le premier, *Les Voyages de Sarah Bernhardt en Amérique*, n'avait pas, semble-t-il, offensé son héroïne malgré son ton irrévérencieux et ses railleries. Mais *Sarah Barnum* conte une autre histoire sur un mode bien plus sarcastique. Comment expliquer cette acrimonie ? Il semble, si nous devons croire Colombier, que la faute en incombait à Sarah qui, pendant la tournée américaine, ne lui avait accordé que des cachets de misère. La jalousie peut également expliquer la rancœur de Marie. Les deux actrices avaient connu les mêmes débuts ; elles avaient joué dans les mêmes pièces, échangé confidences et secrets, ri de leurs nombreuses conquêtes et partagé les mêmes rêves de gloire. Mais le temps avait passé et la gloire avait ignoré Marie. Elle avait grossi et n'apparaissait plus guère sur scène. Cependant elle n'avait guère changé en quinze ans et était restée cette incorrigible cocotte du Second Empire qui préparait de délicieux soupers pour ses amis, connaissait tous les potins, fréquentait des cercles douteux et changeait aussi souvent d'amants que de teinte de cheveux. Il eût fallu une personne d'une bien plus grande sainteté que Marie pour accepter sans ressentiment la réussite extraordinaire de Sarah. Mais d'autres considérations ou d'autres urgences entrèrent en jeu. En effet, Marie avait besoin d'argent et espérait en gagner beaucoup si le livre marchait. Et ce fut Sarah qui, inconsciemment, assura ce succès. *Les Mémoires de Sarah Barnum* passèrent presque inaperçus à leur publication. La presse, craignant un procès en diffamation, les ignora. Ce fut Octave Mirbeau, que Sarah venait d'ajouter à sa « ménagerie », qui révéla le livre au public. Écrivain plein de fougue, il n'aimait rien tant qu'une bonne querelle et ne fit guère preuve de mesure dans la critique de *Sarah Barnum* qu'il rédigea pour le journal satirique, *Les Grimaces*. « Si j'étais M. Maurice Bernhardt, écrivit-il, je prendrais un marteau et j'irais fendre le crâne de M. Bonnetain ; puis, traînant Mlle Colombier dans un endroit public, je trousserais ses jupes et montrerais à la foule son vieux derrière ridé, flétri et souillé, sur lequel j'appliquerais une formidable et rouge fessée [10]. »

Octave Mirbeau accusait Paul Bonnetain, amant de Colombier à l'époque et auteur de *Charlot s'amuse*, roman sur les dangers de la masturbation, d'avoir collaboré aux *Mémoires*. Bien que la chose fût certainement vraie, Bonnetain en prit ombrage et provoqua l'offenseur en duel. Mirbeau accepta la rencontre à une condition : Bonnetain devait jurer qu'il n'avait rien à voir avec le livre. Bonnetain jura, le duel eut lieu et Mirbeau fut déclaré vainqueur après avoir blessé son adversaire à la main, celle avec laquelle, il l'espérait, Bonnetain écrivait. Alors que les duellistes s'affrontaient, Maurice, accompagné de son ami Jean Stevens [11], faisait irruption dans les appartements de Colombier où il la trouvait tranquillement occupée à prendre le thé avec un journaliste du nom de Jehan Soudan. Elle n'était qu'une prostituée, hurla Maurice. Et lui, répliqua Marie dans un rire, n'était qu'un fils de — Sarah Bernhardt ! À ces mots Maurice s'empara d'un tableau de Marie accroché au mur, le jeta au sol et le piétina. Puis, son honneur vengé, il se retira. Quelques instants plus tard, Sarah armée d'un fouet et d'un poignard, et Richepin, brandissant un couteau de boucherie, entraient en hurlant dans la pièce. Marie avait eu la présence d'esprit de s'éclipser. En quelques secondes l'appartement fut mis au pillage. Le lendemain, le *Morning News* de Londres écrivait : « M. Soudan a été agressé par M. Richepin qui était dans un état d'extrême excitation. Mme Sarah Bernhardt a lacéré coussins et tapisseries et cassé une quantité considérable de porcelaines. Richepin a offert mille francs à la domestique pour savoir où se cachait sa maîtresse, sans succès. La troupe s'est ensuite retirée précipitamment. »

La nouvelle du scandale se répandit rapidement. À New York un long article parut dans le *Herald* et la *Police Gazette* célébra l'incident en publiant un dessin à deux sous montrant Sarah et Richepin, les yeux enflammés, les narines dilatées, en train de se livrer au pillage. Sarah fut très bouleversée par cette campagne de presse, ainsi qu'elle devait le confier à son ami, le peintre Alfred Stevens. « J'ai été très blessée, très attristée par les infâmes articles publiés contre moi lors de cette affaire stupide — et faussement racontée. Je désirerais continuer ma route — gagner, gagner encore de cet or si nécessaire à l'indépendance des êtres fiers... » Peu de temps après cet incident, Sarah poursuivit Marie en diffamation. Si Marie paya pour ses péchés — elle fut condamnée à deux mille francs de dommages et intérêts et à trois mois de prison avec sursis — le succès du livre la dédommagea largement de ses peines. Dix mille exemplaires des *Mémoires de Sarah Barnum* se vendirent au cours des semaines suivantes, lui assurant une aisance qu'elle n'avait jamais connue. Les cyniques refusèrent de se laisser prendre aux apparences. Certains pensèrent que Sarah avait dévasté l'appartement de Marie à des fins de publicité. D'autres allèrent jusqu'à affirmer que Marie et elle s'étaient entendues pour monter une comédie qui stimulerait les ventes du livre de Colombier et, dans le même temps, lancerait les réservations pour *Nana Sahib*, la pièce de Richepin, dont les premières représentations avaient été accueillies fraîchement par la presse. Le critique Albert Wolff offrit ses conseils un peu tardifs : « Certes, Sarah Bernhardt eût mieux fait de rester chez elle, de s'envelopper dans sa dignité de grande artiste et de laisser le dédain public faire justice d'un livre abominable [12]. »

L'hiver de 1884 vit les Parisiens se précipiter à la Porte-Saint-Martin pour admirer Sarah dans *La Dame aux camélias*. L'impression qu'elle fit sur le public échappe à toute description. Sarcey tenta bien d'expliquer son jeu en analysant sa technique, mais il ne fit qu'entrevoir ses multiples dons. Aujourd'hui il est seulement permis d'imaginer que la Marguerite incarnée par Sarah suscitait la même émotion que celle que l'on ressent lorsqu'on se laisse fasciner par le pouvoir hypnotique de quelque artiste exceptionnel. Son triomphe dans *La Dame aux camélias* lui apporta beaucoup de bonheur et allégea en partie ses difficultés financières. L'argent qui entrait dans les caisses lui permit — non sans qu'elle s'en plaignît — de régler les impressionnantes dettes de jeu de son fils et de récupérer certaines des sommes qu'elle avait englouties dans *Nana Sahib*. Mais Sarah avait de brillants projets pour l'avenir. Depuis longtemps elle rêvait de monter *Macbeth*. Elle demanda à Richepin d'en faire une traduction, idée grandiose qui devait, hélas, déboucher sur un échec. La pièce ne tint l'affiche qu'un peu moins d'un mois. En juin Sarah, entêtée, reprenait la pièce au cours d'une tournée en Écosse et à Londres. Si les Parisiens n'apprécièrent pas cette adaptation, malgré les bonnes critiques dont Sarah en Lady Macbeth avait fait l'objet, les Londoniens furent encore plus sévères.

Oscar Wilde, exception notoire, devait réagir différemment. Le 9 juin 1884, en voyage de noces à Paris avec sa femme Constance, Wilde recevait un journaliste du *Morning News* dans ses appartements de l'Hôtel Wagram donnant sur les Tuileries. Après avoir indiqué au chroniqueur qu'il s'ennuyait facilement, il expliqua :

> Il n'est pas facile d'épuiser le message de Paris, en particulier lorsque Sarah Bernhardt joue. J'ai vu et revu *Macbeth*. Il n'y a rien de comparable sur nos scènes et c'est sa plus belle création. C'est délibérément que je dis sa création car, pour moi, il est parfaitement impertinent de parler du *Macbeth* ou de l'*Othello* de Shakespeare. Shakespeare n'est que l'une des parties prenantes. L'autre est l'artiste par l'esprit de qui la pièce passe. Lorsque les deux s'associent pour me donner un héros acceptable, je n'en demande pas plus. Les intentions de Shakespeare demeurent son secret : tout ce sur quoi nous pouvons nous former une opinion est ce que nous avons réellement devant les yeux....
>
> Il n'est absolument personne de comparable à Sarah Bernhardt. Elle apporte toute sa belle intelligence au rôle, toute sa science instinctive et acquise de la scène. Son influence sur l'esprit de Macbeth est tout autant l'influence du charme féminin que de la volonté — chez nous on n'accentue que cette dernière. Elle le tient sous le charme : il pèche parce qu'il l'aime ; l'ambition de Macbeth n'est qu'un motif secondaire. Comment pourrait-il ne pas l'aimer ? Elle le tient par tous les liens, même par celui de la coquetterie. Regardez sa robe — la tunique très serrée, et les plis sculpturaux de la robe. Tout est admirablement fait.

Wilde poursuivait en louant la traduction de Richepin que le biographe suisse de Sarah, Ernest Pronier, décrit ainsi : « un *Macbeth* en prose fort littérale et crue, extrêmement vivant, et suivant de près l'original [13] », qualités que le public français n'appréciait pas nécessairement lorsqu'il s'agissait de Shakespeare.

Sarah, malade et ruminant son échec, passa un été très sombre au bord de la mer, dans sa villa de Sainte-Adresse. Le fait que Richepin avait disparu, en faisant promettre à ses amis de ne pas révéler l'endroit où il était, n'arrangeait pas les choses.

> Jean,
>
> Mes lettres désespérées sont parties là partout où je te croyais. Aucune sans doute n'est arrivée ; celle-ci aura-t-elle le même sort ? je ne sais. J'écris pourtant et ton ami Ponchon se charge de te les porter. Je te supplie à genoux, brisée [?] par le désespoir le plus violent. Je te supplie de me donner un caillou, une fleur, un mot de toi, de ta main qui courra sur le papier comme la mienne en ce moment brûle le papier.
>
> Je suis folle de douleur. Je ne peux pas croire dans le silence de la mort autour de moi. Je souffre, Jean, je souffre. Où vas-tu, que fais-tu, et si tu étais blessé, et si — mon Dieu — je n'avais rien fait

pour mériter une pareille torture. Si — Si, j'avais été mauvaise l'autre jour. Oh! que je pleure cette mauvaiseté, que je regrette d'avoir dit des choses mauvaises [...].

Mais tu ne sais donc pas la souffrance que j'éprouve depuis ton départ. Je suis d'abord tombée comme une masse en recevant ton mot et je n'ai pas quitté mon lit. Ponchon te dira que seulement lui me calme et me repose parce que je parle de toi [...]

Écoute, puisque tu sais si bien te cacher et que nul ne sait où tu es, veux-tu que je revienne te rejoindre? Que m'importe le théâtre, Maurice, que m'importe tout? Mais toi, je veux toi. Je ne regarderai pas derrière moi, je serai lâche, je serai infâme, mais je serai à tes pieds ou alors dis-moi de me tuer, que tu en as assez, que tu ne m'aimes plus, que mon amour te pèse. Alors sérieusement tu as cru que je pourrais attendre dans le silence, tu as cru que ma passion pourrait se contenter de te savoir absent, mais tu ne m'as donc pas regardée, tu ne m'as donc pas entendue t'aimer? Mon Jean, ne te révolte pas, ne fronce pas ton sourcil! Je pleure, voilà tout, je pleure et je deviens vilaine à force de pleurer. Si tu as voulu châtier mon orgueil, dompter ma volonté, me faire bien voir que tu es le maître, c'est fait, je n'en doute plus et je sais bien que ta volonté est supérieure à la mienne puisqu'elle te permet de me faire tant souffrir. [...]

Mon Jean pardonne-moi, pardonne-moi. Oh! dire que cette lettre ne criera pas alors que moi je l'ai crié que je souffre. Du reste ce n'est peut-être pas tout de vivre quand j'aurais dû mourir pour attendrir ton cœur; oh! mon amant laisse-toi toucher, aie pitié [...]

Mais cependant si tu ne m'aimes plus, dis-moi, tu me permettras d'aller te regarder. Je ne te dirai rien, rien. Je baiserai tes lèvres et je me tuerai doucement dans un spasme d'amour avec ton couteau d'ivoire et tu jetteras à la rue mon petit corps d'amante et personne ne le saura et puis tu montreras cette lettre et tu pourras dire « Voyez, elle était folle » et Ponchon [pourra], en montrant la folie que je t'aurai écrite, dire « elle était folle ». Mais vois-tu Jean cela vaut mieux car je ne peux plus souffrir davantage. Oh! c'est trop. J'étouffe [14]. [...]

Sarah devait enfin recevoir une réponse de son amant, mais une lettre qu'elle écrivit à leur ami commun, le poète Raoul Ponchon, semble indiquer qu'elle avait abandonné tout espoir de le voir revenir:

[...] Jean m'a écrit une lettre si monstrueuse que j'en ai encore la désespérance poignante.

Il m'a accusée d'infamies contre lesquelles je ne puis me défendre. Je suis malade de cette lettre, désorbitée, stupéfiée, outrée. [...] Ah! que c'est mal, que c'est mal et qu'il a méchamment fait.

Je ne pouvais écrire, je vous le jure mon cher Ponchon. J'avais les deux bras pris et l'œil en capilotade. Je craignais, en lui faisant écrire, de l'inquiéter outre mesure et ma jobardise me faisait craindre qu'il n'accourût de suite. Ah! pauvre de moi. Que cet homme m'aimait peu! Je l'adore, je l'aime, je pleure, je souffre, mais je suis blessée au fond de l'âme, blessée dans ma grandeur d'amante, blessée dans mon orgueil de femme, blessée dans l'idéal de mon amour. Ah! que c'est mal, que c'est mal. Je ne veux plus lui écrire avant qu'il m'ait demandé l'oubli de ses infâmes soupçons. [...] Écrivez-moi, plaignez-moi, je suis malheureuse à me tuer. Si vous saviez, si vous saviez ce qu'il m'a dit. Et moi qui en tombant n'ai eu qu'une pensée : lui ; une crainte : devenir laide et ne plus lui plaire. Ah! la pauvre abominable nature que Jean.

De quoi donc est-il capable, celui-là qui pense ainsi.

Je suis triste, Ponchon, triste, ami chéri. Triste et désespérée de l'avenir.

Sarah Bernhardt [15]

Le ton hystérique, abject, masochiste de sa lettre ne doit pas nous tromper. La disparition de Richepin avait vraiment rendu Sarah malade. La toujours fidèle Mme Guérard s'alarma de son état et fit appeler un médecin qui parla de phtisie galopante.

En septembre de la même année, Félix Duquesnel reprit la direction du théâtre de la Porte-Saint-Martin. Sur l'insistance de Sarah — et contre son propre jugement — il accepta de remonter le *Macbeth* de Richepin. Cette fois la pièce ne tint l'affiche que deux semaines. Il était dit que, si Richepin devait connaître plus tard des triomphes au théâtre, sa collaboration avec Sarah était vouée à l'échec. Profondément abattue par la rupture de leur liaison, Sarah attendait beaucoup de *Théodora*, une nouvelle pièce de Victorien Sardou. La création de cette œuvre sous la direction de Duquesnel fut une révélation dans le domaine de la mise en scène. De nombreuses personnes jugèrent même que le décor et les costumes conçus par les meilleurs décorateurs et stylistes de l'Opéra et de la Comédie-Française étaient plus solidement bâtis que la pièce elle-même. La scène entière n'était que splendeurs byzantines. Un tableau montrait une salle aux colonnes et aux arches massives, emplie de draperies orientales, de frises et de mosaïques, de statues et de meubles fantastiques incrustés d'argent et de pierres semi-précieuses. La toile de fond représentait les jardins impériaux et les coupoles dorées de la ville. Dans un autre tableau un platane couvrait de sa frondaison la scène entière avec, en arrière-plan, une forêt peinte et les eaux bleues du Bosphore. Un autre encore n'était qu'ors et ornements précieux.

Sarah jouait bien évidemment le rôle de Théodora, la jeune danseuse et courtisane qui abandonne une vie de débauche pour devenir impératrice de Byzance. La pièce, aux effets superbes mais exagérés comme ceux des films de Cecil B. De Mille, fascina le public et amusa les connaisseurs. Elle comportait un de ces rôles féminins pour lesquels les actrices sont prêtes à tout, même à tuer. Ni Sarah ni l'auteur ne prirent ce mélodrame exotique à la légère. Sardou, très attaché à l'authenticité — et passé maître dans l'art de plier celle-ci à ses fins —, resta des jours et des nuits plongé dans des ouvrages d'histoire. Sarah se rendit à Ravenne pour étudier la mosaïque représentant Théodora et s'imprégner de son esprit saturnien. Cette mission secrète accomplie, elle fit des dessins précis des robes de l'impératrice, rentra précipitamment à Paris et commanda une couronne et des costumes ornés de milliers de pierres semi-précieuses, une parure qu'elle devait porter en scène, malgré son poids, avec une grâce toute impériale.

L'intrigue de *Théodora* est aussi tortueuse que celles qui eurent pour cadre la cour de l'empereur Justinien. Ses multiples rebondissements donnaient à Sarah l'occasion d'utiliser pleinement la gamme infinie de son talent de virtuose. Sardou avait ménagé les effets avec art. Le premier acte commence lentement, procédé qui permet au public de s'installer confortablement pour admirer le décor. Soudain, dans un fracas étourdissant, une composition pour orgues de Massenet annonce l'entrée de Théodora qui apparaît au fond de la scène, accompagnée de ses suivantes et eunuques. Elle porte une robe d'étoffe d'or brodée de têtes de séraphins sur laquelle est jetée une cape de satin blanc où brillent fils d'or et topazes. Une couronne de pierreries complète le costume. Hiératique et mystérieuse, elle vient au centre de la scène et s'arrête, comme une icone en gloire, tandis que la cour entière tombe à genoux. Elle se dirige ensuite vers un divan bleu paon et tend une main à baiser et puis un pied ! Son impériale présence ainsi affirmée, l'action transporte Sarah, ou plutôt Théodora car elles ne sont pour le public qu'une seule et même personne, dans les sombres venelles de Byzance où, vêtue comme l'esclave lascive qu'elle a été dans sa jeunesse, elle rencontre Andréas, l'homme qui se prépare à renverser l'empereur, et en tombe amoureuse. L'intrigue se complique et permet à Théodora de déployer une vaste garde-robe et une gamme encore plus riche d'émotions. À la fin, ayant connu plus de souffrances qu'il ne semble possible d'en endurer, elle empoisonne par erreur Andréas. Rendue folle par son geste, elle s'effondre sur le corps prostré de son amant. Un bourreau sinistre, une cordelette de soie rouge à la main, se dirige lentement vers elle.

« Va, maintenant !... soupire-t-elle dans un sanglot, je suis prête !... » Le rideau tombe alors que le lacet enserre son cou.

Lors de la première, le 26 décembre 1884, le mélodrame, la mise en scène et, surtout, Sarah elle-même furent salués par l'une des ovations les plus enthousiastes de l'histoire du théâtre. Sarah joua *Théodora* pendant toute l'année 1885. La pièce fut donnée trois cents fois à Paris et plus de cent fois à Londres. Au cours de l'été Sarah la transporta à Bruxelles, à Genève, et fit une tournée en province, remportant chaque fois un triomphe contre l'avis même des critiques qui jugeaient l'intrigue invraisemblable, l'arrière-plan historique imprécis et l'atmosphère romantique superficielle. Cependant, malgré leurs doléances, ils étaient prêts à reconnaître que la comédienne pouvait rendre sublimes les effets les plus grossiers. Pour Jules Lemaître, elle faisait songer « à Salomé, à Salammbô, à la reine de Saba ». Il ajoutait : « Elle ressemble aux reines fantastiques de Gustave Moreau, à ces figures de rêves, tour à tour hiératiques et serpentines, d'un attrait mystique et sensuel [16]. »

Si la plupart des amateurs de théâtre se contentaient d'être éblouis par Sarah, certains, comme Pierre Loti, désiraient ardemment l'approcher pour découvrir de quelle étoffe merveilleuse elle était faite. Né en 1850 à Rochefort, petit port tranquille de la côte atlantique, Julien Viaud, qui adoptera le pseudonyme de Pierre Loti, avait grandi dans une atmosphère de strict protestantisme, entouré de femmes qui n'aimaient rien mieux que le gâter. Enfant il apprit le piano et se constitua un musée avec les peaux de serpents, les papillons, les coquillages et les plumes d'oiseaux exotiques que son oncle marin rapportait des tropiques. Des occupations aussi paisibles ne l'empêchèrent pas d'être attiré par la rude existence de ces marins qu'il voyait de la fenêtre de sa chambre. Ce furent peut-être cet appel de la mer et les récits d'aventures que lui faisait son frère qui le conduisirent en 1867 à l'École navale. Trois ans plus tard il était aspirant sur un voilier en partance pour Tahiti et l'île de Pâques.

Pierre n'était pas un marin ordinaire. Très tôt il envoya des articles et des dessins à *L'Illustration* et au *Monde illustré*. Il avait vingt-cinq ans lorsqu'il rencontra Sarah, son aînée de six ans. Au cours de ses périples il avait connu des amitiés passionnées, masculines et féminines, et les plaisirs exotiques, interdits, de la vie primitive le fascinaient.

C'est à la Comédie-Française que Loti vit, pour la première fois, Sarah Bernhardt. « J'étais au premier rang des fauteuils d'orchestre..., écrivit-il. Je n'oublierai jamais l'instant où elle s'approche de la rampe et me fixe avec ces grands yeux sombres, la tête penchée comme un ange du mal — j'ai croisé deux fois ces yeux [17]... »

Le jeune Loti adopte un ton plus enjoué dans une lettre adressée à un compagnon de bord, Lucien Jousselin ou « Plunkett ». (Le « Pierre » dont il parle ici est, bien entendu, lui-même.)

> Figurez-vous que, [...] vers le milieu de juin, je suis tombé à Paris, — entre les étranges pattes de Sarah Bernhardt.
> Un certain soir, le « gabier Pierre », qui jusque-là ne s'était

guère occupé de la dame S. B., s'avisa d'aller avec son col bleu s'asseoir à la Comédie-Française, dans un fauteil d'orchestre. La belle doña Sol qui était en scène lui adressa son plus gracieux sourire, et le public en fut fort étonné !

Le lendemain, le gabier Pierre se rendit chez la dame S. B., laquelle lui fit un charmant accueil ; lui donna une rose, lui cueillit son portrait [que Loti avait fait d'elle], et lui dit : au revoir.

Le surlendemain Loti, revêtu de son costume turc le plus brodé et le plus doré, fit à la dame S. B. une seconde visite qui dura quatre heures ; quatre heures pendant lesquelles furent dites et faites bien des insanités. L'hôtel fut parcouru et visité. Loti fut présenté aux différents lévriers, chiens danois, à tous les familiers de la dame S. B., même au squelette Lazarus, le gardien de sa chambre à coucher. Ils y ont deux heures fort singulières passées sur certain canapé, deux heures pendant lesquelles la dame S. B. devint nerveuse et extraordinaire... Loti prit congé naïvement à l'heure du dîner, et quitta Paris pour se rendre à Rochefort.

Depuis ce jour, oncques n'entendit parler le pauvre Loti de la belle dame S. B.

Il lui envoya des caisses remplies de roses, de beaux dessins, de belles lettres d'amour brûlantes. La dame fut insensible, et ne répondit point. Loti, mon cher ami, avait manqué de présomption et d'audace, il avait laissé échapper un instant pyschologique qui ne se retrouvera plus, et commis une faute impardonnable...

Conséquence naturelle et moralité : Loti qui jadis ne pensait guère à la dame S. B., est aujourd'hui sous le charme de cette créature, et la désire, contre toute attente, d'une folle manière [18]...

Loti déclara en une occasion qu'il n'était pas son propre type physique. Il n'était pas davantage celui de Sarah dont le penchant pour les grands et robustes gaillards comme Mounet et Richepin était bien connu, et Loti n'était en rien cela. Homme de petite taille aux yeux de biche, il portait un épais maquillage, des talons hauts et s'adonnait à ce qu'il nommait « les péchés de Sodome ». Après sa première visite Sarah, le considérant comme un des nombreux admirateurs étranges qui s'étaient entichés d'elle, l'oublia. Mais elle se trompait. Un jour deux solides individus se présentèrent à son domicile avec un grand tapis qu'ils déroulèrent, dévoilant un Loti aussi espiègle et séducteur que Cléopâtre quand elle s'était introduite de semblable façon auprès de César. Il semble que ce stratagème ait amusé l'actrice car ils devinrent bientôt amis intimes.

Loti ne tarda pas à se sentir suffisamment d'assurance pour envoyer à Sarah la photographie d'un marin nu. Et lorsque *Aziyadé*, son premier roman, fut publié, il le lui dédia : « Madame, écrivit-il, le garçon très obscur, que vous appeliez Pierre le fou, vous dédie humblement cette histoire, à vous qui brillez tout au haut dans le monde des intelligences. Il lui semble que votre nom, mis à cette première page, rayonnera un peu de son charme poétique sur ce livre triste[19]. » Malheureusement l'éditeur l'informa qu'il était trop tard pour inclure une dédicace, les épreuves du livre étant fort avancées. Cette omission n'eut guère de conséquences, Sarah trouvant *Azizyadé*, avec ou sans envoi, admirable. Sa réaction n'était pas étonnante. Loti, quoique maître mineur, avait un don certain pour évoquer en des descriptions somptueuses la mer, l'existence des marins et des peuples primitifs, et l'amour que l'on peut ressentir pour eux. Il se montra sensible à l'admiration de Sarah qui comprenait si parfaitement son œuvre. Grâce à leur amitié complice, Loti découvrit bientôt que Sarah était encore plus extraordinaire qu'il ne l'avait imaginé. Dans son journal il décrit sa chambre :

> Une grande pièce somptueuse et funèbre : les murs, le plafond, les portes, les fenêtres, tendus d'épais satin noir — d'un satin chinois d'un noir glacé, sur lequel, en noir mat, sont brodées des chauves-souris et des chimères. Un grand dais des mêmes draperies noires, sous lequel se cache un cercueil capitonné de satin blanc, fait d'un bois odorant et précieux. Un grand lit d'ébène, à colonnes, à longs rideaux noirs ; sur sa large houssine, un dragon chinois, brodé en rouge, avec des griffes d'or et des ailes d'or.
>
> Dans un angle, un grand miroir en pied, dans un cadre de velours noir ; perché sur ce cadre, un vampire, un vrai vampire, déployant ses ailes velues.
>
> Au milieu de toute cette richesse funèbre, trois personnages tranchent sur le noir puissant du satin, trois personnages qui sont debout devant le miroir, et se regardent en se tenant par la main.
>
> L'un, un squelette — le squelette d'un *beau jeune homme mort d'amour* — un squelette qui s'appelle Lazare dont les os sont blancs et polis comme de l'ivoire, chef-d'œuvre de préparation anatomique, qui sait se tenir debout et « *prend des poses* ».
>
> Au milieu, une jeune femme, en longue traîne de satin blanc, une jeune femme délicieusement jolie, avec de grands yeux sombres, une grâce, une distinction, un charme suprêmes, une étrange créature : Sarah Bernhardt.
>
> Troisième personnage, formant le groupe, un jeune homme, en costume oriental, brodé d'or comme pour une fête de Stamboül : Pierre, ou Loti, ou bien encore Ali-Nyssim, comme l'on voudra.
>
> À nous trois, nous avons dit bien des insanités, dans cette chambre de courtisane, unique dans le monde entier[20].

Deux autres entrées du journal nous montrent Sarah chez elle, peu avant son premier voyage à Londres avec la Comédie-Française :

> *Jeudi 28 mai [1879].*
>
> [...] À 4 heures je me présente chez Sarah B. Elle est dans son grand salon de plus en plus rempli d'objets étranges et pré-

cieux apportés de tous les coins de l'Orient ; partout des gerbes de roses et de fleurs rares. Elle est en robe noire, le corsage garni de roses naturelles ; il y a là toute une cour d'artistes et de gens de lettres, au milieu desquels mon costume de marin fait singulière figure.

Sarah Bernhardt vient à moi et me tend la main avec une grâce parfaite. Elle me complimente sur mon livre qu'elle a, dit-elle, fait circuler dans son entourage et qu'on a partout trouvé « œuvre de poète » [...]. Son accueil m'a mis dès l'entrée sur pied d'égalité avec ceux qui m'entourent et on m'examine beaucoup.

Je demande pour le lendemain un entretien particulier qui m'est accordé ; elle compte sur les doigts plusieurs heures, repassant rapidement dans sa tête l'emploi du temps de sa journée si remplie, et fixe une heure et demie après midi pour ce tête-à-tête. Je pars en embrassant sa main, un peu plus longuement peut-être, et avec plus d'émotion qu'il n'aurait fallu en public. La pensée de ce rendez-vous m'a légèrement troublé[21]...

Vendredi 29 mai [1879]

À une heure et demie, bien précise, je sonne à l'hôtel de l'avenue de Villiers. Une femme de chambre introduit en souriant le pauvre matelot Pierre dans le grand salon bizarre et lui dit que Madame va venir.

Madame vint, l'air rêveur, et encore vêtue de noir. Toutes ces roses répandaient dans cette vaste pièce des parfums bien doux, bien suaves. [...]

Une dépêche était arrivée, avançant d'un jour le départ pour l'Angleterre ; le lendemain à midi il fallait être en route ; les visiteurs — princes, marquis, hommes de lettres ou artistes — arrivaient en foule pour prendre congé, et tout ce monde perdait la tête.

Je vois encore cette scène dans le grand salon : une bande d'artistes et de femmes de théâtre, M. Lepage [le peintre Jules Bastien-Lepage], Mlle Abbéma, Mlle [Jeanne] Samary, la vieille dame de compagnie [Guérard], les femmes de chambre, le grand lévrier peint par M. Clairin, la chienne danoise, tout ce monde s'agitant pour les préparatifs du voyage, au milieu d'un désordre indescriptible.

Sarah Bernhardt, donnant ses instructions avec un calme extrême, assise tranquillement à son bureau, sur la haute chaise gothique qui porte sa devise « Quand Même », écrivant au milieu de ce tapage une quantité de lettres et de cartes d'adieu — et puis se levant pour venir m'offrir gracieusement son portrait en Doña Maria de Neubourg.

« Écrivez-moi à Londres, dit-elle, 77 Chester Square — et ne m'oubliez pas[22]. »

Il n'était guère à craindre qu'il l'oubliât. Loti, jeune inconnu fraîchement débarqué à Paris, était fasciné d'appartenir à la cour de Sarah et intimidé par la position qu'il occupait parmi les amis célèbres de la comédienne. Son anonymat relatif ne devait guère durer. Le 9 juillet 1879 il écrivait à Sarah la lettre suivante :

Madame,

Il me semble qu'un changement s'est fait dans ma vie, que j'ai atteint quelque chose d'inespéré et d'impossible, depuis que vous m'avez tout à fait admis auprès de vous.

De loin en loin je vous écrirai des pays où je vais bientôt retourner. Vous me l'avez permis. Je vous parlerai de mon existence, si éloignée de la vôtre ; je vous enverrai mes impressions de solitude. Je suis terriblement seul dans la vie.

Je trouverai un plaisir profond et étrange à communiquer ainsi avec vous, moi pauvre marin obscur, « ver de terre amoureux d'une étoile ». Pardon de vous parodier ainsi.

Quand mes lettres vous ennuieront, vous ne les regarderez pas. Vous les donnerez à Lazare, qui en fera la lecture à sa chauve-souris.

Je suis dans le charme encore de ces quelques moments passés près de vous, et puis aussi je tremble de vous avoir paru absurde — en Turc surtout. [...] J'aime mieux que vous vous rappeliez Pierre le marin qui, la veille, vous avait peut-être un instant amusée.

Je voudrais ne vous débiter jamais ni compliments ni flatteries ; je trouve ces choses ridicules — et puis vous en recevez tant que ce serait bien banal.

Laissez-moi seulement vous dire, une fois pour toutes, que vous êtes pour moi un idéal placé très haut, quelque chose d'exquis et de délicieux, planant bien au-dessus des autres femmes, que de plus vous avez pour moi l'attrait mystérieux d'une énigme, que certain côté sombre de votre nature m'attire autant peut-être que tous ses côtés charmants.

Un rêve irréalisable que j'ai fait souvent, ce serait de vous emmener une fois courir les mers, sur un navire qui serait le mien, avec mes amis pour équipage, mes amis, c'est-à-dire un groupe de forbans choisis entre plusieurs milles, que rien n'effraie ni n'arrête que ma volonté. Comme vous seriez bien avec nous, et que de choses inconnues nous verrions ensemble.

Pardonnez-moi, Madame, de vous écrire une lettre si peu sensée. Je suis respectueusement à vous,

Pierre[23]

Huit mois plus tard, dans son journal à la date du 29 mars 1880, Loti s'interroge toujours sur son incapacité à mener à bien ses tentatives de séduction de Sarah.

« Chez Alphonse Daudet. Celui-là me charme pour tout de bon. Il y a quelque chose en lui qui ne ressemble pas aux autres. Il dit que pendant ces quinze dernières années il n'a rien vu dans la littérature française qui vaille *Le Mariage de Loti*.

Chez Sarah Bernhardt à 3 heures. Elle est malade. Sa porte est consignée, elle s'ouvre cependant pour moi. On m'introduit dans le grand salon en me priant d'attendre ; un vieille dame, extraordinairement bavarde et spirituelle, vieille actrice sans doute, m'est expédiée pour me tenir compagnie. Cette vieille dame est une perpétuelle fusée d'esprit.

Au bout de trois quarts d'heure environ, une femme de chambre paraît, m'autorisant à monter dans la chambre à coucher de Sarah.

Sarah est dans un grand lit à tentures de satin noir, dans sa grande chambre mortuaire tendue de noir, enfouie dans des couvre-pieds de satin blanc bordés de cygne. Je ne lui ai jamais vu l'air si jeune, si reposé, les yeux si vifs. Elle a l'air d'une malade pour rire.

Le squelette est là, assis près d'elle — et la vieille dame spirituelle, plus gênante que lui.

Sarah Bernhardt est d'une humeur charmante ; elle me donne sa main à baiser avec une grâce exquise — comme dans le 2e acte de *Ruy Blas* — mais c'est égal, la note n'est plus la même qu'il y a deux ans, lors de ma visite en Turc ; ce moment de faveur est passé pour ne plus revenir, et la vieille duègne a reçu le mot d'ordre pour ne point nous laisser seuls ; c'est elle qui vient me reconduire jusqu'au perron de l'hôtel, avec force politesses et compliments — et un certain air narquois d'un comique impayable[24].

En 1884 une entrée du journal indique que Loti a atteint les rivages de la célébrité :

Dix jours bien agités passés à Paris. Mon nom est partout, célèbre maintenant[25]. Très fêté par tous les amis, anciens et nouveaux, entouré et encensé comme je ne l'ai été encore jamais.

Je songe toujours à la belle créature scandinave que sans doute je ne reverrai jamais. [Et qui, étant donné le caractère ambivalent de la sexualité de Loti, était très probablement un homme.]

Un petit renouveau d'entraînement vers Sarah Bernhardt. Surtout un soir où je passe les entractes dans sa loge, pendant *La Dame aux camélias* — avant le lever du rideau, quand elle s'habille pour le premier acte, encore en chemise dit-elle, Mme Guérard et la femme de chambre me font, sur son ordre, entrer à reculons, en fermant les yeux et m'asseyant dans un fauteuil. Je cause tournant le dos, et les yeux toujours fermés, et la voix qui me répond est suave et délicieuse — la loge tendue de satin chinois à diableries sentant des odeurs exquises — à chaque entracte elle revient, plus charmante, me tendant la main.

« Je jouerai ce soir pour Renan, dit-elle, et pour vous parce que vous revenez du Tonkin — et vous allez voir ce que ça va être. »

En effet, elle fut inimitable. Comme nous nous amusions de son enthousiasme pour Renan, elle dit : « Ça m'est égal qu'il sente mauvais, qu'il ait l'air d'un crapaud, tout ce qu'on voudra, moi je l'admire. »

« Je joue le mieux que je peux », répond-elle simplement à toute une cour qui la complimente.

Pour s'en aller le soir, elle met tout simplement une longue pelisse de renard par-dessus la chemise de batiste sans manches, et la voilà partie, montant dans un grand landau en me donnant la main, au milieu de deux haies d'admirateurs obscurs qui guettaient sa sortie [26].

Quelques années plus tard Loti devait confier à son journal ses impressions d'une délicieuse soirée passée avec l'actrice :

Lundi soir 24. — Après avoir dîné avec Sarah, qui joue Cléopâtre le soir, et qui est de plus en plus charmante, exquise, aussi étonnamment jeune qu'il y a vingt ans, nous nous en allons ensemble dans sa voiture au théâtre. Il y a tout Paris à traverser, au moins une demi-heure de course, malgré l'allure rapide des chevaux. Dans la voiture élégante, nous sommes à demi couchés l'un près de l'autre, nous sentant rapprochés, non seulement des sens, mais rapprochés d'âme, comme jamais. Elle est délicieuse, et fine, et exquise, elle, qui sera tout à l'heure la Cléopâtre magnifique, enveloppée dans une longue pelisse de soie gris perle, la tête entourée à la diable de dentelle blanche d'où s'échappent ses cheveux blonds. Elle est exquise et grave, et chaste. Je tiens sa petite main, un peu chaude, un peu agitée, dans la mienne : « Vous savez, dis-je, c'est surtout pour faire après cette course en voiture avec vous, que j'ai accepté votre dîner de ce soir, envoyant promener tant d'autres qui m'attendaient. » « Et moi, dit-elle, vous croyez que c'est pour autre chose que je vous ai invité ? Sans cela mon dîner rapide aurait eu tout au plus la valeur d'un apéritif. Je suis sûre que vous allez redîner tout à l'heure avec vos amis ? Dites que non, je vous vois rire ! » « Eh ! bien, oui, je ris parce que c'est vrai, je vais redîner en vous quittant ; j'ai promis, je suis attendu, à huit heures. Mais je voudrais que le théâtre fût encore très loin, et rester là comme nous sommes pour un long voyage. » « Moi aussi. Voulez-vous que je dise de faire un grand détour ? Le public m'attendra. »

Alors j'appuie sa tête sur mon épaule et elle commence, la charmeuse, de sa voix d'or, une sorte de confession triste et grave de sa vie. Est-ce un rôle encore qu'elle joue ? Je ne le crois pas ; en tout cas, elle le joue délicieusement et le public n'en a jamais entendu de pareil. À côté de nous, derrière les glaces ternies [?] par la buée des soirs d'hiver, passent très vite des rues et des rues, des lumières, des équipages, des foules ; lancés au travers de tout cela, nous en sommes isolés par la vitesse même et par l'obscurité.

Elle dit, la charmeuse, que sa vie, toujours désolée et vide, fut bien moins folle et moins à tout le monde que ne le content les légendes ; que, depuis dix ans, au fond d'elle-même, à une place à part, dans un recoin de mystère, mon image est toujours restée. Et, en ce moment, je suis ravi de l'écouter et de la croire, et d'appuyer lentement mes lèvres sur les siennes.

Le théâtre. Nous sommes arrivés. Je vais rester dans sa voiture, qui me conduira chez la princesse. Elle descend, svelte et charmante, les mouvements incomparables de son corps faisant onduler ses longs vêtements clairs, et, entre la haie de gens postés pour la voir entrer, elle se retourne, me donnant à embrasser sa main, avec un adieu de souveraine.

Il y a dix ans, quand j'étais moi-même un des admirateurs [?] perdus dans cette haie qui l'attendait pour la voir passer, si on m'avait dit qu'un jour je serais l'élu, amené dans la voiture de la charmeuse, ma tête en aurait tourné. Mais cela, comme le reste, arriva trop tard ; ce n'est plus que la griserie d'un moment, finie dès que le son de sa voix s'est éloigné et que je ne sens plus le contact chaud de sa petite main [27].

Il ne devait y avoir, par contre, aucune ambiguïté sexuelle dans les relations de Sarah avec le comte Robert de Montesquiou, une autre de ses amitiés littéraires. Homosexuel flamboyant, d'une minceur qui n'avait d'égale que celle de ses poèmes, aussi impressionnant que son titre et aussi précieux que la perle grise qui ornait sa cravate, Montesquiou était peut-être le cattleya le plus rare de Paris. Sarah l'adorait et lui donnait mille petits noms : « mon frère », « ami de mon cœur », « mon esprit », « mon toujours ». Elle sut aller plus loin encore et le faire succomber à ses charmes. On raconta que le malheureux comte, de retour chez lui, en vomit son souper. Cette épreuve passée, Sarah poursuivit leur idylle de manière plus éthérée :

« Je vous aime d'une infinie et douce tendresse. Je vous aime d'un amour maternel et divin et je suis bien sûre que ma vie est suspendue à la vôtre [28]. »

Pour célébrer leur amour platonique, ils se firent photographier dans une pose amusante, Sarah vêtue du costume de troubadour du *Passant* de Coppée et Montesquiou, à ses côtés, dans une tenue identique. Le comte et poète était certainement l'homme le plus maniéré de sa génération, un trait que Sarah, elle-même fort sensible au grand style, appréciait à sa juste valeur. En effet lorsque la comédienne, les bras tendus, les yeux brillants, s'avançait vers son « poète adoré » et que Montesquiou, en proie à une extase très fin-de-siècle, s'inclinait pour baiser ses doigts chargés de bagues, la scène qu'ils semblaient jouer était du théâtre à l'état pur. Le spectacle de Sarah, élégamment appuyée contre la cheminée de quelque salon aristocratique, déclamant les derniers poèmes de Montesquiou alors qu'au comble du ravissement il adoptait, pour l'écouter, la pose du *Penseur* de Rodin, était tout aussi théâtral.

La mort de Victor Hugo le 22 mai 1885 redonna à ces jeux de société leurs justes proportions. Cet événement bouleversa profondément Sarah. Le grand poète était toute sa jeunesse et ses pièces lui avaient fait connaître la gloire. Avec la disparition de son vieil ami s'éteignait cette ferveur romantique qui nourrissait son art. Deux millions de personnes suivirent, de l'Arc de Triomphe au Panthéon, le corbillard des pauvres que l'écrivain avait exigé pour son ultime voyage. Au milieu de cette marée humaine Sarah marchait, figure anonyme sous de longs voiles noirs. Alors que le cortège remontait les boulevards dont les lampadaires avaient été recouverts de crêpe, la foule reconnut l'actrice et s'écarta pour lui faire place : Doña Sol en deuil pleurait son créateur disparu.

Souhaitant honorer sa mémoire, elle monta *Marion Delorme* à la fin de l'année. Malheureusement les Parisiens furent moins prompts à se rendre au théâtre qu'ils ne l'avaient été à accompagner leur héros national jusqu'à la tombe.

À la fin de février 1886, pour faire plaisir à Philippe Garnier, l'amant qu'elle avait congédié en Russie lorsqu'elle s'était mis en tête de faire de Damala un acteur, elle accepta de monter un nouvel *Hamlet* et de lui confier le rôle titre. Ce fut un désastre. La pièce ne connut qu'une dizaine de représentations au cours desquelles Garnier se fit huer, siffler et conspuer. Certes Sarah fut applaudie et louée pour son interprétation d'Ophélie mais elle ne s'en sortit guère mieux car elle dut couvrir les frais de la Porte-Saint-Martin. Désespérément à court d'argent, elle dispersa ses biens aux enchères et vendit son luxueux hôtel de l'avenue de Villiers pour louer un pied-à-terre rue Saint-Georges.

En avril 1886 elle entama une tournée de quatorze mois qui devait la conduire dans les deux Amériques et en Grande-Bretagne. Avant de quitter Paris elle reprit brièvement *Fédora* de Sardou, pièce dont le succès était assuré. Un soir, un visiteur inattendu se présenta à la porte de sa loge. C'était le prince de Ligne. Vingt années s'étaient écoulées depuis la naissance de son fils, des années imprévisibles qui avaient vu Sarah atteindre des sommets insoupçonnés tandis que Ligne restait ce qu'il avait toujours été : le descendant d'une riche et noble maison. Le lendemain, après un déjeuner avec Sarah et Maurice, il proposa de reconnaître son fils et de lui léguer une partie de sa fortune. Maurice refusa, poliment mais fermement, disant que comme sa mère l'avait élevé seule, quelquefois à grand-peine, il lui devait tout et préférait, par reconnaissance, conserver son nom.

Le geste de Maurice, qui ne se souciait jamais de savoir d'où venait l'argent dont il avait besoin, avait quelque chose d'aristocratique mais, en refusant que son père prît à sa charge les frais de son entretien, il négligeait le meilleur moyen d'exprimer sa gratitude à sa mère qui, à quarante et un ans, connaissait des difficultés financières humiliantes. Il est fort probable que le prince de Ligne avait réapparu parce qu'il tenait à aider Sarah, et son fils, non sans une certaine arrogance, l'avait tout simplement éconduit.

Maurice accompagna son père à son départ pour Bruxelles. Une foule énorme encombrait la gare du Nord et Ligne, craignant de manquer son train, demanda à un employé de le faire passer avant les autres voyageurs. Ni la mention de son titre ni la pièce de monnaie qu'il proposa n'eurent d'effet. Maurice intervint alors et annonça qu'il était le fils de Sarah Bernhardt. N'était-il pas possible de faire quelque chose ? À la mention du nom magique ils furent conduits à travers la foule jusqu'au compartiment du prince. Alors que le père et le fils se serraient la main, Maurice ne put résister au plaisir d'une dernière pique : « Vous voyez, dit-il, c'est aussi très bien de s'appeler Bernhardt. » La repartie sonnait juste, du moins dans l'esprit de Maurice. À vingt et un ans, il était l'enfant gâté de Sarah, son « dauphin ». Lorsqu'il s'était montré incapable de diriger un théâtre, elle avait haussé les épaules et l'avait excusé. Quand il perdait au jeu l'argent qu'elle-même gagnait, elle lui souhaitait d'avoir plus de chance à l'avenir. Quand il dilapidait des fortunes en vêtements, attelages et chevaux, elle pensait que tel était son droit par naissance — n'était-il pas fils de prince ? — et souriait avec fierté à la vue de ce jeune et beau dandy qui faisait du cheval au bois de Boulogne. En un mot, elle était l'image parfaite de la mère aimante, toujours prête à choyer son enfant en échange de quelques marques d'affection. Et il est vrai que Maurice lui témoignerait une dévotion de chaque instant, prix léger à payer pour l'existence dorée qu'elle lui assura.

*

À la fin d'avril 1886, Sarah embarqua, avec sa troupe, à Bordeaux pour Rio de Janeiro où elle avait un engagement au mois de juin. Lors de son premier voyage en Amérique elle avait confié Maurice, alors âgé de quinze ans, à Tante Henriette et Oncle Faure. À présent que son fils avait vingt et un ans, elle était heureuse de l'emmener pour la première partie de la tournée. Afin qu'il eût des compagnons de son âge, elle invita son ami Jean Stevens à se joindre à eux. Elle engagea aussi la fille de Jeanne, Saryta, comme comédienne dans la troupe. (Oscar Planat, le père de Saryta, était l'un des « lions » qui hantaient à Paris les même cercles que Charles Haas et le prince de Ligne. Actrice douée, la nièce de Sarah devait faire carrière à la Comédie-Française sous le nom de Saryta Bernhardt.)

Le premier séjour de Sarah au Brésil fut un long triomphe. Elle fut ravie de voir l'empereur, Don Pedro II, assister à chaque représentation bien que sa correspondance laisse entendre qu'il ne sut pas se montrer aussi généreux que certains monarques européens qu'elle avait connus.

Suivre Sarah du Brésil en Argentine, en Uruguay, au Chili, au Pérou, à Cuba et au Mexique, puis à travers les États-Unis, du Texas à New York, serait presque aussi épuisant que de faire le voyage pour de bon. Cependant, pour Sarah, le mal du pays, le travail harassant et les milliers de kilomètres parcourus étaient compensés par les tapis rouges, les réceptions et les honneurs, les cadeaux luxueux, les potentats exotiques et les cachets impressionnants.

Sarah ne décrit pas cette tournée dans les Amériques dans *Ma double vie* qui s'achève en 1881 après son premier voyage aux États-Unis. Mais elle en parle dans ses lettres qui diffèrent de ses Mémoires un peu comme une conversation privée diffère d'un discours public.

Ses principaux correspondants furent Maurice et Raoul Ponchon. Ponchon aurait pu figurer dans *La Bohème* de Murger ou de Puccini. Ami intime de Richepin et de Paul Bourget, c'était un habitué du quartier Latin ; il publia un recueil de vers intitulé *La Muse du cabaret* et, comme Richepin, il se flattait de sa sympathie pour le petit peuple des rues de Paris. Pour Sarah c'était le *petit ami** idéal, le confident sûr à qui elle pouvait parler ouvertement de Richepin qui, s'efforçait-elle de croire, lui pardonnerait ses infidélités et reviendrait auprès d'elle.

Les lettres qui suivent furent envoyées à Ponchon :

Ce 4 mai 1886

[...] Malgré les ennuis, la honte et le chagrin que m'a causés ma liaison amoureuse avec Jean, savez-vous qu'il me reste un souvenir reconnaissant au cœur. Celui de vous avoir connu vous et de vous garder à tout jamais mon cœur. Je vous aime profondément et vous faites partie de mes rêves d'avenir. Ami, ami chéri, gardez-moi votre amitié, laissez intacte dans votre cœur la place que j'y ai prise. Je m'y trouve si bien. Ami Ponchon, je vous aime fortement et vous embrasse avec toute mon âme.

[29 mai 1886]

Mon Ponchon chéri, mon Ponchinot, me voici enfin arrivée après 22 jours de mer. Mais quel superbe voyage et quel pays enchanteur. [...] Mais chaque joie a sa peine. Si le pays est superbe, il est épouvantable comme climat. Cette végétation fabuleuse n'est due qu'à une chaleur extrême et une humidité effroyable. [...] Tout le monde est un peu malade. [...] Je vous écrirai jeudi après la première représentation. [...]

Au revoir mon Ponchinot. Je vous embrasse avec mes deux bras bien serrés autour de votre cou et je vous aime plein mon cœur.

Le pauvre Berthier a failli mourir de la fièvre jaune. Le père Jarrett ne va pas bien du tout. Mon Maurice a eu de mauvais crachements de sang ; les médecins d'ici me déclarent que c'est le cœur qu'il a malade, mais hélas, cœur ou poumon, je n'en suis pas plus calme. [...] Nous partons dans quelques jours pour un petit pays qui a nom St Paul [Sao Paulo]. On dit qu'il y fait très froid. C'est à 14 heures d'ici [Rio]. C'est la Suisse du Brazil comme on dit ici.

Quels vilains négrions et négriones [sic] et quels assassins et voleurs et lâches. Ah ! que la fièvre jaune les emporte tous, je ne pleurerai pas je vous jure. Je joue lundi *Phèdre*, oui, *Phèdre* devant ces brutes. Ils n'y comprendront rien bien sûr ; car ils ne comprennent rien à rien.

Je voyage avec Marie Jullien et je prends mes repas avec elle et je couche dans une chambre communicante. Nous laissons la porte ouverte et nous bavardons en nous endormant. De quoi parlent les femmes ? De chiffons ! Nous, nous parlons d'amour. Elle adore son capitaine avec lequel elle vit depuis six ans. Heureuse fille, elle est confiante en lui, il est confiant en elle. Je l'écoute, je l'envie et je pense à Jean ; à ce Jean que j'adore et je pense à mon ami Ponchon le triste rieur qui ne rit jamais et qui aime sa Sarah Bernhardt.

C'est triste et laid, Aires [?], oh très laid. Les habitants sont très charmants et le succès est grand. Mais quel théâtre ! Des rats qui courent à plaisir, des souris sur les tablettes ; pas de herse pour éclairer, le jardin du premier acte était dans la nuit, pas de meubles, un canapé où j'ai failli me briser les reins et une carpette anglaise, si petite qu'on eût dit le foulard d'un machiniste étalé pour sécher son tabac.

J'ai ri beaucoup. J'ai bien joué et c'est fini. Nous partons tout de suite.

Je vous embrasse mon Ponchon chéri et tout plein gros et tout plein grand, mon cœur est pour vous.

Sarah

[...] Sa Majesté l'empereur du Brazil [sic] me semble trop pauvre pour s'abonner au *Passant* ; le pauvre, il n'a pas un centime et se fait traîner au théâtre par quatre mules blanches poussives, et quelle carriole ; c'est délirant, et quelle garde et quels pompiers ; ils ont l'air de jouer à tout ces braves Brésiliens, jouer à faire des maisons, jouer à tracer les routes, jouer à l'incendie, jouer à l'enthousiasme. Ah ! les sales brutes. Il y a là-haut un magnifique endroit qu'on appelle la Tijera [?]. Là, la forêt vierge est dans son éclat et les routes sont bordées de bois de bambou gros comme vos jambes et de magnifiques bananiers couverts de fruits. Puis des yuccas grands comme des chênes et des camélias, ami, au tronc tordu et gigantesque.

En face de vous une montagne couverte d'arbres aux fleurs variées et se détachant en masses blanches des camélias couverts de fleurs. Des cascades se jouent au travers des plantes les plus rares. Des oiseaux-mouches petits comme des petits papillons tournent autour de ces fleurs et des papillons effrayants de grosseur vous tourbillonnent autour de la tête. Des hérons à huppette [sic] d'or, des râles au bec immense et rouge, des ibis roses, tout cela est d'un effet magique. Il faut pour chasser dans les lagunes de ces parages monter dans des petites pirogues faites d'un tronc d'arbre. Le nègre se tient debout à l'avant et le chasseur assis dans le milieu au fond. Un seul mouvement de crainte ou un éternuement et la pirogue chavire. Je n'ai point encore navigué ainsi. J'irai la prochaine fois que nous monterons là-haut.

[...] Ah ! que ce voyage eût été intéressant à faire avec vous et le mort. [Jean Richepin ?]

Enfin, je vous embrasse de toutes mes forces et je vous aime bien, allez Ponchinot.

Sarah Bernhardt

P. S. Écrivez-moi maintenant Hôtel de la Paix, Buenos Aires Plata.

Le 17 août

[...] Écoutez, seigneur Ponchinot, écoutez. J'ai, à l'heure présente, ce 17 août jeudi quatre heures de l'après-midi, j'ai *deux cent mille francs* de côté. Tous mes frais payés, mes robes à Lafferrière [?], les envois à Claude et à Brunt [?], la pension de Maurice, tout. J'ai, intacts, *deux cent mille frs.* [...] Faites-moi des compliments et dites cela à Jean. Cela lui fera plaisir, je le sais. [...] Je rapporterai mon petit million bien complet. Cela, je vous le promets. Ce ne sera pas la richesse, mais ce sera la sécurité pour l'avenir et le droit au repos. [...]

J'ai beaucoup, beaucoup de succès ; mais il faut avouer que je travaille comme un pauvre nègre et j'ai hâte de quitter la république argentine pour le Chili parce que j'aurai une traversée de douze jours qui, quoique atrocement mauvaise et dangereuse, me reposera forcément. [...] Écrivez Hôtel Colon chez mon oncle.

Mon Maurice va très bien. Il sera de retour en Europe vers le 1er octobre.

[...] Depuis mon arrivée ici, on vend le portrait de Jean Richepin à côté du mien, ce qui m'irrite un peu ; mais cette scie sera pour la vie. Je dois m'y faire. Et puis il est si vilain sur ses portraits que cela me vexe un peu et quand un de mes adorateurs me dit, les narines vibrantes, la voix émue : « Vous avez vu, en tel endroit, vous êtes etc. » Je réponds : « J'ai vu ; mais il est mieux que cela ! » Car j'ai ici une foule d'admirateurs et deux amoureux fous. L'un ressemble à Damala avec les cheveux crépus et les dents de Richepin. Il a 22 ans, très élégant, très coquet, très fort et je crois très vicieux, une passion folle ; on lui pose tous les deux jours des sangsues derrière les oreilles. Il ne se décourage pas, la fatuité le soutient et le désir l'aveugle.

L'autre a 24 ans. Il est sincère, ressemble pour le nez à Déroulède, pour les yeux et la bouche à une femme tendre, il est discret, passionné, timide et prêt au dévouement le plus absolu. L'un, le 1er, se nomme Luis Varcla [?]. C'est un grand avocat, député et ennemi politique du second, qui répond au nom de Martin Garcia. [...] Je voudrais déjà quitter ce pays car je crains une affaire entre ces deux hommes et depuis que je suis ici on ne fait que se battre en duel à cause de moi. [...]

Ah, mon Ponchinot, que j'aime mieux votre chère tendresse.

J'ai commencé cette lettre le 17 août à Buenos Aires et je la continue le 9 septembre à Montevideo. La pluie ne cesse de tomber. Je meurs d'ennui. [...] Je suis abrutie par ces infâmes journaux français, je n'ai jamais vu tant de lâchetés, tant de mensonges et une si plate joie à me croire ruinée, malade ou désolée. Les misérables, les sales drôles. Il n'y a rien de vrai dans tout cela que le coup que m'a donné cette folle et la cravachée que je lui ai rendue [...][29].

Avant de faire le dangereux périple autour de la Terre de Feu, Sarah envoya son fils et Jean Stevens à New York où, écrivit-elle à Ponchon, « Maurice s'amuse comme un fou [...]. Il a eu un grand succès. C'est le lion du jour, la coqueluche du monde et du demi-monde. Il est fier comme un paon ». Et aussi égocentrique, semble-t-il, ainsi que nous l'apprend une lettre que Sarah envoya de Londres, dernière étape de son épuisante tournée :

Si vous écrivez à Maurice, dites-lui que je m'ennuie mortellement et qu'il serait charitable à lui de venir passer quelques jours avec moi. Il me dit qu'il viendra le 18, mais je n'y crois guère et moi, cela me ferait du bien. Écrivez-lui dans ce sens, mon cher Ponchon, sans cependant le gronder ni le forcer. [...]

Sarah décrivit son « Odyssée » d'Argentine au Chili dans une longue lettre à Maurice dans laquelle elle révèle une nouvelle facette de sa personnalité : l'intrépide globe-trotter très différente de la créature décadente dont Pierre Loti parle dans son journal. Ainsi qu'elle le confiera à Alfred Stevens elle adorait les mille et une surprises que recèlent les longs périples. « Mon cher sang d'Israël qui coule dans mes veines me pousse aux voyages. J'aime passionnément cette vie d'aventures : moi qui déteste savoir d'avance ce que l'on me servira à mes repas [...] je déteste cent mille fois plus savoir ce qui doit arriver demain et après. Dans ces voyages tantôt sur mer, tantôt sur terre, l'imprévu est le compagnon le plus fidèle et rien ne ressemble à rien. » Le passage du détroit de Magellan, ainsi qu'elle le rapporta à Maurice, fut fort mouvementé. À la suite d'une erreur de navigation le navire qui transportait la troupe s'échoua près d'une île, à quelques dizaines de mètres d'une petite maison blanche. La mer eût-elle été démontée, affirma Sarah non sans exagération, le bateau se serait écrasé sur cette habitation. Sarah prit les choses le plus simplement du monde. Elle fit quelques parties de baccarat, gagna mille francs à Maurice Grau, son secrétaire et nouvel impresario, puis alla sur le pont pour tirer des mouettes à la Winchester. Un bateau allemand qui croisait dans les parages proposa son aide mais, confiante en sa bonne étoile, Sarah invita le capitaine à refuser ce secours. Le lendemain, après de longues manœuvres et la marée aidant, le navire reprit sa route.

Alors qu'ils longeaient les contreforts enneigés de la cordillère des Andes les voyageurs eurent la visite d'un groupe de « Patagonais » (ainsi nommés, explique Sarah à son fils, parce qu'ils ont de très grands pieds !), trois hommes et quatre femmes dans une pirogue. L'accoutrement des hommes amusa manifestement Sarah ; l'un d'eux portait des bas de femme, une paire de caleçons d'homme et un gilet de flanelle, un autre était nu jusqu'à la taille et portait de fines culottes en tissu noir. Le capitaine troqua sa casquette à visière contre deux colliers faits d'os qu'il offrit à Sarah.

Le passage du cap Silas fut périlleux ; le bateau lutta quatre jours et trois nuits contre les éléments déchaînés. Enfin les voyageurs arrivèrent en vue de Lota, au Chili, où Sarah débarqua au son de *La Marseillaise* et de l'hymne national chilien.

À Valparaiso elle fut accueillie par son oncle Édouard (le frère de Youle), sa tante et de nombreux cousins, dont certains lui avaient rendu visite en France. Après une journée passée dans l'un des hôtels appartenant à son richissime parent, elle partit pour Santiago où elle fit un triomphe dans *Fédora*[30].

Comme la troupe remontait le long de la côte occidentale de l'Amérique du Sud, les conditions de vie devinrent de plus en plus difficiles. La fièvre jaune menaçait. Des « bêtes immondes et dangereuses » grouillaient sur les tables à l'heure des repas et traversaient la scène sous les yeux des acteurs. Les chambres d'hôtel étaient rares et Sarah fut contrainte de partager un appartement infesté de moustiques avec quatre compagnons de voyage. Cependant, ainsi que l'indique une lettre envoyée d'Équateur à Ponchon, ce voyage riche en aventures l'enchantait :

> Je me suis bien amusée à Guayaquil parce que j'ai fait deux belles chasses aux crocodiles. La rivière [...] large vingt fois comme la Marne est superbe et remplie d'énormes crocodiles. Nous étions plusieurs dans deux barques qui se suivaient. Il y a eu un moment où nous avons été entourés d'un millier de caïmans ; les rameurs

craignaient que leurs rames ne leur soient enlevées par ces vilaines bêtes qui happent tout au passage. Nous en avons tué plusieurs et j'en rapporte deux : un petit et un grand. Vous verrez Ponchinot [31].

À mi-parcours de sa lettre les pensées de Sarah se tournèrent vers le foyer. Si seulement Richepin, Maurice et le cher Ponchon étaient là, au lieu de Guérard, de Saryta et de tous les autres, combien ce serait merveilleux ! Ponchon pouvait-il lui envoyer le livre de M. Édouard Drumond sur les juifs ? Elle désirait savoir ce que ce diable d'antisémite avait écrit sur elle. Il se pouvait qu'elle prolongeât son voyage de six mois pour aller en Australie, aux Indes et en Égypte, ce qui lui assurerait l'indépendance financière. De surcroît elle souhaitait ne plus jamais avoir à jouer à Paris. Elle était lasse d'être la cible des méchantes langues et de la presse insidieuse de la capitale.

Cependant, Sarah ne s'aventura pas jusqu'en Orient. Elle poursuivit sa tournée américaine, entra au Texas via le Mexique, traversa les États-Unis, s'arrêtant et jouant dans de nombreuses villes petites ou grandes ainsi qu'elle l'avait fait cinq ans plus tôt, et arriva à New York en avril. En mai elle était à Londres. De là elle entama sa première tournée en Angleterre, en Irlande et en Écosse.

Partout où elle passa elle reçut un accueil triomphal. Dans son livre, *Les Contemporains*, Jules Lemaître écrivit : « Plus que toute autre, elle aura connu la gloire énorme, concrète, enivrante, affolante, la gloire des conquérants et des césars. On lui a fait, dans tous les pays du monde, des réceptions qu'on ne fait point aux rois. Elle a eu ce que n'auront jamais les princes de la pensée [32]. »

Peu après son retour à Paris, à l'été de 1887, la Comédie-Française l'invita à revenir en son sein. En septembre Sarah se rendit à Belle-Isle pour réfléchir à la proposition. L'offre était tentante ; Perrin était mort deux ans plus tôt et Jules Claretie, qui avait toujours été l'un des plus fervents admirateurs de la comédienne, était maintenant administrateur général, mais l'idée de perdre sa liberté et d'étouffer dans le cadre rigide et réglementé de la Maison de Molière ne lui plaisait guère. En outre elle n'était pas disposée à vivre avec les cent cinquante mille francs par an qu'on lui proposait alors qu'elle pouvait en gagner autant en un seul mois.

Son refus provoqua dans la presse une nouvelle levée de boucliers. Albert Delpit écrivit dans *Le Gaulois* : « Assoiffée d'argent, voilà déjà sept ans qu'elle a quitté le Théâtre-Français pour courir les aventures. Et c'est au déclin de sa carrière que la Comédie voudrait la recueillir ? Allons donc ! [...] Elle a 43 ans et avec sa voix altérée, son talent amoindri, elle ne peut plus être

utile à la Comédie. D'ailleurs quel emploi pourrait-elle y tenir ? Je
n'en vois qu'un, celui des mères et elle ne s'y résoudra jamais [33]. »
Sarah prit sa revanche. Le 24 novembre, aussi jeune et pimpante
que jamais, elle apparut dans *La Tosca*, la troisième pièce que
Sardou écrivait pour elle. Une fois encore les critiques furent
confondus, une fois encore les jeunes gens se précipitèrent sur leur
journal intime pour confier leurs émotions.

« Oh ! Sarah ! Sarah ! Sarah la grâce ! Sarah la jeunesse !
Sarah la beauté ! Sarah la divine ! » écrivit charmé le poète Pierre
Louÿs, alors âgé de dix-huit ans. « Je suis fou, je suis hors de moi,
je ne sais plus ce que je fais, je ne pense plus à rien, j'ai vu Sarah
hier soir. Mon Dieu ! quelle femme ! [...] Sarah... Ô mon Dieu,
quand te reverrai-je ? Je pleure, je tremble, je deviens fou. Sarah,
je t'aime [34] ! »

Le critique anglais Clement Scott était tout aussi subjugué
lorsqu'il écrivit : « Bernhardt penchée, un couteau à la main, sur
Scarpia qui agonise est ce qui se rapproche le plus de la grande
tragédie à l'époque moderne. »

L'opéra de Puccini, *La Tosca*, fut donné pour la première fois
en 1900, treize ans après la création du mélodrame de Sardou.
Avec le temps l'œuvre lyrique devait éclipser la pièce dont elle
s'inspire sans cependant faire oublier le triomphe de Sarah. Au
contraire, les sopranos copièrent à l'époque son jeu dramatique et
le transmirent à leurs élèves. Ainsi aujourd'hui, lorsque nous
allons à l'opéra, nous revoyons comment Sarah fixait du regard
Scarpia tout en cherchant le couteau posé sur le bureau derrière
elle ; comment elle disposait des cierges autour du corps de son
amant et plaçait un crucifix sur sa poitrine ; et comment elle
quittait la scène du meurtre et s'enfonçait dans les ténèbres suivie
par sa longue traîne aussi sinueuse que le crime lui-même. Sarah
épousa si parfaitement le personnage de la Tosca qu'à l'âge de
soixante-cinq ans elle ferait encore vibrer les salles.

Ainsi qu'elle s'en vanta auprès de Ponchon, elle était rentrée
millionnaire de sa tournée internationale. Elle acheta, au 56
boulevard Pereire, une maison qu'elle devait conserver jusqu'à sa
mort. Photographies et dessins nous laissent deviner quelle était
l'atmosphère des lieux et, détail peut-être plus frappant, nous
montrent combien Sarah avait changé. Le salon coquet de
l'époque des courtisanes avait disparu, ainsi que la chambre
macabre envahie de chauves-souris qui intriguait tant Loti. Elle
avait choisi un décor qui évoquait voyages et aventures. En cela
encore Sarah était un être à part. Ses amis, qui ne s'aventuraient
guère plus loin que la Normandie, la Bretagne ou le sud de la
France, étaient fascinés par son salon sur deux niveaux surmonté
d'une verrière, aux murs rouges couverts de souvenirs, masques

primitifs, sabres indiens, poignards d'Amérique du Sud, coupes en argent du Mexique, miroirs dorés vénitiens, bas-reliefs grecs et portraits de la Divine, de Maurice ou des chiens, réalisés par Clairin et par Abbéma. Des palmiers s'élevaient vers le ciel. Une végétation luxuriante, où se mêlaient rosiers, lilas, orchidées et tubéreuses, envahissait la pièce surchauffée. Et lorsque leurs senteurs s'estompaient, Sarah, toujours prête à pallier les défaillances de la nature, les aspergeait de parfums appropriés. Une grande cage occupait un des angles. Destinée naguère à Scarpia et Justinien, ses lionceaux apprivoisés, elle abritait à présent des dizaines d'oiseaux exotiques. Un long sofa occupait l'angle opposé. Immense et quelque peu déconcertant, il était couvert de fourrures et de peaux de bêtes, étranges trophées de chasse : tigre, jaguar, castor, bison et crocodile.

Pour atténuer cette impression barbare, des coussins de soie étaient éparpillés dans toute la pièce. Un dais, supporté par quatre colonnes à tête de dragon, filtrait la lumière du jour. Au pied du divan était étendue une peau d'ours à la gueule grimaçante. Personne n'osait questionner Sarah lorsqu'elle affirmait avoir tué l'animal près des cimes vertigineuses des Andes. Le reste de la pièce était un bric-à-brac de meubles Renaissance, vases, bouddhas, chimères japonaises, consoles de marbre, tapis d'Orient et vitrines. Si un tel amoncellement semble étouffant aux puristes d'aujourd'hui, c'était pour les Parisiens de l'époque le comble de la modernité. Heureusement il y avait Sarah pour illuminer cette atmosphère de serre, Sarah et son rire facile, son esprit féroce, ses imitations impayables et ses bévues plus ou moins involontaires. « Vous connaissez mon dernier ? » demandait-elle, en désignant quelque nouveau venu de belle prestance. Ou, à un couple qu'elle avait invité à déjeuner, « Il paraît que vous êtes divorcés ?... Comme vous devez avoir de choses à vous dire !... Je vous laisse bavarder »... Un de ses hôtes lui expliqua un jour qu'il n'avait pu venir la veille parce qu'il s'était rendu sur la tombe de son épouse. « Comment, votre femme est morte ? s'écria Sarah. Vous ne m'en avez pas avisée, moi, votre plus vieille amie ; c'est infâme !... »

« Mais, ma bonne Sarah, elle est morte il y a trois ans... Vous êtes même venue à son enterrement. »

« Je sais, mon ami, fut sa réponse, mais je ne peux encore le croire[35]. »

La nouvelle demeure de Sarah était dirigée par un personnage extraordinaire, un ancien violoniste du nom de Pitou. De taille moyenne, le cheveu noir et terne, les yeux globuleux, dans un costume de serge bleue qui avait connu des jours meilleurs, il courait en tous sens dans la maison en cherchant à se rendre utile. Il recopiait pièces, poèmes, morceaux de musique, donnait la réplique lorsque Madame apprenait un rôle, surveillait les domestiques, réglait les dépenses domestiques et allait lui-même porter à leurs destinataires les lettres de sa maîtresse qui, semble-t-il, préférait ce système à la poste. Était-ce parce qu'il se montrait obséquieux, qu'il avait toujours raison, ou parce qu'il se rongeait les ongles et portait un crayon sur l'oreille, mais il avait le don d'exaspérer Sarah. Elle lui jetait des plats au visage, qu'il évitait sans ciller, lui lançait des injures qu'il faisait mine de ne pas entendre ; et lorsque, à minuit, il se rendait, ivre de fatigue, dans sa chambre pour lui demander si elle avait besoin de quelque chose, il baissait humblement la tête quand elle l'accusait de paresse et d'insuffisance. Son masochisme satisfait, le pauvre homme regagnait sa propre chambre, prenait son violon et se consolait en jouant quelque mélodie triste. Pitou ne songea jamais à quitter Sarah. Le dévouement personnifié, il se considérait privilégié d'être lié à une grande artiste et joua son rôle tragi-comique jusqu'au bout.

Un mois après son succès dans *La Tosca*, Sarah devait connaître une autre forme de triomphe car, le 29 décembre, son fils épousait, à Saint-Honoré-d'Eylau, paroisse chic, la princesse Marie-Thérèse Jablonowska. La jolie épousée était la fille d'une famille polonaise très distinguée. Maurice, qui venait d'avoir vingt-quatre ans, était en tous points ce que sa mère avait voulu qu'il fût : le fils adorable, quoique incapable en affaires, d'une riche et célèbre actrice, un dandy aux manières raffinées, un amateur de sports et un joueur. Il avait été confié à des précepteurs avant d'aller en pension. Comme Sarah accordait une grande importance aux leçons d'escrime, il devint l'un des plus habiles duellistes de Paris — et cela avait son prix car il se montrait prompt à défier quiconque tenait des propos qu'il jugeait offensants pour sa mère.

Bien que Maurice ait été sans conteste le grand amour de sa vie, Sarah n'eut jamais beaucoup de temps à lui consacrer. Assez curieusement les années de jeunesse de Maurice ressemblèrent à celles de Sarah et il aurait pu faire siens les mots par lesquels elle commence ses Mémoires : « Ma mère adorait voyager. Elle allait d'Espagne en Angleterre ; de Londres à Paris ; de Paris [...] à Christiana ; puis revenait m'embrasser et repartait [...] [36]. » Cependant ce désintérêt maternel les affecta de manière différente. Sarah quitta Youle pour trouver sa voie au théâtre, Maurice se contenta de vivre dans l'ombre protectrice de sa mère. Les proches de la comédienne déploraient cela. Louise Abbéma lui conseillait de cesser de gâter son fils et Georges Clairin, plus direct, la suppliait de ne pas payer les dettes de jeu de Maurice et de garder son argent durement gagné. Bien entendu, elle ne prêtait aucune attention à ces recommandations. Maurice était son « Dauphin », leur disait-elle, et ils n'étaient que des égoïstes sans enfants, des malheureux incapables d'avoir une descendance et de comprendre que les sacrifices d'une mère sont sa plus grande joie.

Le Tout-Paris, ou plutôt le Tout-Paris de Sarah, assista au mariage de Maurice : le prince de Sagan et la comtesse de Béthune, Dumas *fils*, Sardou, Duquesnel, Alfred Stevens, Whistler et d'autres artistes et acteurs de l'époque, sans oublier, bien sûr, Clairin et Abbéma.

Un ami anglais évoqua l'arrivée tardive de Sarah « au milieu d'un mouvement général de cous qui se tendaient et de murmures : " La voilà, voilà Sarah " ». En fait Maurice et Terka, ainsi que tout le monde nommait la jeune épousée, parurent presque de trop lorsque l'actrice remonta la nef « dans une cape de velours gris sur une robe de faille rose pâle. Son visage était en partie caché par le marabout qui ornait sa cape. Ses lèvres rouges s'écartaient sur ses dents pour dessiner ce sourire qui appartient en propre à la toilette quotidienne de la Française ».

Le sourire de Sarah était certes de commande. En privé elle pleura la perte de son fils jusqu'au moment où elle comprit que Maurice, malgré les vœux du mariage et le fait qu'il ne vivait plus sous son toit, serait toujours, pour le meilleur et pour le pire, le fils de sa mère et qu'il lui rendrait chaque jour visite.

Après le mariage de Maurice, Sarah reprit le rôle de la Tosca qu'elle joua pendant quatre mois ; puis, alors même que la pièce faisait salle comble, elle la présenta à Londres où l'accueil qu'elle reçut fut encore plus enthousiaste qu'à Paris. La chose paraissait presque normale de la part des Britanniques qui avaient lancé sa carrière internationale huit ans plus tôt. Au cours de ces années Sarah se fit de nombreux amis anglais, au nombre desquels le plus intime fut certainement W. Graham Robertson.

Souvent les homosexuels se sentent attirés par les actrices, peut-être parce qu'ils admirent et envient la séduction qu'elles exercent sur les hommes, leur mépris élégant des conventions et leur vie sexuelle sans fard ; ou peut-être parce qu'ils s'identifient aux héroïnes qu'elles incarnent. Sarah, quelles qu'eussent été ses raisons (son goût pour l'excentricité, ses échecs amoureux, ou ses réticences à s'engager), fut l'amie de certains des homosexuels les plus célèbres de l'époque : Oscar Wilde, Robert de Montesquiou, Reynaldo Hahn, Jean Lorrain et Graham Robertson lui-même.

En 1931 Robertson écrivit *Time Was*, des Mémoires discrets qui mettaient en scène des personnes qui l'étaient bien moins. Sa retenue ne s'explique pas par l'ignorance car il savait, ainsi qu'il le reconnaît, qu'un « livre passionnant tiré de ses omissions serait un succès de librairie », mais, en bon Édouardien, il jugeait indécent de révéler ses secrets scandaleux ou ceux de ses amis.

Graham avait vingt ans lorsqu'il rencontra Sarah pour la première fois au Metropole Hotel de Londres.

« Je la vois encore se diriger vers moi à travers la grande pièce vide, écrivit-il, sa chevelure rousse négligemment bouclée, son long peignoir de velours crème tombant sur une chemise de soie mauve serrée par une ceinture d'argent. » Lors de sa première visite à Paris, il la trouva

> désespérée, dans son atelier, devant une énorme masse d'argile dont elle s'efforçait de tirer un Amour faisant je ne sais quoi de Triomphant, je crois. La Mort rôdait aussi alentour, et quelques autres allégories peu convaincantes. [...] Pendant un instant Sarah contempla d'un air meurtrier l'Amour chancelant aux flancs flasques puis, s'emparant d'un solide fil de fer, elle découpa une importante partie de son anatomie.

Avec le concours de Robertson, l'Amour fut bientôt réduit à un « tas de terre d'innocente apparence » avant d'être jeté par la fenêtre. Le même jour il la questionna sur une cage vide qui trônait dans le salon :

— J'y ai gardé un lion jadis, répondit Sarah.
— Et... il est mort ?
« Non, dit-elle, il n'est pas mort », et le ton de sa voix impliquait qu'il était des choses pires que la mort.
J'appris plus tard de la bouche de Mme Guérard que ce lion avait été l'un des échecs de Sarah.
« Je vais avoir un lion », avait-elle annoncé.
« Oui, oui, bien sûr, un lion », avaient acquiescé ses amis, sachant bien qu'il était inutile de discuter, « mais est-ce que... ne va-t-il pas... ?
— Ne va-t-il pas quoi ? demanda Sarah.
— Ne va-t-il pas, peut-être, sentir mauvais ?
— Sentir mauvais ? s'était-elle écriée. Le Roi des Animaux ? Non, bien sûr. »
Le lion arriva donc — et il empesta. Sarah supporta cela bravement et ne sourcilla pas, mais l'odeur progressivement se répandit de l'atelier à la salle à manger, puis aux chambres. Sarah devint songeuse mais personne n'osa faire de suggestions jusqu'au jour où, enfin, elle descendit, huma l'air profondément une dernière fois et s'exclama : « Il sent mauvais ; emportez-le. »

Peu après, écrivit Robertson, « Sarah acheta un jeune tigre que l'on autorisait parfois à circuler autour de la table, ce qui l'excitait et le rendait nerveux, et j'étais toujours soulagé lorsqu'il passait en grognant près de mon assiette sans m'accorder d'intérêt particulier ».
Graham, qui aimait presque autant les animaux que Sarah

elle-même, rendit hommage à son lynx : « La mystérieuse silhouette de Sarah drapée de blanc descendant les marches qui
conduisent à l'atelier avec le lynx glissant silencieusement
dans son sillage évoquait si nettement Circé que l'on cherchait
du regard les pourceaux. »

Comme leur amitié grandissait, il réalisa plusieurs portraits de Sarah tandis qu'elle faisait des dessins de lui. Lors
d'une séance de pose il la regarda répéter la scène de l'agonie
de *La Dame aux camélias* et fut ébloui par « la précision
extrême avec laquelle elle construit ses effets apparemment
spontanés ».

« Je sais, lui dit-elle, qu'un jour je me casserai le cou. Si
Armand ne me tient pas fermement la main alors que je
tourne sur moi-même, c'en est fini de moi. »

> Son art [écrivit Robertson] tendait vers la beauté. Dans les
> derniers moments de *La Dame aux camélias*, beaucoup d'actrices
> meurent avec des accès de toux à vous briser le cœur et tous les
> symptômes de la maladie. Sarah passait légèrement et miséricor-
> dieusement sur ces détails et trouvait dans l'expression d'un
> bonheur intense une note infiniment plus profonde et plus émou-
> vante. Je l'ai souvent regardée des coulisses, à quelque quatre
> mètres de distance, mais ce n'était pas un artifice de mise en
> scène. Un regard rapide au messager qui apporte la nouvelle [de
> l'arrivée d'Armand] et le visage hagard s'illumine, la peau se
> tend, produisant un effet de transparence comme éclairée de
> l'intérieur, les pupilles se dilatent pour couvrir presque l'iris
> entier et luisent sombrement, les lèvres contractées se détendent et
> prennent des courbes douces et enfantines tandis qu'il en sort
> un cri qui, à cette faible distance, ne paraît pas plus fort qu'un
> souffle et qui s'entend, cependant, jusqu'aux confins du théâtre.
> Le corps frêle semble se consumer sous nos yeux dans les
> flammes d'une joie atroce pour libérer l'esprit glorieux et transfi-
> guré.

Un jour Sarah invita Robertson à l'accompagner pour une
séance de photographies où elle devait poser dans le rôle de la
Tosca. « À plusieurs reprises, écrivit-il, elle adopta une attitude
d'horreur et de triomphe après le meurtre de Scarpia, mais
sans jamais paraître satisfaite. »

> « Venez, Graham, s'écria-t-elle. Venez que je vous tue. »
> J'avais, en plus d'une occasion, fait le mort dans *Fédora* [le
> prince de Galles jugeait lui aussi fort amusant de jouer ce rôle
> certes peu exigeant], et trouvais plaisante la sensation d'être
> pleuré par l'héroïne au désespoir, aussi m'avançai-je gaiement et
> en toute confiance. Mais quand les yeux effrayants de Floria
> Tosca — emplis de terreur et d'un désir de meurtre — plongè-

rent dans les miens en étincelant, j'eus un sentiment de malaise et, finalement, alors qu'elle me saisissait de la main gauche et empoignait le couteau de la droite, je perdis toute dignité.

« Madame Sarah, hurlai-je, n'oubliez pas que vous tenez un vrai couteau et non pas un accessoire de théâtre dont la lame s'enfonce dans le manche ! »

Robertson, à la demande de Sarah, la conduisit chez son ami le peintre Edward Burne-Jones dont les compositions préraphaélites l'impressionnèrent tant qu'elle décida de lui commander un portrait d'elle en Théodora. Elle écrivit en ce sens à Robertson :

Mon cher Graham,

Pourriez-vous m'accorder une grande faveur ? J'aimerais faire faire mon portrait par Burne-Jones. Pourriez-vous lui demander combien cela me coûterait ? Ce sera une très grande joie de conserver et de laisser à mon fils une œuvre de génie. Je compte sur vous pour cette délicate mission.

Robertson entreprit des démarches auprès de Burne-Jones, mais le peintre refusa cette commande et le portrait, hélas, ne fut jamais réalisé. Tout ce qui reste de ces négociations sont quelques notes sardoniques de Burne-Jones qui donnent le ton de cet échange :

Dites-moi combien de temps *Elle* reste et combien de temps il est possible de la voir et de l'adorer dans cette nouvelle pièce — j'irai, il le faut, même si je dois être malade tout un mois ensuite.

Même si j'étais libre demain, je ne pense pas que je pourrais la rencontrer à l'heure du déjeuner. Je ne sais pas même parler français pour m'adresser à un garçon de restaurant et que pourrais-je lui dire ?

Non, venez avec Elle et traduisez gentiment ce qu'Elle me dira et je resterai bouche bée et serai très heureux. [...] En aucune façon Elle ne doit s'ennuyer ni se lasser, mais il faut que tout soit fait selon Son bon désir et à la minute même.

*

Le 1er mars 1889, après une tournée qui la conduisit en Égypte et en Turquie, Sarah revint à Paris et se précipita auprès de Damala que l'on disait malade. Elle le trouva dans un appartement misérable encombré de médicaments et de souvenirs mélancoliques de sa vie passée, un drapeau grec effrangé, un sabre et une couronne dorée qui avait servi dans diverses pièces.

Sarah le fit transporter dans une maison de santé et, six semaines plus tard, Damala était suffisamment rétabli pour pouvoir assister à la création de *Léna*, une pièce de Pierre Berton. Cette soirée ne pouvait guère améliorer son moral, ne serait-ce que parce qu'il n'aimait pas Berton, un ancien amant de Sarah qui avait trouvé la gloire en devenant son partenaire attitré, chose que Damala naïvement avait cru pouvoir faire.

L'un des derniers gestes de Sarah pour Damala fut étrangement émouvant. Sachant qu'il ne lui restait guère de temps à vivre, elle lui demanda de jouer avec elle dans *La Dame aux camélias*, proposition qu'il accepta avec joie même s'il n'était pas en état de paraître sur scène. Les représentations commencèrent le 18 mai et s'achevèrent le 30 juin. Sarah, comme toujours, connut un triomphe, mais, ainsi que l'écrivit un critique : « Où est, hélas ! le bel Armand Duval qui se montra à nous, pour la première fois, il y a quelques années, à la Gaîté[37] ? »

Damala avait perdu sa prestance, sa voix et sa vigueur. Détruit par la morphine il mourut peu de temps après, à l'âge de trente-deux ans. Vaincue et accablée de chagrin, Sarah envoya la dépouille de son époux en Grèce où elle fit construire un tombeau surmonté d'un buste qu'elle avait fait de lui. Elle ne devait jamais l'oublier et, pendant plusieurs années, signa « Sarah Bernhardt veuve Damala ». Chaque fois qu'elle passait par Athènes elle allait couvrir la tombe de fleurs, rendait visite à la mère de Jacques et pleurait une union qui avait pris si vite un goût de cendres.

VII

La Grande Sarah

En novembre 1889, *Le Gaulois* publia une lettre adressée à son critique dramatique et signée par une cinquantaine de personnalités parisiennes :

> Monsieur,
>
> Vous qui connaissez Madame Sarah Bernhardt, ne pourriez-vous pas lui dire que beaucoup de femmes et de jeunes filles voudraient l'applaudir, mais que le genre de pièces qu'elle joue leur interdit d'aller au théâtre où elle triomphe. Elle incarne tantôt une reine vicieuse, tantôt une gourgandine, tantôt une grande dame d'une moralité suspecte. Combien d'entre nous iraient l'acclamer avec enthousiasme, si elle jouait enfin une héroïne pure, dans une œuvre morale [1].

Sarah répondit qu'elle avait toujours voulu jouer une Jeanne d'Arc et qu'elle venait de recevoir du poète Jules Barbier la pièce dont elle rêvait. (Barbier lui avait envoyé le livret d'un opéra sur une musique de Gounod dans l'espoir qu'il pourrait être adapté pour elle.) Elle espérait pouvoir satisfaire leurs désirs en demandant à son ami Duquesnel de la monter. « D'ailleurs, ajoutait-elle, je ne saurais attendre davantage. Bientôt je serai trop vieille pour jouer *Jeanne d'Arc*. Songez que je suis grand-mère [2] !... » (Sarah avait quarante-cinq ans et Simone, le premier enfant de Maurice et de Terka, venait de naître !) Le soir de la première, le 3 janvier 1890, quand Sarah, en Jeanne, fut invitée, dans la scène du procès, à dire son âge, elle se détourna lentement de ses juges, fit face aux spectateurs et, grand-mère ou pas, proclama fièrement : « Dix-neuf ans ! » Il est inutile de préciser que ces mots déchaînèrent un tonnerre d'applaudissements. Elle répéterait ce *coup de théâtre* * avec encore plus d'effet vingt ans plus tard, le 25 novembre 1909, dans *Le Procès de Jeanne d'Arc* d'Émile Moreau. Chaque soir, quand l'étonnamment jeune arrière-grand-mère de soixante-cinq ans (Simone avait eu un enfant) annonçait aux juges son âge, l'enthousiasme du public ne connaissait aucune limite.

La *Jeanne d'Arc* de 1890 fut un des grands spectacles que monta Duquesnel, avec une reconstitution du sacre à Reims et de la place du Vieux-Marché, le tout rehaussé par des intermèdes pour chœur et orchestre de Gounod. Malgré son âge Sarah réussit à ressembler à la Pucelle d'Orléans mais le rôle lui causa bien des tourments car il lui imposait à plusieurs reprises de tomber à genoux et elle se blessa. Son genou droit s'enflamma et elle se vit contrainte d'interrompre la pièce après seize semaines de souffrances. Cependant, même le sceptique Anatole France succomba à son charme.

« Elle est la poésie même, écrivit-il. Elle porte sur elle ce reflet de vitrail que les apparitions des saintes avaient laissé, au moins nous l'imaginons, sur la belle illuminée de Domrémy. » Il ajoutait : « Elle est la légende animée. Si sa belle voix a paru trop faible par moments, c'est la faute du poème. Si l'on avait mieux suivi la simple vérité, Mme Sarah Bernhardt n'aurait pas eu à enfler la voix pour débiter des tirades vibrantes. Jeanne ne déclamait jamais[3]. »

Ce qu'Anatole France omet de dire, c'est que Sarah devait par moments déclamer le texte de Barbier alors que l'orchestre jouait la musique de Gounod. La plupart des grands spectacles de Sarah comportaient un accompagnement musical ; on désignait alors par le terme « mélodrames » ces pièces romantiques aux multiples rebondissements et dont l'action était ponctuée d'envolées instrumentales. Les acteurs chevronnés n'avaient pas besoin de microphones pour se faire entendre mais leur voix était parfois couverte par la musique quand le chef d'orchestre se laissait emporter par sa fougue.

Le 5 avril, Sarah, Philippe Garnier et un acteur nommé Léon Brémont donnèrent une lecture au Cirque d'Hiver de l'adaptation d'Edmond Haraucourt du drame de la Passion. Sarah souhaitait monter la pièce et jouer elle-même le rôle de la Vierge Marie. Pour empêcher cela le directeur des Beaux-Arts dut invoquer un arrêt du temps de Henri IV qui interdisait de représenter la sainte Famille. Sage décision peut-être, car Sarah n'était pas à proprement parler le personnage de l'emploi.

À la mi-avril son médecin lui ordonna de garder la chambre pendant deux mois car l'inflammation de son genou s'était dangereusement aggravée. Fin juin elle se sentit assez bien pour présenter *Jeanne d'Arc* à Londres pendant sa « saison » annuelle. En octobre Sarah tourna le dos à la sainteté pour retrouver Sardou et les plaisirs du péché. Cette fois le dramaturge la revêtit d'un costume égyptien et la baptisa Cléopâtre. Mais il ne parvint pas à tromper les Parisiens qui s'amusèrent de découvrir que Cléopâtre, reine d'Égypte, n'était autre que Théodora, impératrice de Byzance, sous d'autres atours. Yvette Guilbert, *diseuse** équivoque et fille légère, ajouta à leur joie quand, dans les cafés-concerts où elle se produisait, elle chanta « Le petit serpent de Sarah ». Cette rengaine conte l'histoire d'un aspic affamé que Sardou apporte au théâtre pour la scène de la mort de Cléopâtre. À la vue de la mince et serpentine Sarah, l'aspic s'écrie : « Je la reconnais, c'est ma mère. » Finalement, n'ayant pour se nourrir que les maigres seins de l'actrice, le pauvre animal meurt d'inanition. Si l'on en croit Yvette Guilbert, Sarah rit aux larmes la première fois qu'elle entendit cette chanson mais ne lui pardonna jamais de l'avoir chantée.

La réaction du Londres victorien fut quelque peu différente. Après avoir vu Sarah en Cléopâtre, lascivement enlacée dans les bras de son amant, une douairière se serait exclamée : « Comme c'est différent, très différent de la vie de notre chère Souveraine ! »

Après sa saison londonienne, Sarah passa trois mois à Belle-Isle-en-Mer et se prépara pour la période difficile qui l'attendait. En septembre elle reprit *La Tosca* à Paris avec Berton et en octobre *Théodora* avec Garnier.

En janvier 1891 la presse internationale annonça que Madame Sarah Bernhardt allait s'embarquer pour un tour du monde qui durerait presque trois ans. Était-elle triste à l'idée de quitter Paris ? lui demanda un journaliste. Pas du tout, fut sa réponse. C'était chose aussi facile que d'aller au bois de Boulogne ou à l'Odéon ! Elle adorait voyager et ne s'ennuyait jamais. Bien sûr elle retournerait dans les deux Amériques (elle devait faire cette fois deux tournées aux États-Unis) et jouerait en Europe en de nombreux endroits où elle s'était déjà produite, mais elle était surtout ravie de découvrir les îles Sandwich et Honolulu. Et puis, rendez-vous compte, elle irait en Grèce, en Turquie et même en Australie et en Nouvelle-Zélande. Elle commencerait et finirait cette tournée marathon à Londres. Après cela, Paris représenterait bien peu de chose.

Sarah ne faisait pas montre du même enthousiasme dans ses lettres à Ponchon. Elle se plaignait de se sentir usée, fatiguée de chercher à plaire au public parisien, lasse des critiques mal intentionnés, lasse enfin de ses amis, de ses ennemis et de ses imbéciles d'amants.

Il y avait d'autres considérations qu'elle se gardait de mentionner. Rester à Paris signifiait risquer des sommes considérables sur des créations coûteuses qui n'étaient pas assurées de remplir le théâtre de la Porte-Saint-Martin, alors que, si elle exportait à l'étranger son répertoire éprouvé et confirmé, elle était certaine du succès, à la fois artistique et financier. En outre il y avait la satisfaction de savoir qu'elle serait accueillie, non pas comme l'une de ces nombreuses actrices de renom, ainsi que c'était le cas à Paris, mais comme la reine des comédiennes.

Ses sentiments étaient justifiés. À Bucarest son jeu bouleversa tant la reine Natalie de Serbie en exil qu'elle éclata en sanglots et qu'il fallut interrompre la représentation « commandée » par la reine de Roumanie. En Australie son arrivée fut saluée au son des canons, avec pavoisement, tapis rouges, réceptions officielles et *La Marseillaise* fut jouée plus de fois que Sarah n'y tenait peut-être. Pour les Australiens, elle était « la plus grande actrice qui eût jamais vécu, *la belle Frangsay** » venue camper sur leurs rivages avec cinquante-quatre malles, cent trente-deux valises, un grand chien danois, un minuscule carlin et d'innombrables toilettes, chaussures et chapeaux du « *gay Paree* ».

Les journalistes ne se lassaient pas de parler d'elle. Peu après son arrivée elle invita l'actrice Myra Kemble à déjeuner. « Il ne se passa rien d'étonnant, rapporta un échotier, sinon que les animaux familiers de Sarah — elle a déjà acheté un opossum, un koala et un wallaby — furent présentés, comme des enfants, au moment du dessert. L'opossum s'installa sur les genoux de Myra et mangea les boutons de roses qu'elle portait à son corsage. Le commentaire de Mme Bernhardt ? « Combien j'envie l'appétit de cette petite chose [4] ! »

Un autre journaliste demanda à Sarah si son partenaire trouvait déplaisant qu'elle se laissât tomber sur lui lorsqu'elle mourait dans *Cléopâtre*. « Je lui dis, expliqua-t-elle, que l'art est au-dessus des considérations de poids. L'art consiste à s'effondrer et je m'effondre [5]. »

En mai 1882 Sarah et sa troupe étaient de retour à Paris et, le mois suivant, ils se produisirent à Londres. Une note d'Oscar Wilde à Pierre Louÿs explique les raisons de la venue de l'actrice :

> Vous savez les nouvelles, n'est-ce pas ? Sarah va jouer *Salomé* ! ! ! Nous répétons aujourd'hui [6].

Il s'agissait des répétitions pour la création, au Palace Theatre, de *Salomé*, pièce en un acte que Wilde avait directement écrite en français en pensant à Sarah Bernhardt. Albert Darmont, jeune acteur français de belle prestance, serait Hérode et Graham Robertson dessinerait les costumes. Sarah, qui aimait jouer des personnages bibliques, s'était lancée dans ce travail avec un fol enthousiasme. Malheureusement le fonctionnaire chargé de la censure des pièces auprès du Lord Chamberlain, un certain Mr. Edward Pigott en qui Shaw devait voir « un compendium en pied de préjugés insulaires vulgaires », interdit *Salomé* précisément parce qu'il s'agissait d'un sujet tiré de la Bible. Pour justifier sa décision il dut lui aussi invoquer une ancienne ordonnance[7]. Oscar Wilde, qui avait créé le rôle parfait pour l'actrice qu'il admirait entre toutes, et Sarah furent profondément déçus.

Wilde annonça son intention de s'installer en France car il ne pouvait continuer à vivre dans un pays aussi obscurantiste que l'Angleterre. Il n'en fit rien malheureusement, et rien ne devait lui être épargné, ni l'horreur des procès et de l'emprisonnement ni l'exil auquel il fut finalement contraint en des circonstances infiniment plus douloureuses et humiliantes.

Le 23 février 1893, le *Times* de Londres rendit compte de *Salomé* qui venait d'être publiée dans le texte original français :

> Voici la pièce, écrite pour Mme Sarah Bernhardt, à laquelle le Lord Chamberlain a refusé l'autorisation d'être jouée dans ce pays. C'est une composition faite de sang et de férocité, morbide, bizarre, répugnante et très outrageante par son adaptation de la phraséologie des Écritures à des situations qui sont tout sauf sacrées. [...] Elle ne dépare pas certains des aspects les moins attrayants du génie de Mme Bernhardt. [...] Dans son ensemble elle fait honneur à Mr. Wilde pour sa maîtrise de la langue française. [...]

Wilde, se jugeant offensé, envoya une lettre au *Times* « simplement pour corriger une affirmation erronée :

> Le fait que la plus grande actrice tragique de notre temps ait jugé ma pièce d'une beauté telle qu'elle ait voulu la monter, jouer elle-même le rôle de l'héroïne, prêter au poème le prestige de sa personnalité [...] sera toujours pour moi une source de fierté et de plaisir, et j'attends avec joie de voir Mme Bernhardt présenter ma pièce à Paris, ce centre vivant de l'art où l'on donne souvent des drames religieux. Mais ma pièce n'a pas été, quel que soit le sens de ces mots, écrite pour cette grande actrice. Je n'ai jamais écrit aucune pièce pour un acteur ou une actrice, et je ne le ferai jamais. Cela est le fait de l'artisan de la littérature, non de l'artiste[8].

Cette lettre est souvent citée pour démontrer que *Salomé* n'avait pas été écrite pour Sarah, mais, d'après les déclarations que Wilde fit par la suite, alors même qu'il avait toutes les raisons de se plaindre de l'actrice, il est clair que Sarah était à ses yeux la Salomé idéale.

En avril 1895, emprisonné à Holloway et ayant désespérément besoin d'argent, Wilde écrivit à R. H. Sherard pour lui demander de céder à Sarah les droits de la pièce. Sherard, dans son *Oscar Wilde : The Story of an Unhappy Friendship*, décrivit l'accueil charmant que Sarah lui réserva ; elle pleura à la pensée des épreuves que Wilde endurait et déclara qu'elle ne pouvait acquérir la pièce mais qu'elle prêterait un peu d'argent à Wilde. Elle fixa plusieurs rendez-vous à Sherard mais n'en tint aucun et n'envoya rien à Wilde. Il est regrettable que Sarah n'eût pas acquis ces droits. Wilde aurait trouvé le secours dont il avait besoin et cela aurait peut-être incité la comédienne à créer la pièce elle-même ; enfin, mais Sarah ne pouvait le savoir, l'exploitation des droits de *Salomé* devait se révéler une affaire très rentable.

À Posillipo, en 1897, Wilde écrivit : « Eleonora Duse lit *Salomé*. Il y a une chance pour qu'elle la joue. C'est une artiste fascinante bien qu'en rien comparable à Sarah. »

En janvier 1899, alors qu'il séjournait sur la Côte d'Azur, Wilde se rendit à Nice voir Sarah dans *La Tosca* et écrivit à son ami Robert Ross : « Je suis allé dans les coulisses voir Sarah ; elle m'a embrassé en pleurant et j'ai pleuré, et toute la soirée a été merveilleuse. »

De Paris, en septembre 1900, il écrivit à un autre ami : « L'âge n'a rien à voir avec le théâtre. La seule personne au monde qui pourrait jouer *Salomé* est Sarah Bernhardt, ce " serpent du vieux Nil ", plus vieux que les pyramides. »

La pièce devait finalement être jouée pour la première fois en 1896 au théâtre de l'Œuvre de Lugné-Poë avec Lina Munte dans Salomé, De Max en Jean le Baptiste, Suzanne Desprès dans le rôle du page et Lugné lui-même en Hérode.

En 1893, Sarah vendit le théâtre de la Porte-Saint-Martin et racheta, par l'entremise de son impresario Maurice Grau, le théâtre de la Renaissance, une petite salle de style rococo. Pour pouvoir payer cette acquisition, elle se rendit à Budapest, Vienne, Athènes et Istanbul.

Après tant d'années passées en train, en bateau et dans les hôtels, tant de représentations succédant aux représentations dans des théâtres de fortune ou des salles grandioses, Sarah, à son retour en France, était l'actrice la plus riche et la plus célèbre de son temps. Cependant les difficultés persistaient. Avant de partir pour sa tournée marathon elle avait déclaré que Paris paraîtrait peu de chose comparé au vaste monde. C'était pure bravade ; la vérité était qu'à ses yeux Paris était l'arbitre incontesté du monde civilisé. Pour elle, comme pour la plupart des Parisiens, aucune autre cité ne pouvait se flatter d'une telle urbanité, d'une telle richesse de talents, d'une tolérance plus grande en matière de plaisirs innocents ou coupables ; nulle part ailleurs on ne trouvait des manières aussi élégantes, fussent-elles teintées d'arrogance, chez les riches et une telle gaieté apparente chez les pauvres.

Mais, après toute longue absence, Paris représentait un défi pour Sarah : la nécessité de réaffirmer sa position. Ce fut ce qu'elle fit le 6 novembre, lorsqu'elle inaugura le théâtre de la Renaissance entièrement rénové avec *Les Rois* de Jules Lemaître. Si cette pièce sur la fin mystérieuse de l'archiduc d'Autriche Rodolphe et de sa maîtresse, la baronne Vetsera, remporta un succès d'estime auprès des Parisiens cultivés, elle déçut malheureusement le public populaire et dut être retirée de l'affiche après trente représentations en dépit des louanges adressées à Sarah en tant que directrice, metteur en scène et premier rôle féminin, fonctions qu'elle devait remplir dans toutes les pièces qu'elle créerait au cours des cinq années suivantes.

Lemaître devint son amant, son ami et son conseiller littéraire. Elle n'aurait pu mieux choisir. À quarante ans c'était un critique célèbre et un essayiste respecté dans les cercles intellectuels, les milieux théâtraux et la bonne société. En outre il devait avoir un effet apaisant sur Sarah qui, comme elle n'était pas éprise de lui, ne ressentait pas le besoin de le tourmenter en se montrant infidèle ou en lui faisant des scènes. Il est vrai que Sarah, bien qu'elle parût étonnamment jeune, approchait de la cinquantaine.

Sarah avait rarement eu l'occasion de jouer avec de grands acteurs depuis l'époque de la Comédie-Française. Pour *Les Rois* et pour les productions suivantes elle engagea de Max et Lucien Guitry, deux comédiens qui devaient devenir les phares de leur génération. Guitry ne manquait pas d'expérience. Né en 1860, il avait quitté le Conservatoire à dix-sept ans, joué les premiers rôles au Gymnase et était allé à Londres avec la troupe de Sarah en 1882. Tenté par une offre généreuse du théâtre Mikhailovsky, le théâtre français de Saint-Pétersbourg, le jeune acteur signa un contrat de neuf ans et partit avec sa jeune et jolie épouse en Russie. Il remporta là un immense succès, sur scène comme dans les boudoirs des nombreuses Emma Bovary slaves. Si les efforts qu'il déployait plaisaient aux dames, ils déplurent à sa femme qui rentra à Paris avec leurs deux enfants, Sacha et Jean, et entama une procédure de divorce.

Sacha devait devenir le comédien le plus spirituel et le plus amusant de sa génération. Auteur dramatique des plus prolifiques, il écrirait et mettrait en scène plus de cent vingt pièces et de trente films dans lesquels il se réserverait toujours un rôle.

À l'âge de quatre ans il était déjà remarquable, au moins aux yeux de son père qui se rendit à Paris et l'enleva pour le ramener, enveloppé dans les plis de son manteau, en Russie. Quelques années plus tard, Lucien et Sacha se brouillèrent après que celui-ci, Don Juan précoce lui aussi, se fut enfui avec une des maîtresses de son père. Ils ne se parlèrent plus pendant des années mais demeurèrent proches de Sarah, si proches que chaque fois que l'un d'eux faisait un nouveau mariage — et ce fut souvent le cas —

il ne manquait pas de l'inviter à la cérémonie. Ainsi elle fut témoin au premier mariage de Lucien en 1882 et joua le même rôle trente-sept ans plus tard lorsque Sacha épousa Yvonne Printemps, la deuxième de ses nombreuses femmes.

Lucien Guitry, comme Jean Mounet-Sully, était un partenaire idéal pour Sarah, quoique fort différent. Mounet était un feu dévorant, Guitry une flamme au pouvoir hypnotique ; la beauté de Mounet était toute classique, celle de Guitry plus fruste. Cependant Sarah préférait partager la scène avec Guitry. Ainsi qu'elle devait le suggérer quelques années plus tard, alors qu'elle faisait répéter un jeune homme dans *Ruy Blas*, jouer avec Mounet réservait bien des surprises. L'acteur Roger Gaillard décrivit la scène dans ses mémoires :

> Idiot maudit ! Assassin ! [hurla Sarah]. Tu cherches à imiter Mounet ? Ce génial imbécile ! [...] Ce Mounet, ce cyclone à domicile ! Ce rugisseur ! Il m'a foulé les deux poignets, en me prenant une main, un soir que nous jouions *Hernani*. Et il me tirait les cheveux, il me pinçait. C'était un fou dangereux. Qu'il était beau, l'animal ! Mais, au dernier acte de *Ruy Blas*, il mettait une heure à boire le poison ! Il faisait glou-glou, il se gargarisait ! [...] Mais quel génie ! Vous, mes enfants, comme vous n'avez aucun génie, si vous imitez ce Mounet, vous êtes foutus[9] !

Sarah ne pouvait guère reprocher au débonnaire Guitry de tels excès. Sur scène il était le maître de l'effet minimal et à la ville un modèle d'affection sereine. Sacha, encore enfant, devait suivre la même voie :

> Nous sommes allés [raconta Sacha] « embrasser Madame Sarah » tous les dimanches pendant dix ans, comme d'autres vont à la messe — pieusement.
> C'était un être à la fois fabuleux et familier pour nous. Nous entrions toujours chez elle avec un bouquet de roses ou de violettes à la main. Nous savions bien que ce n'était pas une reine, mais nous comprenions bien que c'était une souveraine.
> [...] Ah ! les arbres de Noël chez Madame Sarah ! C'était merveilleux. Au milieu de son atelier s'élevait un arbre immense, mille bougies l'éclairaient et cinquante joujoux pendaient à ses branches — car nous étions bien cinquante enfants chez elle ce jour-là. Chaque joujou était numéroté et, quand le moment était venu de nous les distribuer, Madame Sarah nous tendait un grand sac en velours dans lequel chaque enfant prenait un numéro — au hasard. Mais le hasard, chez elle, faisait si bien les choses que le plus beau joujou tombait toujours entre les mains de la fille de son fils. Vêtue comme une princesse de légende, adorée, choyée, Simone Bernhardt nous paraissait être quelqu'un de très précieux et de pas tout à fait semblable à nous — et nous trouvions naturel qu'elle eût un jouet

plus beau que les nôtres, et même nous comprenions qu'en somme nous n'étions là cinquante enfants que pour la voir être heureuse, plus heureuse que tous les autres enfants du monde [10].

Avec une loyauté toute familiale, Sacha jugeait que s'il lui était légitime de faire état des faiblesses de Madame Sarah, une telle attitude n'était qu'impertinence chez les autres.

Que l'on raconte plaisamment sa vie, comme l'a fait dernièrement encore Reynaldo Hahn, soit. Que l'on décrive avec exactitude et drôlerie — ainsi que Jules Renard le fait dans son admirable *Journal* — sa maison, ses repas, ses accueils surprenants, ses lubies, ses excentricités, ses injustices, ses mensonges extraordinaires, certes, on en a bien le droit et je suis le premier à en rire. Que l'on raconte aussi — comme le faisait mon père avec tant de mesure et d'esprit — certaines anecdotes théâtrales qui prouvent à la fois la cocasserie de son caractère et la constance de son génie, je l'approuve, bien sûr. Mais qu'on veuille comparer Sarah Bernhardt à d'autres actrices, qu'on la discute ou qu'on la blâme, cela ne m'est pas seulement odieux : il m'est impossible de le supporter.

Jules Renard a écrit : « Ceux qui n'aiment pas Victor Hugo me sont ennuyeux à lire, même quand ils n'en parlent pas. » J'adore cette réflexion, et j'éprouve ce sentiment à l'égard de certains jeunes comédiens qui se demandent avec une angoisse imbécile « ce qui se passerait » si Sarah Bernhardt revenait aujourd'hui ! Ils croient que Sarah Bernhardt était une actrice de *son* époque. Comme ils sont bêtes ! Ils ne devinent donc pas que si elle revenait, elle serait de *leur* époque [11].

Sacha et son père appartenaient à cette race d'acteurs qui sont d'une élégance plus raffinée que les gens qui se piquent de suivre la mode, d'une prodigalité plus grande que les riches, d'une intelligence plus sûre que les mondains. Édouard de Max appartenait lui à une autre école. Fils d'un médecin juif et d'une vague princesse, il était né en Roumanie en 1869. À seize ans, il était entré au Conservatoire de Paris sous le nom d'« Édouard de Maxembourg, prince de Sakala », exemple dérisoire d'embellissement de la réalité car ce fut son talent et non ce titre d'opérette qui lui valut son succès. Comme Sarah, de Max était un acteur-poète, un être hors de la réalité. La scène serait toute sa vie et Bernhardt son inspiratrice.

« J'ai passé ma vie, dira-t-il, à me dégriser près d'elle, après chaque stupeur elle m'emportait de nouveau dans la folie de sa folie et de ses splendeurs [12]. » Ce ne fut pas toujours le cas, cependant. Un jour, au cours d'une répétition, Sarah lui reprocha de se tenir trop près d'elle — ils ressemblaient ainsi à deux concierges en veine de commérages — et le pria de reculer. De Max refusa. Alors, hurla Sarah, il n'avait qu'à quitter le théâtre. À ces mots le jeune acteur tomba à genoux et, de son ton le plus mielleux, affirma qu'il avait le plus grand respect pour la femme, la passion la plus folle pour l'actrice, mais, se relevant d'un bond, il ajouta que la directrice de théâtre ne lui inspirait que répugnance.

De tels éclats n'empêchèrent pas Sarah de demander à de Max de jouer un des premiers rôles dans *Phèdre*, sa nouvelle production. Sa décision d'incarner l'héroïne de Racine surprit les esthètes pour qui elle était devenue, une fois pour toutes, la reine douteuse du mélodrame populaire. Mais ils se trompaient lourdement. Au cours de son passage à la Comédie-Française Sarah n'avait guère eu l'occasion de s'illustrer dans ce qui devait être son plus beau rôle classique. À présent elle était prête à donner la pièce trois semaines au risque de perdre beaucoup d'argent dans l'opération. Elle remporta son pari ; les Parisiens se précipitèrent au théâtre de la Renaissance pour écouter le texte de Racine et applaudir à tout rompre.

Parmi les admirateurs les plus fervents de Sarah on ne saurait oublier le jeune Marcel Proust. Dans *À la recherche du temps perdu*, il analysa l'art de Bernhardt, ou de la Berma ainsi qu'il la nomma, comme un lapidaire examine un diamant, en appréciant sa valeur, son poids et ses défauts éventuels. Il commença par émettre des regrets. « Malheureusement, écrivit-il, depuis des années qu'elle avait quitté les grandes scènes et faisait la fortune d'un théâtre de boulevard dont elle était l'étoile, elle ne jouait plus de classique [13].... »

Marcel, le narrateur ou l'alter ego de Proust, parle à deux reprises des occasions qui lui ont été données de voir la Berma dans *Phèdre*. La première fois, enfant impressionné par l'univers du théâtre et qui attend trop de l'actrice, il est déçu et en proie à des impressions confuses. La seconde fois, jeune homme cultivé, il voit dans le jeu de Berma-Bernhardt

une fenêtre qui donne sur un chef-d'œuvre. [...] Son attitude en scène qu'elle avait lentement constituée, qu'elle modifierait encore, et qui était faite de raisonnements d'une autre profondeur que ceux dont on apercevait la trace dans les gestes de ses camarades, mais de raisonnements ayant perdu leur origine volontaire, fondus dans une sorte de rayonnement où ils faisaient palpiter, autour du personnage de Phèdre, des éléments riches et complexes, mais que le spectateur fasciné prenait, non pour une réussite de l'artiste, mais pour une donnée de la vie ; ces blancs voiles eux-mêmes, qui, exténués et fidèles, semblaient de la matière vivante et avoir été filés par la souffrance mi-païenne, mi-janséniste, autour de laquelle ils se contractaient comme un cocon fragile et frileux ; tout cela, voix, attitudes, gestes, voiles, n'était, autour de ce corps d'une idée qu'est un vers [...] que des enveloppes supplémentaires qui, au lieu de la cacher, rendaient plus splendidement l'âme qui se les était assimilées et s'y était répandue [...] Telle l'interprétation de la Berma était, autour de l'œuvre, une seconde œuvre vivifiée aussi par le génie [14].

Proust n'était guère sensible au mélodrame moderne sauf lorsqu'il était servi par la grande Sarah. « Ainsi, écrira-t-il, dans les phrases du dramaturge moderne comme dans les vers de Racine, la Berma savait introduire ces vastes images de douleur, de noblesse, de passion, qui étaient ses chefs-d'œuvre à elle [15].... »

Marcel Proust rencontra Sarah en 1894 au cours d'une fête donnée à Versailles en l'honneur de la comédienne, réception qui préfigurait les merveilleuses « garden-parties » que le comte Robert de Montesquiou devait organiser dans son Pavillon des Muses à Neuilly [16]. À l'époque Proust n'était encore qu'un obscur jeune homme et les autres invités représentaient à ses yeux, comme aux leurs, la société parisienne dans ce qu'elle avait de plus fascinant. Ces esthètes et dilettantes ne pouvaient laisser indifférent le futur écrivain. Vingt ans plus tard, ils apparurent auréolés de légende dans des rôles qui leur assurèrent une célébrité qu'ils n'eussent jamais connue si Proust ne leur avait accordé une place dans son œuvre. Ainsi la comtesse Greffulhe lui inspira la belle et froide duchesse de Guermantes et Montesquiou le baron de Charlus, personnage fascinant, arrogant et pathétique. (Signalons que Jules Lemaître et Anatole France lui servirent de modèles pour Bergotte, figure du grand écrivain selon son cœur.) Bien que, grâce à son ami et ancien amant le compositeur Reynaldo Hahn, Proust connût certains détails de la vie privée de Sarah Bernhardt, il préféra décrire son art, peut-être parce qu'à l'époque où il écrivit *la Recherche* cinq romanciers s'étaient attachés à évoquer l'existence de l'artiste.

Sarah ajouta une note piquante à la réception de Montesquiou en se faisant accompagner de Yann Nibor, un jeune et beau marin qui divertit l'assistance en entonnant quelques complaintes mélancoliques sur sa Bretagne natale. On aimerait savoir si les femmes à l'élégance sophistiquée et leur escorte de bellâtres ressentirent un pincement de jalousie lorsque Sarah, dans « une miroitante gaine de soie argentée tout enguirlandée d'iris », disparut au bras de son protégé neptunien.

Lorsque Nibor prit la mer, d'autres personnes se précipitèrent pour occuper la place laissée vacante. L'une d'elles, Suzanne Seylor, âgée de dix-sept ans, allait devenir la camériste de Sarah après la mort de Mme Guérard survenue au début des années 1890. Sarah l'avait rencontrée à Brest où elle avait donné une représentation unique de *Phèdre*. Le jour suivant, éblouie et éperdue d'amour, Seylor faisait ses bagages, disait adieu à ses parents et se rendait à Paris pour être près de son idole. Créature

minuscule et aussi terne que le ruban fané qui ornait sa chevelure, Suzanne allait suivre Sarah dans ses déplacements, se
produire sur scène avec elle et lui tenir compagnie quand ce
serait nécessaire. Son dévouement trouverait sa récompense.
Comme ceux qui vivent dans l'ombre des gens célèbres, elle
découvrit des pays qu'elle n'aurait jamais visités, fréquenta des
personnes qu'elle n'aurait jamais rencontrées et eut l'immense
satisfaction de se dire que la première tragédienne au monde
avait besoin de ses services.

Gismonda, dont la création eut lieu le 31 octobre 1894 au
théâtre de la Renaissance, était le cinquième mélodrame que
Sardou écrivait pour Sarah et le premier que l'actrice produisait et dirigeait elle-même. Comme toutes les œuvres de Sardou
cette pièce exigeait du metteur en scène qu'il fît preuve d'imagination pour les décors, de talent pour la direction des nombreux figurants et de la capacité de faire converger l'attention
sur l'intrigue et les principaux protagonistes que le caractère
grandiose du spectacle menaçait d'éclipser. Fable cruelle dont
l'action se passe dans la Grèce du XIIᵉ siècle, *Gismonda* est
l'histoire d'une princesse athénienne (Sarah Bernhardt) éprise
d'un homme du peuple (Lucien Guitry) et qui, à la surprise
générale, l'épouse et connaît le bonheur. Mais avant le dénoue-
ment l'auteur aura su terroriser les spectateurs avec l'apparition d'un prêtre diabolique (joué par de Max), un meurtre à la
hache (commis par Sarah), un massacre épouvantable et
l'atroce sacrifice d'un enfant jeté à un tigre sanguinaire. Des
scènes d'une aussi grande cruauté apparaissent presque secondaires dans une œuvre qui offre également des harangues
enflammées, les splendeurs d' « une église byzantine ornée
comme une immense châsse », une procession de jeunes filles
parées de guirlandes de fleurs et, au dernier acte, une cérémonie de mariage avec volées de cloches, chœurs chantant des
hymnes d'allégresse et musique triomphale d'orgues. Tout cela
appartenait en propre à Sarah Bernhardt qui, dans des robes
serpentines et la tête couronnée de rares orchidées, était l'illustration même de *l'art nouveau**.

Gismonda n'ajouta rien à la célébrité de Sarah — la chose
n'était guère possible — mais fit beaucoup pour lancer un
artiste tchèque inconnu, Alphonse Mucha. Mucha avait quitté
Prague pour Paris à l'âge de vingt-sept ans. Là, après des études
à l'académie Julian, il avait rejoint les rangs de ces obscurs
rapins qui illustrent calendriers et romans à bon marché. Après
six années de besognes alimentaires, un camarade lui demanda
un jour de terminer une affiche pour *Gismonda*. Non seulement
Mucha accepta, mais il jeta la maquette originale et en dessina

une nouvelle digne de la grande actrice. Sa vie changea dès l'instant où Sarah vit son œuvre.

« Ah, la beauté! » s'exclama-t-elle. « Vous ne travaillerez que pour moi, près de moi. Et je vous aime [17]. » Elle tint parole et lui fit un contrat de cinq ans. L'instinct artistique de Sarah était sûr et libre de toute influence dans une ville où Toulouse-Lautrec, Bonnard, Vallotton et Chéret étaient tout disposés à offrir leurs services. Mais leurs compositions légères ou ironiques, aussi brillantes que leurs affiches eussent été, ne convenaient pas réellement à Sarah Bernhardt, la muse de la tragédie. Mucha sut évoquer l'atmosphère qui lui était propre et en donner une représentation chaste et cependant sensuelle qui fit de Sarah une icone de l'*art nouveau* *. Au cours des années suivantes il dessina sept affiches inoubliables de Sarah pour le théâtre de la Renaissance. Cependant ses obligations ne se limitaient pas à cela. Il collabora à la création de décors et de costumes, dessina des bijoux pour Sarah et joua auprès d'elle le rôle de conseiller artistique.

Tout conseil semblait superflu lorsque, le 6 février 1895, Sarah donna *Amphitryon* de Molière avec pour partenaires les prestigieux Constant Coquelin — qui avait quitté le Français —, Ernest Coquelin, son frère, et Lucien Guitry. C'était là un présent rare pour le public, l'occasion de voir quatre virtuoses de la scène, parfaitement à l'aise dans leur rôle, interpréter un chef-d'œuvre qui leur était cher. C'était encore l'époque alcyonienne où les grands acteurs savaient ce qu'ils devaient faire, et comment le faire, sans dépendre des théories et des exhortations d'un metteur en scène. En outre, si Sarah avait ressenti la nécessité d'être dirigée, vers qui de plus compétent aurait-elle pu se tourner sinon vers Coquelin, et Guitry aurait-il pu trouver meilleure assistance que celle de Sarah?

La distribution des rôles était l'un des traits amusants de cette reprise avec les frères Coquelin, l'un en Mercure, messager des dieux, et l'autre en Sosie, son jumeau terrestre — tous deux merveilleusement convaincants dans les scènes de confusion d'identités. Cependant certains spectateurs jugèrent que Lucien Guitry, aussi merveilleux qu'il fût en Jupiter, ne parvenait pas à faire oublier la majesté olympienne de Mounet-Sully dans le rôle.

Le 13 février, Sarah créa *Magda*, une adaptation de la pièce de Hermann Sudermann, *Heimat* (*Le Foyer*). Malheureusement les Parisiens n'apprécièrent pas le thème ibsénien de l'œuvre et le spectacle ne tint pas l'affiche. La pièce présentait des personnages émouvants, des confrontations dramatiques, et des notations pertinentes sur les femmes et la place qu'elles commençaient à occuper dans la société. L'intrigue met en scène une femme non mariée, Magda, qui a été chassée du foyer familial parce qu'elle

était enceinte. L'action commence alors que, devenue une cantatrice de renommée mondiale, elle revient dans sa ville natale et
décide, contre toute raison, de rendre visite à sa famille. Parfaitement rompue aux manières du monde elle affronte, avec panache,
son père, homme aux idées étroites, et parvient à gagner sa
sympathie. Après plusieurs scènes poignantes, dont certaines peu
vraisemblables, la pièce s'achève sur la mort du père et le cri de
Magda : « Ah ! pourquoi suis-je revenue ! [...] Vous voulez déjà me
chasser d'ici ?... C'est moi qui l'ai poussé dans la tombe... J'aurai
pourtant bien aussi le droit de l'enterrer ? » À cette supplique, le
pasteur répond simplement : « Personne ne vous empêchera de
prier sur son cercueil [18]. »

Il se peut, ainsi qu'on l'a dit alors, que Sudermann se fût
inspiré de Sarah Bernhardt pour son héroïne flamboyante et
sentimentale. Les similitudes sont grandes, il est vrai, puisque
Magda, artiste au tempérament explosif et aux idées tranchées, qui
paraît sur scène dans « une superbe toilette de soirée » est, tout
comme Sarah, la mère aimante et fière d'un enfant illégitime.

En juin 1895 Sarah alla présenter *Magda* à Londres. Montrer
une nouvelle production en Angleterre aurait semblé chose
naturelle en des circonstances normales, mais tel n'était pas le cas.
Eleonora Duse, l'étoile italienne alors à son orient, devait faire ses
débuts à Londres et avait choisi de jouer *Magda* le lendemain du
jour où Sarah devait créer la pièce. La coïncidence, si coïncidence il
y avait, fut l'occasion pour les critiques d'aiguiser leur plume et
d'entrer en lice, Max Beerbohm défendant les couleurs de Sarah,
George Bernard Shaw celles de la Duse. Il est impossible de dire si
cet affrontement fut couronné par la victoire de l'un des deux
camps, car la carrière des deux actrices se poursuivit sans à-coups
et les convictions de leurs admirateurs respectifs demeurèrent
inchangées. Cependant, si quelqu'un remporta l'avantage, ce fut
Shaw qui conduisit les générations futures à voir en Sarah
Bernhardt une reine du mélodrame avide d'argent et en Eleonora
Duse une prêtresse venue d'un autre monde pour servir le grand
art. Shaw, nous le savons, était un homme extrêmement habile et
capable, en confessant ses propres défauts, de désarmer ses
adversaires :

> J'ai toujours été, je crois, un puritain en matière d'art. J'aime la
> grande musique et les beaux monuments tout autant que Milton,
> Cromwell ou Bunyan les aimaient ; mais si j'avais le sentiment
> qu'elles devinssent les instruments d'une idolâtrie systématique de
> la sensualité, je considérerais de bonne guerre de faire sauter à la
> dynamite toutes les cathédrales du monde, avec orgues et tout le
> reste, sans prêter la moindre attention aux hurlements des critiques
> et des sybarites de la culture.

Le terrorisme esthétique de Shaw suggère que pesait sur Sarah — « instrument d'une idolâtrie de la sensualité » s'il en fut — la menace d'un attentat qui la disperserait aux quatre vents. En fait il avait posé sa bombe à retardement le jour où il l'avait vue dans *Fédora* et décrite comme une « ex-actrice passée de mode qui avait quitté le Théâtre-Français pour parcourir le vaste monde en faisant semblant de tuer des gens à coups de hachette et d'épingle à chapeau et en engrangeant ainsi des masses d'argent ».

Il est vrai que Sarah fit fortune grâce à Sardou et qu'elle prit plaisir à interpréter en toute liberté les *femmes fatales* *, couvertes de bijoux, sensuelles et décadentes, qu'il créait à son image. Mais elle ne s'intéressait pas qu'au mélodrame et, à cinquante et un ans, elle pouvait s'enorgueillir d'une vie également consacrée à Racine, aux romantiques et à toutes les œuvres majeures du théâtre français de son temps.

C'est en jouant *La Maison de poupée* d'Ibsen que la Duse avait acquis l'estime de Shaw qui avait choisi alors d'oublier que son répertoire était pour l'essentiel celui de Sarah et qu'elle aussi avait massacré à coups de hachette et d'épingle à chapeau des victimes sans défense dans les drames de Sardou sur les scènes italiennes ou au cours de ses tournées en Europe et en Amérique du Sud ; et l'on peut ajouter qu'elle jouait ces pièces sans la fougue et la beauté visuelle que Sarah seule savait leur apporter.

Dans son article consacré aux deux grandes comédiennes daté du 15 juin 1895, Shaw écrit :

> Au début de cette semaine nous avons vu Sarah Bernhardt retomber dans son vieil emploi d'actrice sérieuse. Elle a joué Madga dans *Heimat* de Sudermann au Daly's Theatre mardi et a été promptement défiée par Duse dans le même rôle à Drury Lane mercredi. Le contraste entre les deux Magda est aussi frappant qu'il peut l'être [...]. Madame Bernhardt a tout le charme d'une maturité aimable, avec des airs d'enfant gâtée et pétulante, peut-être, mais toujours prête à un sourire, rayon de soleil qui dissipe les nuages, si seulement on fait grand cas d'elle. Ses toilettes et ses diamants, sans être précisément éblouissants, sont cependant d'une grande beauté ; sa silhouette, jadis bien trop chétive, a trouvé sa perfection ; et son teint prouve qu'elle n'a pas étudié l'art moderne en vain. Ces charmants effets rosés que les peintres français obtiennent en donnant aux chairs la belle couleur des fraises à la crème et en peignant les ombres en rose et en pourpre sont habilement reproduits par Madame Bernhardt. [...] Elle se peint les oreilles couleur pourpre et les laisse apparaître de manière séduisante entre quelques mèches folles de sa chevelure châtain. La moindre fossette a sa touche de rose. [...] Ses lèvres sont pareilles à une boîte aux lettres

fraîchement repeinte; ses joues, jusqu'à la naissance de ses cils langoureux, ont l'incarnat et le velouté d'une pêche; elle est belle de la beauté de son école et tout à fait invraisemblable et inhumaine. [...] Le costume, le titre de la pièce, le texte peuvent varier, mais la femme est toujours la même. Elle ne rentre pas dans le personnage principal; elle se substitue à lui.

Et c'est là précisément tout ce que la Duse ne fait pas, elle pour qui chaque rôle est une création particulière. [...] Dans *La Dame aux camélias* il est facile pour une actrice véhémente de nous émouvoir à force de douleur et de crises de phtisie et de nous offrir généreusement deux sous de sensations qui ne sauraient se distinguer fondamentalement de celles que procure une exécution publique. [...] La technique de l'artiste qui nous montre comment la douleur humaine peut s'exprimer uniquement en faisant appel à cette compassion dont elle a besoin tout en s'efforçant, par une extrême résistance, de protéger les autres contre la contagion de sa souffrance, est aussi différente de cela que la lumière peut l'être des ténèbres. C'est là le charme de l'interprétation de Duse du poème dramatique de Marguerite Gautier. Cette interprétation nous touche de manière indicible parce qu'elle est extrêmement mesurée; c'est-à-dire, empreinte d'une extrême compassion. Aucun charme physique n'atteint à la noblesse ni à la beauté s'il n'est l'expression d'un charme moral; et c'est parce que le jeu de la Duse comprend ces notes morales élevées [...] que sa gamme [...] réduit à peu de chose la malheureuse octave et demie dont Sarah use pour ses charmantes romances et ses marches pleines d'allant.

Il est assez plaisant de constater que Max Beerbohm, qui succéda à Shaw à la *Saturday Review*, était en complet désaccord avec lui. Pour Beerbohm, Sarah était « la majesté, l'effroi et le merveilleux », alors que la Duse n'avait aucun sens des rôles qu'elle jouait.

Elle les traite [écrivit-il] comme autant de moyens grossiers d'exprimer son être absolu. Du début à la fin elle est dans *Fédora* ce qu'elle est dans *Magda*. [...] « *Io son Io* », en fait, de bout en bout. Son visage sans fard [la Duse méprisait le maquillage], le gris non caché de sa chevelure [...] sont les symboles de son attitude. [...] Suis-je subjugué par la personnalité de la Duse? [...] Le fait est malheureusement que je ne le suis pas. Je reconnais, il est vrai, la puissance et la noblesse de son visage, et la petite voix douce et aigrelette [...] a un certain charme pour moi. Mais l'émotion dominante qu'elle m'inspire est d'hostilité à son égard. Je ne parviens pas à voir en elle la « féminité incarnée » et « l'esprit même des larmes du monde » et toutes ces choses que d'autres critiques voient en elle. Mon impression dominante est celle d'une immense force égoïste; d'une femme foulant aux pieds, avec une superbe indifférence, pièces, mimes, critiques et public.

Il semble, d'après ces jugements diamétralement opposés, que Beerbohm et Shaw, comme tant d'autres habitués des théâtres à l'époque, fondaient leur opinion sur leur goût personnel plutôt que sur une analyse impartiale. Beerbohm, esprit fantasque et amateur de tout ce qui était féminin, adorait Sarah pour la tendresse émouvante et la sexualité exubérante qu'elle apportait à ses rôles. Shaw, plus à l'aise dans le domaine des idées que dans celui de la passion, plus sensible à la réalité anglo-saxonne qu'à la réalité française, était incapable d'accepter la fougue sensuelle de Sarah. En fait, on est en droit de penser que l'homme qui faisait l'amour essentiellement par correspondance ne pouvait que se méfier d'une femme qui, si elle avait été Ève, eût fort bien pu dévorer le serpent avec la pomme.

Il était autre chose que Shaw semblait ignorer. Lorsque Eleonora Duse et Sarah Bernhardt jouaient la Marguerite Gautier de Dumas, il ne s'agissait pas pour elles d'incarner la Vierge Marie mais de donner vie à une courtisane de haut vol aux toilettes superbes qui use de tous les artifices de la féminité pour affronter le monde. Sarah savait cela mieux que quiconque et elle savait que le fait d'apparaître au premier acte comme la personnification de l'égoïsme triomphant accentuait le caractère poignant de son sacrifice et de sa chute. Il ne fait aucun doute que la Duse comprenait aussi bien que Sarah l'esprit du drame de Dumas, cependant elle faisait de Marguerite une noble victime peu soucieuse d'élégance. Shaw pensait que ce choix était délibéré. Une simple lecture de la pièce nous conduit à nous interroger sur ce point : Marguerite n'est pas un personnage de grande dame qui s'épargnerait, ou épargnerait au public, cette « contagion de la souffrance » dont parle Shaw ; c'est une demi-mondaine dépravée, impérieuse, ironique, aux liaisons innombrables, qui commet l'erreur fatale de tomber amoureuse.

Si la Duse était capable, par son interprétation, d'émouvoir jusqu'aux larmes le public, ce n'était pas un effet de son intelligence mais celui de l'innocence d'une autodidacte, d'un génie qui s'était formé sur les scènes des petits théâtres italiens sans jamais être passé, pour le meilleur comme pour le pire, par un *conservatoire* *. En un mot, elle était la fraîcheur même, une voix nouvelle, naturelle, profondément expressive, dans un monde habitué à l'éclat stylisé du jeu français.

Jeune étudiante encore, la romancière américaine Willa Cather fut un temps le critique dramatique du *Journal* de Lincoln, au Nebraska. Elle eut l'occasion de voir Sarah Bernhardt dans *La Tosca* à Omaha, mais jamais la Duse ; cependant, elle étudia tout ce que les journaux de New York publièrent sur elle et en fit une remarquable synthèse : « L'art est pour Bernhardt un divertissement, une espèce d'orgie bachique. Pour Duse, c'est sa consécration, sa religion, son martyre. » Pour formuler cette même idée différemment, on pourrait dire que Sarah Bernhardt fut la dernière grande actrice du xixᵉ siècle, Eleonora Duse la première du xxᵉ.

*

Avant son séjour à Londres, Sarah avait produit *La Princesse lointaine*, une pièce en vers d'un jeune auteur, Edmond Rostand. L'œuvre, qui n'eut qu'un succès d'estime, la laissa avec deux cent mille francs de dettes. Cela n'était pas une surprise. Elle avait averti la presse : « La pièce ne fera peut-être pas un sou, mais ça m'est égal. Je la trouve superbe. Une artiste ne peut pas ne pas monter *La Princesse lointaine* [19]. »

Son enthousiasme était justifié. À vingt-sept ans, Rostand était un écrivain plein de promesses, un talent digne des folles dépenses de Sarah. Leur rencontre n'avait pas été le fruit du hasard. Un jour la comédienne avait reçu un volumineux manuscrit accompagné d'une lettre de Mme Rostand lui demandant si elle pouvait trouver le temps de lire la première véritable pièce de son mari. Ainsi que Mme Bernhardt s'en souvenait peut-être, *Les Romanesques*, sa pièce en un acte, avait été bien accueillie à la Comédie-Française l'année précédente. La première réaction de Sarah, qui recevait des dizaines de requêtes semblables, aurait certainement été de jeter le tout. Mais — fut-ce la qualité du papier à lettres ou l'adresse chic de l'expéditrice, rue de Fortuny, qui retint son attention ? — elle entreprit de feuilleter la pièce. Après une lecture rapide sa décision fut prise. Le jour suivant elle recevait les Rostand. Ce fut un moment de ravissement. Sarah déclara qu'elle voyait en Rostand un nouveau Victor Hugo et que son épouse, la poétesse Rosemonde Gérard, était la créature la plus adorable du monde. Il est vrai qu'ils semblaient faits pour Sarah : assez maniérés pour être amusants, mondains pour être rassurants, talentueux pour être admirés. En outre ils formaient un couple charmant : Rosemonde était une belle jeune femme, mince, blonde, vêtue avec un goût exquis ; Edmond était l'élégance même, costume gris impeccable, œillet à la boutonnière, monocle, moustache cirée, et aussi spirituel que les rimes qu'il forgeait.

La première de *La Princesse lointaine* eut lieu le 5 avril 1895. Cette histoire d'une princesse médiévale, déchirée entre ses aspirations spirituelles et ses désirs charnels, était l'occasion rêvée pour Sarah, de Max et Guitry de déclamer des vers hauts en couleur, d'adopter des poses préraphaélites, de se languir à la manière des personnages de Swinburne, le tout sur une musique de Gabriel Pierné où le frémissement des flûtes répondait aux arpèges des harpes. Malgré les louanges des critiques et les applaudissements des esthètes, *La Princesse* déçut le public parisien et ne fit que trente et une représentations.

Cependant Sarah refusa d'abandonner la pièce. Avec un bel entêtement elle monta l'œuvre à Londres, au pays de Dante Gabriele Rossetti et de Burne-Jones, où elle espérait un accueil plus chaleureux. En fait elle reçut une nouvelle volée de bois vert de Shaw qui déclara, avec insistance, qu'il ne fallait pas prendre sa « puissance nerveuse » pour du talent, que le public avait raison de se moquer de ces intrigues précieuses, et — mais c'était aller trop loin — que la poésie française n'était en rien de la poésie.

Sarah avait déjà été éreintée dans sa carrière, aussi, méprisant critiques et quolibets, elle prit la défense de Rostand, non seulement en lui adressant des louanges mais en lui commandant une nouvelle pièce. Sur ces entrefaites, ainsi qu'elle en avait pris l'habitude, elle partit pour une tournée en Amérique où elle gagna plus d'argent qu'il ne lui était nécessaire pour réaliser un rêve grandiose qu'elle caressait depuis longtemps, la première mise en scène de *Lorenzaccio* d'Alfred de Musset. La pièce, écrite en 1833 par un jeune poète d'à peine vingt-trois ans, avait toujours été considérée injouable — chose compréhensible quand on songe à sa longueur, à ses intrigues secondaires qui compliquent l'action et à ses nombreux personnages. Même après que des coupes eurent été pratiquées, le spectacle de Sarah tenait la scène toute une soirée. *Lorenzaccio*, avec ou sans coupures, est d'une grande intensité romantique. Byronienne d'inspiration, shakespearienne de dimensions, la pièce, dont l'action se situe dans l'Italie de la Renaissance, conte l'histoire de Lorenzo de Médicis, noble florentin cultivé qui, dans sa quête de justice et de vérité, succombe à la corruption et à la débauche qu'il s'était donné pour tâche de combattre.

Dans le rôle-titre, Sarah atteignit à la perfection de son art. Même Jacques du Tillet, l'un de ses critiques les plus acharnés, fut conquis. « Elle a donné la vie à ce personnage de Lorenzo, que personne n'avait osé aborder avant elle ; elle a maintenu, à travers la pièce, ce caractère complexe et hésitant ; elle en a rendu toutes les nuances avec une vérité et une profondeur singulières », écrivit-il dans *La Revue bleue*. « Le talent de Mme Sarah Bernhardt m'a parfois plus inquiété que charmé. C'est une raison de plus pour que je répète aujourd'hui qu'elle a atteint le sublime. Jamais je n'ai rien vu, au théâtre, qui égalât ce qu'elle a donné dans *Lorenzaccio*. La mise en scène est fort belle. L'interprétation excellente. Mais que parler de lunes à côté de ce soleil [20] ?... »

Dans un article qu'il donna à la *Revue de Paris*, Anatole France rappelait les événements historiques sur lesquels la pièce se fonde. À propos du spectacle, il ajoutait :

Madame Sarah Bernhardt, qui, dans la belle suite de ses années, a créé tant de figures charmantes et donné à ses contemporains des images qui égalent en poésie les rêves des poètes, nous fait paraître cette fois que la grâce en art est une forme heureuse de la force.

La force est le caractère le plus frappant de sa dernière création. Mme Sarah Bernhardt a su construire cette figure de Lorenzaccio avec une solidité parfaite. Elle a modelé, ciselé sa propre personne comme un bronze de Benvenuto, comme un nerveux Persée.

On sait quelle œuvre d'art cette grande comédienne sait faire d'elle-même. Dans cette nouvelle transformation elle a pourtant étonné. Elle a formé de sa propre substance un jeune homme mélancolique, plein de poésie et de vérité. Elle a réalisé un chef-d'œuvre vivant par la sûreté du geste, par la beauté tragique des attitudes, des regards, par le timbre renforcé de la voix, par la souplesse et l'ampleur de la diction, par un don, enfin, de mystère et de terreur[21].

En dépit de ce concert de louanges, la pièce de Musset quitta l'affiche au bout de deux mois et coûta des milliers de francs à Sarah. Mais cette perte financière n'était qu'une goutte d'eau pour l'actrice qui, dans son désir d'offrir au public des pièces de qualité, devait perdre deux millions de francs or au cours des six années qu'elle passa à la tête du théâtre de la Renaissance.

La longue carrière de Sarah au théâtre lui avait valu de nombreuses distinctions honorifiques étrangères mais aucune reconnaissance officielle de son pays. Cette injustice fut réparée par les personnes les plus qualifiées pour apprécier ses dons. À l'automne de 1896 un groupe de comédiens et d'écrivains organisèrent un banquet en son honneur. Comme la date de la cérémonie approchait, Jules Huret lui demanda, pour les lecteurs du *Figaro*, « de repasser dans sa mémoire ses émotions, ses luttes et ses succès ». Sa réponse fut publiée sous forme de lettre :

Mais c'est un examen de conscience que vous me demandez, cher ami. [...]

Oui, je suis fière, heureuse, et cela à plein cœur, de la façon dont je vais être fêtée. Vous me demandez, ami, si je crois en toute conscience que je mérite cet honneur. Si je dis oui, vous me croirez bien orgueilleuse ; si je dis non, vous me jugerez bien coupable.

Il me plaît davantage vous dire les « pourquoi » de ce « parce que ». Voilà vingt-neuf ans que je livre au public les vibrations de mon âme, les battements de mon cœur, les larmes de mes yeux. J'ai interprété cent douze rôles, j'ai créé trente-huit personnifications, dont seize sont œuvres de poètes. [...]

J'ai voulu, j'ai voulu ardemment arriver au summum de l'art ; je n'y suis pas encore ; il me reste bien moins à vivre que je n'ai vécu ; mais qu'importe ! Chaque pas me rapproche de mon rêve ! Les heures qui ont pris leur vol emportant ma jeunesse m'ont laissé ma vaillance et ma gaieté ; car mon but est le même et c'est vers lui que je vais.

J'ai traversé les océans emportant mon rêve d'art en moi, et le génie de ma nation a triomphé ! J'ai planté le verbe français au cœur de la littérature étrangère, et c'est ce dont je suis le plus fière. [...]

Si des esprits chagrins trouvent la fête qu'on veut m'offrir en disproportion avec mon talent, dites-leur que je suis la doyenne militante d'un art passionnant et grandiose, d'un art moralisateur ! Je suis la prêtresse fidèle de la poésie ! — Dites-leur, ami, que jamais la courtoisie française n'a été plus manifeste, puisque, voulant honorer l'art de l'interprétation et élever l'interprète au niveau des autres artistes créateurs, elle a choisi une femme [22].

À midi, le 9 décembre 1896, cinq cents invités en tenue de soirée se retrouvèrent dans la salle du Zodiaque du Grand Hôtel. Sarah fit une entrée éblouissante. Tous les regards convergèrent vers elle lorsqu'elle apparut au sommet de l'escalier en spirale qui conduisait, en contrebas, à la salle du banquet décorée de fleurs. Vêtue d'une robe blanche à traîne brodée d'or et ornée de chinchilla, elle était scandaleusement belle alors qu'elle descendait les marches en prenant des poses qui déchaînèrent l'enthousiasme des convives.

« [...] Comme à chaque courbe, raconte Huret, elle se penchait sur la rampe, enroulant son bras comme une liane aux piliers de velours, tandis que de sa main libre elle saluait les acclamations, son corps souple et svelte semblait ne pas toucher la terre ! Elle avait l'air de descendre dans une gloire [23] ! »

La Journée Sarah Bernhardt baigna dans une atmosphère qui mêlait amour et souvenirs. Les intimes de la première heure, Coppée et Coquelin, Sardou et Halévy, Montesquiou, Clairin et Abbéma, évoquèrent avec nostalgie la beauté plus forte que l'oubli qu'elle avait introduite dans *Andromaque* et *Le Passant*, *Ruy Blas* et *Hernani*, et rappelèrent aussi ses faiblesses, ses petits mensonges et son don pour l'amitié. Les amis plus récents, Rostand et Léon Daudet entre autres, échangèrent des anecdotes sur la célèbre créature qu'ils étaient si fiers de connaître. Les menus avaient été dessinés par Louise Abbéma, Jules Chéret et Alphonse Mucha. À la fin du banquet, Sardou salua Sarah Bernhardt. Elle était, dit-il, la « souveraine incontestée de l'art dramatique, et saluée comme telle dans le monde entier. [...] Il n'est pas donné à tous ceux qui lui doivent de si vives émotions, de la voir dans l'intimité de sa vie entourée de ses amis, de ses enfants, et, après avoir acclamé la tragédienne, de connaître la bienfaisance, la charité et l'exquise bonté de la femme. — C'est à elle qu'à titre de témoin je veux souhaiter longue vie et prospérité... Et je lève mon verre à la santé de celle qui est à la fois la grande et la bonne Sarah [24] ! » Les applaudissements redoublèrent lorsque Sardou sortit son mouchoir pour sécher ses larmes. Sarah se leva alors et, les bras largement étendus, déclara : « À vous tous, mes amis, d'un cœur ému et reconnaissant, je vous dis, merci, merci [25] ! »

Les festivités s'achevèrent par une ode d'Armand Sylvestre sur une musique de Gabriel Pierné, « Hymne à Sarah Bernhardt », exécutée par l'orchestre et les chœurs des concerts Colonne. Tous les convives se dirigèrent ensuite vers le théâtre de la Renaissance où des sergents de ville maintenaient à distance une foule nombreuse venue admirer les invités. Cet après-midi-là Sarah se surpassa dans le premier acte de *Phèdre* et le quatrième acte de la *Rome vaincue* de Parodi devant une salle où se pressaient le Tout-Paris et les célébrités du monde des arts et des lettres. Pour le finale, cinq poètes lurent des sonnets composés en l'honneur de Sarah. Lorsque le rideau se leva, les spectateurs purent admirer un *tableau vivant** tel que l'on ne pouvait en concevoir qu'à cette époque ou dans ce théâtre. Drapée dans les voiles diaphanes de Phèdre, Sarah apparut sur un trône de fleurs multicolores sous un dais de palmes et d'orchidées, le visage encadré de camélias. Les comédiennes de sa compagnie, en robe blanche et la tête couronnée de roses, enveloppaient leur déesse d'un regard plein d'adoration. De tous les poèmes de louange ce fut le sonnet de Rostand, le « poète chéri » de Sarah, qui ravit la vedette :

> En ce temps sans beauté, seule encor tu nous restes
> Sachant descendre, pâle, un grand escalier clair,
> Ceindre un bandeau, porter un lys, brandir un fer.
> Reine de l'attitude et Princesse des gestes.
>
> En ce temps sans folie, ardente, tu protestes !
> Tu dis des vers. Tu meurs d'amour. Ton vol se perd.
> Tu tends des bras de rêve, et puis des bras de chair.
> Et, quand Phèdre paraît, nous sommes tous incestes.
>
> Avide de souffrir, tu t'ajoutas des cœurs ;
> Nous avons vu couler — car ils coulent, tes pleurs ! —
> Toutes les larmes de nos âmes sur tes joues.
>
> Mais aussi tu sais bien, Sarah, que quelquefois
> Tu sens furtivement se poser, quand tu joues,
> Les lèvres de Shakespeare aux bagues de tes doigts [26].

Si l'on en croit Huret :

> Sarah, debout, la poitrine palpitante, aussi blanche que les camélias qui lui servent de cadre, arrive à ce moment au paroxysme de son émotion ; ses lèvres tremblantes essayent de sourire avec reconnaissance ; mais on sent des larmes poindre ; elle serre son cœur contre sa poitrine, de toute la force de ses mains croisées, comme pour l'empêcher de bondir au-dehors d'elle. Et rien n'est plus beau que le spectacle de cette énergie, que trente ans de luttes et d'art exténuants n'ont pu abattre, brisée, écrasée par ces paroles lyriques déclamées devant ces quinze cents personnes frémissantes.
>
> Des fleurs tombent du haut de la salle sur la scène. De longues acclamations, plusieurs fois renouvelées, closent la cérémonie [27].

Sarah Bernhardt canonisée était une chose, Sarah la femme ordinaire autre chose ainsi que le montre avec charme *La Grande Sarah*, un recueil de souvenirs touchant et alerte rédigé par Reynaldo Hahn sous forme de journal. Né au Venezuela, Hahn, enfant extraordinairement doué, avait très tôt quitté Caracas pour Paris pour étudier la composition avec Massenet. Il n'avait que vingt ans quand Sarah l'accueillit parmi ses intimes, mais il avait été, « jeune Mozart », la coqueluche de la société parisienne dès sa quatorzième année quand, dans les salons aristocratiques, il chantait, en s'accompagnant au piano, une mélodie de sa composition, « Si mes vers avaient des ailes [28] », pour le plus grand plaisir de ses hôtes en pamoison. Ses dons musicaux et sa précocité ne suffisent pas à expliquer l'engouement du faubourg Saint-Germain. Reynaldo Hahn alliait à cela un esprit pétillant et une personnalité aussi séduisante que sa musique.

Lorsqu'il rencontra Sarah pour la première fois, Hahn était l'amant de Proust. Il avait entraîné Marcel en excursion à Belle-Isle où Sarah avait acheté, quelques années plus tôt, une maison. Malheureusement ce pèlerinage ne permit pas à Reynaldo de présenter son ami à la grande actrice. S'il en avait été autrement, Proust nous aurait peut-être laissé un portrait de Sarah plus fouillé que celui de Hahn qui s'en tint pour l'essentiel à des descriptions la montrant chez elle entourée de ses amis. Cependant Reynaldo Hahn lui-même ne put s'empêcher de formuler certains jugements et de regretter que la « célébrité pour ainsi dire unique » de l'actrice ne l'eût rendue égoïste et vaine. En dépit de son charme souriant, elle faisait montre, observa-t-il, d'une indifférence à la louange, ou plutôt d'une acceptation impassible et légèrement dédaigneuse des témoignages d'adoration qu'on lui adressait. Hahn aurait dû savoir par expérience qu'il est difficile pour une étoile d'une telle magnitude de demeurer insensible aux flatteries incessantes et aux sottes effusions. Un autre de ses défauts, ajouta-t-il, était sa faiblesse pour cette cour de gens médiocres qui grouillaient autour d'elle. Ils créaient, pensait-il, un climat de mensonges odieux et d'intrigues mesquines. Mais ce qui entachait le plus sa vie, c'était son fils. Pour Hahn c'était là le vrai cancer ; le reste n'était rien en comparaison. Ayant exprimé ces quelques réserves, Hahn entreprit de dépeindre la Sarah qu'il aimait.

Le 18 juin 1896 il embarqua avec Sarah et sa troupe pour Londres. Une semaine plus tard il notait dans son journal :

> Ce matin, séance chez le photographe Downey ; tout l'atelier l'attendait avec impatience et avec joie.
>
> Il pleut et l'on craignait qu'elle ne vînt pas. Elle arrive pourtant à onze heures et demie avec Clairin, Seylor et Marie ; très frileuse, elle trouve ce temps « glaçant ». Il fait pourtant chaud. Elle dit bonjour d'une voix rude et affectueuse au vieux Downey, qu'elle connaît depuis vingt ans.
>
> « Always young », lui dit-elle en lui donnant une tape sur l'épaule.
>
> Le vieillard, un véritable artiste, est radieux. Il professe pour Sarah la plus profonde dévotion.
>
> Nous montons à l'atelier par un petit escalier noir. Sarah est très maladroite pour monter et descendre les escaliers ; elle aime à sentir l'appui d'une main ou d'une épaule. Elle est d'excellente humeur : elle ôte son joli chapeau de voyage en paille d'Italie et s'ébouriffe un peu les cheveux devant la glace, d'un petit geste saccadé de l'index. Elle se relève un peu les sourcils et, rayonnante de jeunesse, va s'installer devant l'appareil.
>
> Elle pose d'abord dans une robe de drap blanc, son nouveau chien Jack auprès d'elle. Puis, après quelques poses diverses, [...] elle change de robe derrière un paravent. [...] Elle pose encore deux ou trois fois. Je lui dis combien cette forme de jupe, qu'elle a inventée et qu'elle garde en dépit des changements de la mode, est réussie : cette forme serrée aux jambes et qui finit par un élargissement aux chevilles. Cette ligne onduleuse est la principale caractéristique de la silhouette de Sarah Bernhardt.
>
> Nous redescendons et le père Downey lui demande d'écrire une fois de plus quelque chose dans son album. Il lui fait hommage d'une de ses photographies dans *Phèdre*, émaillée et encadrée. Pour le remercier, elle lui happe affectueusement le crâne et l'appelle *darling*. Nous remontons en voiture.
>
> « Jojotte, dit Sarah à Clairin, vous déjeunez avec nous ?
>
> — Non.
>
> — Ah ! mais, Jojotte, vous êtes un cochon ! Vous auriez bien pu avertir vos légitimes (sa sœur et sa nièce) que vous déjeuniez avec moi ! »
>
> Gai retour en voiture. Elle prétend que je suis « une teigne ».
>
> « Mais on vous pardonne parce que vous êtes amusant. »
>
> J'accepte ce compliment avec aisance.
>
> Au cours du bavardage, elle nous raconte qu'une de ses femmes

de chambre, jadis, ayant trompé son mari avec le cocher, le mari était venu en larmes le raconter à Sarah et s'écriait :

« Un cocher ! Un cocher ! Encore si elle avait pris un des amis de Madame ! »

En arrivant à l'hôtel, nous montons, et Sarah, dans le couloir, ébauche un petit pas de danse « très distingué [29] ».

Les jugements que Sarah portait sur les autres acteurs étaient pour Hahn une source d'amusement inépuisable. Que pensait-elle de la Duse, lui demanda-t-il :

Quelle jolie tête ! dit Sarah ; cette bouche dédaigneuse, ces belles dents, ces yeux souriants et désolés ! Et quel charme ! C'est une grande actrice. Quel dommage qu'elle soit si poseuse !...

Elle se montrait encore plus sévère pour sa vieille rivale, Mme Favart. À un ami qui remarquait qu'elle avait du talent, elle répliqua :

Aucun ! [...] Ne me parlez pas de cette horrible femme noire au grand nez ! Elle parrrlait comme ça, en vibrrrant. Un long buste, pas de jambes, et des mains affreuses *avec du ventre aux doigts* ! Quelle horreur !

Pour Guitry, elle était tout admiration. Quant à Mounet-Sully :

Il était d'une beauté magnifique ! Et quel brave cœur ! Mais il voulait faire le fou. Quelquefois, il était absolument merveilleux et d'autres fois, infâme !

À propos de Régnier, qui avait été son professeur, elle avouait :

Il a toujours eu confiance en moi et Dieu sait pourtant que j'étais une élève insupportable [30] !

Lorsque Sarah lut le manuscrit de Reynaldo Hahn elle lui écrivit qu'elle trouvait le portrait fidèle et ajouta : « Grâce à votre journal et au sonnet de Rostand, je pourrai m'installer confortablement pour le grand voyage [31]... »

*

Aucune demeure ne donna jamais à Sarah plus de joie que Le Fortin à Belle-Isle-en-Mer, un petit fort que Clairin et elle avaient découvert en 1893 alors qu'ils passaient des vacances dans la région. La Bretagne, décor de sa prime enfance, était un monde plein de souvenirs nostalgiques pour Sarah, tout comme pour Clairin qui, dans sa jeunesse, y avait fait une excursion inoubliable en compagnie de Camille Saint-Saëns et du peintre Henri Regnault. Mais la nostalgie perdit tous ses droits quand Sarah et son cher Jojotte virent la petite forteresse dressée face à l'océan rugissant. Dès qu'elle remarqua la pancarte « À vendre », elle sut que cette propriété serait sienne. Deux ans plus tard, Sarah, Maurice, Terka et Simone, leur fille, Abbéma, Clairin, Émile Geoffroy, ami et secrétaire particulier de Sarah, et une petite armée de domestiques et d'animaux familiers, passèrent leur premier été à Belle-Isle. Sarah avait dépensé, au cours de ces deux années, une fortune pour transformer les lugubres bâtiments en une demeure chaleureuse. Les étroites ouvertures dans les murs épais furent remplacées par de grandes baies ensoleillées qui s'ouvraient sur la mer. Le vaste corps de logis prévu à l'origine pour une garnison de trente hommes fut divisé en pièces agréables, salons accueillants, grande salle à manger, cinq chambres et — dépense extraordinaire pour l'époque — luxueuse salle de bains pour la châtelaine. Ce n'était là qu'un début. Au cours des années suivantes Sarah ajouta Reynaldo Hahn et le docteur Samuel Pozzi à la liste des visiteurs réguliers ; elle agrandit le Fortin, acheta des terres, et même une ferme ; elle fit construire des ateliers pour Abbéma et Clairin et un pavillon séparé pour Maurice et sa famille qui comptait à présent une deuxième fille, Lysiane, qui serait baptisée à Belle-Isle au cours de l'été de 1897.

Si la vie sur l'île était différente de la vie à Paris, l'atmosphère qui y régnait était presque la même. Pitou, qui avait réglé l'achat de la propriété, était toujours l'homme de toutes les situations et il continuait à rendre Sarah folle avec ses « Il faut que je mette de l'ordre là-dedans » auxquels elle répliquait : « Vous êtes un misérable, [...] vous voudriez que je vous tue, mais je ne vous tuerai pas [32] ! » Sur ces mots elle demandait qu'on fît venir ses chevaux, Vermouth et Cassis, et partait visiter avec Clairin et les enfants quelque jardin des environs.

À Belle-Isle le rituel s'organisait chaque jour autour du déjeuner et de la sieste qui suivait dans le « Sarahtorium », un enclos ensoleillé avec chaises longues et tables rustiques.

> Étrange sieste [nous raconte Hahn], durant laquelle on ne cesse de bavarder, commentant les articles de journaux et de revues que le facteur vient d'apporter, de faire la chasse aux insectes et de se lever à tout moment pour épier avec angoisse l'arrivée haïssable des touristes qui, du haut d'un lointain monticule et armés de longues-vues, essayent d'apercevoir *Sarah Bern-*

hardt ! Seule, Sarah prend la sieste au sérieux ; elle ferme les yeux, se couvre la figure d'un voile épais et dit de temps en temps : « Je dors ! Je dors [33] ! »

L'après-midi, Sarah, détendue et pleine d'énergie, fait une partie de pêche ou de tennis.

Tennis. Ce n'est pas facile de jouer au tennis avec Sarah. Elle « sert » bien et riposte vigoureusement ; mais, comme elle ne veut pas faire un seul pas, il faut qu'on lui envoie les balles à l'endroit précis où elle peut les rattraper sans changer de place. Maurice, qui joue à merveille, excelle à ce service-là, Geoffroy et Clairin s'en tirent assez bien, mais avec de fréquentes défaillances qui provoquent des imprécations furibondes [34]. [...]

Dîner. Discussions passionnées à propos de riens. Dominos, puis, je ne sais pourquoi, je me mets au piano et commence à fredonner la chanson bohème de *Carmen*. Maurice esquisse un pas espagnol, ses deux filles l'imitent, j'accélère le mouvement. Clairin enlace la grosse Mme Hammacher, la fait tournoyer, et voilà soudain le vieux Geoffroy qui, en knickerbockers et boudiné dans un norfolk jacket, bondit, tape du pied et improvise le plus étourdissant des fandangos. Avec un brio et une vivacité incroyables, il exécute des virevoltes vertigineuses, des flexions du torse, des moulinets et des jetés-battus, faisant trembler les lampes, renversant les chaises... Il termine cette danse frénétique par un « aïe donc ! » très sec de la tête et du rein ; et c'est d'une telle drôlerie, que j'abandonne le clavier et roule à terre en riant. Alors on se livre à une hilarité hurlante, convulsive, presque douloureuse ; on se tient les côtes, on gémit. Sarah, la tête dans ses mains, pleure de rire avec des hoquets et des sanglots ; elle étouffe, se renversant en arrière, les yeux fermés, s'apaise, puis se plie en deux pour rire encore [35]...

Des problèmes plus sérieux l'attendaient à Paris. Après son *succès d'estime** dans *Lorenzaccio*, Sarah revint à Sardou, alors dans sa soixante-septième année, et en février 1897 elle monta son *Spiritisme*, l'histoire d'une femme infidèle qui met en scène sa propre « mort » et réapparaît ensuite en « fantôme » pour implorer le pardon de son époux. Ce drame était si faible, écrivit Gustave Kahn, que rien n'eût pu le sauver. Sarah s'empressa de retirer la pièce de l'affiche pour la remplacer par *La Tosca*, œuvre au succès assuré.

Pendant la semaine sainte elle présenta en matinée la nouvelle pièce de Rostand, un drame sacré intitulé *La Samaritaine*. Rostand avait écrit quelques beaux passages inspirés de la scansion biblique du *Cantique des Cantiques* ; il avait su exprimer de nobles sentiments aux accents évangéliques et offrir au public l'occasion de voir Sarah sauvée du péché et de la débauche par

Notre Seigneur Jésus-Christ lui-même. À Coquelin qui l'interrogeait, il expliqua :

> Je m'applique à me mettre dans l'état de passion de cette femme qui, étant allée en chantant puiser une cruche d'eau pure au puits de Jacob, rentrait à la ville, éperdue, affolée de communiquer au peuple la foi que lui avaient donnée la connaissance et la parole du Christ. N'est-ce pas le plus extraordinaire des drames de conscience ? Imaginez-vous Liane de Pougy allant au Bois, rencontrant le Christ et revenant à Paris subitement, n'ayant plus qu'un désir, qu'une folie : évangéliser ses compatriotes [36] !

Célèbre courtisane de la Belle Époque, Liane de Pougy partageait avec Sarah nombre d'amis communs. Dans ses Mémoires, *Mes cahiers bleus,* elle fait un portrait attachant de Reynaldo Hahn : « Nous nous aimions beaucoup. Il fut sûrement la douceur de ma vie pendant plusieurs années. [...] Reynaldo si beau, beau jusqu'au prodige, beau à faire rêver, beau de tant de beautés, beauté de l'intelligence, du mystère, de la plus fine culture, de la sensibilité [37]. » Cependant, lorsqu'elle renonça à une vie de débauche extraordinairement brillante pour épouser un prince roumain, Georges Ghika, et annonça l'heureuse nouvelle à son cher Reynaldo, celui-ci soupira « Adieu Lianon, je déteste les gens mariés ! » et la quitta pour toujours. Liane précise qu'elle fut parfaitement fidèle au prince Ghika alors même qu'elle décrit les heures passées avec ses amies lesbiennes qui n'avaient le droit de lui faire l'amour qu'au-dessus de la ceinture car, en dessous, elle appartenait à son mari, homme qui aimait à regarder, assis au pied du lit, les ébats des jeunes femmes.

Bien qu'elle se dît attirée par les belles femmes et qu'elle jugeât la plupart des hommes répugnants, elle désapprouvait ouvertement le comportement de « Missy », la fille du duc de Morny, qui fumait le cigare et s'habillait comme un homme, et celui de Saryta, la jolie nièce de Sarah, qui avait les mêmes inclinations et « vivait de ces allures équivoques ».

> Sarita [sic] [écrit Liane] avait ce petit travers [elle se travestissait], cependant elle portait la jupe et ne masculinisait que la partie supérieure de son vêtement, son ton, ses allures, ses bagues. Elle pratiquait aussi le cigare, [...] [38]

> Sarah Bernhardt [poursuit-elle] essaya maintes fois d'arracher sa nièce chérie à un tel milieu, à de telles habitudes, elle la raisonna, la pensionna, l'emmena en Amérique, lui fit jouer la comédie. Rien n'y fit ! [...] Elle mourut encore jeune de tuberculose intestinale après d'atroces souffrances. Seule dans une maison de santé où la protection de sa célèbre tante l'avait placée, [...] [39]

À la fin de sa vie, Liane de Pougy se fit sœur tertiaire séculaire dans l'ordre de Saint-Dominique, ce qui explique peut-être pourquoi Rostand songea à elle à propos de *La Samaritaine*. Dans la préface qu'il rédigea pour *Mes cahiers bleus*, son conseiller spirituel, le Père Rzewuski, rapporte une anecdote remontant à l'époque où Liane était considérée comme « la plus belle de toutes les courtisanes ». On lui avait proposé un contrat au théâtre français de Saint-Pétersbourg et Liane, qui n'avait pour toute expérience de la scène qu'un passage aux Folies-Bergère, demanda à Sarah de lui donner des cours. Après cinq ou six « séances payées à prix d'or », Sarah lui dit : « Mon petit, je ne puis faire grand-chose de toi. Montre ta beauté, mais surtout n'ouvre jamais en scène ta jolie bouche [40]. »

La Samaritaine devint l'un des rôles favoris de Sarah toujours hantée par ses rêves mystiques, et elle le reprit chaque année, pendant la semaine sainte, jusqu'en 1912.

En avril 1897 on annonça que la grande actrice italienne Eleonora Duse allait donner une série de représentations — la première à Paris — à la fin de la saison de printemps et que son impresario, Joseph Schurmann, était en pourparlers avec plusieurs théâtres de la capitale. Lorsque Sarah apprit cela elle proposa de mettre son théâtre, à titre gracieux, à la disposition de sa rivale. Cela signifiait que les recettes iraient à la Duse au lieu d'être partagées avec la Renaissance, comme il était d'usage lorsque Sarah louait la salle à une troupe étrangère. Les deux divas — Duse était de quinze ans la cadette de Sarah — signèrent un contrat stipulant qu'Eleonora donnerait dix représentations pendant la première quinzaine de juin et qu'elle ferait connaître longtemps à l'avance la liste des pièces qu'elle jouerait.

Lorsque cette liste arriva vers la mi-mai, Sarah ne put en croire ses yeux. La Duse avait choisi, après avoir consulté son amant, Gabriele D'Annunzio, et son ami le comte Giuseppe Primoli, *La Dame aux camélias* et *La Femme de Claude* de Dumas *fils*, *Magda* de Sudermann, ainsi que *Cavalleria rusticana* de Verga et une double affiche associant *La Locandiera* de Goldoni et *Il Sogno d'un mattino di primavera* (*Le Songe d'une matinée de printemps*) de D'Annunzio. En bref, les trois premières pièces proposées appartenaient au propre répertoire de Sarah qui fut ulcérée que *La Maison de poupée* d'Ibsen, que la Duse avait créée en Italie, en Russie et en Autriche, ne figurât pas et que *La Dame aux camélias*, considérée depuis des années comme la « propriété exclusive » de Bernhardt, fût annoncée. Les amateurs de théâtre soupçonneux se demandèrent ce que cachait la générosité de

Sarah. Avait-elle invité sa rivale dans la tanière du lion pour la dévorer toute vive ? Était-ce là sa manière de démontrer qu'elle était supérieure à la Duse ? Ou était-ce simplement un moyen de faire de la réclame pour son théâtre et pour elle-même ? Le fait que la Duse avait accepté l'hospitalité de Sarah faisait aussi l'objet de discussions sans fin. L'explication est peut-être à chercher du côté de D'Annunzio, la grande passion d'Eleonora Duse, un homme aussi machiavélique que talentueux. Il se peut également que la Duse eût rêvé d'égaler l'idole de sa jeunesse ; ou, plus probablement, était-elle aussi combative, aussi dévorée d'ambition que Sarah elle-même — et cela malgré sa réputation de créature éthérée dont la conversation, selon *Le Figaro*, consistait pour l'essentiel en déclarations enflammées sur « la bonté, l'âme et le sens de la vie ».

Le séjour de la Duse à Paris eut ses côtés amusants. Le comte de Montesquiou ne devait jamais oublier le jour où il présenta les actrices l'une à l'autre. « J'assistai donc au choc initial de ces deux femmes, qui s'étreignirent si fort, que la chose me sembla participer de ce que l'on pourrait appeler, d'un terme de collision, plutôt que d'affection, un embrassement " à mains plates "[41]. » Cet après-midi-là Sarah invita la Duse à prendre place dans sa loge pour une représentation de *La Samaritaine*. La Duse ne resta pas longtemps assise. À chaque entrée de Sarah elle se levait d'un bond et restait debout tant que la comédienne était en scène. Ses gesticulations eurent l'effet escompté. Elles ruinèrent les scènes jouées par Sarah car les spectateurs distraits regardaient alternativement les deux femmes comme s'il s'était agi d'un match de tennis. Que pouvait faire Sarah sinon adresser son plus gracieux sourire à cette admiratrice trop enthousiaste ?

Cette farce connut une variante avec inversion des rôles lors de la première de la Duse dans *La Dame aux camélias*. Sarah s'installa dans la loge de scène, le menton posé sur une main, les yeux fixés sur sa rivale. Couverte de bijoux, magnifiquement habillée, une couronne de roses tressée dans sa chevelure rousse fraîchement teinte, elle était l'incarnation vivante de l'héroïne de Dumas — contraste saisissant avec la Duse qui ne se maquillait pas ou peu à la scène comme à la ville et ne se souciait guère de ses toilettes. Pendant l'entracte, *le Tout-Paris** vint présenter ses respects à Sarah et lui demander ce qu'elle pensait de l'actrice italienne. « L'une des meilleures », répondit-elle joyeusement, sachant que la Duse, impressionnée et nerveuse, n'avait jamais joué aussi mal que ce soir-là.

Sarah fut encore plus heureuse lorsqu'elle prit connaissance de la chronique de Sarcey. Pour lui la Duse ne comprenait pas le rôle et faisait de Marguerite une bonne petite âme qui ruinait ses amants en macaroni ! Cependant, concédait-il, elle excellait à exprimer la tendresse et était fort convaincante lorsqu'elle offrait une rose à Armand, même si ce geste absurde allait à l'encontre de l'esprit de la pièce. Les compliments du grand critique étaient bien tièdes pour une actrice qui avait reçu en Allemagne, en Russie, tout comme en Italie, les éloges les plus vibrants. Si la Duse était découragée, elle n'en montra rien quand elle parut dans Magda, rôle pour lequel son interprétation, selon certains critiques, était supérieure à celle de Sarah. Même Sarcey fut conquis. À la fin de son séjour, il salua sa victoire ; elle avait conquis le public par la seule puissance de la vérité et laissait, dit-il, un exemple dont tous feraient bien de s'inspirer.

Cette fâcheuse nouvelle inspira à Sarah une réplique d'une habileté toute parisienne. Le 14 juin devait avoir lieu un gala dont la recette serait versée pour la souscription d'un monument à la mémoire de Dumas *fils*, mort deux ans plus tôt. Pourquoi Sarah n'inviterait-elle pas son hôte à y prendre part ? La Duse pourrait apparaître dans les actes II et III de *La Dame aux camélias* et Sarah dans les actes IV et V. Mais Eleonora était trop fine mouche pour se laisser entraîner dans une bataille qu'elle risquait de perdre. Elle proposa de jouer à la place une scène de *La Femme de Claude*, une pièce de Dumas aux accents ibséniens, dans laquelle elle savait qu'elle brillerait. Sa suggestion fut acceptée et chacun se prépara pour la confrontation. Ce fut la seule fois où Sarah et la Duse apparurent dans le même spectacle. Le programme comprenait, comme autres attractions, *L'Aveu*, mélodrame de l'adultère en un acte que Sarah elle-même avait écrit et joué quelques années auparavant, des textes dits par Coquelin et Yvette Guilbert, des arias chantés par des membres de l'Opéra de Paris et, pour le finale, un poème de Rostand, *L'Hommage de Marguerite Gautier à Dumas fils*, qui serait déclamé par Sarah.

Tout le monde apparemment fut enchanté de cette soirée de gala, en particulier la Duse qui, au terme d'une demi-heure d'un jeu très inspiré, convainquit le public qu'elle était digne de se mesurer à la grande Sarah elle-même. Malheureusement, Sarah avait conservé un atout dans sa manche : l'amant de sa rivale. Poète, romancier et dramaturge flamboyant, D'Annunzio était un personnage ténébreux, quoique séduisant, un homme impitoyable, déloyal et excessivement vaniteux. Toutes ces qualités ou ces défauts apparurent au grand jour quand il rendit, pour la première fois, visite à Sarah, boulevard Pereire. « Divine ! » s'écria-t-il, en s'inclinant pour lui baiser la main. « Oui, Madame, vous êtes D'Annunzienne. » Ce compliment censé la flatter n'eut aucun effet car Sarah, par un mouvement d'amour-propre assez sain, préférait se considérer Bernhardtienne. Cependant il leur fallait parler affaires. D'Annunzio lui avait envoyé *La Ville morte*, traduction française de sa pièce *La Città morta*, qu'elle avait aimée non seulement pour le thème de l'inceste et pour la Grèce antique qui lui servait de cadre, mais parce que l'œuvre inspirée par Eleonora, sa maîtresse, et écrite pour elle était à présent offerte à la Bernhardt pour être jouée à Paris avant d'être créée par la Duse en Italie. L'absence de scrupules de D'Annunzio fit extrêmement plaisir à Sarah ; en lui confiant sa pièce, il montrait clairement qu'il la jugeait encore plus « sublime » (un de ses termes de prédilection) que l'actrice dont il se disait épris ; enfin, Sarah considérait que la Duse avait outrageusement abusé d'elle — ce dont elle se plaignit dans une lettre adressée à Robert de Montesquiou qui les avait présentées l'une à l'autre :

Mon Cher Robert,

    C'est vous qui m'avez présenté la Duse. J'ai été pour elle tout à fait courtoise et patiente. Elle devait jouer dix fois en onze jours ; elle a joué dix fois en trente jours. [Il est vrai que la Duse à plusieurs reprises reporta ou annula des représentations.] C'est pour moi un surcroît de dépenses très grosses, puisque je laisse ouvert mon théâtre qui devait être fermé. Et je paie mon personnel ; même plus que d'habitude, puisqu'il est en congé de droit. Tout cela, cher ami, je l'ai fait de bonne grâce, sans même en parler à personne. Vous n'ignorez pas toutes les petites lâchetés et infamies que j'ai dû subir depuis l'arrivée de la Duse. Ayant eu mon apothéose [la « Journée Sarah Bernhardt »], on désirait m'enterrer. [...] Tout cela est malpropre et le rôle de la Duse a été fourbe, oh ! combien fourbe ! [...] Je trouve tout cela très vilain, très lâche, et l'artiste italienne très au-dessous d'un caractère droit et noble ; elle ne m'a même pas écrit un mot de remerciement ni d'adieu.
    Je suis tristement écœurée. [...] [42].

La Duse aurait fort bien pu employer les mêmes termes, « malpropre, fourbe, vilain et lâche », pour décrire les manœuvres de séduction de Sarah à l'égard de D'Annunzio.

La création de ce que les acteurs ne tardèrent pas à rebaptiser « La Ville mortelle » ne devait satisfaire personne. La trahison brutale de son amant avait bouleversé Eleonora. De son côté D'Annunzio entra en fureur lorsqu'il lut sous la plume d'un critique que sa pièce n'était qu'un flot irrépressible de paroles. Les intrigues de Sarah se retournèrent contre elle ; elle dut interrompre *La Ville morte* peu après la première car le public partagea l'opinion des comédiens et jugea la pièce d'un ennui « mortel ». La Duse devait prendre sa revanche lors de la création de la pièce en Italie où elle remporta un triomphe ; à cette époque la brève liaison de Sarah et de D'Annunzio, qu'ils n'avaient ni l'un ni l'autre vraiment prise au sérieux, appartenait déjà au passé, mais le cœur d'Eleonora Duse était à jamais brisé.

Comme c'est souvent le cas après un échec théâtral, chacune des personnes concernées affirma que les autres avaient été animées d'intentions malignes et se persuada qu'elle seule s'était comportée dignement.

*

La situation confuse et déplaisante qui régnait au théâtre de la Renaissance n'était rien comparée au scandale qui ébranla la France au cours de ces mêmes années. L'affaire Dreyfus, avec ses documents falsifiés, l'inculpation d'un innocent et sa condamnation à la déportation à vie sur l'île du Diable, eut des répercusions qui dépassèrent largement le cadre d'une simple erreur judiciaire. Des volumes entiers ont été consacrés à analyser l'imbroglio juridique, les fausses accusations, l'antisémitisme haineux et l'opportunisme politique qui sont autant de composantes de cette affaire. Les Français, si fiers de leur gloire passée, de leurs idéaux de liberté, d'égalité et de fraternité, se prirent les uns les autres à la gorge. Leur comportement, cela est triste à dire, justifie les propos de l'historien J. E. C. Bradley : « Il est un peuple envers lequel les Français se montrent plus vindicatifs qu'à l'égard des Allemands, plus irascibles qu'à l'égard des Italiens, plus injustes qu'à l'égard des Anglais. C'est à eux-mêmes, plus qu'à toute autre nation, que les Français vouent l'animosité la plus sauvage, la plus acharnée et la plus inéquitable. »

Ce jugement serait plus complet s'il mentionnait l'antisémitisme féroce que l'Affaire déchaîna. « Les juifs corrompent la nation », hurlaient les antidreyfusards. Ces « proxénètes, ces chancres, ces voleurs, ces poux de synagogue » méritaient la vivisection ou la déportation. En un mot, ils n'étaient pas français, mais traîtres à la nation.

Aussi étonnant que cela puisse paraître, des esprits aussi raffinés que Jules Lemaître, Léon Daudet et François Coppée ne condamnèrent pas plus la violente réaction antisémite que ne le firent la plupart des personnalités parisiennes et des autorités ecclésiastiques. Heureusement pour Dreyfus et pour la France, il se trouva des réformateurs, des intellectuels, des savants — et aussi des juifs — pour prendre conscience que Dreyfus était la victime innocente de préjugés et d'une forme de corruption de l'armée.

Sarah était, et à juste raison, profondément dreyfusarde. Comment eût-elle pu ne pas l'être ? Depuis des années circulaient de par le monde des caricatures antisémites la représentant. En Russie et au Canada on l'avait accueillie avec des jets de pierres et des insultes racistes. Marie Colombier avait raillé ses viles manières de fille de Sem dans *Les Mémoires de Sarah Barnum* et il n'était pas de jour que quelqu'un ne fît des allusions odieuses à son « sang juif ». Mais ce qui était en jeu dépassait les simples blessures d'amour-propre. Comme Octave Mirbeau, Sardou, Rostand, Hahn, Clairin, Lucien Guitry et beaucoup d'autres membres de son cercle, elle était de plus en plus persuadée que Dreyfus était victime d'une sinistre machination. Malheureusement pour Sarah, son fils bien-aimé ne partageait pas ses sentiments. Ouvertement antisémite malgré son ascendance, et convaincu que l'armée, l'Église et la bonne société ne pouvaient mal faire, il s'opposa violemment à sa mère. Incapable de tenir tête à Sarah et aux amis de celle-ci, il s'installa avec sa famille à Monte-Carlo et pendant plusieurs mois douloureux Maurice et sa mère restèrent sans se parler. Ils n'étaient, il est vrai, qu'une des nombreuses familles que l'Affaire avait brisées. Lorsque Maurice revint enfin à Paris, il se montra aussi dévoué, aimant et financièrement dépendant que par le passé et jamais plus l'Affaire ne devait être évoquée.

En octobre 1897, Sarah fit une tournée en Belgique, tandis que Lucien Guitry, au théâtre de la Renaissance, paraissait dans *Service secret*, une pièce de l'acteur et dramaturge américain William Gillette adaptée en français par Pierre Decourcelle. Hélas la pièce fut un échec à Paris et Sarah dut intervenir pour redresser la situation financière de son théâtre. Au début de novembre elle donna la première d'une série de cinquante représentations superbes — et lucratives — de *La Dame aux camélias* et elle commença les répétitions de la nouvelle pièce de Mirbeau, *Les Mauvais Bergers*. Mirbeau était un dreyfusard acharné et il consacra une grande partie de ces répétitions à convaincre Sarah que quelque chose devait être fait pour prouver l'innocence de Dreyfus.

Louis Verneuil affirmera plus tard que Sarah lui avait confié que c'était à la suite de l'une de ces répétitions qu'elle était allée voir Zola pour lui faire part du point de vue de Mirbeau, contribuant ainsi à rallier l'écrivain à la cause. C'était sur sa suggestion que Zola avait fait paraître dans *Le Figaro* l'article de soutien à Dreyfus qui s'achevait par la phrase célèbre : « La vérité est en marche et rien ne l'arrêtera. »

En outre Verneuil précise que Sarah était présente le jour de janvier 1898 où *J'accuse* fut publié et où une foule menaçante vint assiéger le petit hôtel particulier du romancier, rue de Bruxelles, aux cris de « À mort Zola ! ». Soudain, raconte Verneuil, une fenêtre s'ouvrit au premier étage, mais ce fut Sarah et non Zola qui apparut. Elle était venue le féliciter pour sa courageuse campagne dont elle avait été, deux mois plus tôt, l'inspiratrice. À la vue de Sarah la foule se calma et fut dispersée par la police.

Le lendemain matin les journaux antidreyfusards annonçaient dans leurs manchettes : « Sarah Bernhardt chez Zola. La grande actrice est avec les juifs contre l'Armée. » La semaine suivante il y eut de violentes manifestations devant la Renaissance et le préfet de police demanda à Sarah d'interrompre les représentations et de fermer le théâtre pour mettre fin aux troubles.

Il est fort vraisemblable que Verneuil — ou Sarah elle-même — ait exagéré. Mais qu'elle ait embelli la réalité, ou qu'elle ait voulu faire croire qu'elle avait joué un rôle plus important dans la réhabilitation du capitaine Dreyfus que cela n'avait été le cas, il demeure que son cœur avait choisi le camp des justes.

En décembre Zola avait publié sa *Lettre à la jeunesse*, un appel qui fit sensation et par lequel il invitait les jeunes à combattre l'injustice. Ce fut à cette époque que Sarah créa *Les Mauvais Bergers*, pièce dont le titre fait référence à ces patrons d'industrie cupides qui exploitent leurs ouvriers. Chaque fois qu'une réplique parlait d'injustice, le public y voyait une allusion à l'Affaire et applaudissement, sifflets et hurlements fusaient de toutes parts. Lucien Guitry fut impressionnant dans le rôle d'un ouvrier tué au cours d'une grève sanglante et, dans la scène finale, le jeu de Sarah, lorsqu'elle découvre celui qu'elle aime mort sur une civière, fut d'un réalisme si poignant qu'on entendit dans la salle des cris de « Assez ! Assez ![43] ».

Zola, ainsi qu'on le sait, devint le héros des dreyfusards lorsqu'en janvier parut, dans *L'Aurore*, « J'accuse », sa lettre au président de la République. Il y accusait nommément les officiers supérieurs de l'armée de déformation des faits, de partialité monstrueuse et de déni de justice :

> Et c'est un crime encore que de s'être appuyé sur la presse immonde, que de s'être laissé défendre par toute la fripouille de Paris, de sorte que voilà la fripouille qui triomphe insolemment, dans la défaite du droit et de la simple probité. [...] C'est un crime d'empoisonner les petits et les humbles, d'exaspérer les passions de réaction et d'intolérance, en s'abritant derrière l'odieux antisémitisme, dont la France libérale des droits de l'homme mourra, si elle n'en est pas guérie. C'est un crime que d'exploiter le patriotisme pour des œuvres de haine, et c'est un crime, enfin, que de faire du sabre le dieu moderne, lorsque toute la science humaine est au travail pour l'œuvre prochaine de vérité et de justice[44].

Si Sarah ne se rendit pas chez Zola lorsque son célèbre article fut publié, elle lui envoya une lettre :

> Laissez-moi vous dire, Cher Grand Maître, l'émotion indicible que m'a fait éprouver votre cri de Justice. Je ne suis qu'une femme et je ne puis rien dire moi ; mais je suis angoissée, je suis hantée, et

votre belle page d'hier a été pour ma réelle souffrance un réel soulagement. Je voulais écrire déjà à Scheurer-Kestner [alors vice-président du Sénat] pour le remercier au nom de l'humanité ; mais sachant que tout est crime en ce moment pour cet homme admirable je me suis dit que si une artiste, que dis-je, une *actrice* était surprise en dévotion de son acte si courageux, on se servirait de cette découverte pour l'accabler.

À vous que j'aime depuis si longtemps, je dis merci, merci de toutes les forces de mon intention douloureuse, qui me crie il y a crime, il y a crime !

Merci Émile Zola, merci Maître aimé. Merci, merci au nom de l'éternelle justice.

Sarah Bernhardt[45]

*

Le siècle approchait de sa fin et Sarah commençait à croire qu'une malédiction pesait sur le théâtre de la Renaissance. Elle avait perdu des millions de francs au cours de ses cinq années de direction, et seules ses tournées à l'étranger lui avaient épargné la faillite. En outre les coulisses étaient exiguës, la scène trop petite et — préoccupation majeure —, à cinquante-quatre ans, Sarah pensait que le temps était venu où une distance plus grande entre le public et elle lui épargnerait un certain embarras et des maquillages excessifs. C'est en songeant à tout cela qu'elle demanda à Maurice Grau de vendre le bail de la Renaissance et de lui trouver un théâtre plus grand.

Après son triomphe dans *Lorenzaccio*, Sarah se dit qu'elle devait jouer le rôle-titre de *Hamlet*. Comme elle n'aimait pas l'adaptation française officielle en usage à la Comédie-Française et qu'elle ne pouvait probablement pas obtenir le droit de l'exploiter, elle demanda à Marcel Schwob et à Eugène Morand d'écrire une version en prose qui suivrait fidèlement le texte de Shakespeare. En juin, elle emporta leur œuvre à Belle-Isle et l'étudia attentivement avec l'intention de monter la pièce dans son nouveau théâtre.

Le 18 novembre 1898, pour ses adieux à la Renaissance, elle reprit *La Dame aux camélias* et le 11 décembre, pour la dernière fois sur cette scène, Sarah mourait dans le rôle de Marguerite Gautier. Dans l'intervalle elle avait signé un bail de vingt-cinq ans, qui commençait le 1er janvier 1899, pour le théâtre des Nations, propriété de la ville de Paris. Situé sur la place du Châtelet, il avait abrité un temps, sous le nom de théâtre Lyrique, l'Opéra-Comique. Cela serait la seule scène parisienne où Sarah jouerait pendant les vingt-trois dernières années de sa vie.

Cette nouvelle installation, quoique ambitieuse, se révéla très pratique. Actrice et directrice expérimentées, Sarah savait que le théâtre des Nations, avec ses dix-sept cents places, pouvait lui rapporter deux fois plus que la Renaissance qui n'en comptait que neuf cents. Et que de possibilités offertes par la vaste scène, quelle satisfaction pour une compagnie à répertoire de savoir qu'il était possible de conserver les décors de quatre ou cinq pièces différentes, quel confort enfin pour les acteurs lorsque les vieilles loges décrépites seraient refaites à neuf ! Mais, pressée de commencer, Sarah décida de remettre à l'été les longs travaux de restauration ; elle rebaptisa l'impressionnante salle théâtre Sarah-Bernhardt et annonça que l'ouverture se ferait le 21 janvier avec une reprise de *La Tosca.*

Des affiches furent apposées, les réservations commencèrent et les amateurs se précipitèrent en foule. Trois cents représentations plus tard — un record pour la pièce de Sardou — Sarah était une femme riche et comblée. « Enfin, je respire... » confia-t-elle à ses amis. Comment avait-elle jamais pu se satisfaire du ridicule théâtre de la Renaissance, « cette cage à poules où l'on ne pouvait pas ouvrir les bras sans se cogner aux murs [46] » ?

Le théâtre Sarah-Bernhardt fut entièrement rénové pendant l'été et l'automne de 1899. Les résultats furent dignes de l'ambitieuse propriétaire qui s'était promis d'en faire le plus beau théâtre au monde. Les murs lépreux et les fauteuils furent tendus de velours jaune, innovation remarquable car la tradition voulait que les théâtres fussent de couleur rouge. Les loges grandioses repeintes couleur ivoire resplendissaient. Les sièges à l'orchestre étaient vastes et confortables. D'immenses lustres dispensaient partout une douce lumière. Le foyer, accueillant et vaste, était décoré de portraits réalisés par Mucha, Clairin et Abbéma, représentant Sarah dans ses divers rôles. Et enfin, après des années passées dans des loges minuscules et misérables, Sarah s'offrit, pour ses changements de costumes, un luxueux appartement de cinq pièces sur deux niveaux. Il comprenait une antichambre (où les visiteurs acceptés dans les coulisses pouvaient attendre l'actrice) séparée de la scène par une double porte et quelques marches. Venait ensuite un grand salon Empire retouché par Lalique et tapissé de satin jaune où Sarah recevait, assise sur un immense divan, dans un décor de magnifiques meubles anciens. La loge proprement dite était assez grande pour contenir cinquante costumes, une haute coiffeuse éclairée d'ampoules électriques, une gigantesque glace à trois faces, un lavabo monumental et une baignoire, la première jamais installée dans un théâtre. Ces trois pièces en enfilade se trouvaient au premier étage du théâtre. De l'antichambre un escalier en spirale conduisait, au rez-de-chaussée, à une salle à manger assez vaste pour accueillir une douzaine de convives, avec, attenants, un office et une petite cuisine. Chaque dimanche Sarah donnerait là des dîners pour *le Tout-Paris théâtral* *, entre les représentations de matinée et de soirée.

Dans cette atmosphère rassurante, Sarah choisit, après *La Tosca*, de reprendre *Dalila*, la médiocre pièce d'Octave Feuillet dans laquelle elle avait déçu le public vingt-six ans plus tôt à la Comédie-Française. Ce rôle, qui ne lui avait pas convenu en 1873, lui fut encore plus néfaste en 1899. Les acteurs qui avaient présenté *La Tosca* devant des foules enthousiastes jouèrent pendant deux semaines devant une mer de fauteuils vides. Cette erreur fut suivie par les reprises chaleureusement applaudies de *La Samaritaine*, de *La Dame aux camélias* et, occasionnellement en matinée, de *Phèdre*.

Mais Sarah ne faisait que marquer le pas. Le 20 mai 1899, portant cape et épée, elle apparaissait pour la première fois sur scène en Hamlet. Son interprétation devait susciter plus de polémiques qu'aucun autre de ses rôles au cours de sa longue carrière. Les actrices qui jouent des rôles masculins sont souvent stigmatisées ; tout d'abord parce que l'on n'est jamais vraiment convaincu par leur voix, leur allure ou leurs attitudes ; ensuite parce que les actrices qui se lancent dans cette aventure ont la difficile et double tâche d'incarner un comédien qui, à son tour, personnifie un autre homme. Dans ces circonstances Sarah fit des merveilles. *Hamlet* resta à l'affiche pendant des mois et cela bien que le spectacle durât plus de quatre heures. Les critiques admirèrent l'intelligence et la vérité que Sarah apporta au texte de Shakespeare. Catulle Mendès fut si profondément bouleversé qu'il se battit en duel avec un journaliste qui avait eu l'impudence de critiquer la teinte de la perruque de l'artiste. Même Mounet-Sully qui était, en quelque sorte, le titulaire du rôle au Français alla à plusieurs reprises voir le Prince de Danemark de Sarah. Son ancien amant n'avait pas changé. Aussi obstiné que jamais, il discuta chaque détail de son interprétation. Pourquoi disait-elle le célèbre monologue « Être ou ne pas être » assise ? Et pourquoi se montrait-elle inquiète dans la scène avec Rosencrantz et Guildenstern alors qu'à ce moment Hamlet ignore que le roi a l'intention de le faire tuer ? — Mais il le sait, répondit Sarah. Il devine le danger au cours de la scène des comédiens. C'est alors qu'il acquiert la conviction que le spectre dit la vérité. Mounet répliqua que tout cela était bien subtil. Mais Hamlet est la subtilité même, répondit Sarah. Leurs discussions se poursuivaient tard dans la nuit et, comme dans l'ancien temps, l'assurance de Sarah, convaincue d'avoir raison, faisait perdre toute patience à Mounet.

Sarah joua *Hamlet* deux semaines, puis elle ferma le théâtre pour la durée des travaux et entreprit, avec la pièce, une tournée de six mois qui commença à Londres.

La réaction des Britanniques fut mitigée. L'écrivain Maurice

Baring n'émit, quant à lui, aucune réserve. Il affirma que l'adaptation de Marcel Schwob était la première à donner au public français une idée exacte de la pièce de Shakespeare. Pour lui l'interprétation de Sarah « était naturelle, aisée, vivante et noble ». Dans certaines répliques, « on croyait entendre, tandis [que Sarah Bernhardt] les prononçait, Shakespeare lui-même au confessionnal ». Chaque scène, chaque état d'âme du Prince faisait partie d'un tout, « comme des nuages qui se poursuivent, mais appartiennent à un ciel unique, au lieu de ressembler aux tableaux séparés d'une lanterne magique [47] ».

Dans un article intitulé « Hamlet, princesse de Danemark », Max Beerbohm s'indignait :

> J'espère sincèrement, pendant qu'il est encore temps, que l'exemple de Sarah dans le rôle de Hamlet ne créera pas de précédent chez les femmes. [...] Il ne fait aucun doute que Hamlet, dans la complexité de sa nature, présente des traits féminins. [...] Cela serait, je pense, l'excuse de Sarah pour avoir tenté de jouer ce rôle. Bien sûr elle n'oserait pas jouer Othello — du moins, je présume qu'elle ne le ferait pas, encore qu'il serait dangereux d'imaginer ce qu'elle pourrait ne pas faire — pas plus que son distingué compatriote, Mounet-Sully, n'essaierait de jouer Desdémone. [...] Mounet-Sully ne serait pas plus acceptable en Lady Macbeth qu'en Desdémone. Il serait absurde dans ce rôle, encore que (c'est là mon opinion) pas un brin plus absurde que Sarah en Hamlet. Sarah n'aurait pas dû croire que la faiblesse de Hamlet le rapprochait en quelque façon de son esprit et de son corps de femme. Ses amis auraient dû la retenir, les critiques français ne pas l'encourager. Les douaniers de Charing Cross auraient dû confisquer son pourpoint et ses hauts-de-chausses noirs. Admirateur de son art incomparable, je suis encore plus atterré qu'amusé quand je pense à son aberration à l'Adelphi. Pour une fois même sa voix n'était pas belle. [...] Le mieux que l'on puisse dire pour son interprétation est qu'elle a joué (ainsi qu'elle le fait toujours) avec cette dignité qui est le fruit de sa maîtrise de soi. Cette parfaite maîtrise de soi fut l'un des éléments les plus délicieux de la comédie ce soir-là, mais on ne pouvait s'empêcher d'être sincèrement impressionné par sa dignité. Son Hamlet, tel qu'elle l'a incarné, sans être ni mélancolique ni rêveur, nous est apparu comme un personnage important et incontestablement « de haut lignage ». Oui ! le seul compliment que l'on puisse en toute conscience faire à Sarah Bernhardt est que son Hamlet fut, du début à la fin, *très grande dame*.

Sarah défendit sa conception du rôle dans une lettre adressée à un critique anonyme qui pensait que Shakespeare ne pouvait être compris que par les Anglais et qui jugeait son interprétation de Hamlet trop virile :

On me reproche d'être trop active, trop virile. Il semble qu'en Angleterre Hamlet doit être représenté sous les traits d'un triste professeur allemand. [...] On dit que mon jeu n'est pas traditionnel. Mais qu'est-ce que la tradition ? Chaque acteur apporte ses propres traditions. [...] Dans la scène de la chapelle Hamlet décide de ne pas tuer le roi en prière, non pas par irrésolution ou lâcheté, mais parce qu'il est intelligent et tenace ; il veut le tuer en état de péché et non en état de repentance, car il veut le voir aller en enfer et non au ciel. Il y a ceux qui veulent absolument voir en Hamlet une âme de femme, faible et irrésolue ; moi, je vois en lui une âme d'homme résolu et sensible. Quand Hamlet voit l'esprit de son père et apprend le meurtre, il décide de le venger, mais il est le contraire d'Othello, qui agit sans réfléchir ; Hamlet pense avant d'agir, signe d'une grande force et d'une âme puissante.

Hamlet aime Ophélie, mais il renonce à l'amour, il renonce à ses études, il renonce à tout afin d'atteindre son but, et il l'atteint : il tue le roi lorsqu'il le découvre en train de pécher de la façon la plus noire et la plus criminelle. [...]

Pour conclure, Monsieur, permettez-moi de dire que Shakespeare, par son génie colossal, appartient à l'univers, et qu'un cerveau français, allemand ou russe a le droit de l'admirer et de le comprendre [48]. [...]

Cependant Sarah eut la consolation, si elle avait lu le compte rendu de Max Beerbohm ou si quelqu'un avait eu l'audace de le lui lire, d'être invitée à présenter *Hamlet* à Stratford-upon-Avon. De là elle se rendit à Édimbourg. On aimerait savoir ce que Beerbohm aurait écrit s'il l'avait suivie en Écosse car, son costume n'étant pas arrivé à temps, elle joua le rôle du mélancolique Danois en kilt, à la stupéfaction du public [49].

Après la Grande-Bretagne, Sarah présenta *Hamlet* dans les provinces françaises, en Suisse, en Autriche et en Hongrie, et elle revint à Paris pour réouvrir son théâtre merveilleusement rénové avec la première, le 16 décembre, d'une série de cinquante représentations de la pièce de Shakespeare.

VIII

« *Les dieux ne meurent pas* »

À l'automne de 1899 Sarah et Rostand firent un périple en Autriche qui ne fut pas seulement, comme beaucoup le supposèrent, une escapade amoureuse [1]. Sarah avait des engagements à Brünn (aujourd'hui Brno), près de Vienne. Ensemble ils visitèrent Schönbrunn, le palais du XVIIIe siècle qui servait de cadre à *L'Aiglon*, la pièce que Rostand écrivait pour son « adorée Sarah ». Ce fut une période d'intense activité pour Rostand, qui avait presque achevé son drame en vers et souhaitait vérifier les détails mentionnés dans ses indications scéniques, et pour Sarah, qui avait étudié la pièce avec passion et ne vivait plus que pour le moment où elle pourrait incarner le personnage du duc de Reichstadt, ce jeune homme de dix-sept ans au destin tragique.

Rostand n'était plus cet obscur versificateur à la plume prodigue en effusions mystiques, et niaises pour certains, mettant en scène des princesses et des évangélistes. Deux ans auparavant, faisant table rase des vieilleries symbolistes, il avait donné son *Cyrano de Bergerac*, pièce scintillante qui avait connu un immense succès populaire. La gloire ne lui avait pas monté à la tête. Il était resté ce doux et jeune rêveur qui vouait un véritable culte à Sarah et prenait plaisir à partager ses manières de prima donna. On trouvera confirmation de cela dans les souvenirs affectueux qu'il conserva de son séjour en Autriche avec elle.

Après la première représentation à Brno, ils regagnèrent Vienne dans le train privé de l'actrice. En chemin Sarah remarqua un panneau indiquant Wagram. Là-bas, dans l'obscurité, s'étendait la plaine où Napoléon avait mis l'Autriche à genoux, cette plaine qui servait de scène au cinquième acte de *L'Aiglon*. C'était l'occasion rêvée de procéder à des recherches historiques et de s'imprégner de l'atmosphère du site. Il fallait immédiatement organiser un pèlerinage à la lueur de flambeaux. Le matin suivant l'impresario autrichien de la tournée fut convoqué par Sarah à son hôtel.

Rostand ne devait jamais oublier la pâleur soudaine du pauvre homme quand Sarah lui fit part de son projet.

— À Wagram, Madame, mais vous n'y pensez pas! Vous ne savez pas ce que c'est que Wagram.

— Je m'en fiche, dit Sarah d'une voix sans réplique.

— Mais Wagram est à peine un village situé loin de la gare. Où voulez-vous que j'aille chercher des flambeaux, des voitures, des chevaux?

— Je m'en moque.

— Ce que vous me demandez là est impossible. Wagram n'est plus aujourd'hui qu'une plaine plantée de betteraves et de pommes de terre. Il n'y a rien à voir, absolument rien.

— En voilà assez! Arrangez-vous comme vous voudrez mais ce que je vous demande, il me le faut[2]!

· Une semaine plus tard Sarah et Rostand revenaient comme chaque nuit de Brno à Vienne lorsque leur train ralentit brutalement et s'arrêta dans un crissement de freins. Ils étaient à Wagram, mais un Wagram invraisemblable; la sinistre petite gare avait été décorée de guirlandes de fleurs en papier; la place était éclairée a giorno par des centaines de torches enflammées; des soldats resplendissants sous leur casque et leur passementerie d'or se tenaient au garde-à-vous. Au son d'un canon un officiel s'avança, claqua des talons, et pria son illustre visiteuse de lui faire l'honneur de découvrir le site rendu célèbre par Napoléon. Lui permettait-il d'ajouter que cette humble terre serait encore plus sacrée lorsqu'elle l'aurait foulée de ses pieds? Transfigurée et radieuse, Sarah était pareille à une reine recevant les hommages d'un de ses sujets. Mais, alors même qu'elle allait descendre du train, son regard se posa sur l'horloge de la gare. Il était, à n'en pas douter, deux heures du matin. Non vraiment, il était trop tard. La souveraine fit place à une actrice à bout de forces, et Sarah, se tournant vers le machiniste, hurla : « En route! En route! » Sous les yeux écarquillés du maire, qui poursuivait son allocution, et des autres officiels, le train s'ébranla emportant la comédienne qui s'enfonça dans ses chinchillas et s'endormit comme si de rien n'était.

La lecture que Rostand leur avait faite de *L'Aiglon* avait ému Sarah et sa troupe jusqu'aux larmes. Leur réaction n'était pas surprenante car la pièce, portrait émouvant du fils de l'empereur mort en exil à l'âge de vingt et un ans, a le souffle patriotique d'un hymne national. L'action se passe pour l'essentiel au palais de

Schönbrunn où le duc est gardé dans une cage dorée mais sûre par Metternich et ses sbires. La situation se prête à des réceptions, des bals masqués, dans un décor de jardins et de parcs éclairés par la lune. Sur cet arrière-plan, l'Aiglon et Flambeau, vétéran de la Grande Armée, ourdissent un complot improbable. Ils projettent de lever une armée, d'entrer en France et de reprendre le trône impérial. Mais le duc de Reichstadt n'est pas l'Homme de la Destinée qu'était son père, ni l'Aigle impérial ; ce n'est qu'un oisillon émouvant mais velléitaire. Cependant, il émane de lui un puissant magnétisme et, au dernier acte, alors qu'il agonise, il apparaît non plus comme un simple pion sur l'échiquier de l'histoire mais comme un personnage tragique qui choisit de mourir plutôt que de renoncer à ses rêves donquichottesques de grandeur et de gloire.

Sarah travailla le rôle avec un enthousiasme caractéristique. Au cours des semaines qui précédèrent la création, elle reçut ses visiteurs l'épée à la main et revêtue, afin de s'accoutumer à le porter, du superbe costume que le jeune Paul Poiret avait dessiné pour elle.

Sacha Guitry, dont le talent pour l'exagération théâtrale était encore plus grand que celui de Sarah, décrivit la préparation de *L'Aiglon* dans ses souvenirs, *Si j'ai bonne mémoire*.

> On répétait tous les jours à une heure et quart pour la demie. C'était, du moins, ce que prétendait le bulletin de service — car les figurants seuls étaient exacts au rendez-vous fixé. Les acteurs arrivaient, sans se hâter, les uns après les autres, mon père ne venait jamais les rejoindre avant deux heures et demie. Edmond Rostand paraissait à trois heures, et, vers quatre heures moins dix, Mme Sarah Bernhardt faisait son entrée ! Tout le monde se levait, se découvrait et chacun à son tour venait lui baiser la main. Comme il y avait au moins soixante personnes sur le théâtre, le baisemain prenait bien une demi-heure. Aussitôt après le baisemain, Mme Sarah Bernhardt se retirait dans sa loge afin de s'habiller car, pour être plus à son aise, c'était dans le costume de Lorenzaccio qu'elle répétait *L'Aiglon*. Dès qu'elle était prête, la répétition commençait. Mais, à cinq heures, elle était interrompue par « la tasse de thé de Mme Sarah ». Toute la troupe la regardait prendre son thé avec patience, avec tendresse, avec respect. Tout ce que faisait cette femme était extraordinaire, mais les personnes qui l'entouraient trouvaient absolument naturel qu'elle ne fît que des choses extraordinaires.
>
> Mais voilà pourquoi on a répété *L'Aiglon* pendant cinq ou six mois[3] !

La première de *L'Aiglon* fut donnée le 15 mars 1900. Ce fut un triomphe, certains dirent le plus grand de l'histoire du théâtre. La pièce vint certainement à un moment propice. L'affaire Dreyfus continuait, en dépit de l'euphorie de la Belle Époque et du tumulte de l'Exposition universelle, à troubler les Français. Ce fut dans ce contexte que Sarah, en uniforme militaire, déclama les stances sonores de Rostand à la gloire de la France. Les spectateurs, communiant dans un patriotisme fervent, pleurèrent sans retenue. Les ovations succédèrent aux ovations.

Avec *L'Aiglon*, Sarah devint une héroïne populaire. Tout le monde, riches ou pauvres, jeunes ou vieux, dreyfusards ou antidreyfusards, voulut voir la pièce. Des milliers de personnes achetèrent des cartes postales la représentant dans le rôle. On vendit des boutons et des médailles à son effigie. Les enfants portèrent des copies de son élégant uniforme blanc. Et le grand cuisinier Escoffier créa les pêches L'Aiglon en son honneur.

Peu après la première, Rostand fut terrassé par une pneumonie et se retira dans une maison, à Montmorency, si proche de Paris que lorsqu'une brise soufflait de la Seine il aimait à croire qu'il entendait les « bravos » venus du théâtre Sarah-Bernhardt. C'était un réconfort tout imaginaire mais sa véritable consolation était de recevoir chaque jour la visite de Sarah. Rosemonde Rostand évoqua l'actrice « habillée de mille mousselines sous un manteau de chinchilla, [arrivant] à Montmorency, au milieu de tous les grelots de son rire et de son attelage, dans un cab féerique qui semblait avoir été commandé chez le carrossier de Cendrillon[4] ». Rostand était impatient de connaître les nouvelles. Comment avait été Guitry la veille ? Quel acte avait eu le plus de succès ? Combien y avait-il eu de rappels ? Qui était dans la salle ? Jules Renard était-il venu dans les coulisses ? Anatole France avait-il aimé la pièce ? Et Montesquiou et Sardou, et la comtesse Greffulhe, et le prince Murat ? Sarah riait, imitait les uns et les autres, et rapportait les derniers potins. Puis soudain, réalisant qu'il était tard, elle embrassait les Rostand, offrait un bouquet de violettes à son *poète chéri** au teint pâli par la maladie, et partait, l'esprit déjà préoccupé par le prochain lever de rideau.

Sarah donna deux cent cinquante représentations de *L'Aiglon*. Puis, d'excellents contrats en poche, elle partit avec Coquelin et une troupe de trente personnes pour une tournée de six mois aux États-Unis. Les liens qui unissaient les deux comédiens dépassaient la simple admiration mutuelle. Le fils de boulanger et la fille de la demi-mondaine avaient atteint des sommets dont ils n'auraient jamais osé rêver quarante ans auparavant. Ils étaient les derniers représentants d'un style dramatique qu'avaient illustré ces acteurs qui avaient travaillé avec Victor Hugo, Dumas et la grande Rachel. C'était cet héritage romantique, allié à une personnalité envoûtante, qui leur donnait une telle grandeur, une telle authenticité et un sens aussi magistral de leur identité d'artistes. On envie ceux qui purent admirer Sarah, au cours de son engagement de deux semaines au Metropolitan Opera de New York, dans une de ces représentations qui lui valurent dans la presse la manchette suivante : SARAH BERN-HARDT DANS L'AIGLON CONNAÎT LE PLUS GRAND TRIOMPHE DE SA GRANDE CARRIÈRE. On envie également les heureux amateurs de théâtre qui virent le spirituel Coquelin en Cyrano de Bergerac, une interprétation qui conduisit Henry James à le qualifier de « Balzac des acteurs ».

En dépit des éloges, ou peut-être à cause d'eux, Sarah et Coquelin aimaient à se taquiner et à se lancer des piques dans les coulisses. « Allons tuer Coq ! » s'écriait Sarah lorsqu'on appelait les acteurs pour la scène du meurtre dans *La Tosca*. Un soir, dans cette même scène, Sarah, ayant poignardé Scarpia et disposé les cierges autour du corps pour compléter le tableau, se lève pour prendre le crucifix qu'elle est censée placer sur la poitrine de sa victime. À sa stupeur il est cloué au décor. Après une ou deux tentatives humiliantes pour le décrocher, elle renonce, hausse les épaules et, se tournant vers la salle, dit : « Eh bien, il ne le mérite même pas. » Coquelin, qui faisait le mort, ne put s'empêcher de sursauter car c'était lui qui avait fixé la croix au mur. Les deux comédiens avaient toutes les raisons d'être heureux ; ils gagnaient d'énormes sommes d'argent et la presse n'avait jamais été aussi bonne. Cependant Sarah se trouvait confrontée à un problème agaçant. Les critiques remarquaient de manière insistante, quoique toujours fort galamment, les atteintes du temps. Leurs observations ne pouvaient surprendre une femme aussi soucieuse de sa beauté et dont la réussite dépendait autant de l'apparence physique. Comment eût-elle pu ignorer, quand elle se contemplait dans un miroir, que sa taille avait forci, que ses cheveux étaient teints et que son visage s'était empâté ? Mais c'était le miroir qui lui disait cela. Dès qu'elle lui tournait le dos, la réalité faisait place à l'illusion et elle se sentait jeune, belle, pleine de fougue et de séduction. Le public désirait lui aussi que le rêve se prolongeât, non pas parce que Sarah avait conservé sa jeunesse mais parce qu'elle avait le pouvoir de lui faire croire que tel était le cas. La jeunesse était loin, mais la maturité lui avait donné les moyens de préserver l'illusion par ces tours de passe-passe qui sont le fruit d'une longue expérience. En décembre 1903 son triomphe dans *La Sorcière* vint confirmer cela. Septième et dernière pièce que Sardou écrivit pour elle, *La Sorcière* est un autre de ses mélo-drames parfaits où ne manque ni le personnage démoniaque (joué par de Max) ni l'innocente victime (Sarah, bien évidemment) persécutée et condamnée à mort. L'action, située à Tolède au temps de l'Inquisition, conte l'histoire tragique d'une Mauresque passionnée, Zoraya, qui aime, souffre et, soupçonnée de sorcellerie, meurt sur le bûcher.

Sarah, à cinquante-neuf ans, et Sardou — qui avait alors soixante-douze ans — se donnèrent beaucoup de peines pour cette œuvre. Marguerite Moreno, jeune actrice pleine de promesses qui venait de rejoindre la troupe, évoquera les deux vétérans au cours des répétitions :

> Les répétitions de *La Sorcière* m'ont permis de voir travailler ensemble Sarah Bernhardt et Victorien Sardou. C'était un spectacle inoubliable ! L'interprète et l'auteur luttaient d'ingéniosité et de verve, d'énergie et d'endurance. L'accent bourguignon de Sardou et le martèlement des mots de Sarah se confondaient, s'enchevêtraient, on ne savait plus qui avait écrit la pièce ou qui la jouait. Tout à coup, on voyait, coiffé de son éternel béret de velours noir, le foulard blanc noué sur la nuque, Sardou, monté sur une table et tournant ses yeux vers les herses du plafond, qui mimait la scène de l'autodafé, tandis que Sarah, assise en face de lui, disait son texte ; deux minutes après, Sarah, juchée sur la même table, mimait à son tour le texte que Sardou disait, assis en face d'elle... Tout en mangeant d'énormes sandwiches et en buvant de la bière, Sardou roucoulait, roulant les R comme des tonnerres, des scènes d'amour que Sarah reprenait entre deux gorgées de café et deux bouchées de biscuit, etc. Et ces exercices duraient jusqu'au matin ![...]
>
> Je me revois, près de De Max, écroulée dans un fauteuil, les paupières si lourdes que j'avais peine à les soulever, tandis que de légers ronflements décelaient la présence de camarades exténués au fond des baignoires... Des heures passaient. D'autres heures passaient encore... j'entendais toujours, comme dans un rêve, la voix de Sardou, la voix de Sarah :
>
> — Maître adoré, voyons ! j'ai l'air d'une huître, si je reste assise pendant toute la scène...
>
> — Écoutez, ma petite Sarah, je ne suis pas encore idiot et je vous déclare que si vous bougez, la scène est fichue !
>
> — Eh bien, la scène sera fichue et je bougerai !
>
> — Mon Dieu ! ma petite Sarah, que vous êtes embêtante !... Allons, reprenons où on s'est arrêté. Entendez-vous, messieurs, mesdames, on enchaîne...
>
> Et on « enchaînait »...
>
> Et nous rentrions chez nous au moment où les voitures des laitiers faisaient retentir les rues du fracas de leurs pots en fer-blanc, au moment où ceux qui n'étaient pas la proie de Sarah et de Sardou dormaient profondément [5].

*

Les faiblesses de la pièce n'échappèrent pas à la plupart des critiques qui reprochèrent à l'auteur d'avoir repris des recettes anciennes, mais certains furent reconnaissants à Sardou, par un sentiment de nostalgie, d'avoir créé un nouveau spectacle à grands effets pour Sarah. Leurs éloges furent extatiques : « Succès de Sardou, triomphe de Sarah... », « Madame Bernhardt est incomparable, prestigieuse, fascinante... », « Jamais elle n'a été aussi belle... Jamais sa voix n'a été plus jeune... Jamais son charme et sa séduction tragique n'ont été plus dévastateurs. » C'étaient là des compliments remarquables pour une femme qui approchait la soixantaine. À sa manière Sarah était une sorcière qui avait su envoûter chroniqueurs et spectateurs, car ce mélodrame à l'ancienne mode d'un chrétien tombé sous le charme d'une infidèle devait être l'un des plus grands succès des dernières années de sa vie.

Ces éloges furent les bienvenus car Sarah avait créé quelques pièces sans éclat avant *La Sorcière*. Ce n'était pas qu'elle négligeât les génies français de son époque (le théâtre, il est vrai, n'en comptait guère), mais son regard ne dépassait pas les limites d'une certaine culture. Et c'était au-delà de ces limites que Strindberg, Björnsen, Ibsen et Tchekhov donnaient forme au drame moderne. C'était une chose difficile à accepter pour une actrice qui avait consacré son existence à l'école romantique et à ses idéaux esthétiques. En outre, la pensée même de jouer des rôles de bourgeoises scandinaves, de provinciales en proie à la neurasthénie et que l'immoralité hante, lui était étrangère.

Pelléas et Mélisande de Maeterlinck était certainement plus à son goût. Sarah vit cette œuvre pour la première fois à Londres en 1898 avec Martin Harvey en Pelléas, Johnston Forbes-Robertson en Goland et Mrs. Patrick Campbell dans le rôle de l'inaccessible Mélisande. Il est difficile de savoir ce qui la charma le plus, la pièce symboliste ou la ravissante Stella Campbell dans une robe lamée d'or prononçant des propos sibyllins et se promenant dans un jardin baigné de lune sur une musique de Gabriel Fauré.

Quelques années plus tard, en 1904, Sarah, à Londres, au cours de sa traditionnelle et toujours harassante tournée d'été, engagea Mrs. Campbell à jouer Mélisande tandis qu'elle serait Pelléas. Sarah jouait *La Sorcière* au Vaudeville, donnant parfois deux représentations par jour, elle répétait Pelléas le matin et consacrait ses après-midi de liberté à donner des matinées dans les théâtres des environs. Lorsque Graham Robertson suggéra à Maurice que Sarah travaillait trop et que peut-être ces matinées l'épuisaient, celui-ci répondit : « Et que fera donc *Mother* l'après-midi ? »

Dans ses mémoires, *My Life and Some Letters*, Stella Campbell écrivit : « Au début l'idée de jouer en français me rendit très nerveuse, mais Sarah se moqua de moi, me disant que Mélisande parlerait français exactement comme moi, et qu'elle ne pouvait jouer Pelléas avec personne d'autre. Aussi je me lançai —

comment ai-je osé ? » Audace ou pas, l'entreprise fut un succès.
« Je pris en main la mise en scène, poursuit Stella Campbell, et la
troupe n'eut pas le moindre sourire quand je la " dirigeai " ! Sarah
ne modifia rien, mais me demanda de l'autoriser à tourner le dos
au mur de la tour afin que ma chevelure lui tombât sur le visage. »

Sarah adorait ce que faisait Stella et jugea que Mélisande
était telle que Maeterlinck l'avait voulue, virginale et harmonieuse. Mrs. Campbell, que l'idée de jouer avec sa « chère Sarah »
terrorisait littéralement, décrivit son amie comme un être merveilleux qui « se déplaçait avec tant de grâce et d'élégance
naturelle. Sa voix, qui était celle d'un esprit mélancolique et
jeune, se fondait progressivement en une tendresse qui à plusieurs
reprises manqua me frapper de mutisme de crainte de briser le
charme ». Une photographie publicitaire des deux actrices dans
une scène de la pièce illustre les sentiments qu'elles avaient l'une
pour l'autre. On y voit Pelléas embrassant tendrement Mélisande
tandis que celle-ci, son long cou tendu et sa superbe tête rejetée en
arrière, ferme les yeux et s'abandonne à des rêves d'amour. Il se
pourrait que cette photographie, sensuelle et vaguement sapphique, eût été à l'origine de la réaction de pudibonderie de Max
Beerbohm qui refusa de voir la pièce. « Sarah est une femme et
Mrs. Campbell une Anglaise, écrivit-il, et cela suffit à bannir une
telle représentation du domaine de l'art pour la placer dans le
domaine du sensationnel [6]. »

Dans ses mémoires Stella Campbell ne tarit pas d'éloges pour
Sarah. « En une occasion, raconte-t-elle, Sarah eut des problèmes
d'argent. Chose étonnante, j'avais une centaine de livres à la
banque et je remercie le ciel d'avoir pu lui rendre service. Au
cours d'une représentation de *Pelléas et Mélisande*, Sarah Bernhardt me rendit les cent livres, en billets de cinq, dans un petit
coffre d'argent, devant les nombreuses personnes présentes dans
ma loge. Elle dit combien elle m'était reconnaissante — ah ! la
grâce simple de son geste ! Sut-elle jamais, je me le demande, que
mon cœur manqua m'étouffer ? »

« En juillet 1905, un an plus tard, pendant la nouvelle visite
de Mme Bernhardt à Londres, nous allâmes elle et moi en
province avec l'intention de donner seulement quelques représentations de la pièce. Sarah me versait 240 livres par semaine, 35
livres pour chaque représentation supplémentaire et elle couvrait
tous mes frais de déplacement. Je fournissais les décors et les
costumes. Nous fîmes un tel triomphe que nous jouâmes tous les
jours pendant trois semaines. » (Un critique de Dublin vit les
choses d'un tout autre œil. « Mrs. Campbell, écrivit-il, jouait
Mélisande, Madame Bernhardt Pelléas. Elles sont toutes deux
assez âgées pour ne pas commettre semblable erreur. »

> Le plus beau spectacle que j'aie jamais vu [écrivit Mrs. Camp-
> bell] fut une représentation que Sarah donna de *Phèdre* — pendant
> plus de deux heures elle tint une salle entière sous le charme avec à
> peine un mouvement ou un geste pour distraire l'attention des
> superbes alexandrins — l'immense et palpitante passion semblait
> envelopper le public comme une toile arachnéenne — c'était
> magique. Son génie est connu de tous ; mais tout le monde ne sait
> pas les attentions et l'affection qu'elle avait toujours en réserve pour
> ses amis.

Il était bien plus facile pour Sarah, simple oiseau migrateur,
de passer à Londres pour un être délicieux qu'à Paris où on la
connaissait davantage pour son ambition impitoyable et son
arrogance que pour sa gentillesse. Il n'était donc pas étonnant
que les Parisiens ne partageassent pas l'enthousiasme délirant de
Mrs. Campbell.

Parmi ceux qui la percèrent à jour il y avait Aurélien Lugné-
Poë, metteur en scène dynamique qui dès 1893 avait fait découvrir au public français *Rosmersholm* et *Un ennemi du peuple*
d'Ibsen. Sarah le reconnaissait comme un maître, même si elle
jugeait qu'il fréquentait d'étranges jeunes gens comme Alfred
Jarry, Édouard Vuillard et Pierre Bonnard, écrivains et artistes
qui n'arriveraient à rien, selon elle, s'ils persistaient à écrire des
absurdités ou à couvrir leurs toiles de gribouillis incompréhensi-
bles. Cependant elle n'était pas insensible au talent de Lugné-Poë
et elle l'aida chaque fois qu'elle le put. Un jour il lui demanda de
recevoir Suzanne Desprès, l'actrice qui avait fait un triomphe
dans le rôle du jeune garçon de *Poil de Carotte* de Jules Renard,
personnage brillamment créé par l'Ophélie de Sarah, Marthe
Mellot. Sarah ne pouvait pas refuser car Jules Renard venait
souvent chez elle et Suzanne était la maîtresse de Lugné.

> La Grande, l'Incomparable, la Divine, était magnifiquement
> intuitive et assez... négligente, ou bien peut-être, lorsque cela lui
> paraissait utile, feignait-elle de l'être, mais elle parlait, elle fascinait
> l'auditeur sous une abondance de paroles qui faisaient du bruit...
> qui chantaient..., la galerie restait coite !
>   Bien entendu, Suzanne l'admirait profondément et ne man-
> quait pas d'aller assister aux matinées où Sarah Bernhardt jouait
> *Phèdre* ; Suzanne y allait comme à une leçon, elle en revenait
> bouleversée ; comme elle devait à la bienveillance des contrôleurs
> d'être placée à chacune de ces représentations, je lui répétais : « Tu
> devrais aller remercier, saluer Mme Sarah Bernhardt ... » Suzanne,
> fronçant le sourcil, serrant les lèvres, me répliquait : « Elle ne me
> connaît pas !... » J'insistais, estimant que cette déférence était due.
> [...]
>   La loge de la grande actrice était encombrée d'admirateurs,
> lorsque Suzanne fut introduite. Suzanne avait encore les larmes aux

yeux d'admiration, mais au fur et à mesure qu'elle avançait vers la Divine, sous les regards des hôtes ironiques, ses lèvres restaient muettes, elle se sentait malheureuse, inquiète ; disons la vérité, au lieu d'une physionomie souriante, elle offrait un visage de biais... Sarah, lasse, là-bas dans un fauteuil, près d'un grand miroir, recevait distraitement les hommages. Quelqu'un — le fidèle Pitou sans doute — lui annonça Suzanne Desprès, qui ne sut jamais prendre le ton de ces intimités enrubannées du bazar théâtral !

« Où est-elle, cette petite ? » demanda la grande artiste, claquant les dentales selon sa manière.

« Où est-elle que je la voie... où est-elle, cette petite ?... »

[...] Sarah jette les bras en avant, comme si elle ne pouvait pas apercevoir Desprès.

« Où est-elle... ?

Approchez-vous... approchez... oh ! oh ! ôôôôh !... »

Vous, qui la connaissez, imaginez Suzanne, un peu réfractaire, devant Phèdre-Sarah ; cependant elle sourit [...].

« Oh ! poursuivit Sarah, avec ce visage charmant, regardez... elle joue la carotte ! »

(Figurez-vous maintenant le visage pointu de Suzanne !)

« C'est toi qui joues la carotte ?... » [...]

Suzanne ne put même pas la reprendre et dire *Poil de Carotte* ; Sarah ne lui en laissait pas le temps. Suzanne aurait voulu que Jules Renard fût là et rectifiât. Et Sarah poursuivait :

« Quel joli sourire !... tu ne joues donc que des types, ma petite !... Il paraît que tu as joué une nourrice ? Où sont tes seins ?... Il faut que tu viennes chez moi, je te ferai jouer les vraies femmes, des femmes comme moi, comme tout le monde ! Viens me voir dimanche après la matinée, j'ai un très beau rôle pour toi... assez de types !... assez de types !... Le Roi Carotte... la carotte !... elle est charmante, cette petite !... » [...]

Le dimanche suivant, Suzanne, après la matinée de *Phèdre*, retourna, sceptique, mais se remémorant l'histoire, dans la loge de la Divine ; tout de suite, Sarah Bernhardt la reconnut et voulut mettre Suzanne à l'aise :

« Oui... oui... j'ai un rôle pour toi. Assez de types ! Assez de carottes ! C'est absurde avec ton physique. Oui, un très beau rôle pour toi... je joue, moi, une grande amoureuse... une amoureuse passionnée... et pour toi, j'ai un très beau rôle... assez de types, moi, je suis l'amante et toi tu seras une Chinoise ! ... »

Suzanne sortit de la loge, reconnaissante et ahurie. *Poil de Carotte*... en Chine !... et l'affaire ne se fit pas, je ne sais plus qui interpréta la Chinoise [7].

En 1905 Sarah entama une longue tournée aux Amériques. C'était une entreprise courageuse car, depuis quelque temps, son genou droit la faisait souffrir et elle avait des difficultés à marcher. Reynaldo Hahn, qui passa l'été précédant le départ à Belle-Isle avec elle, décrivit son état physique :

J'observe Sarah pendant qu'elle marche en s'appuyant sur sa canne. Cela me fait mal de la voir souffrir à chaque pas. De temps à autre, pour se reposer, elle s'arrête sous un prétexte quelconque, montre quelque chose au loin, regarde une fleur ; mais, stoïque, elle bavarde, sourit, ne se permet pas une plainte. Hier, Clairin lui dit tout bas :

« Vous avez mal ?

— À peine, mon Jojotte ; n'y pensez pas. »

Mais par moments on voit qu'elle souffre beaucoup.

Dans l'atelier, elle fait installer son écritoire, ses papiers et se met à écrire très vite. Elle travaille à une pièce : *Adrienne Lecouvreur*. Singulière idée. Mais elle aime le personnage et ne veut plus jouer la pièce de Legouvé qu'elle trouve trop mauvaise. Alors, elle la refait ! Je lui dis :

« Toute médiocre qu'elle puisse être, cette pièce vous a procuré, comme à Rachel, de grands succès.

— Je ne sais pas comment Rachel s'arrangeait, mais moi, chéri, je ne peux rien en tirer. Rien. »

J'ai beau lui rappeler les nombreux passages où elle en tire des effets saisissants, impossible de lui faire changer d'avis [8].

Il advint ce qui devait arriver. *Adrienne Lecouvreur* fut un échec et l'état du genou de Sarah empira. Lorsqu'elle débarqua à Buenos Aires pour son premier engagement, son genou s'était infecté et elle dut subir une opération. Trois mois plus tard elle eut un accident, à Rio de Janeiro, au cours de la représentation d'adieu de *La Tosca*. Dans le dernier tableau l'héroïne se suicide en se jetant du haut du château Saint-Ange. Normalement d'épais matelas sont disposés derrière le décor pour amortir la chute ; cette fois on avait omis d'en placer et Sarah tomba sur les planches nues. Quelques instants plus tard son genou avait doublé de volume. Par une étrange et dramatique coïncidence il s'agissait du même genou qu'elle s'était blessé lorsqu'elle était tombée, enfant, de la fenêtre de sa nourrice dans son impatience de retrouver sa tante Rosine.

Malgré les supplications de ses amis Sarah refusa de rester à Rio. Elle prit le bateau pour New York où elle devait se produire en novembre. Dès qu'elle fut installée dans sa cabine le médecin du bord vint l'examiner. Mais il avait les ongles noirs et elle ne consentit pas à se laisser toucher par lui. Son genou n'allait pas mieux lorsqu'elle arriva à New York et les premières représentations furent annulées. Finalement son état s'améliora et Sarah, en comédienne consciencieuse, décida de poursuivre ce qui avait été annoncé comme la « Tournée d'adieu américaine de Mme Sarah Bernhardt ».

Ses adieux à l'Amérique n'allèrent pas sans drame. Au

Québec des catholiques fanatiques lancèrent des œufs pourris à la troupe après que l'archevêque eut déclaré *La Sorcière* blasphématoire. Leur cible principale était de Max qui jouait le rôle du Grand Inquisiteur. Il reçut un œuf en plein visage et, si l'on en croit Sarah, aurait été battu à mort si quelques Anglais ne l'avaient aidé à trouver refuge dans un café voisin.

Irma Perrot, l'une des actrices mineures de la compagnie, nous a donné dans une lettre les détails de cette sordide cabale.

New York, 12 octobre

Mon cher Gatineau,

[...] Nous avons joué d'abord huit jours à Chicago, où le succès a été immense pour Madame Sarah (comme nous l'appelons couramment).

Puis huit jours à Montréal, où le succès s'est continué malgré un article, ou plutôt un sermon imprimé de l'évêque du Canada blâmant les fidèles qui iraient au théâtre de Sarah voir ses spectacles, d'autant plus pernicieux qu'elle avait plus de talent! Parbleu! On avait annoncé *La Sorcière*, de Sardou, qui montre les fanatiques plutôt sous un mauvais jour.

Inquisition et torture! Le clergé tout-puissant au Canada craint de tomber de son piédestal!

Nous sommes allés ensuite deux jours à Québec : là, triomphe au théâtre, mais hostilité au-dehors! Deux clous! Les fanatiques catholiques d'un côté, Canadiens français, et les Canadiens anglais de l'autre, pour nous ceux-ci.

Police! Cris : « À mort la Juive! » (Rien que ça.)

Nos traîneaux et nous sommes poursuivis à coups de pierre et de canne sur la tête, et partout où ils pouvaient toucher, jusqu'à la gare! Les femmes seules écopaient, ils se vengeaient ainsi de Madame Sarah, dont la voisine de traîneau a reçu aussi un coup de canne.

J'ai vu, moi, une canne retomber sur mon bras, garanti par une grosse fourrure que j'avais.

Ma voisine de traîneau a encore des ecchymoses aux bras et derrière l'oreille.

[...] Et les traîneaux filaient vers la gare, accompagnés des cris que nous ne comprenions pas encore. C'était : « À mort! à mort! »

Arrivés à la gare, il fallait prendre ses colis et payer le cocher sous les coups qui pleuvaient toujours on ne voyait d'où. [...] Le cocher, commerçant habile et d'ailleurs fanatique catholique aussi, en a profité pour demander le double du prix convenu, avant de délivrer les sacs à main.

[...] Je suis enchantée d'avoir vu ça! Mais que ce soit possible au xxe siècle que des fanatiques frappent des femmes en voiture, sans défense, et frappent par-derrière, c'est incroyable!

[...] À Ottawa, autre ville canadienne mais anglaise, excuses du Gouverneur pour Mme Sarah et toute sa Compagnie et blâmes de toute la presse anglaise des Québécois qu'on a mis à l'index. Étonnement du Gouverneur que les Canadiens anglais n'aient pas suffisamment pris parti contre les autres pour Madame Sarah ! Cause première : le sermon de l'archevêque Brush ! Cause seconde : une interview de Madame Sarah disant que les Canadiens, si avancés à un tas de points de vue, sont restés des Iroquois au point de vue de l'art [9].

Au Kansas le train privé de Sarah dérailla et elle fut projetée hors de sa baignoire. Elle sortit indemne de l'accident mais raconta que si le train qui suivait leur convoi ne s'était pas arrêté elle aurait certainement été blessée car la voie ferrée longeait à cet endroit une falaise. Ce n'était pas la première fois que Sarah affirmait échapper miraculeusement à la mort et il y eut bien quelques personnes pour croire que cette falaise n'avait existé que dans son imagination.

En mars 1906 Sarah fit à nouveau le bonheur des gazettes lorsqu'elle présenta *Camille* au Convention Hall de Kansas City (Missouri) et sous une tente gigantesque à Dallas et à Waco (Texas).

Ces deux représentations informelles [rapporta un journal de Dallas] étaient le résultat de la terrible guerre que se livraient le syndicat Klaw et Erlanger et les jeunes frères Shubert pour le contrôle des théâtres américains. Leur lutte était si impitoyable que même la grande Bernhardt fut contrainte d'en supporter les conséquences. Le fait de venir au Texas sous les auspices des Shubert la condamnait aux difficultés que rencontraient toutes leurs attractions dans les provinces soumises au syndicat. Dans ce cas cela signifiait jouer sous une tente de 5 000 places, dressée dans un champ de maïs à l'abandon, près d'un parc à vélos.

À son arrivée de La Nouvelle-Orléans, l'étoile française a fait se garer son train privé de sept voitures sur une voie spécialement aménagée à l'extérieur du parc. (Là, incidemment, l'actrice a essayé la bicyclette d'un inspecteur des voies ferrées, la chevauchant avec une grande aisance en dépit de ses soixante et un ans.) Elle venait de faire une partie de chasse près de La Nouvelle-Orléans où, après avoir joué en matinée et en soirée, elle s'était levée à quatre heures du matin pour traquer la bécasse. Elle nous a confié avoir abattu pas moins de seize oiseaux : belle illustration de son adresse au tir. Malgré ses activités éprouvantes elle nous a paru aussi jeune qu'il y a seize ans. La représentation a été un échec. Seule une poignée de spectateurs a pu voir ou entendre les acteurs, et les tiges de maïs brisées ont déchiré les robes de bien des femmes présentes. Tout n'a été que confusion. Une foule immense était rassemblée devant le théâtre de toile quand la direction a ouvert les portes. Plusieurs milliers de personnes se sont immédiatement ruées à l'intérieur, bousculant ouvreurs et policiers. Avant que l'ordre n'eût été rétabli, plusieurs centaines de personnes avaient encore forcé l'entrée. Il s'agissait de retardaires arrivés en calèche ou en trolleybus.

À San Antonio Madame Bernhardt donna *Camille* dans un « saloon music-hall ». À Houston elle joua cette même pièce dans une patinoire.

Si ces divers arrangements contrarièrent Sarah, elle choisit de ne voir que le bon côté des choses. Jamais elle n'avait gagné autant d'argent, confia-t-elle à Louis Verneuil ; sa renommée était telle que les gens venaient de très loin pour la voir. Un soir, un cow-boy arriva à cheval devant la « grande tente » et demanda une place. Le caissier expliqua qu'il n'y en avait plus. « Je veux voir la Bernhardt. J'ai fait trois cents miles pour la voir. Je la verrai », dit-il. Et pour donner plus de poids à ses propos, il sortit son revolver. À cette vue, le caissier lui présenta un billet ainsi que ses excuses car il serait debout et mal placé pour jouir du spectacle. « Ça m'est égal du moment que je la vois », dit l'homme d'une voix tonitruante, en ajoutant : « À propos, cette Bernhardt, est-ce qu'elle danse ou est-ce qu'elle chante [10] ? »

Avant de quitter l'Amérique Sarah joua pendant une semaine au Lyric Theatre de New York. Vingt-six années s'étaient écoulées depuis que, jeune femme dynamique bien décidée à s'enrichir au Nouveau Monde, elle avait fait sa première apparition dans cette ville. À présent elle tirait sa dernière révérence et le public était bouleversé. De longues files d'admirateurs se formaient devant les caisses du théâtre, les critiques la trouvaient plus admirable que jamais, et les membres de la bonne société qui l'avaient évitée, effrayés par sa réputation de femme légère, lui ouvraient leurs salons — en vain souvent. Devant un tel enthousiasme, comment Sarah n'aurait-elle pas jugé que les représentations d'adieu étaient une bonne chose ? Ne devait-elle pas, d'ailleurs, faire encore trois « tournées d'adieu » en Amérique ?

Ce fut donc animée d'un élan nouveau, comme elle l'expliqua aux journalistes qui l'attendaient au Havre, qu'elle rentra en France. Elle n'exagérait pas. Cet été-là, à Belle-Isle, elle travailla deux nouveaux spectacles, vérifiant décors et costumes, et mit la dernière touche à ses Mémoires. Ses efforts portèrent leurs fruits — surtout en ce qui concerne son livre qui a été régulièrement réédité jusqu'à nos jours. Max Beerbohm en fit un compte rendu en 1907 ; ses commentaires nous aident à mieux comprendre la fascination que Sarah exerça sur le public anglais.

> Imaginez un somnambule qui s'éveille et dont le regard plonge dans le cratère d'un volcan [écrivit-il] et vous comprendrez combien le livre de Mme Bernhardt m'a étonné. Sa nature est volcanique, nous le savons, et sa carrière a été tout aussi volcanique ; et rien de

ce volcanisme n'est perdu dans la description qu'elle nous en donne. On s'est demandé si elle avait réellement écrit le livre elle-même. Le pittoresque de la narration, le sens de ce qui valait d'être dit ou de ne pas l'être, la vivacité piquante et spirituelle du style — toutes ces vertus ont semblé, à certains pédants, incompatibles avec l'authenticité. Je reconnais qu'il est troublant de découvrir un amateur qui s'adonne avec autant de bonheur à un art que nous considérons comme notre domaine propre. Quand Sarah consacra son énergie à la sculpture, et s'en acquitta fort bien, les sculpteurs de métier en furent surpris et mortifiés. Ses tableaux produisirent un sentiment de gêne semblable. Que les écrivains se consolent en pensant que pour Sarah tout est possible. Il est inutile de prétendre qu'elle n'a pas écrit ce livre elle-même — la spontanéité impétueuse qui le marque de son empreinte appartient en propre à Sarah.

Beerbohm fut particulièrement impressionné par une affirmation de Sarah dans *Ma double vie* : « J'ai vu quatre exécutions : une à Londres et une en Espagne, deux à Paris [11]. » Il lui demanda si elle y avait été entraînée de force. « Non, il semble qu'elle se fût rendue à ces exécutions de son plein gré. »

En fait elle passa toute une nuit sur le balcon d'un appartement au premier étage d'un immeuble pour assister à l'exécution de l'anarchiste Vaillant qu'elle avait connu personnellement et qu'elle admirait. Lorsque le couperet fut tombé elle se mêla à la foule ; elle était « écœurée, désespérée : pas un mot de reconnaissance pour cet homme... pas un murmure de vengeance... pas une révolte... Elle avait envie de crier : " Mais, tas de brutes ! baisez donc les pierres que le sang de ce pauvre fou a rougies à cause de vous ! pour vous ! croyant en vous ! " Gentil lecteur, peut-être n'aimerais-tu pas assister à une exécution — en particulier à celle d'un ami personnel. Mais, vois-tu, tu n'es pas un grand tragédien. L'émotion pour l'émotion n'est pas la loi qui régit ton être. C'est parce que telle est la loi immuable, irrésistible de son être que nous avons en Sarah — oui, même aujourd'hui, malgré tous les tours qu'elle joue avec son art — la plus grande des tragédiennes vivantes. Si jamais je commettais un meurtre, je ne verrais aucun inconvénient à ce qu'elle vînt assister à ma pendaison. Je m'inclinerais du haut du gibet avec toute la déférence due à ce génie qui m'a si souvent ému au-delà de toute mesure. Et jamais il ne m'a davantage ému que par ce biais inaccoutumé ».

Si, dans ses Mémoires, Sarah parle de certains de ses ennemis, elle mentionne rarement leur nom ; par contre, elle ne fait pas preuve de la même mansuétude pour ses collègues acteurs. Ainsi, selon elle, Henry Irving était « un admirable artiste, mais pas un comédien », Coquelin un admirable comédien, mais pas un artiste ; Réjane était les deux, mais seulement quand elle le voulait. Eleonora Duse a le droit à un traitement particulier. Elle « est plus une comédienne qu'une artiste ; elle marche dans les routes tracées par d'autres [comprenons ici, bien sûr, par Sarah] ; elle ne les imite pas, certes, car elle plante des fleurs où il y avait des arbres, et des arbres où il y avait des fleurs ; mais elle n'a pas fait sortir de son art un personnage qui s'identifie à son nom ; elle n'a pas créé un être, une vision qui évoque son souvenir. Elle met les gants des autres, mais elle les met à l'envers, et tout cela avec une grâce infinie, un sans vouloir plein d'abandon. C'est une grande, très grande comédienne, mais ce n'est pas une grande artiste [12] ».

La critique était confuse, injuste, et sans fondement, et la Duse en fut offensée — si profondément que lorsque Sarah lui proposa à nouveau d'utiliser son théâtre, elle refusa. « Je ne peux pas ignorer, à l'heure qu'il est, écrivit-elle à celle qui avait été son idole, l'opinion formulée par vous sur mon art — je ne peux l'ignorer, ni l'admettre, ni l'oublier : car on n'aime pas oublier ce qui fait vibrer en nous la plus féconde de nos forces. Mais... le souvenir de votre jugement d'art ne doit pas me faire oublier celui de vos premières bontés, car chaque heure a sa valeur dans la vie, et j'aime, dans ce moment, me rappeler celle où vous avez été envers moi parfaite et bonne [13]. »

Eleonora Duse se sentait en position de force. Elle était sur le point de donner une brève saison dans le cadre intime du théâtre de l'Œuvre de Lugné-Poë et était heureuse d'être associée à ce défenseur idéaliste de l'avant-garde. Elle était également heureuse de jouer devant un parterre choisi d'intellectuels et non devant le public nombreux et composite qui fréquentait le gigantesque théâtre Sarah-Bernhardt. En outre, la Duse était à présent reconnue comme l'interprète par excellence d'Ibsen, alors que Sarah continuait à fréquenter les chemins ô combien frayés du romantisme. Certes Sarah n'ignorait pas complètement le dramaturge suédois. En 1906, l'année de la mort d'Ibsen, elle donna une représentation de *La Dame de la mer* à Genève. Mais les acclamations du public et des critiques ne suffirent pas à l'inciter à répéter l'expérience.

Léon Daudet s'exprima tout autant pour Sarah que pour lui-même lorsqu'il écrivit :

[Ibsen] est terriblement obscur et embrouillé. Sa pensée, parfois belle et lyrique, souvent originale et toujours douloureuse, se meut dans le brouillard et l'humidité, sur les confins huileux et rhumatisants d'une sensualité contenue. Son rire est un ricanement, sa mélancolie une crampe prolongée, son dialogue une série de reproches alternatifs. Ses héros, hommes et femmes, projections de la fumée de sa pipe tragique, ombres portées sur le mur de sa rancœur, de son *tædium vitæ*, apparaissent tous et toutes ainsi que suicidaires. [...] Ils habitent les caves de l'amertume et de la vaine concupiscence. On devine qu'ils n'ont jamais bu une goutte de vin, jamais contemplé un paysage clair. Aussitôt qu'ils ont une femme, une fiancée ou une bonne amie, ils ne songent qu'à l'interroger, qu'à la scruter, qu'à l'effrayer, qu'à la tourmenter, qu'à lui infliger un secret pour le surprendre ensuite. Les dames agissent de même vis-à-vis des messieurs. Si c'est ça les amours du Nord, alors vivent Roméo et Juliette, vivent Don Quichotte et Dulcinée du Toboso [14] ! »

Léon Daudet était l'un des hommes les plus brillants de sa génération, mais son jugement était faussé par sa méfiance à l'égard de quiconque n'était pas français, catholique et antidreyfusard. S'il avait lu d'un peu plus près son bien-aimé Balzac, peut-être eût-il remarqué que l'on trouve, chez Ibsen, des personnages qui appartiennent à la même famille que la vindicative Cousine Bette ou que l'inquisitorial Vautrin.

Sarah avait d'autres centres d'intérêt. Elle n'était pas une intellectuelle mais une actrice soucieuse d'enrichir sa galerie de personnages mythiques, d'héroïnes plus grandes que nature qui lui permettaient de prendre son envol, de préférence portée par des textes en vers. Ibsen ne lui apportait pas cela, ni les autres grands dramaturges de l'époque, Strindberg ou Tchékhov. Assez curieusement les Parisiens devaient un temps se ranger à l'avis de Sarah. Après 1910, les œuvres du théâtre scandinave furent moins souvent jouées en France. Tchékhov demeura en faveur, peut-être parce que les Français se sentaient plus d'affinités pour l'âme slave que pour ce que Sarah rejetait comme des « norderies ». Cependant le public est changeant et les spectateurs français ne devaient pas tarder à revenir à leurs premières amours et depuis des années maintenant ces « norderies » sont à l'affiche des scènes parisiennes.

En 1906, elle incarna sainte Thérèse dans *La Vierge d'Avila*, un drame de Catulle Mendès. L'idée de faire jouer à Sarah le rôle d'une sainte, vierge de surcroît, suscita commentaires ironiques et sourires entendus. Mais le titre était trompeur. Mendès, qui avait quelque talent pour les textes érotiques, avait composé une œuvre suggestive, un compendium de toutes les ambiguïtés sexuelles que l'on prête habituellement aux religieuses. Le résultat ressemblait fort à une version torride du *Dialogue des carmélites*, l'opéra de Poulenc et de Bernanos, avec Sarah s'évanouissant aux pieds de Jésus-Christ ou s'affaissant dans les bras de ses compagnes, toutes aussi exaltées qu'elle. Selon Adolphe Brisson, le critique du *Temps*, *La Vierge d'Avila* fut l'une des « plus sublimes créations » de Sarah. Mendès eut également droit à sa part d'éloges. « Lorsqu'un poète tel que M. Catulle Mendès, dédaigneux des demi-moyens, des conventions, des modes et des goûts du jour, nous emmène, d'un vol parfois inégal mais toujours haut, en plein Empyrée, on doit le respect à son noble effort d'art[15]. » Si la pièce présentait quelques aspects choquants, la réaction des Espagnols fut digne du Moyen Âge. L'archevêque d'Avila ordonna qu'une procession expiatoire fît le tour des murailles de la ville afin d'exorciser l'effet sacrilège d'une pièce écrite par un juif pour une juive.

Comme beaucoup de grandes « stars » vieillissantes Sarah avait trouvé une recette qui lui assurait le succès et ne voyait aucune raison d'en changer. Quel revirement aurait-elle pu faire à son âge ? Son goût et son talent ne la portaient guère vers les nouvelles pièces du théâtre français qui n'étaient le plus souvent que des mélodrames de salon teintés de réalisme social. Mais la difficulté majeure résidait dans le fait que Sarah était devenue une institution. Ainsi que l'un de ses premiers biographes, G.-J. Geller, l'écrivit : « Certes, c'est le succès, toujours le succès ! Mais un succès trop égal à lui-même, lassant à force de monotonie. Les réflexes du public semblent depuis longtemps stéréotypés. Admirer Sarah est devenu une sorte de lieu commun. Le snobisme s'en est mêlé. Il est de bon goût maintenant d'affecter vis-à-vis de la grande actrice une légère indifférence respectueuse et blasée[16]. » Geller pensait à ceux qui, depuis quarante ans, suivaient la carrière de Sarah et qui jugeaient qu'elle n'avait pas survécu à son règne. Cependant, ces mêmes personnes ne manquaient aucune de ses premières et allaient au théâtre retrouver le timbre de sa voix et la beauté de ses gestes qui les avaient tant charmées.

De surcroît, elles emmenaient leurs enfants pour leur faire partager l'enchantement de son jeu. La réaction des jeunes gens n'était guère différente de celle de leurs parents deux ou trois décennies plus tôt, mais, alors que ceux-ci avaient vu en Sarah une jeune actrice moderne, pour la nouvelle génération elle était une vénérable vieille dame dont le passé aventureux, haut en couleur et triomphal, avait acquis les dimensions d'une légende. Dans *Portraits-souvenir* Jean Cocteau se fit le porte-parole de sa génération :

> Notre jeunesse, folle de théâtre, fut dominée par deux grandes figures : Sarah Bernhardt, Édouard de Max. [...] Qu'avaient-ils donc à faire avec le comme il faut, le tact, la mesure, ces princes du comme-il-ne-faut-pas, ces tigres qui se lèchent et bâillent devant tout le monde, ces forces de l'artifice aux prises avec cette force de la nature : le public ?
> [...] Sarah et de Max jouaient souvent ensemble [...].
> Quel délire lorsque le rideau jaune s'écartait après la pièce, lorsque la tragédienne saluait, les griffes de la main gauche enfoncées dans le poitrail, la main droite, au bout du bras raide s'appuyant au cadre de la scène ! Semblable à quelque palais de

Venise, elle penchait sous la charge des colliers et de la fatigue, peinte, dorée, machinée, étayée, pavoisée, au milieu d'un pigeonnier d'applaudissements. LA SORCIÈRE! LA SAMARITAINE! PHÈDRE! ANDROMAQUE [17]!...

Dans *Mes monstres sacrés* le portrait que Cocteau dresse de la comédienne se fait plus incisif :

> Son corps ressemblait à celui de quelque admirable Polichinelle. Son large poitrail cuirassé sous l'uniforme du Duc de Reichstadt, ou sous les turquoises de Théodora, se terminait aux cuisses par une écharpe qui la sanglait derrière et, devant, se nouait et retombait sur ses bottes ou sur sa robe à traîne. Sans cesse elle saluait. À son entrée, à sa sortie, à la fin des actes, et son jeu sublime qui brisait les cadres était un évanouissement coupé de cris de rage.[...]
> Voilà des spectacles de théâtre comme n'en saurait plus imaginer notre époque dont le ridicule est de croire qu'elle a le sens du ridicule et qui prend pour une insulte à son adresse le moindre signe insolite de la grandeur.[...]
> Madame Sarah Bernhardt présentait ce phénomène de vivre à l'extrémité de sa personne dans sa vie et sur les planches. De son extraordinaire pouvoir d'évanouissement elle encombrait le monde. On la disait tuberculeuse, sans doute à cause des innombrables mouchoirs qu'elle pétrissait et qu'elle écrasait sur sa bouche, des roses rouges qu'elle mâchait pendant les scènes d'amour. Sa voix était d'un automate, tremblante et droite. Elle en cassait soudain le débit, rapide pour mettre en valeur quelque relief d'une vérité d'autant plus frappante qu'il se produisait à l'improviste [18].

En une occasion Cocteau, alors âgé de seize ans, s'attira une vive réprimande de Sarah Bernhardt.

> [...] Je vous raconterai le scandale du bal donné par Robert d'Humières au théâtre des Arts, qu'il dirigeait. De Max, l'homme le plus naïf du monde, avait imaginé de s'y rendre avec une escorte : Rocher, Chiro Vesperto (un modèle) et moi. Notre naïveté dépassait la sienne. Nous ne vîmes dans ce projet qu'un prétexte à mascarade.
> Représentez-vous l'électrique gris perle déversant à la porte du boulevard des Batignolles, sous le regard consterné de Robert d'Humières, de Max casqué d'un aigle et voilé d'un voile arabe, Rocher et Vesperto en pâtres d'Arcadie et moi en Héliogabale, avec boucles rousses, tiare accablante, traîne brodée de perles, bagues aux orteils et ongles peints.
> Nous ne fûmes pas longs à constater notre méprise. Robert d'Humières nous parqua en vitesse dans une avant-scène au bord de laquelle on nous riait au nez. Sarah Bernhardt me dépêcha Mlle Seylor, sa suivante. « Si j'étais votre mère, je vous enverrais coucher. » Je reniflais mes larmes. Le caviar du rimmel me

barbouillait et me cuisait. De Max comprit sa bévue. Il nous emmena, nous défrisa, nous démaquilla et nous déposa chez nous [19].

*

Les années suivantes virent bien des bouleversements dans la vie personnelle de Sarah. Simone, l'aînée de ses petites-filles, épousa un industriel, Edgar Gross, et s'installa en Angleterre où elle eut bientôt un enfant. En 1910 la femme de Maurice, Terka, mourut et leur fille cadette, Lysiane, vint vivre chez Sarah, boulevard Pereire, où elle demeura jusqu'à son mariage avec Louis Verneuil [20], le 10 mars 1921. Il n'est pas déraisonnable de penser que Verneuil épousa Lysiane pour être près de Sarah. Toujours est-il que les Verneuil divorcèrent à l'été de 1923, peu de temps après la mort de Sarah ; ainsi que l'écrivit Verneuil : « Soudain, j'étais privé du but unique, de la raison même de toute mon activité. Il me fallut des mois pour me faire à une nouvelle existence qu'elle [Sarah Bernhardt] n'emplissait plus [21]. » À partir de ce moment Lysiane se fit appeler Lysiane Sarah-Bernhardt.

En septembre 1910, Sarah accepta un engagement au Coliseum à Londres. Sa décision de figurer sur une même affiche avec Yvette Guilbert et une troupe d'acrobates et de jongleurs scandalisa les plus exigeants de ses admirateurs parisiens. Les Londoniens se montrèrent plus tolérants. Elle donna le deuxième acte de *L'Aiglon* et le troisième de *La Tosca* en matinée et en soirée au milieu d'un spectacle de « variétés ». Le public populaire lui fit une véritable ovation. Même le critique du *Figaro* devait admettre que Sarah demeurait l'actrice favorite des Britanniques et que son séjour serait un triomphe. Ce succès créa un précédent. Réjane et Jane Harding, qui avait été la partenaire de Damala dans *Le Maître de forges*, devaient bientôt paraître en vedettes à l'Hippodrome de Londres ! Des chanteurs, des musiciens et des danseurs suivirent, partageant avec Sarah le sentiment qu'une demi-heure de travail, deux fois par jour et fort bien payés, valait bien une petite humiliation. De surcroît, ces interprètes étaient ravis de présenter leur art à ces foules qui désiraient les voir mais ne pouvaient s'offrir les places à prix élevé du « théâtre officiel ».

Le 23 octobre 1910, jour anniversaire de ses soixante-six ans, Sarah embarqua pour sa deuxième « tournée d'adieu » aux États-Unis. Elle emportait avec elle ses pièces à succès, plusieurs de ses productions récentes et, comme partenaire, son bel amant de vingt-sept ans, Lou Tellegen. Il est inutile de préciser que cette liaison indigna ses proches, sa famille et ses biographes. Ainsi que l'écrivit Louis Verneuil dans *La Vie merveilleuse de Sarah Bernhardt* :

J'aurais préféré ne pas mentionner son nom dans ce livre. L'intérêt que Sarah Bernhardt, presque septuagénaire, porta à Lou Tellegen, n'est pas un souvenir qu'il me soit agréable d'évoquer. Mais ai-je le droit de passer sous silence la carrière que Lou Tellegen fit auprès d'elle, alors que la plus large publicité lui a été donnée dans les journaux de France et d'Amérique ? Tous les critiques de Paris l'ont commentée, déplorée. Beaucoup, même, croyaient devoir indiquer discrètement à leurs lecteurs les raisons de la surprenante sollicitude dont ce médiocre comédien était l'objet de la part de la grande artiste qui, d'ordinaire, choisissait plus judicieusement ses partenaires. Dans son numéro du 3 décembre 1911, le *New York Times* annonçait le mariage de Sarah Bernhardt avec son jeune pensionnaire. L'événement fut démenti le lendemain, mais elle continua à ne jouer qu'avec lui.

[...] Pendant trois ans, jusqu'en juin 1913, il allait être, en tournée et à Paris, le partenaire exclusif de Sarah, dans les principaux rôles masculins de toutes ses pièces.

Verneuil, qui manifestement méprisait et jalousait Tellegen, poursuivait en décrivant ses avantages physiques : « Étonnamment beau, grand, mince, tout rasé, une petite tête très fine, avec des cheveux blonds, bouclés, merveilleusement plantés, un corps de jeune dieu, il était très recherché par les sculpteurs et posa, entre autres, pour Rodin [...] [22]. »

Lou Tellegen décrivit sa première rencontre avec Sarah dans ses Mémoires, *Women Have Been Kind*, « Les femmes ont été bonnes ». Dans la critique de cet ouvrage qu'elle donna à *Vanity Fair*, Dorothy Parker précisa que le livre aurait dû s'intituler : « Les femmes ont été bonnes mais stupides » (*Women Have Been Kind But Dumb*). Il est vrai que ces Mémoires, aussi vulgaires que leur titre, atteignent le summum de l'égotisme et de la banalité.

Au commencement de ce chapitre consacré à la glorieuse Madame Sarah Bernhardt [écrivit Tellegen], je souhaite préciser que ce sera une description [...] de mon association personnelle avec elle, depuis notre première rencontre jusqu'au moment où je l'ai quittée quatre ans plus tard. [...] J'étais seul dans son salon [à l'hôtel Carlton de Londres] et je respirais le parfum des roses disposées à profusion dans la pièce. La porte s'ouvrit et dans l'embrasure apparut — une créature céleste ! Sa robe était en dentelle blanche, ses yeux pareils à des étoiles. Sa personnalité était impressionnante. Oui, je compris alors pourquoi cette femme superbe avait le pouvoir de tenir tout un monde sous le charme. [...] J'avais presque tout affronté dans la vie — le danger, la mort, l'horreur, le meurtre, l'amour, le désespoir — mais je dois admettre, bien que les risques courus pendant ma périlleuse existence eussent cuirassé mes émotions, que mon cœur sembla s'arrêter un instant lorsque je vis cette créature immortelle.

Elle se dirigea alors vers moi et me tendit la main. Seule Sarah

Bernhardt pouvait offrir aussi gracieusement sa main à baiser. Puis elle parla, et je compris pourquoi on l'appelait « la femme à la voix d'or ». Ces simples mots, « Enchantée de faire votre connaissance », devenaient une symphonie de Beethoven. Je m'inclinai profondément et baisai sa main avec révérence. J'étais plutôt solidement bâti et mes jambes avaient des muscles d'acier, mais à cet instant elles étaient aussi fuyantes que de l'eau. [...] Sa conversation était toujours animée. Sous l'enveloppe fragile de cette femme merveilleuse, je devinai un volcan en éruption. Mais avec quelles notes de raffinement elle manifestait son sens de l'humour ! Quelle maîtrise du langage, si *choisi** et approprié ! Je ne pouvais la quitter des yeux — elle était tout — *la Vie elle-même* ! Je ne pouvais contenir mon étonnement [...] que cette femme qui avait alors presque soixante-neuf ans [Lou exagérait] eût l'esprit, l'apparence et la vivacité d'une jeune fille de vingt ans.

L'auteur de ces lignes délirantes était né en 1983, d'une mère danseuse grecque et d'un père général hollandais. À quinze ans Lou s'était enfui avec la maîtresse de son père. Un tel coup d'éclat préjugeait bien de l'avenir. Il parcourut alors le monde, séduisant en chemin un nombre incalculable de femmes ; tour à tour boxeur professionnel, trapéziste, champion d'escrime, meurtrier avéré « à l'époque où je devais tuer pour sauver ma peau », joueur et gigolo, il fut emprisonné en Russie pour propagande malthusienne et en France pour vol. Malgré cette existence mouvementée, il trouva le temps d'étudier au Conservatoire avec le frère de Mounet-Sully, Paul. À la même époque il travailla comme modèle pour Rodin avec qui il vécut un temps. Selon Tellegen, le grand sculpteur ne lui parlait guère, sinon pour lui dire « Déshabillez-vous » ou « Rhabillez-vous », mais il l'immortalisa dans son *Éternel printemps*.

Après le Conservatoire il joua de petits rôles à l'Odéon où ses prestations passèrent inaperçues. Ayant rencontré de Max il devint membre du groupe d'acteurs et de poètes aux mœurs sexuelles ambiguës qui faisaient leur cour à ce « Sarah Bernhardt des comédiens ». Ce fut d'ailleurs de Max, que la perspective d'une nouvelle tournée américaine avec Sarah ennuyait, qui proposa, au cours de l'été de 1910, que Tellegen le remplaçât. Il ne se doutait pas que Tellegen jouerait bientôt tous ses rôles, non seulement au Studebaker Theatre à Chicago et au Greek Theatre d'Oakland, mais également à Paris au théâtre Sarah-Bernhardt. Personne ne soupçonnait Tellegen d'avoir du talent, mais nombreux étaient ceux qui voyaient en lui un superbe éphèbe et Sarah fut éblouie. Le jour même de leur rencontre à l'hôtel Carlton, elle l'invita à revenir, une heure plus tard, pour le déjeuner et l'engagea comme partenaire.

« Je lus le contrat, raconta-t-il. Quatre ans ! Un salaire assuré pendant deux cent huit semaines d'affilée ! À la vue du chiffre je manquais m'effondrer. Je n'avais jamais gagné autant d'argent ! Un salaire ? La rançon d'un roi, oui ! »

« À présent, rentrez à Paris, dit-elle. Allez voir mon fils, prenez tous les manuscrits et votre billet pour l'Amérique. Dans les dix jours avant notre départ, essayez d'apprendre autant de rôles que vous pouvez. Je vous verrai sur le navire et nous aurons tout le temps de répéter pendant la traversée. »

« Sur ces mots, écrivit Tellegen, la divine femme me donna cent guinées d'or " comme avance ". Puis elle sourit et disparut dans ses appartements privés. »

Il est facile d'imaginer à quoi Sarah songea après le départ de Tellegen. Elle savait qu'il n'était pas à la hauteur de ses exigences en matière de théâtre, mais elle avait imposé Damala au public et s'était tirée de cette situation avec les honneurs. Certes elle avait soixante-six ans, était arrière-grand-mère, mais qui aurait osé dire qu'il était trop tard pour un brin de romance — de surcroît avec un garçon aussi séduisant ? Sarah n'avait pas été courtisane pour rien. Elle savait que la vénalité contribuerait à lui attacher Tellegen. Par bonheur pour elle, le jeune homme comprit les règles du jeu :

> Au bout de six semaines environ, alors que nous nous trouvions dans quelque grande ville du Canada, Madame me fit venir dans sa voiture privée après la représentation. Elle renvoya les personnes présentes, Mlle Seylor sa compagne, son médecin personnel le Dr Marot, et Eddie Sullivan, le directeur de la troupe qui représentait l'impresario William Connor. Elle m'annonça qu'elle allait augmenter mon cachet déjà princier. Je refusai sèchement. Je lui dis que notre contrat devait rester tel qu'il était — pour la première année au moins. Elle argumenta de manière adorable, avec sa volubilité habituelle, mais je campai sur mes positions. « Alors, acceptez au moins ma deuxième offre », s'exclama-t-elle. « Je veux que vous partagiez, comme Mlle Seylor, le Dr Marot et M. Sullivan, ma voiture privée et que vous voyagiez confortablement. Nous avons un compartiment libre, prenez-le, je vous en prie, et soyez mon hôte. »
>
> Cela, évidemment, je ne pouvais le refuser ! [...] Le lendemain je m'installai dans mon nouveau « foyer » et, à partir de ce moment, je connus la plus belle amitié de ma vie — la bonté surhumaine de cette grande dame. Bien sûr les membres de la troupe m'auraient bien administré de la mort-aux-rats, mais, après tout, j'étais à présent hors d'atteinte de leur jalousie et de leur envie.

Dans une lettre à Ponchon, non seulement Sarah parlait de Tellegen comme de son fiancé mais elle joignait deux photographies montrant combien il était irrésistible. Elle faisait preuve de plus de discrétion dans sa correspondance avec son fils :

Mon adoré fils,

Je te serre sur mon cœur ce 1er janvier 1911. J'ai fini mes représentations hier dans un triomphe indescriptible. Nous avons fait comme recette dans le mois 50 030,000 Fr. [sic] *Cinq cent trente mille Fr.* [...] Ils me trouvent mieux et plus belle que jamais. J'ai eu un succès [?] de beauté, de jeunesse incroyable ; et des lettres d'amour, de passion, de folie. Je m'amuse beaucoup à tout cela quand je pense à la petite Terkette, qui dort là-bas à Londres, dont je suis la bisaïeule [23].

Sarah exagérait certainement quand elle affirmait que le public américain la trouvait plus belle et plus jeune que jamais. Le critique Channing Pollock fit preuve de plus de réalisme : « Si les flammes de Sarah s'éteignent, elles le font avec éclat, et l'ultime embrasement, si tant est qu'il s'agisse de cela, ressemble à un glorieux flamboiement. Elle représente, jusqu'à ce jour et peut-être à jamais, le summum de son art. »

Si Sarah prenait soin quand elle écrivait à Maurice de ne faire aucune allusion à son jeune amant, sa discrétion s'arrêtait là. Elle apparaissait au bras de Tellegen au cours de manifestations publiques, insistait pour qu'il participât à ses interviews, n'avait d'yeux que pour lui pendant les répétitions, le couvrait d'argent et lui retenait la bride dès qu'il faisait mine de s'intéresser à d'autres femmes plus jeunes. Une photographie de Tellegen en Hippolyte nous le montre portant la ceinture d'or ornée de pierreries de Sarah. On imagine Phèdre, maternelle et lascive à la fois, ceignant cet objet autour de la taille de son beau sigisbée. La presse américaine garda le silence sur la liaison peu conventionnelle de Sarah, soit par respect pour son âge, soit parce qu'elle préférait voir en Tellegen le protégé de l'actrice plutôt que son amant. Ce ne fut pas le cas en France où tout le monde était atterré, non pas tant par l'inconvenance de cet attachement romantique que par l'obstination irréfléchie de Sarah à confier à Tellegen les grands rôles réservés à de Max. Ainsi, à l'occasion de la reprise de *Lorenzaccio*, Edmond Stoullig écrivit : « Jamais, peut-être, la grande artiste n'a atteint si haut. Aussi quelles acclamations, quels rappels, quel triomphe ! Il y a, notamment, un acteur auquel a été distribué le rôle d'Alexandre de Médicis, qui est vraiment au-dessous du médiocre. " Piochez les larmes ", disait à une jeune élève certain professeur de diction. " Piochez le rire ", pourrait-on dire à M. Lou Tellegen, dont les perpétuels éclats de gaieté sont aussi insupportables qu'antinaturels [24]. »

Le public du théâtre Sarah-Bernhardt se montra encore plus cruel. L'accent hollandais prononcé de Tellegen déchaîna les rires, sa diction et ses gestes maladroits provoquèrent des murmures de désapprobation. Et, chose plus douloureuse encore, lorsque Sarah vint saluer seule, le théâtre croula sous les applaudissements, mais quand Tellegen parut à ses côtés les acclamations firent place au silence. Cette hostilité ne semblait pas affecter le jeune homme que ses superbes cachets, ses premiers rôles et la protection d'une maîtresse aimante, quoique bien plus âgée, satisfaisaient pleinement. Au cours de cette même saison, Sarah créa *La Reine Elisabeth* d'Émile Moreau, avec elle-même dans le rôle de la vieille souveraine et Tellegen dans celui d'Essex, son jeune amant. La pièce, aussi chère à son cœur qu'elle était proche de sa vie, ne resta à l'affiche qu'un peu plus d'une semaine, mais Sarah par bonheur avait trouvé un nouveau moyen de compenser ses pertes d'argent. En 1900 elle était apparue dans *Le Duel d'Hamlet*, un film de Clément Maurice, et en 1908 dans une version cinématographique de *La Tosca* aux côtés de Lucien Guitry, Paul Monet et de Max. Lorsqu'elle vit cette adaption elle eut un mouvement d'horreur et exigea que la copie en fût détruite, ce qui heureusement ne fut pas fait. Deux ans plus tard on lui versa trente mille dollars, somme considérable pour l'époque, pour tourner, avec Lou Tellegen dans le rôle d'Armand, *La Dame aux camélias*, film si mauvais que, dit-on, elle s'évanouit lors de la projection. Si tel fut le cas, elle retrouva cependant ses esprits pour écrire à William F. Connor, son directeur américain, « qu'elle avait conquis un monde nouveau, celui du cinématographe, et que les deux bobines qu'elle avait tournées lui assureraient l'immortalité ». Tous les films de Sarah sont, ironie terrible pour l'actrice à « la voix d'or », muets. Si aujourd'hui les cinéphiles voient dans *la Dame aux camélias* une œuvre primaire, si Sarah leur apparaît comme une marionnette aux gestes convulsifs et Tellegen d'une ineptie échappant à toute description, à l'époque le public fut profondément impressionné. Dans un article intitulé SARAH LA DIVINE AU CINÉMATOGRAPHE, on pouvait lire : « Jamais Camille n'a été d'une éloquence plus pathétique que dans cette œuvre muette. Sarah Bernhardt, ce grand génie, a su s'adapter à ce moyen d'expression et le résultat est une longue suite de photographies qui suit un mode *staccato*. Quelqu'un a dit que ces images pétillent tout simplement de vie et qu'elles émettent des messages télégraphiques à l'intention des spectateurs. Partout en Europe le film de *Camille* est un événement et les Américains attendent avec impatience la distribution de ces bobines que contrôle actuellement la Compagnie américano-française de films. »

Jean Cocteau a écrit à propos de cette œuvre :

À ceux qui ne peuvent admettre l'existence des monstres sacrés d'un tel registre, je conseille de se rendre à New York et de réclamer à la cinémathèque le film qu'on y conserve de Madame Sarah Bernhardt. À l'âge de soixante ans [en fait Sarah avait soixante-six ans], elle y tourne le rôle de Marguerite Gauthier. On y médite la parole d'un célèbre acteur chinois lorsqu'il disait au même âge : « Je commence à pouvoir jouer les ingénues. » Quelle actrice, mieux qu'elle dans ce film, jouera les amoureuses ? Aucune. Et l'on se retrouve ensuite dans la vie moderne, semblable au plongeur qui vient de se trouver face à face avec une géante pieuvre rose des mers du Sud [25].

D'autres grands acteurs prêtèrent leurs talents, ou plutôt leurs images fugitives, au cinéma. Ainsi en 1912 la Comédie-Française tourna des extraits de pièces classiques, Réjane une version en deux bobines de *Madame Sans-Gêne* de Sardou, et Mounet-Sully une adaptation singulièrement abrégée d'*Œdipe*, l'une de ses plus nobles créations à la scène. Le tragédien était resté tel qu'en lui-même. Acceptant toujours très mal d'être dirigé, il refusa de se plier aux exigences de ce nouveau mode d'expression, et le film, parodie muette de l'art déclamatoire du Théâtre-Français, nous montre un dément pris de frénésie qui grimace son texte. Sarah, comme jadis lorsqu'ils débutaient tous deux sur les planches, se montra plus docile. Elle s'entretint avec l'opérateur et suivit les conseils de Louis Mercanton, le réalisateur. Ainsi, bien qu'*Élisabeth reine d'Angleterre* nous apparaisse aujourd'hui comme une œuvre malhabile et que l'interprétation de Sarah manque de subtilité, ce film demeure une contribution majeure à l'histoire des débuts du cinéma.

En 1912 Adolph Zukor, fourreur devenu magnat de l'industrie cinématrographique, créa une société baptisée « Famous Players » (elle avait pris pour devise « Famous Players in Famous Plays », « Des acteurs célèbres dans des pièces célèbres »). Il décida d'acquérir les droits américains du film, versa à Sarah la somme inouïe de 360 dollars par jour, plus dix pour cent des bénéfices bruts, et organisa une première grandiose au Lyceum Theatre de New York. Le public, dit-on, se leva à la fin du spectacle et applaudit longuement. *Elizabeth, Queen of England* fut distribué partout aux États-Unis. Film en quatre bobines, il réconcilia les exploitants des salles de cinéma avec les longs métrages et rapporta à Zukor 80 000 dollars pour un investissement de 18 000. Grâce à cet argent Zukor put passer un contrat de distribution avec les Films Paramount, qu'il devait finalement racheter. Quant à Sarah, elle ajoutait un nouveau titre à sa gloire déjà grande en devenant la première actrice internationale du cinéma — et cela alors qu'elle approchait de ses soixante-dix ans.

À l'automne de 1912 Sarah retourna avec Tellegen aux États-

Unis pour une nouvelle « tournée d'adieu ». Son séjour fut d'une incroyable tristesse. Son genou la faisait atrocement souffrir et elle fut contrainte de donner sept jours par semaine des représentations d'une demi-heure dans des music-halls. Sa dernière étape fut New York. La presse rapporta que « l'actrice française évitait de rester debout sans aide pendant toute la scène ». Mais il y eut également de grands moments. « Tant qu'elle peut parler, elle peut jouer », écrivit Burns Mantle dans le *New York Times*, « car on trouve une expression dramatique plus authentique dans ce qu'elle dit que dans le jeu, avec tous ses artifices, de bien des actrices expérimentées et capables qui n'ont que le tiers de son âge. Jusqu'à la fin son génie lui assurera la suprématie. »

Le *New York World* ne partageait pas cet avis : « Cette voix qui jadis s'élevait des profondeurs de l'affliction pour atteindre le paroxysme de la passion résonne à présent comme un écho ; la longue démarche féline qui portait Mme Bernhardt d'un bout à l'autre de la scène s'arrête à la première table ou chaise ; le staccato aigu, le ton monocorde fluide, le rire éclatant, tout cela appartient au passé. Le temps a pris son tribut. »

La tournée de Sarah s'acheva au Palace Theatre de New York. Cette soirée de 1913 [raconte Tellegen] fut la dernière où j'eus l'honneur d'apparaître en public avec elle. Au tomber du rideau les applaudissements se prolongèrent tant, en vagues successives, qu'il sembla que le public ne la laisserait pas partir. Les larmes aux yeux je lui tenais la main. [...] Finalement elle me lança un regard plein de lassitude et j'allai chercher, dans les coulisses, une chaise que je lui apportai. Elle s'assit, s'inclinant, souriant et pleurant, tandis que les acclamations ne faiblissaient pas un seul instant. Je rentrai en France avec elle mais la quittai bientôt pour entamer une carrière seul. Elle-même me dit : « Montrez-vous avisé, mon enfant, apprenez l'anglais. On vous aime en Amérique. Votre avenir est là-bas ! »[...]

Chaque instant passé à travailler avec elle m'a apporté ce que le théâtre peut offrir de meilleur et, à la pensée de ces quatre années les plus glorieuses de ma vie, mes yeux s'emplissent de larmes et mon cœur s'écrie : « *Madame, Grande Madame** , je suis si seul sans vous ! »

Tellegen suivit le conseil de Sarah et s'installa en Amérique où ses rôles de bellâtre au cinéma muet lui assurèrent un immense succès auprès du public féminin. En 1916 il épousa Géraldine Farrar, la belle et célèbre cantatrice et actrice de cinéma. Pendant deux ans, à Hollywood, il mena l'existence luxueuse d'un prince consort mais en 1918 le couple se sépara. Seize ans plus tard, malade, drogué et ruiné, Tellegen se suicida en se poignardant avec une paire de ciseaux.

À son retour à Paris, en décembre 1913, Sarah donna *Jeanne*

Doré de Tristan Bernard. Elle jouait le rôle d'une humble boutiquière dont le fils, Jacques, tue l'homme qui lui a volé sa fiancée. Jacques est condamné à mort et sa fiancée refuse de le voir. Le dernier tableau est particulièrement poignant. La veille de l'exécution Jeanne Doré se rend à la prison pour s'entretenir une fois encore avec son fils. Dans la pénombre Jacques ne reconnaît pas la femme voilée et, la prenant pour sa fiancée, lui exprime son amour. Jeanne écoute ses propos passionnés et souffre de ne pouvoir lui révéler son identité, mais, sachant que c'est le dernier instant de bonheur de son fils, elle garde le silence. Ceux qui virent Sarah, torturée par son sacrifice, pâle et rayonnante, n'oublièrent jamais son interprétation. *Jeanne Doré* remporta un immense succès. Ce fut la dernière grande pièce créée par Sarah et l'un de ses plus beaux films, si l'on en juge d'après les projections données à la Cinémathèque de Paris[26].

En 1914 Sarah Bernhardt fut enfin décorée de la Légion d'honneur. Ses admirateurs écrivirent par centaines pour féliciter le comité de sélection et la presse profita de cette occasion pour critiquer les multiples tergiversations qui avaient précédé la décision.

Sarah donna des conférences sur le théâtre et également des cours d'art dramatique sur la scène de son propre théâtre.

> Nous étions tous assis en un grand demi-cercle [devait écrire May Agate, une élève d'origine anglaise]. Madame Sarah était installée à la table du metteur en scène au pied de la scène, protégée des courants d'air par un curieux dispositif en forme de tente que nous appelions *le guignol**. Elle se tenait là, enfoncée dans son fauteuil, emmitouflée dans son célèbre manteau de chinchilla, une couverture sur les genoux, les coudes sur la table, le menton appuyé sur une main.

En 1935 James Agate, le fougueux critique dramatique du *Guardian* de Manchester et ensuite de la *Saturday Review*, invita sa sœur May à lui faire part de ses impressions concernant Sarah Bernhardt pour l'autobiographie qu'il écrivait, *Ego*.

> L'actrice que j'ai connu [dit-elle] était une dame d'une extrême dignité. Je l'ai souvent observée lorsqu'elle donnait des cours, sur la scène de son théâtre parisien, à des élèves qui étaient soit des artistes connus, soit d'humbles débutants. Ceux qui n'avaient aucun don étaient congédiés avec un sourire ; à ceux qui montraient une parcelle de talent elle adressait d'abord une réprimande avant de leur consacrer des efforts infinis. Pour les élèves les plus jeunes elle était une véritable Mère supérieure, et souvent le théâtre prenait l'aspect d'un couvent. Elle avait tenu tant de rôles d'impératrice ou de reine qu'à la fin de sa vie elle lançait des

remarques à la cantonade, à l'adresse d'une cour inexistante. Je revois Sarah, à l'époque de son soixante-dixième anniversaire, assise près du feu dans le salon de ma mère, racontant des histoires et aussi jeune, fraîche et radieuse d'esprit et de manières qu'une demoiselle de vingt ans. Je revois le regard affectueux qu'elle lança à ma mère alors que sa voiture l'emportait. Je me souviens que nous avons suivi son équipage du regard et qu'à un moment, un bouquet de fleurs a été agité par la portière.

Mes « souvenirs de Sarah » prendraient des *volumes*. J'ai en tête un petit livre de Mémoires qui lui serait consacré et que j'écrirai peut-être, lorsque je serai bien vieille et tiendrai une boutique de mercerie à Dorking[27]. Mais en attendant et pour le cas où cela ne se ferait pas, j'aimerais préciser quelque chose de ce genre : Personne n'a jamais dit combien elle était *en avance sur son temps*. Sa flamboyance a été si souvent soulignée qu'elle a pris dans l'esprit de ceux qui ne l'ont jamais connue un caractère illégitime. Même ceux qui l'ont vue se souviennent de son charme au détriment de son intelligence. Son magnétisme personnel n'était nullement un effet calculé et clinquant. On ne saurait reprocher au soleil de briller. Elle méprisait l'ostentation et ne pouvait s'empêcher d'être majestueuse. En fait les mots qui lui venaient le plus souvent aux lèvres étaient *la pensée, le naturel, la sincérité* et *dire juste**.

Le vrai était tout le secret de sa grandeur. Il n'y avait rien de faux en elle — ni jactance intellectuelle ni théories alambiquées. Je ne l'ai jamais entendue prononcer le mot psychologie, alors que Dieu sait qu'elle en savait plus là-dessus que quiconque avant ou après elle. « Je n'ai jamais été sur un champ de bataille, mais je sais que c'est comme cela », dit-elle (avant 1914) après avoir donné la représentation la plus effrayante et la plus saisissante qui eût été de la scène du champ de bataille dans *L'Aiglon*. Elle fut la première à prêcher le naturel dans le théâtre français (dans les limites de la scène, bien sûr) et à rejeter la tradition. Le Conservatoire et la Comédie-Française utilisent des méthodes qu'elle a jetées par-dessus bord il y a un demi-siècle. Ses leçons me laissent comme souvenir majeur celui d'un long cri de protestation contre les tenants de la vieille école d'art dramatique. Leurs mouvements de bras et leur péroraison devaient être grotesques mais personne ne s'en rendit compte avant que Sarah ne vînt et dît que cela n'avait pas de sens. J'en veux pour preuve qu'ils tiennent encore, et pas seulement dans les provinces reculées.

James Agate écrivit qu'il ne pouvait « laisser passer sans réagir ces propos sur le " naturel " et la maîtrise psychologique », et il s'ensuivit une discussion animée au cours d'un déjeuner. Le lendemain May rédigea une seconde lettre à son frère dans laquelle elle expliquait : « Je n'ai jamais dit que Sarah apparte-nait à l'école naturaliste du réalisme vulgaire. Elle vous donnait le fruit sans l'écorce. Tout dépend dans quelle mesure vous exigez que le jeu dramatique soit une représentation de type photogra-

phique. Nous savons bien que tout jeu dramatique est mental.
Son art me paraissait du même ordre que la peinture ou la
sculpture modernes — elle éliminait tout ce qui était secondaire
pour donner la pensée à l'état pur — un processus de simplifica-
tion. [...] Quand je parlais de " psychologie ", je voulais dire tout
ce qu'un acteur a besoin de savoir sur l'esprit et les émotions du
personnage qu'il joue — et non tout ce fatras livresque. »

« À présent, concluait James Agate, je suis voué, en ce qui
concerne Sarah, au silence d'Iago. Dorénavant je serai muet. » Il
ne devait pas tenir cette promesse. Peu importe qui il glorifia —
Mrs. Patrick Campbell, la Duse, Edith Evans, Garbo, Charles
Laughton, Laurence Olivier, Gielgud ou Richardson —, Sarah
Bernhardt demeura, au firmament des étoiles qu'il admirait, son
critère de grandeur. Les raisons de cette vénération sont étranges
mais vraisemblables ainsi qu'il apparaît, par exemple, dans la
comparaison qu'il fit entre la Duse et Sarah. « L'art de la Duse à
son apogée, écrivit-il, semble encore de l'ordre du possible —
comme il doit en être du jeu dramatique moderne. Il en va
différemment de l'art de Sarah Bernhardt. Il est extravagant,
rare, avec tout ce qui fait l'enchantement, et avec la fascination de
l'impossible. »

*

Le 3 août 1914 l'Allemagne déclara la guerre à la France. Le
glas qui sonnait pour l'Europe était aussi pour Sarah l'annonce de
la fin. Sa jambe qui lui causait des souffrances atroces avait dû
être mise dans un plâtre. Les Allemands s'approchaient de Paris.
Ses amis se préparaient à partir pour Bordeaux, Biarritz, Marseille ou Nice. Mais Sarah refusait de se déplacer, ou d'être
déplacée, répétant qu'elle était restée dans la capitale pendant la
guerre de 1870 et qu'elle ne s'en éloignerait pas davantage cette
fois-ci. Le patriotisme entêté ne suffisait pas à expliquer que
Sarah restât cloîtrée dans son hôtel du boulevard Pereire, à lire
les sinistres communiqués de guerre et à maudire son grand âge,
son immobilité et son inconfort ; il y avait aussi la présence du
Dr Samuel Pozzi, le seul chirurgien en qui elle eût entière
confiance. Son amitié, et son amour, pour le beau et mondain
Dr Pozzi, ou Dr Dieu ainsi qu'elle le nommait, remontait à
l'époque de la Comédie-Française. Ce fut Georges Clemenceau, un
autre vieil ami, qui convainquit Sarah de quitter Paris en lui
expliquant qu'elle figurait sur une liste d'otages qui seraient
conduits à Berlin si les Allemands parvenaient à s'emparer de la
capitale. Vers la fin du mois de janvier 1915, Sarah loua une villa
à Andernos, village de pêcheurs et petite station balnéaire près de
Bordeaux ; un repos prolongé et l'immobilisation de sa jambe

apporteraient peut-être, on l'espérait, quelque amélioration. Une lettre que Sarah envoya au Dr Pozzi montre qu'elle avait alors perdu tout espoir de guérison :

4 février 1915

Ami très aimé,

Je prends soin d'écrire cette lettre très lisible pour ne pas vous fatiguer à lire mon gribouillage habituel. Je vous supplie Docteur Dieu de prendre cette lettre en considération. Voici le cas. Il y aura six mois le sept de ce mois de février que j'ai la jambe dans le plâtre. Comme je souffrais un peu plus je priai le chirurgien Denucé de me couper le plâtre. Cette souffrance venait d'une blessure que le plâtre m'avait faite en entrant dans les chairs. Ceci n'est rien, c'est guéri ; mais je souffre autant après six mois d'immobilisation absolue que je souffrais avant. Donc, écoutez-moi, Ami adoré.

Je vous supplie de me couper la jambe un peu au-dessus du genou. Ne vous récriez pas ; j'ai peut-être encore dix ou quinze ans à vivre. Pourquoi me condamner à souffrir ces quinze ans, pourquoi me condamner à l'inactivité ? Remarquez, je vous prie, qu'avec un appareil en plâtre ou Celluloïd, je suis infirme quand même et ne puis pas jouer. Et, horreur, je souffrirai toujours et mes nuits seront des nuits d'angoisse puisque c'est surtout la nuit que je souffre du genou, rien que du genou. Avec une jambe de bois bien faite, je puis dire des vers et même faire une tournée de conférences. Enfin je puis aller et venir sans souffrance aucune. Donc, je viens vous supplier de me couper la jambe ou d'ordonner qu'on me la coupe.

Je ne veux pas rester impotente dans une chaise comme je suis depuis six mois. Je vois bien que ma jambe ne s'ankylosera jamais ; je ne suis plus assez jeune pour cela. À quoi bon traîner stupidement ; elle ne s'est pas atrophiée. Elle est aussi pleine et ferme que l'autre. Je n'ai pas l'instinct de la conservation et je me bats l'œil de ma jambe. Qu'elle coure où elle voudra. Si vous me refusez je me flanque une balle dans le genou et il faudra bien la couper. Ami ne croyez pas que je sois nerveuse ; non, je suis calme et gaie ; mais je veux vivre ce que j'ai à vivre ou mourir tout de suite. Vous comprenez, mon Sam chéri, que appareil pour appareil il vaut mieux celui qui me permettra, ma jambe de bois retirée, de prendre un bon bain tous les jours. Ma santé y gagnera cent pour cent. Je ferai une tournée de conférences, je donnerai des leçons et je serai gaie. Je ne veux pas perdre ma gaieté. On coupe en ce moment des jambes agiles à des pauvres gosses de vingt ans, on coupe des bras faits pour l'étreinte et vous me refuseriez cela à moi. Non ce n'est pas possible. Il faut la couper tout de suite, que je sois libérée dans un mois. Ne m'abandonnez pas en cette douloureuse et dernière étape. Soyez mon Ami dévoué et j'accours à Paris et je vous livre ma jambe à couper.

Je vous embrasse de toute ma tendresse reconnaissante.

Sarah[28]

Quatre jours avant l'opération Sarah envoya un télégramme à Pozzi : « Je passe mes nuits dans souffrances atroces ne pouvant plus prendre cachets. Un être humain ne peut pas résister à huit nuits sans sommeil. Je vous en prie, avancez d'un jour opération. C'est désespérant. Je vais tomber malade d'insomnie et de souffrance. Je n'en puis plus. L'avis du docteur est que je suis prête. Je n'en puis plus de tant souffrir sans calmants. Ma dévotieuse tendresse [29]. »

Comme l'intervention était prévue un lundi, Pozzi ne put l'avancer de vingt-quatre heures. Craignant que Sarah ne mourût entre ses mains, il demanda à Denucé, un de ses anciens élèves, d'effectuer l'amputation à sa place. Mademoiselle Coignt, la jeune anesthésiste qui assistait à l'opération, fit un récit du pénible événement.

> Vers 10 heures, la grande actrice arrivait sur le petit chariot, revêtue d'un peignoir de satin blanc et enveloppée d'un voile en crêpe de chine rose. Elle paraissait très calme.
>
> Elle manda son fils Maurice Bernhardt, qui vint l'embrasser. Pendant leurs effusions, on entendait : « Mon fils bien-aimé, mon Maurice adoré, au revoir ; va, va, à tout à l'heure. »
>
> La même voix que j'avais entendue sur la scène dans *La Tosca*, *La Dame aux camélias*, *l'Aiglon*, etc.
>
> Se retournant ensuite vers nous, elle pria le Professeur Denucé de l'embrasser et le fit en ces termes : « Denucé, mon chéri, embrassez-moi. »
>
> Puis, ce fut : « Au revoir à tous, à tout à l'heure ; Mademoiselle, je m'abandonne à vous. Promettez-moi de bien m'endormir. Allons, vite, vite. »
>
> La tragédienne reparaissait dans tout cela. On se serait cru au théâtre, si soi-même n'avait été un des acteurs du drame pénible qui allait se jouer.
>
> Quelques secondes après, j'apposais le masque de l'appareil d'ombrédanne, mais bientôt des cris : « J'étouffe, je suffoque, enlevez-moi cela. » L'aiguille de l'appareil montait régulièrement par demi-minute et « jamais je ne m'endormirai, quelle idée que cet éther ! Le chloroforme est meilleur ». Une minute s'écoule et nous entendons encore : « Ah ! comme c'est bon ! ça vient, ça vient. Je m'en vais, je m'en vais, je m'en vais. Je n'y suis plus. »
>
> Trois minutes suffisent pour obtenir l'anesthésie complète.
>
> On transporte l'illustre malade du chariot sur la table d'opération. Le Professeur Arnozan prend le pouls ; le Professeur Denucé, aidé du Docteur Ribère, donne le premier coup de bistouri. Cinq minutes après le membre tombe. Les ligatures commencent. Le sommeil se poursuit sans un à-coup, sans rien. Douze à quinze minutes, tout est fini. Le pansement se fait et la grande tragédienne est remise sur le chariot enveloppée de nouveau de sa

chemise de satin blanc recouverte d'une peau de mouton doublée de satin.

[...] La malade est remise sur son lit.

Elle demande à grand cris « Son fils bien-aimé, son Maurice adoré, son enfant chéri ».

Il vient l'embrasser et lui dit : « Maman, ton visage n'est pas changé, tu es très très bien. »

« Où est Denucé et la jeune femme qui m'a endormie ? »

« Madame, je suis là. »

« Ah ! chérie, vous êtes gentille, mettez-vous dans la *ruelle*, je veux vous voir. »

Le Professeur Denucé arrive, petite effusion : « Docteur, ça s'est bien passé ?

— Très bien, très bien.

— Ah ! que je souffre, je souffre, je souffre, je souffre. C'est bête comme chou ; je souffre du pied, de la jambe, du genou que je n'ai plus. Ah ! que je souffre, que je souffre. »

Je veux saluer la malade, mais elle me retient en me disant : « Chérie, je vous trouve gentille, restez un peu plus avec moi. »

Je l'exhorte à être calme, à ne pas parler.

« Je parle, je parle comme il faut que je parle, un peu. Je souffre, je souffre, je souffre. »

L'acte continue. On sent avant tout l'actrice. Il semble qu'elle joue le rôle de l'opérée. [...]

J'ai retrouvé dans la malade la même femme que j'avais admirée. Peu de changements physiques même. Les yeux sont faits, la bouche est peinte. La coiffure seule diffère.

Je marque ces impressions le 23 février 1915, le lendemain de l'opération pour les retrouver plus tard. J'ai eu ce jour-là une véritable joie d'approcher de si près cette femme qui avait, on peut le dire, régi par son art l'univers entier[30]. »

Le même jour Denucé télégraphia à Pozzi pour lui annoncer que l'opération avait été faite très rapidement, sans complication et qu'un minimum d'éther avait été donné.

On retrouve Sarah telle qu'en elle-même dans une lettre adressée deux mois plus tard à son Docteur Dieu. Courageuse, elle ne fait aucune allusion à son infirmité et, se replongeant dans ses souvenirs, joue à nouveau de son pouvoir de séduction :

Comment ma tendresse infinie et ma reconnaissance vieille déjà de tant d'années n'ont pas fleuri dans votre cœur ??? Comment j'ai besoin de vous dire et redire cette chose : que nul être ne m'est plus cher que vous. Ai-je donc besoin, Ami Chéri, d'ouvrir la boîte des souvenirs qui nous sont communs pour vous faire respirer le parfum de ces fleurs cueillies ensemble dans le jardin de la Vie ???

Non, je ne vous ai pas écrit ! Pourquoi ? il n'y a pas de pourquoi ! il n'y a pas de pourquoi ! Je vous aime tendrement, infiniment, je vous aime de toutes les forces vitales et intellectuelles de mon être et rien, rien ne peut altérer ce sentiment plus grand que l'amitié, plus divin que l'amour [31].

Au cours des mois suivants passés à Andernos, Sarah essaya plusieurs prothèses mais aucune ne lui donna satisfaction. Finalement elle résolut le problème à sa manière. Les jambes artificielles furent abandonnées et elle se fit faire une chaise à porteurs, solution remarquable dont elle tira parti avec la majesté d'une impératrice de Byzance. Un de ses admirateurs américains la décrivit, ainsi portée, « les bras chargés de roses, son corps mutilé enveloppé dans une masse de velours. Elle était la personnification du courage indomptable ».

Paris partagea ce sentiment lorsque, en octobre 1915, elle apparut dans *Les Cathédrales*, un « poème scénique » d'Eugène Morand. Sur un trône faiblement éclairé, Sarah incarnait, image pathétique mais forte et empreinte de courage, la cathédrale de Strasbourg. Incapable de se mouvoir, elle devait prononcer un long discours aux accents patriotiques. Ce fut alors qu'un miracle se produisit. À la fin de la tirade, elle se dressa de toute sa hauteur et s'écria : « Pleure, pleure Allemagne, l'aigle allemand est tombé dans le Rhin. » Jamais ses compatriotes ne l'avaient autant adorée, c'est-à-dire jusqu'au jour où elle se rendit sur le front avec un groupe d'acteurs de la Comédie-Française. La comédienne Béatrix Dussane, qui consacra de nombreux ouvrages à l'histoire du théâtre, rapporta l'événement dans son admirable *Reines de théâtre*. À cette époque, écrivit-elle,

la publicité reprend, renchérissant à chaque nouvelle occasion sur les dithyrambes précédents. Sarah est malade et mutilée, mais le dogme Sarah n'a jamais été plus bruyamment proclamé.[...]

Cette outrance commençait à être ressentie par les jeunes et les nouveaux venus. Notre génération avait tendance à réagir, avec même un excès d'injustice, contre cette gloire qui, par sa durée exceptionnelle, était arrivée à une manière d'enflure monstrueuse.[...] Notamment parmi les acteurs, il était de règle de ne parler de Sarah que sur un ton d'hyperbolique dévotion qui nous donnait un peu sur les nerfs. Avouons-le, nous nous faisions par contraste une caricature de Sarah, où elle apparaissait comme une vieille cabotine obstinée et encombrante : « Que ne se retire-t-elle ? » Les jeunes, à toute époque, ont l'enterrement facile.

En 1916,[...] fut improvisé, à coups de cœur et de bonne volonté, ce qui devait s'appeler ensuite le Théâtre aux Armées. Nous étions peu nombreux, nous nous serrions les coudes et la plupart d'entre nous travaillaient en toute humilité de cœur; contents de donner de la joie, soucieux de ne laisser gâter notre tâche ni par le snobisme ni par la publicité.

Un jour, on nous annonce que Sarah a exprimé le désir de venir jouer aux armées. Il faut que j'aille répéter chez elle [...] les quelques répliques destinées à enchaîner ses tirades.

Faut-il l'avouer ? Je grogne. Que va faire Sarah, âgée, impotente, dans les rudes hasards de ces voyages ? Car, d'aller là-bas, ce n'était ni une action d'éclat, ni une partie de plaisir, mais un déplacement exténuant ; les plus jeunes de nous y laissèrent un peu de leur santé, joyeusement d'ailleurs, et c'était bien le moins. Mais Sarah, ses fleurs, ses fourrures, son luxe de souveraine... et sa fragilité ? Comment l'aventurer de granges en granges, de tréteaux en camions ? Que restera-t-il de son prestige, dans ces cadres sommaires, mal éclairés ou aveuglants de soleil, devant ces hommes dont beaucoup ne connaissent d'elle qu'un nom tout doré de légendes ? À la première journée elle se lassera et tombera malade... et la tournée sera interrompue, manquée.

Je ne l'avais jamais approchée. Je me rends boulevard Pereire, et près du feu, dans un boudoir blanc, je vois, au fond d'une profonde bergère, un être extraordinaire : mille plis de satin et de dentelle, coiffés d'un ébouriffement roux, des traits sans âge où toutes les rides se parent de tous les fards...

Impression déroutante, un peu triste ; elle est là, si petite, si atteinte, la grande, la radieuse Sarah ! Un petit tas de cendres...

Et c'est là, pourtant, que je devais, après tant d'autres, connaître son miracle. Deux heures durant, ele répète, recommence ses couplets, donne le mouvement, fait les coupures, commande du thé, s'enquiert des conditions du voyage, s'emballe, s'émeut, s'amuse, voit tout, entend tout, surprend tout ; pendant deux heures le petit tas de cendres n'arrête pas de jeter des étincelles ! Je sens bien que c'est ainsi depuis qu'elle est au monde, et il me semble que cela durera éternellement. Sous la décrépitude peinte et fanfreluchée de la vieille comédienne, brûle un inextinguible soleil...

Nous voici en route. Ah ! cette gare de l'Est de la guerre traversée par notre bizarre cortège ; Sarah perdue dans un manteau tigré, sous une grande capeline fleurie, pelotonnée dans sa petite chaise à brancards, et souriant à tous les regards, pour qu'on n'ose pas avoir pitié !

Nous descendons à Toul, seul groupe civil du train. La petite chaise reparaît ; elle est peinte de blanc, ornée de rinceaux Louis XV, elle aussi elle sourit, elle veut paraître un caprice et non une douloureuse nécessité. Les gens, dans la ville, regardent, tellement curieux, tellement émus aussi qu'ils oublient d'acclamer ou d'applaudir. [...] Les autos nous amènent au lieu de la première représentation, un immense marché couvert sur une place de Commercy. Il y a une scène, avec rampe et rideau, mais le réduit où Sarah va être obligée de se tenir n'a d'autre plancher que la terre battue ; on accède à la scène par une véritable échelle de dix marches [...]. Sarah s'acclimate dans sa loge provisoire, elle est ravie.

Son tour de paraître arrive enfin. Pendant qu'on l'installe en scène, rideau baissé, [...] un de nos camarades annonce aux trois mille gars entassés là qu'ils vont voir Sarah Bernhardt. Évidemment ça les étonne ; quand la représentation leur avait été annoncée, ils croyaient que « ça serait seulement en cinéma ». Et, le cœur battant, nous attendons l'ovation qu'ils vont lui faire, au lever du rideau.

La toile monte, nous découvrant lentement d'abord le feu éclatant de la rampe, puis dans la pénombre, au premier plan, les brancardiers-musiciens, les blessés dont les pansements blancs accrochent le regard [...]. L'ovation ? Elle tarde... Des bravos partent, assez nourris, mais pas unanimes, pas très prolongés surtout. Gars solides et sûrs de la terre de France, ils attendent, ils veulent voir, et les noms illustres ne sont rien.

Elle le sent, elle frémit, cette salle lui tient plus au cœur que ne le fit jamais public de grande première. Elle commence... [...] Elle vibre toute, et sur un rythme qui monte comme la sonnerie de la charge, elle déploie les apostrophes héroïques comme on plante un drapeau sur une position conquise ; elle évoque tous les morts glorieux de notre race, et les range aux côtés des combattants d'aujourd'hui [...]. Et, quand, sur son cri final : « Aux armes ! » la musique attaque *La Marseillaise*, les trois mille gars de France sont debout et l'acclament en frémissant.

[...] Cela continua pendant trois jours : sur une terrasse de château, dans une salle d'hôpital, dans une grange délabrée où les hommes étaient juchés jusque sur les poutres... J'avais vu le génie de Sarah, je vis son courage. Non, nous n'avons pas été exposés au feu, il ne s'agit pas de cela. Mais de son courage d'infirme à qui la volonté tient lieu de tout, à chaque heure du jour. [...] Un moment, je me trouvai seule avec elle et je dus l'aider dans sa toilette. Elle allait de sa chaise à la table, en s'appuyant sur moi et en sautant à cloche-pied sur son unique jambe septuagénaire, qui avait la sécheresse d'une patte d'oiseau sans en avoir la solidité. Et elle me disait en riant : « Je fais la pintade... Je fais la pintade... » C'était beau, cette crânerie qui niait le mal, cette victoire de l'esprit sur la matière défaillante, et la pitié se changeait en admiration.

[...] De toutes les Sarahs que j'ai essayé d'évoquer ici, celle qui me semble la plus grande, c'est cette vieille femme de génie qui s'en était venue cahin-caha dans sa petite chaise et sur sa pauvre jambe, donner son cœur flamboyant et son vaillant sourire aux pauvres gens qui souffraient pour nous [32].

Sarah se montra à la hauteur de sa devise, *Quand même*, lorsqu'elle embarqua, en 1916, pour les États-Unis. Bien des années s'étaient écoulées depuis que, jeune femme à la vie tumultueuse, avide d'argent, de succès et de gloire, elle avait foulé pour la première fois le sol américain. À l'époque la bonne société lui avait interdit ses salons par crainte du scandale : symbole de la dépravation du Vieux Monde, Sarah affichait un goût immodéré pour la publicité et, de surcroît, était juive. À présent les Américains l'accueillaient comme une sainte moderne qui venait à eux, non pour les divertir, mais comme ambassadrice d'une France déchirée par la guerre. Sarah prit la parole lors de réunions de la Croix-Rouge, de manifestations charitables et d'autres assemblées publiques, et invita les Américains à rejoindre les Alliés dans leur combat. Plus efficaces encore étaient les courtes scènes qu'elle interprétait — elle ne pouvait plus supporter de jouer une soirée entière — et qui, comme *Les Cathédrales*, étaient destinées à gagner la sympathie des États-Unis pour son pays ravagé par la guerre. Après une tournée éreintante de huit mois, Sarah dut subir une opération du rein qui manqua lui être fatale. Quelques jours plus tard elle se sentait assez forte pour envoyer une lettre rassurante à Maurice.

Elle avait cru ne jamais le revoir. Seul l'amour infini qu'elle lui vouait lui avait donné la force de lutter contre la mort. Son état était si critique, poursuivait-elle, qu'elle lui avait écrit une lettre d'adieu pour le cas où les choses eussent mal tourné. Elle se sentait fort bien à présent et se gorgeait joyeusement de moules, d'écrevisses, de tête de veau et de cassoulet ! Elle avait dépensé des sommes énormes en médecins, notes d'hôtel, repas envoyés par le Delmonico's, et pour sa petite troupe. Elle n'osait pas penser à la joie qui serait sienne lorsqu'elle le retrouverait en février. Cette fois, promettait-elle, elle ne le quitterait plus. Elle avait tant souffert que son souhait serait certainement exaucé. Dans une autre lettre, envoyée quelques mois plus tard, la lassitude transparaît. Elle a remis, dit-elle, le masque et le bonnet à clochettes du bouffon, mais le cœur n'y est plus et on la devine inquiète à l'idée d'une longue et épuisante tournée dans des villes où elle n'est même pas certaine d'avoir un public. Cependant, la présence de Lysiane, qui s'est jointe à la troupe, lui est un réconfort ; elle ressemble tant à son père ! Ce que Sarah apprécie peut-être plus que tout, c'est de reconnaître en Lysiane la jeune fille qu'elle a été, de se sentir aimée et admirée, de voir un être qui lui est proche suivre ses propres traces.

Dans d'autres lettres Sarah dit à Maurice qu'il est le fils de son âme, la douceur de sa vie, le plus cher de ses plaisirs. Elle lui doit tout : ses pensées les plus élevées, ses actions les meilleures, sa quête passionnée de la beauté. Sa modeste gloire, elle l'a conquise pour compenser le fait qu'il était un enfant sans père obligé de porter le nom de sa mère. Puis, pensant peut-être qu'elle est allée trop loin dans ses épanchements, elle s'excuse et dit qu'elle sait combien il juge ses effusions exagérées. Pauvre Sarah ! Maurice ne pouvait imaginer combien elle réfrénait ses élans d'affection de peur de lui paraître ridicule.

*

Heureusement pour elle, les responsabilités de Sarah l'empê-
chaient de se complaire dans ses sombres et tristes pensées. Elle
remportait « un immense succès », écrivait-elle, malgré les
années, son amputation et sa dernière et douloureuse opération.
La plupart des observateurs partageaient cette opinion. « Qu'il
soit entendu », pouvait-on lire dans un journal de Philadelphie,
« qu'elle n'a nullement besoin que l'on rappelle qu'elle a été la
plus grande comédienne d'une génération passée. Elle suscite
l'admiration, non pas tant à cause de ses nombreuses souffrances
récentes, mais tout simplement parce qu'elle est la plus grande
actrice vivante. » D'autres personnes, comme George Jean
Nathan, portaient un jugement plus sévère : « Affirmer que
Madame Sarah Bernhardt est toujours une grande actrice, c'est
laisser l'esprit chevaleresque prendre le pas sur la critique. Sa
gloire est à présent du domaine du souvenir [...], chose il est vrai
remarquable pour une femme de son grand âge, mais c'est une
question de travail et non de présence sur scène. Le public se rend
au théâtre moins pour vénérer Sarah Bernhardt l'actrice que pour
voir Sarah Bernhardt le monstre. »

Margaret Mower, une charmante jeune Américaine qui s'était
agrégée à la troupe de Sarah, serait témoin d'une scène qui
confirmait les propos de Nathan. Miss Mower était bilingue et
avait été engagée pour expliquer au public, avant le lever du
rideau, l'intrigue de la scène qui allait être jouée. Elle n'oublierait
jamais, écrivit-elle dans un bref recueil de souvenirs, la soirée à
Montréal où elle parut pour la première fois. Portant une robe de
Fortuny achetée pour la circonstance, elle se trouvait dans les
coulisses avant le début de la représentation :

> Toute la troupe attendait en demi-cercle l'arrivée de Madame
> Bernhardt. Au bout d'un court instant il y eut un remue-ménage et
> je vis deux hommes [Pitou et Émile, le secrétaire et le factotum de
> Sarah] s'avancer vers le centre de la scène en portant une chaise. [...]
> Il y eut de nombreuses manœuvres et j'entendis des ordres impa-
> tients : « *Non, non, par ici. Doucement* * ». On installait Madame
> Bernhardt exactement dans la position où elle jouerait *Aux champs
> d'honneur*[33], l'une de ses saynètes patriotiques. Cette première
> soirée fut un véritable choc. La grande actrice, alors âgée de
> soixante-douze ans, en jeune soldat blessé vêtu d'un uniforme
> déchiré et taché de sang, était étendue sur le sol, appuyée contre une
> souche. Elle portait une perruque blonde défaite et son maquillage
> était d'une blancheur cadavérique. Sa bouche était rouge et grande
> et ses yeux largement assombris de khôl bleu. Elle portait des
> bandes molletières et des brodequins. Cela produisait, de manière
> macabre et mélodramatique, une impression surprenante de jeu-
> nesse. À présent qu'elle était confortablement installée, les membres
> de la troupe s'avançaient, l'un après l'autre, s'inclinaient et lui

baisaient la main en murmurant : « *Bonsoir, Madame. Vous allez bien, Madame ? Chère Madame*.* »

Madame souriait d'une façon charmante mais son attitude était distante et empreinte de majesté. C'était une étrange cérémonie. Assez tristement les comédiens ne se montraient respectueux qu'en sa présence. Dans son dos ils l'appelaient perfidement la vieille folle ou tout simplement la vieille.

Pitou était, bien évidemment, d'une loyauté sans faille, bien que, ainsi que le remarqua Miss Mower, « la fierté qu'il tirait de son association avec Madame Sarah fût telle qu'elle en paraissait comique ».

Les souvenirs de Miss Mower révèlent que, si Sarah avait vieilli, d'une certaine façon elle n'avait pas changé :

> Une grande agitation régnait dans les coulisses, lorsqu'elle joua à l'Academy of Music de Brooklyn. Je jetai un regard par le trou du rideau et là, assis dans les premiers rangs, je vis Lou Tellegen et Géraldine Farrar ; ils s'étaient récemment mariés et étaient beaux et rayonnants. Même moi je savais que Tellegen avait été l'un des grands favoris de Madame. Ce soir-là, Sarah Bernhardt se surpassa. Infatigable, radieuse, elle fut « au-delà d'elle-même », ainsi que l'observa l'un des comédiens. Le spectacle s'achevait avec *La Dame aux camélias*. Jamais Sarah n'avait paru aussi belle, étendue sur son lit à baldaquin aux draps brodés, dans son exquise chemise de nuit dont les flots de dentelle moussaient légèrement autour du cou et des poignets, le visage pâle et comme entouré d'un halo brillant de cheveux. Ses accès de toux, l'appel qu'elle adressait à Armand, sa joie à son retour — tout vous brisait le cœur. De temps à autre je regardais Tellegen qui, si souvent, lui avait servi de partenaire dans ce rôle. Son visage était un masque impénétrable. La scène s'acheva dans un tonnerre d'applaudissements et, après les rappels, Madame se fit porter rapidement dans sa loge dont elle interdit l'entrée à tous les visiteurs à l'exception de Tellegen. Je n'oublierai jamais l'attente, là dans les coulisses. Nous attendions tous — et Tellegen ne vint pas. Les lumières s'éteignirent les unes après les autres. Je m'habillai tristement, et Madame elle-même n'aurait pu être plus bouleversée que je ne l'étais. Les jours suivants elle ne montra aucune pudeur et reconnut que le manque d'égards de Tellegen l'avait cruellement blessée. À plusieurs reprises elle murmura soudain : « Il n'est pas venu. Pourquoi ? » La présence de témoins lui était indifférente ; et le ton de ce « Pourquoi ? » douloureux alternait du chagrin à l'amertume, avec un soupçon de vengeance.

À son retour en France, à l'automne de 1918, peu avant l'Armistice, Sarah avait mille projets en tête. Ne vous arrêtez jamais, affirmait-elle, sinon c'est la mort. Fidèle à ce précepte, elle ouvrit tout grands ses salons, donna des déjeuners, s'entretint avec des auteurs et prépara même de nouvelles tournées. Cependant les sujets de tristesse ne lui étaient pas épargnés. Pozzi, son cher *Docteur Dieu**, avait été assassiné l'année précédente par un dément. Suzanne Seylor, sa fidèle compagne depuis des années, l'avait quittée après une violente dispute ; elle devait mourir six mois plus tard d'abandon ou de chagrin. Edmond Rostand décédait, victime d'une pneumonie, trois semaines seulement après le retour de Sarah. Sa perte la plus grande fut certainement la disparition, en 1919, de Clairin, son frère d'élection. Sarah supporta tous ces coups et bien d'autres encore avec l'équanimité d'une personne accoutumée à la souffrance et à l'idée de la mort. Son énergie était étonnante, ainsi que l'observa Colette dans *Dernier portrait*, récit touchant de leur unique rencontre :

> [...] Je reçus d'elle une invitation qui ressemblait à un ordre : « Madame Sarah Bernhardt vous attend, tel jour, à déjeuner. »
>
> Je ne l'avais jamais vue d'aussi près. Au bout d'une longue galerie, elle était le terme et la raison d'être d'un musée, un peu funéraire, de palmes, de gerbes séchées, de plaques et d'hommages commémoratifs. Son corps amputé ne comptait plus, ensaché d'une étoffe sombre à grands plis. Mais le blanc visage, mais les petites mains brillaient encore comme des fleurs froissées. Je ne me lassais pas de contempler le bleu de ses yeux, qui changeait selon les mouvements, si vifs encore, de la tête impérieuse et petite.
>
> Juste avant le déjeuner, Sarah disparut, enlevée par une machinerie théâtrale, ou simplement par des bras fidèles, et nous la retrouvâmes à l'étage supérieur, attablée, dans sa cathèdre gothique. Elle mangea, ou parut manger. Elle s'anima chaque fois que la conversation aborda le théâtre. L'esprit critique était extraordinairement présent dans ses jugements, dans ses paroles. Elle fut gaiement sévère pour une artiste qui venait de s'essayer dans *L'Aiglon* : « Cette pauvre personne qui n'est ni assez homme pour nous faire oublier le travesti, ni assez femme pour le rendre séduisant... »
>
> Elle ne cessa de parler de théâtre que pour donner ses soins à une grosse cafetière de terre brune, qu'on lui apporta sur la table. Elle dosa le café moulu, le mouilla d'eau bouillante, emplit nos tasses, attendit nos louanges méritées :
>
> — Est-ce que je fais le café aussi bien que Catulle Mendès ?
>
> Elle se penchait vers moi du haut de sa cathèdre... Je consigne ici, avec respect, une des dernières attitudes de la tragédienne tantôt octogénaire : une main délicate et fanée offrant la tasse pleine, azur floral des yeux, si jeunes dans le lacis de rides ; — coquetterie interrogative et riante de la tête inclinée, et ce souci irréductible de plaire, de plaire encore, de plaire jusqu'aux portes de la mort [34].

L'essence même de Sarah était dans ces derniers mots et, pour la comédienne, « plaire » signifiait jouer. Fidèle à sa devise, elle joua jusqu'à l'extrême limite de ses forces. On pensait généralement qu'elle était obligée de travailler parce que ses dépenses extraordinaires la laissaient sans un sou, et c'était en partie vrai, car l'extravagance était son mode de vie. Elle n'en continuait pas moins, avec ou sans argent, à mener grand train ; elle entretenait une nombreuse domesticité et assurait à son fils prodigue, qui approchait de la soixantaine, le style de vie auquel elle l'avait habitué. On peut dire que Sarah fit peu de chose de l'automne de 1918 au printemps de 1920, si faire peu de chose signifie donner des lectures publiques de textes de Victor Hugo et de Fernand Gregh, prononcer des conférences ou interpréter d'épuisants monologues de Rostand à Lyon, Genève, Montpellier, Pau et Bordeaux. En avril 1920 l'actrice, qui approchait de ses soixante-seize ans, retrouva son propre théâtre pour jouer dans une nouvelle production d'*Athalie*. Le chef-d'œuvre classique, annoncé pour trois représentations, resta à l'affiche trois semaines. Ce succès est compréhensible lorsque l'on sait ce que Sarah apporta au rôle. Qui, en fait, eût pu résister à la tragédienne quand, dans le célèbre monologue du « Songe », elle parle d'elle-même comme d'une femme vieillissante se peignant le visage dans un effort pour « réparer des ans l'irréparable outrage » ? Les spectateurs se levèrent et l'acclamèrent quand elle dit ces vers car au lieu de les déclamer au comble de l'angoisse, comme il était de tradition de le faire, elle les murmura d'une voix brisée et amère. Le public, ainsi que l'écrivit René Doumic, accueillit cette approche nouvelle du rôle avec « une ardente sympathie ». Ces représentations, ajoutait-il, « enrichissent d'un émouvant fleuron l'une des plus prestigieuses couronnes de théâtre ; elles ajoutent un nouveau service à tous ceux que Mme Sarah Bernhardt a rendus à l'art français. Et elles attestent l'irrésistible pouvoir de ces grands rôles classiques, qui, après deux cents ans et plus, sur les lèvres d'une artiste au soir de sa carrière, font courir le même frémissement à travers cet intelligent et cordial public de chez nous, toujours prêt à acclamer leur immortelle jeunesse[35] ». Doumic assista à la dernière représentation. Il retrouva au théâtre la foule des écrivains, poètes, artistes et étudiants qui, ayant déjà vu *Athalie* une fois, avaient jugé impératif de revenir. Les spectateurs furent récompensés, nous dit-il, par une interprétation encore plus belle, de nouvelles notations psychologiques, des finesses et un phrasé nouveaux qui ne troublaient en rien le noble mouvement de la pièce. Dans les coulisses le critique demanda à Sarah pourquoi elle ne prolongeait pas les représentations. Ne croyait-il pas qu'elle méritait de prendre un peu de repos ? répondit-elle avec un sourire. Elle s'était promis de donner trois représentations et en avait donné dix-huit. Le succès de sa mise en scène la réjouissait d'autant plus qu'elle avait eu quelques appréhensions. À présent qu'elle savait le public prêt à l'accepter comme elle était, elle allait créer de nouvelles pièces. La première serait *Daniel* de Louis Verneuil, dans laquelle elle serait un morphinomane. Puis elle créerait *La Gloire* de Maurice Rostand. Dans l'intervalle, elle allait partir à Belle-Isle se reposer, rêver et faire de nouveaux projets.

Par quelque miracle Sarah trouva la force de donner les deux pièces, *Daniel* en 1920 et *La Gloire* l'année suivante. Selon Verneuil *La Gloire* était une fadaise et Sarah n'avait accepté d'y consacrer son temps que parce que Maurice « s'appelait Rostand et parce que, vingt-cinq ans plus tôt, elle l'avait connu tout enfant [36] ».

Maurice Rostand se montra tout aussi sévère à l'égard de Verneuil. *Daniel* était un texte insipide, « que rien n'éclairait » ; Sarah « l'avait joué [...] pour faire plaisir à Lysiane [qui venait d'épouser Verneuil]. Mais elle qui avait pu s'abuser sur Sardou et même sur pis, elle ne se trompait pas cette fois-ci et répétait en rageant : " Je sais bien que c'est une foutaise, une foutaise, une foutaise. " Et, répété par elle, le mot prenait un relief inimaginable et, de la langue des voyous, s'élevait à celle des dieux [37]. »

Ni *Daniel* ni *La Gloire* n'ajoutèrent quoi que ce fût à la réputation de leur auteur respectif, mais Sarah disposait avec la pièce de Verneuil d'un nouveau rôle pour sa tournée londonienne. Son dernier voyage en Angleterre fut mouvementé. Sa voiture tomba en panne entre Paris et Boulogne et Sarah dut passer une nuit sur la route. Puis la traversée de la Manche fut si mauvaise que, lorsqu'elle arriva à l'Hôtel Savoy, elle était au bord de l'évanouissement.

Néanmoins elle se rendit à une répétition où, nous dit Sir George Arthur, elle « étonna même ceux qu'elle avait cessé d'étonner par une interprétation remarquable de Daniel, le jeune homme éperdu d'amour qui cherche à oublier sa déception dans la drogue ». Il est vrai que pour George Arthur, qui devait lui consacrer un livre, Sarah ne pouvait mal faire.

> Il y avait le maquillage [écrivit-il], qui créait véritablement l'illusion d'un jeune homme, malade et invalide, mais parcouru d'éclairs de vitalité virile, et toutes les ressources de la technique qui empêchaient le public de penser que l'actrice était incapable de se déplacer ; il y avait la scène de l'agonie qui, en termes de beauté pure, a rarement été surpassée ; et tout cela était le fait d'un « vétéran des planches » qui était plus proche de quatre-vingts ans que de soixante-dix.

Pour d'autres personnes Sarah n'était plus que l'ombre de ce qu'elle avait été, un fantôme.

Avant de quitter Londres, Sarah donna une représentation de

commande pour la reine Mary. La souveraine lui rendit visite dans sa loge et, la voyant à bout de forces, elle lui conseilla de prendre du repos. « Majesté, je mourrai sur la scène, c'est mon champ de bataille », répondit Sarah dans le plus pur style de *L'Aiglon*. C'était bien là une réplique de théâtre dans la bouche d'une femme qui était morte un millier de fois en scène uniquement pour ressusciter au moment des rappels, d'une femme qui se serait exclamée, à propos d'une autre actrice manifestement plus jeune qu'elle : « On dirait moi dans dix ans ! »

À son retour à Paris Sarah ne ralentit pas le rythme de ses activités. À l'automne de 1922 elle donna une représentation à bénéfice dont la recette devait aller au laboratoire de Marie Curie, elle joua dans *Régine Armand*, une autre pièce de Verneuil, et se rendit à Turin où elle donna *Daniel* ; ce devait être sa dernière apparition en public.

En décembre Sacha Guitry, son très cher Sacha, lui fit un cadeau magnifique en lui demandant de jouer dans sa nouvelle pièce, *Un sujet de roman*, avec comme partenaires son père, Lucien, sa jeune femme, Yvonne Printemps, et bien sûr lui-même. Sarah était enchantée. Elle allait travailler avec de grands artistes qui l'aimaient tendrement et qui témoignaient d'une indulgence et d'une sympathie véritable pour le personnage qu'elle était et pour ce qu'elle faisait. Comment ne se fût-elle pas sentie à l'aise avec Sacha, l'une des rares personnes qui avaient le droit de la porter dans ses bras de la sortie des acteurs jusqu'à sa limousine sans que ni lui ni elle ne montrât le moindre signe d'embarras ? Ou encore avec Lucien qui exprima un jour sa passion pour le théâtre en des termes que Sarah aurait pu faire siens :

> J'ai toujours joué — toujours et partout, en tous lieux, à toute minute — toujours, toujours ! [...] Mon double, c'est moi-même.
>
> Au restaurant, quand je redemande du pain, je joue. Si je m'informe de la santé de Mme X... auprès de son mari, je joue. [...]
>
> Et pourquoi ? Parce que mon art — mot devenu infâme — mon métier, je l'aime, je l'adore et je le sers perpétuellement.
>
> Travail béni qui m'emplit d'une joie qui soûle et qui apaise, combien je te dois[38] !

Sarah fut une fois encore égale à elle-même lorsque, parlant d'*Un sujet de roman*, elle affirma à la presse que la pièce était admirable, « cruellement moderne », et que le sujet n'en avait jamais été traité. En un mot, elle était « shakespearienne ». Il est vrai que, sans être digne du grand dramaturge élisabéthain, *Un sujet de roman* est l'une des œuvres les plus réussies de Sacha Guitry et infiniment supérieure aux pâles élucubrations de Louis Verneuil ou de Maurice Rostand.

Un célèbre romancier (rôle tenu par Lucien Guitry) en vient à détester sa réussite et l'épouse ambitieuse (Sarah) qui l'a aidé dans son ascension. Dès la première réplique, le ton de la pièce est donné. « Mais voilà vingt ans que tu me détestes..., s'écrie le romancier, et que je te déteste !... On n'a jamais vu deux ennemis se haïr davantage ! Je t'ai aimée pour ta beauté... et tu m'as épousé par amour de la gloire. Tu es vieille à présent... et la gloire que tu voulais pour moi, je n'en ai pas voulu [39] !... »

René Benjamin, un écrivain ami de Sacha, assista à l'une des premières répétitions. Il n'y avait aucun problème de préséance entre les acteurs, raconta-t-il. Sacha s'en remettait à son père, et Lucien Guitry s'en remettait à Sarah, qui ne montrait aucun signe de vanité ou de mesquinerie. En fait elle faisait montre d'une grande humilité. Lorsqu'elle oubliait une réplique, elle s'excusait, disant : « Je suis mauvaise aujourd'hui : cela me rend si malheureuse. Non, n'essayez pas de vous excuser pour moi. »

Sacha décrivit la générale avec une intense émotion :

> [Sarah] avait à dire au dernier acte une longue tirade à laquelle [Lucien] devait répondre par une autre tirade. Elle la répéta ce jour-là, comme jamais encore elle ne l'avait fait, sans un défaut de mémoire, dans un mouvement terrible, saccadé, magnifique, déchirant. Il était assis en face d'elle, son chapeau descendu sur les yeux, et quand elle eut fini, au lieu de lui répondre, il lui tendit la main par-dessus la table et dit : « Un instant... » — car il pleurait [40].

À la fin de la répétition Sarah demanda à Sacha de lui permettre de se reposer un instant dans sa loge. Mais vers sept heures elle commença à être prise d'étouffements et on la transporta chez elle.

Elle ne devait plus jamais reparaître sur une scène. Deux semaines plus tard la pièce de Guitry était créée avec Henriette Roggers dans le rôle que devait tenir Sarah. Ce soir-là, à sa demande, un machiniste téléphona pour lui annoncer le lever de rideau. Alitée, dans un état d'extrême faiblesse, Sarah commença à répéter son texte. Ce fut l'une de ses dernières représentations car elle eut une nouvelle crise d'urémie qui manqua lui être fatale. Mais, aussi malade qu'elle eût été, elle continuait à échafauder des projets. Elle avait vendu en septembre la propriété de Belle-Isle et acheté une « maison de campagne » à Garches. Belle-Isle, avait-elle décrété, était trop froid, trop humide et bien trop éloigné, incroyablement trop éloigné. Garches, à quinze minutes du boulevard Pereire, était un lieu idéal où elle pourrait se rendre tous les dimanches. En outre il était follement amusant d'acheter une nouvelle maison.

Au printemps de 1923, Mr. Abrams, un agent venu d'Hollywood, proposa à Sarah le rôle-titre de *La Voyante*, un film de Sacha Guitry avec Lili Damita, Harry Baur et la jeune Mary Marquet, protégée de Sarah et dernière maîtresse d'Edmond Rostand. Quand Abrams lui rendit visite, Sarah était couchée. Inquiet, il lui demanda si elle était souffrante. Non, non, mentit-elle, ce n'était qu'une petite grippe, mais peut-être serait-il plus sage, ajouta-t-elle, de tourner boulevard Pereire. Mr. Abrams acquiesça et vers le 15 mars l'atelier de Sarah fut transformé en studio de cinéma avec caméras, échafaudages et projecteurs. Mary Marquet décrivit Sarah, assise à une table, son corps usé ramassé sur lui-même, ses yeux clignant sous les éclairages violents. Elle tenait dans ses bras une petite guenon, partie prenante dans l'intrigue. « Elle était impressionnante. Rien ne subsistait d'elle-même », écrivit Mary Marquet. « Soudain, Adams, le metteur en scène américain, se penche et lui crie :

— Madame Sarah, on tourne.

À ces mots, elle sembla sortir de sa torpeur, elle se redressa ; le visage transfiguré, le cou tendu, les yeux brusquement dilatés, elle exprima l'ardeur de vivre, ne serait-ce que quelques minutes, pour cet Art qui se mêlait au sang de ses veines. D'une voix au timbre retrouvé, elle demanda avec force :

— Qu'est-ce que je fais ?

Et nous restâmes stupéfaits : elle venait de perdre trente ans [41]. »

Sarah joua la scène, mais l'effort fut tel qu'elle s'effondra et dut être transportée dans sa chambre. Les médecins se succédèrent à son chevet au cours des deux mois suivants ; les fidèles — Maurice et sa famille, Louise Abbéma et le médecin personnel de Sarah, le Dr Marot, se relayèrent à son chevet. De temps en temps, elle se sentait mieux et insistait pour qu'on l'habillât et qu'on la portât jusqu'à la table du déjeuner. Un jour, Mrs. Patrick Campbell vint partager son repas.

Sarah, drapée dans un antique manteau de velours rose, cadeau que Sacha lui avait rapporté de Venise et auquel elle tenait beaucoup, fut le charme même. Elle ne toucha pas à la nourriture mais prit plaisir à échanger quelques potins avec sa « chère grande artiste et amie ». Finalement deux domestiques apparurent avec la chaise à porteurs. Alors qu'on la ramenait dans ses appartements elle envoya un baiser à sa Mélisande avant de disparaître en souriant. Ce fut leur dernière rencontre. Comme l'état de Sarah empirait, les journaux du monde entier publièrent des bulletins de santé quotidiens. On les lui cachait, bien évidemment, mais personne ne pouvait cacher la foule qui attendait sous ses fenêtres l'annonce de sa mort.

« Y a-t-il des journalistes en bas ? » demanda-t-elle à Maurice. « Quelques-uns », répondit-il. « Ils m'ont assez tourmentée durant toute ma vie, je peux bien les taquiner un peu en les faisant languir », dit-elle avec un sourire de malice.

Ce furent ses dernières paroles. Le 26 mars 1923 Sarah mourut dans les bras de son fils. Quelques instants plus tard, le Dr Marot apparaissait au balcon et annonçait que Mme Sarah Bernhardt n'était plus. Ce soir-là, dans les théâtres parisiens, les comédiens demandèrent à leur public d'observer une minute de silence puis, à la fin des représentations, ceux qui avaient fait partie de ses proches — et ils étaient nombreux — se rendirent boulevard Pereire offrir les fleurs qu'ils venaient de recevoir. Pendant trois jours un flot ininterrompu d'admirateurs défila devant la dépouille de Sarah. Aussi impressionnante dans la mort qu'elle l'avait été de son vivant, elle reposait dans son célèbre cercueil, vêtue de blanc, la tête sur un coussin de violettes de Parme, un crucifix d'argent entre les mains, et la Légion d'honneur épinglée sur la poitrine. Des monceaux de lilas, de roses, d'orchidées, d'œillets et de glaïeuls emplissaient sa chambre, l'escalier et le hall d'entrée. Plus touchants encore étaient les innombrables bouquets de violettes et de jonquilles, modestes témoignages d'amour des humbles qui l'avaient adorée de loin. Des milliers de gens de toutes conditions, amateurs de théâtre ou non, se massèrent le long des rues, sur une dizaine de rangs de profondeur, pour voir le cortège funèbre aller du boulevard Pereire à l'église Saint-François-de-Sales et, de là, au cimetière du Père-Lachaise. Peu d'hommes et aucune femme dans l'histoire de France n'avaient inspiré un tel élan d'affection, une telle manifestation d'amour. Sur le parcours, le convoi mortuaire s'arrêta devant le théâtre Sarah-Bernhardt. À cet instant solennel, des pétales multicolores tombèrent en pluie du toit du bâtiment et couvrirent le cercueil. Il n'y eut aucun discours sur la sépulture, mais une jeune actrice lança un cri qui semblait venir du cœur et qui résonna au plus profond de chacune des personnes présentes : « Les dieux ne meurent pas ! » La tombe fut marquée d'une pierre portant cette simple inscription :

SARAH BERNHARDT

Quelques années plus tard, un monument représentant l'actrice fut élevé place Malesherbes. Au cours de la Seconde Guerre mondiale, lorsque les Allemands occupèrent Paris, un nazi brisa le nez de la statue, geste odieux et dérisoire s'il en fut car, défigurée ou non, la Divine Sarah vit à jamais dans les mémoires de ceux pour qui la Beauté est servante de l'Art.

NOTES

Les notes sont, pour la plupart, du traducteur. Les notes d'auteur sont signalées par la mention *N.d.A.*

PROLOGUE

1. Cité dans E. Jones, *The Life and Work of Sigmund Freud*, New York, vol. I, pp. 177-178.

2. Edmond Rostand, préface à Jules Huret, *Sarah Bernhardt*, Paris, 1899, pp. 6-7.

I. UNE ENFANCE ENTRE LE DIABLE ET LE BON DIEU

1. Sarah Bernhardt, *Ma double vie*, Fasquelle, 1907, Paris, Éditions des Femmes, 1980, t. I, p. 1.

2. En 1835, Frances Trollope (mère de l'écrivain Anthony Trollope) écrivit dans *Paris and the Parisians* : « Dans une ville où tout ce qui est destiné à accrocher le regard est présenté sous la forme d'ornements gracieux, où les boutiques et les cafés ont des airs de palais de contes de fées — dans une ville telle que celle-ci, vous êtes offusqué et écœuré à chaque pas que vous faites, à chaque tour de roue de votre voiture, par des spectacles et des odeurs que l'on ne saurait décrire. » La délicate Mrs. Trollope ne put s'empêcher d'entendre un homme grommeler « Quelle chance ! » en évitant les « déjections » qui jaillissaient des fenêtres et des portes des maisons avoisinantes. (*N.d.A.*)

3. S. Bernhardt, *op. cit.*, t. I, p. 20.

4. *Id.*, *ibid.*, t. I, p. 21.

5. *Id.*, *ibid.*, t. I, p. 21.

6. Sur ce qui précède, voir S. Bernhardt, *op. cit.*, t. I, pp. 22-25.

7. *Id.*, *ibid.*, t. I, p. 25.

8. *Id.*, *ibid.*, t. I, pp. 27-28.

9. *Id.*, *ibid.*, t. I, p. 29.

10. *Id.*, *ibid.*, t. I, p. 30.

11. *Id.*, *ibid.*, t. I, p. 33.

12. Pour les sœurs de Notre-Dame de Sion, royalistes ferventes, le comte de Chambord, prétendant au trône sous le nom d'Henri V, était le monarque légitime et elles refusaient de reconnaître le fait que la France était gouvernée par le prince-

président Louis Napoléon Bonaparte qui, le 2 décembre 1852, se fit couronner empereur sous le nom de Napoléon III. (*N.d.A.*)

13. S. Bernhardt, *op. cit.*, t. I, p. 41.
14. *Id.*, *ibid.*, t. I, p. 49.
15. *Id.*, *ibid.*, t. I, p. 66.
16. *Id.*, *ibid.*, t. I, p. 56.
17. *Id.*, *ibid.*, t. I, p. 64.
18. *Id.*, *ibid.*, t. I, p. 66.
19. *Id.*, *ibid.*, t. I, p. 76.
20. Edmond et Jules de Goncourt, *Journal*, 28 déc. 1875, Paris, Éditions Robert Lafont, 1989, t. II, p. 674.
21. Lysiane Bernhardt, *Sarah Bernhardt, ma grand-mère*, 1945, p. 262.
22. Marie Colombier, *Les Mémoires de Sarah Barnum*, 1883, pp. 10-17.
23. S. Bernhardt, *op. cit.*, t. I, pp. 87-88.
24. *Id.*, *ibid.*, t. I, pp. 94-95.
25. *Id.*, *ibid.*, t. I, pp. 117-118.
26. Charlotte Brontë, *Villette*, Londres, Everyman's Library, rééd. 1966, pp. 233-234. Voir également la traduction d'Albine Loisy et de Brian Telford, Gallimard, 1949, rééd. 1979, pp. 326-327, que nous avons suivie pour l'essentiel.
27. Balzac, *Physiologie du mariage*, *La Comédie humaine*, Paris, Gallimard, Bibliothèque de la Pléiade, 1980, t. XI, p. 1023.
28. Cité dans N. Toussaint du Wast, *Rachel, Amours et tragédie*, Paris, 1980, p. 95.
29. Lettre du 7 janvier 1856 à M. de Trobriand, citée dans Sylvie Chevalley, *Rachel en Amérique*, Paris, 1957, p. 139.
30. N. Toussaint du Wast, *op. cit.*, pp. 294-295.

II. LE RIDEAU ROUGE

1. S. Bernhardt, *op. cit.*, t. I, p. 103.
2. *Id.*, *ibid.*, t. I, p. 108.
3. *Id.*, *ibid.*, t. I, pp. 110-113.
4. *Id.*, *ibid.*, t. I, p. 131.
5. Henry James, *La Muse tragique*, trad. de Marie-Odile Probst-Gledhill, Belfond, 1992, pp. 74-75.
6. S. Bernhardt, *op. cit.*, t. I, p. 123.
7. J. Porel, *Fils de Réjane. Souvenirs (1895-1920)*, Plon, 1951, p. 172.
8. *Id.*, *ibid.*, p. 171.
9. Marie Colombier, *Mémoires. Fin d'Empire*, Flammarion, 1898, pp. 19-22.
10. S. Bernhardt, *op. cit.*, t. I, p. 137.
11. *Id.*, *ibid.*, t. I, p. 139.
12. *Id.*, *ibid.*, t. I, p. 150.
13. *Id.*, *ibid.*, t. I, p. 152.
14. F. Sarcey, *L'Opinion nationale*, 1er septembre 1862.
15. F. Sarcey, *L'Opinion nationale*, 12 septembre 1862, cité dans S. Bernhardt, *op. cit.*, t. I, pp. 153-154.
16. Marie Colombier, *Les Mémoires de Sarah Barnum*, 1883, pp. 23-40.
17. G. Sand, *Lélia*, Paris, Classiques Garnier, 1960, pp. 174-175.
18. Voir Ernest Pronier, *Sarah Bernhardt. Une vie au théâtre*, Genève, s.d., pp. 37-39.
19. S. Bernhardt, *op. cit.*, t. I, p. 166.
20. Sur cet épisode, voir S. Bernhardt, *op. cit.*, t. I, pp. 167-174.
21. Dramaturge à succès, Verneuil portait une admiration quasi obsessionnelle à Sarah. Il épousa Lysiane, sa petite-fille, en 1921 et divorça en 1923, peu de temps après la mort de Sarah, ce qui conduit à se demander si Verneuil n'était pas

plus épris de Sarah que de Lysiane. La biographie qu'il consacra à Bernhardt fut publiée en 1942, celle de Lysiane parut en 1945. (*N.d.A.*)

22. L. Verneuil, *La Vie merveilleuse de Sarah Bernhardt*, New York, Brentano's, 1842, p. 60.

23. Sur tout ce qui précède, voir Lysiane Bernhardt, *op. cit.*, pp. 92-101.

24. Sur cet épisode, voir Marie Colombier, *Mémoires de Sarah Barnum*, pp. 45-47. On trouve une version intéressante du mot attribué à Augustine Brohan, dès le XVe siècle, chez le grand poète hongrois Janus Pannonius (1434-1472) :

[Sur Silvia, Ep. I. 147]

> Ah ! putain tu prétends que je t'ai engrossée,
> Crois-moi, cela paraît tout aussi incroyable
> Que si, tombée dans les épines, tu disais :
> « Pour sûr, c'est celle-ci qui m'a meurtri le pied ! »

(adaptation de Michel Manoll)
(in *Pages choisies de la littérature hongroise — Des origines au milieu du XVIIIe siècle*, Budapest, 1981).

25. J. Renard, *Journal*, Gallimard, Bibl. de la Pléiade, 1977, p. 312.

26. Cité dans Philippe Jullian, *Sarah Bernhardt*, Paris, Balland, 1977, p. 34.

27. S. Bernhardt, *op. cit.*, t. I, pp. 178-179.

28. Marie Colombier, *op. cit.*, p. 98.

29. Henry James, *La Muse tragique*, Paris, 1992, p. 365.

30. F. H. Duquesnel, « Les Débuts de Sarah Bernhardt », *Le Figaro*, 16 septembre 1894.

31. En tant que directeur associé, Duquesnel pouvait engager deux comédiens sans l'accord de Chilly, et il était assuré, en cas de démission ou de décès de ce dernier, d'obtenir le poste de directeur. (*N.d.A.*)

32. S. Bernhardt, *op. cit.*, t. I, p. 185.

33. Petite lampe de théâtre.

34. S. Bernhardt, *op. cit.*, t. I, pp. 189-191.

35. L'histoire de cette pièce est pleine de rebondissements car le roman lui-même était tiré d'une pièce de Sand, *Le Mariage de Victorine*, qui avait été donnée au théâtre du Gymnase en novembre 1851. (Voir A. Maurois, *Lélia ou la vie de George Sand*, Paris, Hachette, 1952, rééd. Rencontre, Lausanne, pp. 448-449 et p. 501.)

36. Sur la première de *Villemer*, voir A. Maurois, *Lélia ou la vie de George Sand* (Hachette, 1952, rééd. Rencontre, Lausanne), pp. 505 sq.

37. S. Bernhardt, *op. cit.*, t. I, p. 191.

38. G. Sand, *François le Champi*, Paris, Gallimard, 1967, p. 159 et p. 197.

39. Sur tout ce qui précède, voir S. Bernhardt, *op. cit.*, t. I, pp. 193-195, et L. Verneuil, *op. cit.*, pp. 72-73.

40. Dans ses Mémoires, *Souvenirs d'un Parisien*, Paris, 1910, Coppée raconte comment Ancessy, le chef d'orchestre, composa pour Sarah une sérénade, « Mignonne, voici l'avril », « qui — sans valoir le petit chef-d'œuvre inspiré un peu plus tard au maître Massenet — était fort agréable ; et comme, en ce temps, il y avait encore, dans tous les théâtres, un groupe d'instruments de bois et de cordes qui jouait pendant les entractes, le directeur Chilly, se souvenant des *tremolo* de l'Ambigu, avait eu la bonne idée de faire accompagner mes vers, çà et là, par un discret mélodrame, dont le vieil Ancessy avait choisi les airs, avec beaucoup de tact, dans la gracieuse partition de *Giselle*. » (*Souvenirs d'un Parisien, op. cit.*, pp. 94-95.) Bien des années plus tard, Sarah confia à Reynaldo Hahn qu'elle avait préféré la mélodie d'Ancessy à celle de Massenet émaillée de trilles qu'elle trouvait trop difficiles à chanter. (*N.d.A.*)

41. F. Sarcey, article dans *L'Opinion nationale* du 18 janvier 1869, repris dans *Quarante Ans de théâtre*, 1902, t. VII, pp. 113-115.

42. Cité dans E. Pronier, *Sarah Bernhardt, op. cit.*, p. 45.

III. LES AMOURS ET LA GUERRE

1. M. Proust, *À la recherche du temps perdu*, Gallimard, Bibl. de la Pléiade, 1977, t. III, p. 200.

2. Lettres de la collection personnelle de la princesse Mario de Ruspoli.

3. Lettre citée dans P. Jullian, *Sarah Bernhardt*, Paris, Balland, 1977, p. 39.

4. Lettre du 31 octobre 1869 citée dans P. Jullian, *op. cit.*, p. 38.

5. Cité dans P. Jullian, *op. cit.*, p. 38.

6. S. Bernhardt, *op. cit.*, t. I, pp. 214-215.

7. Il ne s'agissait pas, contrairement à ce que George Sand semble penser, de Jeanne Bernhardt mais de la maîtresse de Berton.

8. Ces citations sont extraites de l'agenda de 1870 (Bibl. nationale, Mss, N.a.fr. 24832) et de la correspondance de George Sand ; ces dernières sont signalées par un astérisque (voir *Correspondance*, éd. Georges Lubin, t. XXI).

9. T. Gautier dans *Journal officiel*, 28 février 1870, cité dans E. Pronier, *op. cit.*, p. 47.

10. Sur toute cette période, voir S. Bernhardt, *op. cit.*, t. I, ch. 15 à 18.

11. M. Colombier, *Les Mémoires...*, *op. cit.*, p. 157. Voir également, pour une anecdote comparable, le *Journal* des Goncourt, 11 novembre 1870, *op. cit.*, t. II, pp. 338-339.

12. S. Bernhardt, *op. cit.*, t. I, p. 260.

13. Voir *Journal* des Goncourt, *op. cit.*, t. II, p. 366.

14. *Les Nouvelles*, 4 décembre 1870, cité dans A. Castelot, A. Decaux et coll., *Histoire de la France et des Français au jour le jour*, 1980, t. VII, p. 440.

15. S. Bernhardt, *op. cit.*, t. I, p. 259.

16. *Id.*, *ibid.*, t. II, p. 10.

17. *Id.*, *ibid.*, t. II, p. 17.

18. M. Colombier, *op. cit.*, pp. 162-165.

19. Quelques années plus tard, Sarah reprendrait ce rôle à Nice, lors d'une représentation privée pour la reine Victoria. (*N.d.A.*)

20. M. Colombier, *Mémoires, Fin d'Empire*, 1898, pp. 229-230.

21. Ainsi que le remarque E. Pronier, *op. cit.*, p. 48, cette pièce rappelle beaucoup le chef-d'œuvre de Pirandello, *Henri IV*.

22. Voir la lettre de G. Flaubert à Philippe Leparfait, 1er décembre 1871, *Œuvres complètes*, Club de l'honnête homme, 1975, t. XV, p. 69.

23. Auguste Vitu, *Les Mille et une nuits de Paris*, feuilletons du *Figaro*, Ollendorf, 1884, t. I, p. 127.

24. Sur tout ce qui précède, voir S. Bernhardt, *op. cit.*, t. II, pp. 20-22.

25. *Id.*, *ibid.*, t. II, p. 23.

26. T. de Banville, *Camées parisiens*, Charpentier, 1875, pp. 32-33.

27. F. Sarcey, *La Comédie-Française*, Jouaust, 1878, p. 14.

28. F. Sarcey, *Quarante Ans de théâtre*, 1901, t. IV, p. 54.

29. Plusieurs pièces d'Hugo ont inspiré des opéras. Certains, comme le *Ruy Blas* de Marchetti, sont tombés dans l'oubli, mais d'autres sont plus souvent représentés aujourd'hui que les pièces qui leur ont servi de canevas. Deux opéras en particulier sont tirés de pièces auxquelles Sarah Bernhardt est associée : *Ernani* de Verdi (*Hernani*) et *La Gioconda* de Ponchielli (*Angelo, tyran de Padoue*). *Rigoletto* de Verdi (d'après *Le Roi s'amuse*) est sans aucun doute le plus fréquemment représenté de tous ces opéras. (*N.d.A.*)

30. Souvent considéré comme le père du journalisme moderne, Émile de Girardin fut l'un des premiers amants de Sarah. Ce fut lui qui, avec le comte de Kératry, facilita les démarches qui permirent de transformer l'Odéon en hôpital. Un bronze impressionnant que Sarah fit de lui fut exposé au Salon de 1878. (*N.d.A.*)

31. S. Bernhardt, *op. cit.*, t. II. p. 28.

32. V. Hugo, *Carnet 1872* dans *Œuvres complètes*, Club français du livre, t. XVI, p. 738 sq.

33. Victor Hugo, « La centième de *Ruy Blas* », in *Choses vues*, t. II, p. 207, cité dans A. Maurois, *Olympio...*, Paris, Hachette 1954, p. 485.

34. Cité dans P. Jullian, *Sarah Bernhardt*, 1977, p. 57.

35. S. Bernhardt, *op. cit.*, t. II, p. 38.

36. Cité dans G.-J. Geller, *Sarah Bernhardt*, 1931, p. 90.

37. F. Sarcey, *Le Temps*, 11 novembre 1872.

38. F. Sarcey, *Le Temps*, 23 décembre 1872.

39. J. Mounet-Sully, *Souvenirs d'un tragédien*, Paris, 1917, pp. 21-22.

40. *Id., ibid.*, pp. 29-30.

41. Cité dans P. Jullian, *Sarah Bernhardt*, Paris, 1977, p. 70.

42. J. Mounet-Sully, *op. cit.*, pp. 84-85.

43. L. Verneuil, *La Vie merveilleuse de Sarah Bernhardt*, Brentano's, 1942, p. 97.

44. Cité dans P. Jullian, *op. cit.*, p. 70.

45. S. Bernhardt à Mounet-Sully, 9 janvier 1873 (Coll. de Bry). Sarah Bernhardt avait une conception très personnelle de la ponctuation dont elle fait souvent un usage fort théâtral ; nous nous sommes efforcés, dans la mesure du possible, de rétablir dans la correspondance une ponctuation cohérente.

46. S. Bernhardt à Mounet-Sully, janvier 1873 (date au crayon Coll. de Bry).

47. Dans son roman *La Dame aux camélias*, dont il tira sa célèbre pièce, Dumas *fils* affirme que les courtisanes ont « inventé le mot caprice pour ces amours sans trafic qu'elles se donnent de temps en temps comme repos, comme excuse, ou comme consolation ». (*N.d.A.*) *La Dame aux camélias*, éd. Garnier-Flammarion, p. 135.

48. S. Bernhardt à Mounet-Sully, janvier 1873 (coll. de Bry).

49. S. Bernhardt à Mounet-Sully, note, mars ou avril 1873 (coll. de Bry).

50. S. Bernhardt à Mounet-Sully, février 1873 (?) (coll. de Bry).

51. M. Colombier, *Les Mémoires...*, *op. cit.*, pp. 169-170.

52. S. Bernhardt à Mounet-Sully, mars 1873 (coll. de Bry).

53. S. Bernhardt à Mounet-Sully, mars 1873 (coll. de Bry).

54. S. Bernhardt à Mounet-Sully, 28 mars 1873 (coll. de Bry).

55. S. Bernhardt à Mounet-Sully, 2 avril 1873 (coll. de Bry).

56. Mounet-Sully à S. Bernhardt, 2 avril 1873 (coll. de Bry).

57. Mounet-Sully à S. Bernhardt, 26 juillet 1873 (coll. de Bry).

58. S. Bernhardt à Mounet-Sully, 27 juillet 1873 (coll. de Bry).

59. Mounet-Sully à S. Bernhardt, 28 juillet 1873 (coll. de Bry).

60. S. Bernhardt, *op. cit*, t. II, p. 51.

61. S. Bernhardt à Mounet-Sully, 21 septembre 1873 (coll. de Bry).

62. Mounet-Sully à S. Bernhardt, 21 septembre 1873 (coll. de Bry).

63. S. Bernhardt à Mounet-Sully, note non datée (coll. de Bry).

64. S. Bernhardt, *op. cit.*, t. II, pp. 62-63.

65. C. Baudelaire, *Les Fleurs du Mal*, Gallimard, La Pléiade, 1961, p. 127.

66. S. Bernhardt, à Mounet-Sully, 26 novembre 1873 (coll. de Bry).

67. S. Bernhardt à Mounet-Sully, décembre 1873 (coll. de Bry).

68. M. Colombier, *Les Mémoires...*, *op. cit.*, pp. 185-186.

69. S. Bernhardt à Mounet-Sully, 10 décembre 1873 (coll. de Bry).

70. M. Colombier, *Les Mémoires...*, *op. cit.*, p. 190.

71. S. Bernhardt à Mounet-Sully, 17 janvier 1874 (coll. de Bry).

72. S. Bernhardt à Mounet-Sully, 2 février 1874 (coll. de Bry).

73. H. de Balzac, *Le Cousin Pons* dans *La Comédie humaine*, Gallimard, La Pléiade, t. VII, p. 494.

74. Cité dans G.-J. Geller, *Sarah Bernhardt*, Paris, 1931, p. 94.

75. Sur tout ce qui précède, voir S. Bernhardt, *op. cit.*, t. II, pp. 55-57.

76. Cité dans L. Verneuil, *La Vie merveilleuse de Sarah Bernhardt*, Brentano's, 1942, pp. 102-103.

77. B. Constant, *Adolphe*, Paris, Flammarion, 1989, p. 100.

78. S. Bernhardt, *op. cit.*, t. II, pp. 57-58.

79. S. Bernhardt à Mounet-Sully, 6 août 1874 (coll. de Bry).

80. F. Sarcey, *Quarante Ans de théâtre*, 1900, t. III, p. 304.

81. S. Bernhardt, *op. cit.*, t. II, pp. 59-60.

82. Mounet-Sully à S. Bernhardt, brouillon de lettre, 18 octobre 1874 (coll. de Bry).

83. Mounet-Sully à S. Bernhardt, 8 novembre 1874 (coll. de Bry).

84. S. Bernhardt à Mounet-Sully, 10 novembre 1874 (coll. de Bry).

85. Mounet-Sully à S. Bernhardt, 9 juillet 1875 (coll. de Bry).

86. S. Bernhardt, *op. cit.*, t. II, p. 74.

87. Cité dans Michael Holroyd, *Lytton Strachey, The Unknown Years 1880-1910*, 1967, t. 1.

IV. DOÑA SOL

1. E. et J. de Goncourt, *Journal*, 1er sept. 1877, Robert Laffont, coll. Bouquins, 1989, t. II, p. 749.

2. *Id., ibid.*, 25 janvier 1883, t. II, p. 986.

3. Citée dans P. Jullian, *Sarah Bernhardt*, Balland, 1977, p. 83.

4. Marie Colombier, *Les Mémoires de Sarah Barnum*, 1883, pp. 221-222.

5. Voir E. Pronier, *Sarah Bernhardt*, Genève, s.d., p. 300.

6. Lettre (coll. Simone André-Maurois) citée dans A. Maurois, *Olympio ou la vie de Victor Hugo*, Hachette, 1954, rééd. Rencontre, p. 485.

7. S. Bernhardt à Mounet-Sully, 2 février 1874 (coll. M. de Bry).

8. Voir Henry James, *Esquisses parisiennes*, trad. Jean Pavans, Paris, La Différence, 1988.

9. *Id., ibid.*, pp. 177-178.

10. *Id., ibid.*, p. 183.

11. La feuille à scandale était *Le Triboulet*. Sur cet incident, voir E. Pronier, *op. cit.*, pp. 163-164.

12. Croizette à A. Dumas *fils*, bibliothèque de l'Arsenal, Rt 6691.

13. A. Daudet, *Pages inédites de critique dramatique*, Paris, 1923, p. 61.

14. H. James, *op. cit.*, pp. 112-113.

15. *Id., ibid.*, pp. 109-110.

16. F. Sarcey, *Le Temps*, 30 sept. 1876, cité dans E. Pronier, *op. cit.*, p. 61.

17. S. Bernhardt, *op. cit.*, t. II, pp. 95-96.

18. A. Daudet, *op. cit.*, p. 81.

19. *Id., ibid.*, pp. 82-83.

20. V. Hugo, « Plein ciel », *La Légende des siècles*, Œuvres complètes, Club français du livre, 1967-1970, XIV, II, p. 648.

21. S. Bernhardt, *op. cit.*, t. II, p. 99 et, pour cette escapade aérienne, pp. 97-104.

22. *Id., ibid.*, t. II, p. 98.

23. Cité dans L. Verneuil, *op. cit.*, pp. 118-119.

24. Cité dans L. Verneuil, *op. cit.*, p. 120.

25. S. Bernhardt, *Dans les nuages. Impressions d'une chaise. Récit recueilli par Sarah Bernhardt*, Paris, Éd. G. Charpentier, s.d. [1879], pp. 19-20.

26. G. Flaubert à Mme Brainne, 10-11 décembre 1878, *Correspondance*, vol. 5, p. 107, *Œuvres complètes*, Club de l'honnête homme, 1975. Voir également pp. 113-114.

27. Voir lettre de G. Flaubert à Guy de Maupassant, 13 janvier 1880, *Correspondance*, vol. 5, p. 294, *op. cit.*

28. G. Flaubert à Guy de Maupassant, 25 mars 1880, *Correspondance*, vol. 5, p. 357, *op. cit.*

29. S. Bernhardt, *op. cit.*, t. II, pp. 108-109.

30. *Id.*, *ibid.*, t. II, p. 111.

31. *Id.*, *ibid.*, t. II, p. 113.

32. *Id.*, *ibid.*, t. II, pp. 115-116.

33. *Id.*, *ibid.*, t. II, p. 117.

34. *Id.*, *ibid.*, t. II, pp. 126-127.

35. *Id.*, *ibid.*, t. II, p. 132.

36. Voir *Phèdre, To Sarah Bernhardt*, dans O. Wilde, *The Complete Works*, Collins, rééd. 1985, p. 777.

37. Voir S. Bernhardt, *op. cit.*, t. II, pp. 120-123.

38. *Id.*, *ibid.*, t. II, pp. 140-141.

39. *Id.*, *ibid.*, t. II, p. 152.

40. *Id.*, *ibid.*, t. II, p. 153.

41. *Id.*, *ibid.*, t. II, p. 159.

42. S. Bernhardt à E. Perrin, 18 avril 1880 (Coll. de Bry).

43. Cité dans G.-J. Geller, *Sarah Bernhardt*, Paris, 1931, p. 141.

44. S. Bernhardt, *op. cit.*, t. II, pp. 169-170 ; voir également F. Sarcey, *Quarante Ans de théâtre*, 1901, t. VI, p. 224.

45. S. Bernhardt, *op. cit.*, t. II, p. 174.

46. *Id.*, *ibid.*, t. II, p. 176.

47. *Id.*, *ibid.*, t. II, p. 177.

48. *Id.*, *ibid.*, t. II, p. 184.

49. *Id.*, *ibid.*, t. II, p. 186.

V. LA CONQUÊTE DE L'AMÉRIQUE

1. S. Bernhardt, *Ma double vie*, t. II, p. 190.

2. *Id.*, *ibid.*, t. II, p. 190.

3. Voir S. Bernhardt, *op. cit.*, t. II, p. 207.

4. *Id.*, *ibid.*, t. II. p. 203.

5. *Id.*, *ibid.*, t. II, p. 209.

6. *Id.*, *ibid.*, t. II, p. 215.

7. M. Colombier, *Le Voyage de Sarah Bernhardt en Amérique*, Paris, Éd. M. Dreyfous, n.d., pp. 54-58 ; ouvrage réédité en 1887 sous le titre *Les Voyages de Sarah Bernhardt en Amérique*.

8. A. Dumas *fils*, *La Dame aux camélias*, acte I, scène 4.

9. S. Bernhardt, *op. cit.*, t. II, p. 223.

10. Nom donné aux membres de la bonne société bostonienne ; terme désignant également un groupe de poètes et de philosophes de Boston (H. Adams, Hawthorne, Oliver W. Holmes, etc.).

11. Henry Wadsworth Longfellow, 1807-1882, poète américain, auteur, entre autres œuvres, d'*Evangeline* (1847) et de *The Song of Hiawatha* (1855).

12. William Dean Howells, 1837-1920, journaliste et écrivain très influent, surnommé « le doyen des lettres américaines » ; Oliver Wendell Holmes, 1809-1894, médecin, professeur à Harvard et écrivain, créa avec James Russell Lowell la célèbre *Atlantic Review* ; auteur de poèmes et d'essais humoristiques, il consacra une biographie à son ami Ralph Waldo Emerson.

13. S. Bernhardt, *op. cit.*, t. II, p. 233.

14. M. Colombier, *Le Voyage...*, *op. cit.*, p. 166.

15. *Id.*, *ibid.*, p. 189.

16. *Id.*, *ibid.*, p. 193 sq.

17. A. Houssaye, dans M. Colombier, *op. cit.*, pp. 1-2.

18. S. Bernhardt, *op. cit.*, t. II, p. 254.

19. *Id., ibid.*, t. II, p. 252.
20. M. Colombier, *Le Voyage...*, *op. cit.*, pp. 180-183.
21. *Id., ibid.*, pp. 229-232.
22. Cité dans L. Verneuil, *La Vie merveilleuse de Sarah Bernhardt*, 1942, p. 148.
23. S. Bernhardt, *op. cit.*, t. II, p. 300.
24. M. Colombier, *Le Voyage...*, *op. cit.*, pp. 315-316.
25. *Id., ibid.*, p. 295.
26. E. Terry, *Memoirs*, New York, 1933.
27. R. Hahn, *La Grande Sarah*, Paris, 1930, pp. 63-64.

VI. UN ÉPOUX, DES AMANTS

1. L. Verneuil, *La Vie merveilleuse de Sarah Bernhardt*, New York, 1942, p. 164.
2. *Id., ibid.*, p. 165.
3. M. Colombier, *Les Mémoires de Sarah Barnum*, Paris, 1883, p. 262.
4. Lysiane Bernhardt, *Sarah Bernhardt, ma grand-mère*, 1945, p. 257.
5. E. Stoullig, *Le Rappel*, cité dans L. Verneuil, *op. cit.*, pp. 169-170.
6. V. Sardou, « *Fédora* », *L'Illustration théâtrale*, 15 août 1908, pp. 13-14.
7. A. Vitu, *Mille et une nuits du théâtre*, Paris, 1884-1894, t. IX, pp. 530-531.
8. E. et J. de Goncourt, *Journal*, Coll. Bouquins, 1989, t. III, p. 944.
9. S. Bernhardt à Jean Richepin, cachet de la poste 3 septembre 1883, Coll. Koch, New York, Morgan Library.
10. O. Mirbeau, *Les Grimaces* n° 22, 15 décembre 1883.
11. Au début des années 1880 Sarah étudia la peinture avec l'artiste belge Alfred Stevens, père de Jean, qui devint très naturellement son amant. Il devait faire un superbe portrait d'elle. *(N.d.A.)*
12. A. Wolff dans *Le Figaro*, cité dans *Affaire Marie Colombier-Sarah Bernhardt. Pièces à conviction*, Paris, 1884, p. 54.
13. E. Pronier, *Sarah Bernhardt*, Genève, n.d., p. 85.
14. S. Bernhardt à J. Richepin, Coll. Koch, New York, Morgan Library.
15. S. Bernhardt à R. Ponchon, Arch. Thierry Bodin.
16. J. Lemaître, *Les Contemporains*, Paris, 1889, p. 204.
17. Cité dans Lesley Blanch, *Pierre Loti*, trad. de l'anglais par J. Lambert, Paris, 1986, p. 91.
18. P. Loti à Jousselin, Coll. Pierre Loti-Viaud.
19. P. Loti à M. Aucante, Éditions Calmann Lévy, octobre 1878, Coll. Pierre Loti-Viaud.
20. P. Loti, Journal inédit, 6 juillet 1878, Coll. P. Loti-Viaud.
21. P. Loti, Journal inédit, 28 mai 1878, Coll. P. Loti-Viaud.
22. P. Loti, Journal inédit, 29 mai 1879, Coll. P. Loti-Viaud.
23. P. Loti à S. Bernhardt, 9 juillet 1879, Coll. P. Loti-Viaud.
24. P. Loti, Journal inédit, Coll. P. Loti-Viaud.
25. Les snobs parisiens, qui, à la fin des années 1870, se demandaient ce que cette miniature de marin faisait dans les salons de Sarah, étaient fiers à présent de connaître l'auteur du *Mariage de Loti*, idylle exotique, et de *Mon frère Yves*, récit romancé de ses voyages autour du monde, publié en 1883. Cette année-là, Loti prit part à l'opération du Tonkin, en tant qu'officier de la marine française, et envoya des articles controversés au *Figaro* qui mettaient en lumière certaines atrocités et certains scandales ayant suivi la chute de Hué. *(N.d.A.)*
26. P. Loti, Journal inédit, 1884, Coll. P. Loti-Viaud.
27. P. Loti, Journal inédit, 24 novembre 1890, Coll. P. Loti-Viaud.
28. Cité dans P. Jullian, *Sarah Bernhardt*, Paris, 1977, p. 93.
29. S. Bernhardt à R. Ponchon, Arch. Thierry Bodin.

30. S. Bernhardt à Maurice Bernhardt, 11-12 août 1886. (*Nota* — Nous avons résumé ces lettres faute d'avoir pu consulter les originaux.)

31. S. Bernhardt à R. Ponchon, Arch. Thierry Bodin.

32. Cité dans L. Verneuil, *La Vie merveilleuse de Sarah Bernhardt, op. cit.*, p. 194.

33. Cité dans L. Verneuil, *op. cit.*, pp. 195-196.

34. P. Louÿs, *Journal inédit*, Paris, 1926, pp. 133-134.

35. Sur ce qui précède, voir P. Jullian, *Sarah Bernhardt, op. cit.*, pp. 159-160.

36. S. Bernhardt, *Ma double vie, op. cit.*, t. I, p. 19.

37. E. Stoullig dans *Le Rappel*, cité dans L. Verneuil, *op. cit.*, p. 202.

VII. LA GRANDE SARAH

1. Cité dans L. Verneuil, *op. cit.*, p. 203.

2. Cité dans L. Verneuil, *op. cit.*, p. 203.

3. A. France, *La Vie littéraire*, t. III, pp. 245 et 250, cité dans E. Pronier, *op. cit.*, p. 211.

4. Dans l'original : « How I envy zat leetle thing's *appétit* ! »

5. Dans l'original : « I tell him zat ze art ees above consideration of ze avoirdupois. It ees ze art to flop — and I flop. »

6. O. Wilde, *Lettres*, Gallimard, 1966, t. I, p. 384.

7. La censure des œuvres dramatiques ne fut abolie en Grande-Bretagne qu'en 1968.

8. O. Wilde au *Times*, 2 mars 1893, p. 4.

9. R. Gaillard, *La Vie d'un « Joueur »*, Paris, 1953, pp. 106-107.

10. S. Guitry, *Si j'ai bonne mémoire*, Paris, 1934, p. 86 et pp. 88-89.

11. *Id., ibid.*, pp. 89-90.

12. Cité dans L. Delluc, *Chez de Max*, Paris, 1918, p. 143.

13. M. Proust, *À l'ombre des jeunes filles en fleur, À la recherche du temps perdu*, La Pléiade, 1973, t. I, p. 441.

14. M. Proust, *Le Côté de Guermantes, op. cit.*, t. II, pp. 47-49.

15. *Id., ibid.*, p. 52.

16. Voir M. Proust, « Une fête littéraire à Versailles », dans *Contre Sainte-Beuve, Pastiches, etc.*, La Pléiade, 1971, pp. 360-365.

17. Cité dans P. Jullian, *op. cit.*, p. 204.

18. Hermann Sudermann, *Magda*, trad. de Maurice Rémon, dans *Comœdia*, 14 octobre 1912.

19. Cité dans L. Verneuil, *op. cit.*, p. 214.

20. Jacques du Tillet, *Revue bleue*, 19 décembre 1896, p. 795.

21. A. France, *La Revue de Paris*, 15 décembre 1896, pp. 905-906.

22. S. Bernhardt à J. Huret, 8 décembre 1896, lettre citée dans J. Huret, *Sarah Bernhardt*, Paris, 1899.

23. J. Huret, *op. cit.*, pp. 92-94.

24. *Id., ibid.*, p. 94.

25. *Id., ibid.*, p. 95.

26. E. Rostand, dans *Livre d'Or, Journée Sarah Bernhardt*, 9 décembre 1896.

27. J. Huret, *op. cit.*, p. 99.

28. De toutes les mélodies de R. Hahn, celle-ci est encore aujourd'hui la plus fréquemment interprétée. (*N.d.A.*)

29. R. Hahn, *La Grande Sarah*, Paris, 1930, pp. 58-61.

30. *Id., ibid.*, pp. 148-150.

31. *Id., ibid.*, p. 6.

32. L. Bernhardt, *Sarah Bernhardt, ma grand-mère*, Paris, 1945, p. 131.

33. R. Hahn, *op. cit.*, pp. 137-138.

34. *Id., ibid.*, pp. 141-142.

35. *Id., ibid.*, pp. 143-144.

36. Cité dans Marc Andry, *Edmond Rostand, le panache et la gloire*, Paris, 1986, pp. 64-65.

37. Liane de Pougy, *Mes cahiers bleus*, Paris, 1977, p. 27.

38. *Id., ibid.*, p. 126.

39. *Id., ibid.*, p. 126.

40. R. P. Rzewuski, Préface à Liane de Pougy, *op. cit.*, pp. 12-13.

41. R. de Montesquiou, *Les Pas effacés*, Paris, 1923, t. II, p. 180.

42. *Id., ibid.*, t. III, p. 287.

43. *Annales du théâtre et de la musique*, 1897, p. 289.

44. É. Zola, *Lettre à M. Félix Faure, président de la République*, dans *Œuvres complètes*, Paris, Cercle du livre précieux, 1970, t. XIV, p. 929.

45. S. Bernhardt à É. Zola, Bibliothèque nationale, Ms. fr. 24511 (f° 168-169).

46. L. Verneuil, *op. cit.*, p. 232.

47. Voir, pour ce qui précède, M. Baring, *Sarah Bernhardt*, trad. de Marthe Duproix, Paris, 1933, pp. 166-174.

48. S. Bernhardt au *Daily Telegraph* (référence non retrouvée).

49. L'histoire de l'ingénieux quoique surprenant costume nous a été contée par Mme Annette Vaillant dont la mère, Marthe Mellot, fut une émouvante Ophélie au côté de Sarah. Sarah est certainement la seule grande actrice à avoir joué Ophélie et Hamlet. (*N.d.A.*)

VIII. « LES DIEUX NE MEURENT PAS »

1. Lorsque nous demandâmes au regretté Emmanuel de Margerie (petit-neveu de Rostand), ambassadeur de France à Washington, s'il pensait que leur liaison avait été sérieuse, il répondit : « Je dirais plutôt que c'était une étape sur la route de l'amitié. » (*N.d.A.*)

2. Cité dans M. Andry, *Edmond Rostand, le panache et la gloire*, Paris, 1986, p. 94.

3. S. Guitry, *Si j'ai bonne mémoire*, Paris, 1934, pp. 140-141.

4. Rosemonde Gérard, *Mes Souvenirs : « L'Aiglon »*, *Conferencia, Journal de l'Université des Annales*, 20 octobre 1928, p. 418.

5. M. Moreno, *Souvenirs de ma vie*, Paris, 1948, pp. 138-139.

6. Max Beerbohm cité dans P. Jullian, *Sarah Bernhardt, op. cit.*, p. 238.

7. Lugné-Poë, *La Parade, Sous les étoiles — Souvenirs de théâtre, 1902-1912*, Paris, 1933, pp. 16-18.

8. R. Hahn, *La Grande Sarah, op. cit.*, pp. 151-152.

9. I. Perrot à Gatineau, 12 octobre 1905, Arch. T. Bodin.

10. Voir L. Verneuil, *La Vie merveilleuse de Sarah Bernhardt, op. cit.*, pp. 254-256.

11. S. Bernhardt, *Ma double vie, op. cit.*, t. II, p. 265.

12. *Id., ibid.*, t. II, pp. 155-156.

13. E. Duse à S. Bernhardt, Paris, 20 février 1905, lettre écrite en français et citée dans E.-A. Rheinhardt, *Vie d'Eleonora Duse*, tr. Odile de Bancalis, Paris, 1930, pp. 211-212.

14. L. Daudet, *Souvenirs des milieux littéraires, politiques, artistiques et médicaux*, Paris, 1920, pp. 421-422.

15. A. Brisson, *Le Temps*, 17 novembre 1906.

16. G.-J. Geller, *Sarah Bernhardt*, Paris, 1931, p. 127.

17. J. Cocteau, *Portraits-souvenir*, Paris, 1935, rééd. 1984, p. 136.

18. J. Cocteau, *Mes monstres sacrés*, textes et documents réunis par E. Dermit et B. Meyer, 1979, pp. 93-94.

19. J. Cocteau, *Portraits-souvenir, op. cit.*, pp. 143-145.

20. Louis Verneuil, de son vrai nom Collin du Bocage, écrivit de nombreuses pièces pour Sarah Bernhardt ou inspirées par elle.

21. L. Verneuil, *La Vie merveilleuse de Sarah Bernhardt*, *op. cit.*, p. 35.

22. Sur tout ce qui précède, voir L. Verneuil, *op. cit.*, pp. 263-264.

23. S. Bernhardt à Maurice Bernhardt, 1er janvier 1911, Arch. Thierry Bodin.

24. E. Stoullig, *Les Annales du théâtre et de la musique*, cité dans L. Verneuil, *op. cit.*, p. 267.

25. J. Cocteau, *Mes monstres sacrés*, *op. cit.*, p. 94.

26. Dans la plupart des films du début du cinéma, le mouvement apparaît bien plus rapide qu'il ne l'est en réalité. La Cinémathèque s'est intéressée à ce problème en réduisant la vitesse de certains films conservés dans ses archives, de sorte que ce que l'on voit n'est plus ridicule. L'interprétation de Sarah dans *Jeanne Doré*, le film de Mercanton, est une véritable révélation. (*N.d.A.*)

27. May Agate écrivit effectivement, en 1945, son « petit livre », *Madame Sarah*, dans lequel elle décrit, avec talent et force détails, la technique dramatique de la grande comédienne. (*N.d.A.*)

28. S. Bernhardt au Dr Pozzi, 4 février 1915, Coll. Claude et Ida Bourdet.

29. S. Bernhardt au Dr Pozzi, 15 février 1915, Coll. Claude et Ida Bourdet.

30. Mlle Coignt, cité dans Guy de Pierrefeux, *Madame Quand Même*, Mont-de-Marsan, 1929, pp. 85-88.

31. S. Bernhardt au Dr Pozzi, 20 avril 1915, Coll. Claude et Ida Bourdet.

32. B. Dussane, *Reines de théâtre*, Lyon, 1944, pp. 209-215.

33. Il s'agissait en fait de *Du théâtre au champ d'honneur*, œuvre écrite par Sarah elle-même.

34. Colette, *Dernier portrait*, *Plaquette du gala pour le centenaire de Sarah Bernhardt*, 1944.

35. R. Doumic, *Revue des Deux Mondes*, 15 avril 1920, p. 2 de couverture.

36. L. Verneuil, *op. cit.*, p. 293.

37. M. Rostand, *Sarah Bernhardt*, Paris, 1950, p. 85.

38. S. Guitry, *Lucien Guitry, sa carrière et sa vie*, Paris, 1930, pp. 404-405.

39. S. Guitry, *Un sujet de roman*, *Théâtre complet*, Club de l'honnête homme, 1973, t. V, p. 83.

40. S. Guitry, *Lucien Guitry*, *op. cit.*, p. 114.

41. M. Marquet, *Ce que j'ose dire...*, Paris, 1974, p. 37.

REMERCIEMENTS

Nous remercions les éditeurs suivants qui nous ont autorisés à extraire des citations des œuvres figurant ci-dessous :

Éditions Gallimard : Aurélien Lugné-Poë, *La Parade III Sous les étoiles*, 1933.

Greenwood Publishing Group, Inc. : Laurence Senelick, « Chekhov's Response to Bernhardt » dans *Bernhardt and the Theatre of Her Time*, éd. par Eric Salmon, 1984.

Harper Collins Publishers et Hamish Hamilton, Ltd. : Graham Robertson, *Life Was Worth Living*, 1931. Publié en Angleterre sous le titre *Time Was* (Hamish Hamilton Ltd.).

Foulke de Jouvenel : Colette, « Dernier portrait ». Plaquette du gala pour le centenaire de Sarah Bernhardt (1944).

Peters Fraser & Dunlop Group, Ltd. : James Agate, *Ego : The Autobiography of James Agate*.

Laurence Pollinger, Ltd. : *Letters of D. H. Laurence, volume I, 1901-1913*, éd. par James T. Boulton (Cambridge University Press, 1979).

Eva Reichmann : Max Beerbohm, *Around Theatres*.

Vanguard Press : Lou Tellegen, *Women Have Been Kind*, 1930.

BIBLIOGRAPHIE

Nous remercions les nombreux éditeurs qui nous ont aimablement autorisés à citer des extraits des ouvrages dont les titres figurent ci-dessous. Sauf mention contraire, tous les ouvrages en français ont été publiés à Paris et tous les ouvrages en anglais à New York. Certains textes anciens ne comportent pas de date d'édition.

RÉCITS ROMANCÉS D'ÉPISODES DE LA VIE DE SARAH BERNHARDT

Bernhardt, Sarah. *Petite Idole* (Éditions Nilsson, 1920)
— *Jolie Sosie* (Éditions Nilsson, 1922)
Champsaur, Félicien. *Dinah Samuel* (Pierre Douville, n.d.)
Goncourt, Edmond de. *La Faustin* (Ernest Flammarion, 1881)
Lorrain, Jean. *Le Tréteau* (Jean Bosc éditeur, 1906)

ŒUVRES DE SARAH BERNHARDT

Bernhardt, Sarah. *Dans les nuages. Impressions d'une chaise* (Éd. G. Charpentier, 1879)
— *L'Aveu (drame en un acte)* (Ollendorf, 1888)
— *Un cœur d'homme (pièce en quatre actes) & L'Aveu* (Fasquelle, 1911)
— *Ma double vie. Mémoires* (Fasquelle, 1907 ; Éditions des Femmes, 1980)
— *L'Art du théâtre* (Éditions Nilsson, 1923)

BIOGRAPHIES DE SARAH BERNHARDT

Agate, May. *Madame Sarah* (New York/Londres : Benjamin Blom, 1945, rééd. 1969)
Arthur, Sir George. *Sarah Bernhardt* (Londres : William Heinemann Ltd., 1923)
Baring, Maurice. *Sarah Bernhardt*, trad. Marthe Duproix (Stock, 1933)
Bernhardt, Lysiane. *Sarah Bernhardt, ma grand-mère* (Londres/New York : Husrt & Blackett, Ltd., 1945)
Binet-Valmer. *Sarah Bernhardt* (Flammarion, 1936)
Castelot, André. *Ensorcelante Sarah Bernhardt* (Librairie Académique Perrin, 1961)
Colombier, Marie. *Les Voyages de Sarah Bernhardt en Amérique*, préface d'Arsène Houssaye (Marpon & Flammarion, 1881)
— *Les Mémoires de Sarah Barnum*, préface de Paul Bonnetain (1883)

— *Mémoires*, tome I : *Fin d'Empire*; tome II : *Fin de siècle*; tome III : *Fin de tout* (Flammarion, s.d.)

Dupont-Nivet, Jean. *Sarah Bernhardt, trente ans de passion pour Belle-Isle-en-Mer* (Jean Dupont-Nivet, 1973)

Emboden, William. *Sarah Bernhardt* (Londres : Macmillan, 1974)

Geller, G.-J. *Sarah Bernhardt* (Gallimard, 1931)

Hahn, Reynaldo. *La Grande Sarah* (Hachette, 1930)

Huret, Jules. *Sarah Bernhardt*, préface d'Edmond Rostand (F. Juven, 1899)

Jullian, Philippe. *Sarah Bernhardt* (Éditions Balland, 1977)

Pierrefeux, Guy de. *Madame Quand Même, Sarah Bernhardt* (Mont-de-Marsan, 1929)

Richepin, Jean. *La Vie de Marie Pigeonnier* (s.d.)

Rostand, Maurice. *Sarah Bernhardt* (Calmann-Lévy, 1950)

Rueff, Suze. *I Knew Sarah Bernhardt* (Londres : Frederick Muller, Ltd., 1951)

AUTRES OUVRAGES

Agate, James. *Ego : The Autobiography of James Agate* (9 volumes) (Londres · Hamish Hamilton, 1935 ; George Harrap & Co., 1949 ; et divers éditeurs)

— *An Anthology* (Londres : Rupert Hart-Davis, 1961)

Andry, Marc. *Edmond Rostand, le panache et la gloire* (Plon, 1986)

Anonyme. *An Englishman in Paris*. Tome II : *The Empire* (D. Appleton & Company, 1892)

Auerbach, Nina. *Ellen Terry* (W. W. Norton, 1987)

Beerbohm, Max. *Around Theatres* (Alfred A. Knopf, 1930)

— *More Theatre* (Taplinger Publishing Co., 1969)

Blanch, Lesley. *Pierre Loti* (Grand Livre du mois, 1986)

Campbell, Mrs. Patrick. *My Life and Some Letters* (Dodd, Mead & Company, 1922)

Chevalley, Sylvie. *Rachel en Amérique* (Société d'histoire du théâtre, 1957)

Cocteau, Jean. *Portraits-souvenir* (Bernard Grasset, 1935)

— *Mes monstres sacrés*, textes et documents réunis par E. Dermit et B. Meyer (Encre, 1979)

Colette. *Dernier portrait* (1944). Contribution au programme d'un gala offert pour le centième anniversaire de la naissance de Sarah Bernhardt.

Coppée, François. *Souvenirs d'un Parisien* (Lemerre, 1910)

Daudet, Alphonse. *Pages inédites de critique dramatique 1874-1880* (Ernest Flammarion, 1922)

Daudet, Léon. *Paris vécu* (Gallimard, 1969)

— *Souvenirs des milieux littéraires, politiques, artistiques et médicaux* (Nouvelle Librairie nationale, 1920)

Delluc, Louis. *Chez de Max* (L'Édition, 1918)

Dussane, Béatrix. *Reines de théâtre* (Lardanchet, 1944)

— *Dieux des planches* (Lardanchet, 1964)

Ellmann, Richard. *Oscar Wilde* (Alfred A. Knopf, 1988)

Faure, Paul. *Vingt ans d'intimité avec Edmond Rostand* (Plon, 1928)

Gaillard, Roger. *La Vie d'un joueur* (Calmann-Lévy, 1953)

Genty, Christian. *Histoire du théâtre de l'Odéon* (Fischbacher, 1981)

Goncourt, Edmond et Jules de. *Journal* (Fasquelle et Flammarion, 1956 ; Bouquins, 1989)

Gosling, Nigel. *Nadar* (Alfred A. Knopf, 1976)

Got, Edmond. *Journal* (Plon, 1910)

Gribble, Francis. *Rachel* (Londres, Chapman and Hall, Ltd., 1911)

Guilbert, Yvette. *La Chanson de ma vie* (Grasset, 1927)

Guitry, Sacha. *Lucien Guitry, sa carrière et sa vie* (1930)

— *Lucien Guitry, raconté par son fils* (Raoul Solar, 1953)

— *Si j'ai bonne mémoire* (Librairie académique Perrin, 1935)

Harding, James. *Sacha Guitry* (Londres : Methuen, 1968)

Hegermann-Lindencrone, Lillie de [Lillie Moulton]. *In the Courts of Memory* (Harper & Brothers, 1912)

— *The Sunny Side of Diplomatic Life* (Harper & Brothers, 1914)

Hollingshead, John. *Gaiety Chronicles* (Londres : Westminster Archibald Constable & Company, 1898)

Holroyd, Michael. *Lytton Strachey : The Unknown Years*, tome I (Holt, Rinehart and Winston, 1967)

Huret, Jules. *Loges et coulisses* (Éditions de la Revue Blanche, 1901)

James, Henry. *The Scenic Art* (Brunswick, New Jersey : Rutgers University Press, 1948)

— *Esquisses parisiennes*, trad. Jean Pavans (Éd. de la Différence, 1988)

— *La Muse tragique*, trad. M.-O. Probst-Gledhill (Belfond, 1992)

Jones, Ernest. *The Life and Work of Sigmund Freud*, tome I (Basic Books, Inc., 1953)

Jullian, Philippe. *Robert de Montesquiou, un prince 1900* (Librairie académique Perrin, 1965)

Lugné-Poe, Aurélien. *La Parade : souvenirs et impressions de théâtre* (Gallimard, 1930-1933)

Marquet, Mary. *Ce que j'ose dire* (Jacques Grancher, 1977)

Maurois, André. *Olympio ou la vie de Victor Hugo* (Hachette, 1954)

— *Les Trois Dumas* (Hachette, 1957)

Moreno, Marguerite. *Souvenirs de ma vie*, préface de Colette (Éditions de Flore, 1948)

Mounet-Sully, Jean. *Souvenirs d'un tragédien* (Éd. Pierre Lafutte, 1917)

Mucha, Jiri. *Alphonse Maria Mucha* (Londres : Academy Editions, 1989)

Olivier, Laurence. *Confessions of an Actor* (Penguin Books, 1982)

Peters, Margot. *Mrs. Pat : The Life of Mrs. Patrick Campbell* (Alfred A. Knopf, 1984)

Porel, Jacques. *Fils de Réjane* (Plon, 1951)

Pougy, Liane de. *Mes cahiers bleus* (Plon, 1977)

Pronier, Ernest. *Sarah Bernhardt* (Genève, Alex. Jullien, n.d.)

Proust, Marcel. *À la recherche du temps perdu* (La Pléiade, 1973)

Renard, Jules. *Journal* (La Pléiade, 1977)

Ripert, Émile. *Edmond Rostand, sa vie et son œuvre* (Hachette, 1968)

Robertson, W. Graham. *Time Was* (Londres : Hamish Hamilton, 1931)

Robinson, Phyllis C. *Willa : The Life of Willa Cather* (Doubleday & Company, 1983)

Russell, John. *Paris* (Harry N. Abrams, Inc., 1983)

Salmon, Eric. *Bernhardt and the Theatre of Her Time* (Westport, Connecticut/ Londres : Greenwood Press, 1984)

Sarcey, Francisque. *Quarante Ans de théâtre* (Bibliothèque des Annales, 1900-1902)

Shaw, George Bernard. *Dramatic Opinions and Essays*, tome I (Brentano, 1909)

Simone. *Sous de nouveaux soleils* (Gallimard, 1957)

Skinner, Cornelia Otis. *Madame Sarah* (Boston : Houghton Mifflin Company, 1967)

Symons, Arthur. *Eleonora Duse* (Duffield, 1927)

Taranov, Gerda. *Sarah Bernhardt : The Art Within The Legend* (Princeton, New Jersey : Princeton University Press, 1972)

Tellegen, Lou. *Women Have Been Kind : The Memoirs of Lou Tellegen* (The Vanguard Press, 1931)

Terry, Ellen. *Memoirs* (Victor Gollancz, Ltd., 1933)

Toussaint du Wast, Nicole. *Rachel* (Stock, 1980)

Trollope, Fanny. *Paris and the Parisians* (Londres : Alan Sutton, 1836 ; rééd. 1985)

Valmy-Baysse, Jean. *Naissance et vie de la Comédie-Française* (Floury, 1945)

Verneuil, Louis. *La Vie merveilleuse de Sarah Bernhardt* (Brentano, 1942)

Weaver, William. *Duse : A Biography* (Harcourt Brace Jovanovich, 1984)

Wilde, Oscar. *The Letters of Oscar Wilde* (Harcourt, Brace & World, 1962)

— *Selected Letters of Oscar Wilde* (Oxford University Press, 1979)

Woon, Basil. *The Real Sarah Bernhardt* (Boni & Liveright, 1924)

Composition Bussière
et impression S.E.P.C.
à Saint-Amand (Cher), le 8 avril 1994.
Dépôt légal : avril 1994.
Numéro d'imprimeur : 685-740.
ISBN 2-07-073190-1./Imprimé en France.

63527